LE LIVRE
AU MOYEN AGE

E le batailles mantenir.
C om les nes furēt establies.

Por ses par: son deuinament.
Et an pinser ⁊ an torment.

Page 1 : Rabbi Mose Arragel, portant le costume imposé aux juifs, prend ses instructions auprès de frère Arias de Ençinas, gardien du couvent franciscain de Tolède, pour la composition de la Bible d'Albe (1422-1430), (Madrid, Casa de Alba, Palacio de Liria, fol. 12).

Page 4 : l'*aumaire* à livres évoqué par Benoît de Sainte-Maure dans le prologue de son *Roman de Troie* (Paris, Bibl. nat., français 782, fol. 2 v°. XIVᵉ s.).

Ci-dessous : l'offrande du livre. Grotesque dans la marge d'un manuscrit du *Décret* de Gratien (Autun, Bibl. mun. 80 [Sém. 99], fol. 40. XIVᵉ s.).

Le Livre au Moyen Age

Sous la direction de Jean Glenisson

Préface de Louis Holtz

BREPOLS

Sommaire

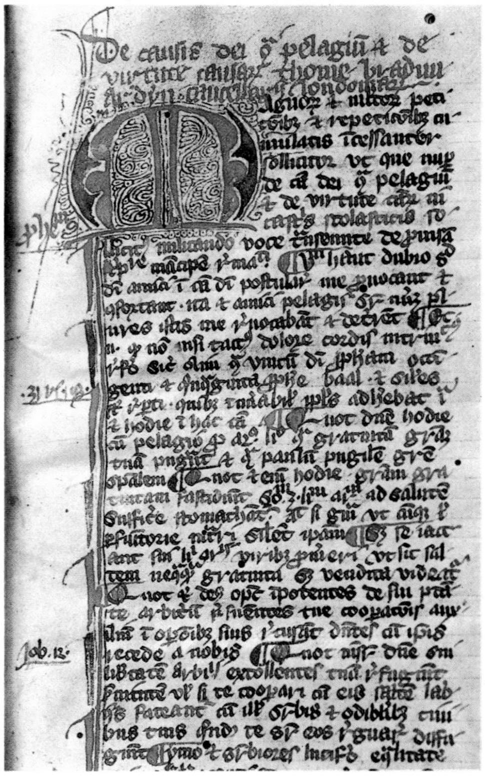

Avant-propos

L'écriture a de loin précédé le livre, mais cet objet est depuis si longtemps familier aux peuples du bassin méditerranéen et de l'Europe qu'il s'identifie presque à leur culture. Il est même l'objet culturel par excellence, porteur de la mémoire de l'humanité, lien entre les civilisations, dont il véhicule toutes les formes de pensée, les codes et les rêves.

Par livre, entendons un objet fait de matière souple — elle a pu varier au cours des âges — pour être tenu en main, possédé, consulté par tout un chacun pour peu qu'il ait été initié aux techniques, complémentaires, de la lecture et de l'écriture, quel que soit le système graphique utilisé.

Dans la longue histoire du livre occidental, deux mutations technologiques ont revêtu une importance capitale :

• Vers l'an 100 de notre ère, sans doute à Rome même, le livre a pour la première fois pris la forme parallélépipédique si commode que nous lui connaissons. Il devient un codex, fait de cahiers cousus, dont les feuilles, pliées et emboîtées, pivotent suivant l'axe de la pliure. Jusque-là et depuis les premières dynasties de l'ancienne Égypte, il avait la forme d'un rouleau cylindrique, long ruban qu'on tenait des deux mains, l'une déroulant, l'autre enroulant chacun des bouts. On appelait pages les colonnes parallèles qui se succédaient de gauche à droite perpendiculairement au ruban.

• La seconde transformation, beaucoup plus connue, date des années 1460 : par le jeu des caractères typographiques interchangeables, l'imprimerie permet désormais de fabriquer, page après page, des exemplaires en série. Jusque-là, le livre était copié de main d'homme, c'était un manuscrit dont chaque exemplaire était unique.

Des deux innovations, la première a

sans doute été la plus révolutionnaire puisque, non contente de modifier la capacité du livre, les techniques de sa fabrication, les principes de sa conservation, elle transformait radicalement le rapport de l'homme au livre, en remettant en cause des habitudes séculaires. Mais si l'imprimerie elle-même a connu dès le début un succès rapide et décisif, c'est aussi parce que, pendant tout le Moyen Age, le livre-codex avait éprouvé ses techniques : les premières générations d'imprimeurs n'ont eu qu'à reproduire mécaniquement le modèle que leur fournissait le manuscrit. Depuis l'Antiquité tardive, qui avait vu son triomphe définitif sur le rouleau, le livre-codex était, en effet, resté le même objet tout en se diversifiant pour les dimensions, la mise en page, la présentation, l'écriture, selon les besoins des utilisateurs et le genre littéraire des textes qu'il portait.

Si l'objet est pour l'essentiel resté le même, son contenu et sa fonction se sont modifiés profondément dès lors que les peuples méditerranéens se convertissaient au christianisme. Propagé dans le monde hellénistique et romain par le goût des choses de l'esprit et par l'école — institution demeurée stable durant des siècles —, le livre ne pouvait que survivre à la disparition de cette société antique et de son système scolaire, dès lors que c'est à travers un Livre que Dieu avait parlé aux hommes. Pendant tout le Moyen Age, le sort du livre est donc indissolublement lié à l'Église. Et ce qui est vrai dans l'univers chrétien l'est aussi dans la diaspora juive et dans le monde de l'Islam. Partout où s'est imposée une religion du Livre, la culture écrite a tendu à être le monopole exclusif des hommes de Dieu. Et c'est ainsi que la survie du livre et de son contenu s'est trouvée *de facto* confiée un moment aux moines d'Occident.

Ce privilège des clercs restreignait, certes, le nombre des usagers du livre, mais il n'a pas eu de conséquences fâcheuses sur la transmission des classiques de l'Antiquité, car il s'est trouvé à toute époque parmi les hommes d'Église des copistes suffisamment curieux pour lire et recopier toutes sortes de textes. L'attrait exercé par l'Antiquité sur la mentalité médiévale était assez puissant pour qu'on recueillît fidèlement ce qui avait échappé à l'injure du temps.

Les hommes d'Église ont été, en cette fonction, aidés par différentes circonstances et surtout par le pouvoir politique à partir de Charlemagne. Mais aussi, en tout lieu, à toute époque, il a été de l'intérêt des princes éclairés et des cercles aristocratiques de recueillir l'héritage culturel des siècles passés et d'apparaître comme les protecteurs du trésor de sagesse de l'humanité.

Cette attitude va de pair avec la création, en Occident, des écoles monastiques et cathédrales, jusqu'au moment où la fondation des universités donne

A gauche : Humbert, abbé cistercien de Preuilly (Seine-et-Marne), remet à ses religieux une copie de ses *Conclusions sur les Sentences* (Troyes, Bibl. mun. 1733, fol. 1. XIVe s.).

A droite : reliure d'un nécrologe du XIIe siècle (Berlin, Deutsche Staatsbibliothek, lat. 4° 651).

au monde des livres une extension inconnue depuis longtemps. Au XIIe siècle encore, le livre reste le manuscrit traditionnel ; mais des procédés de fabrication nouveaux en multiplient le nombre, cependant qu'on voit fleurir à foison les genres littéraires et que, peu à peu, les langues vernaculaires occidentales accèdent à la dignité de l'écrit et trouvent place à leur tour dans le livre.

Malgré les renaissances partielles qui jalonnent le Moyen Age, cet objet reste pourtant encore rare et précieux. Si grandes que soient les bibliothèques d'alors, leur ampleur est toujours modeste comparée à ce que sont nos bibliothèques modernes : quelques centaines de livres au plus. Mais que l'on songe au temps qu'il faut pour fabriquer chacun d'eux. Voilà pourquoi on se prête les manuscrits, on les transporte avec soi. Cette circulation ne concerne pas seulement les échanges entre continent et pays anglo-saxons dans le haut Moyen Age ou les prêts de monastère à monastère dans la France carolingienne. Elle est générale de l'Orient à l'Occident, facilitée par le fait que sur toutes les rives de la Méditerranée le livre manuscrit a le même aspect, la même valeur.

Ce manuscrit apte à porter indifféremment les grands textes des principales langues de culture — et elles sont quatre selon Roger Bacon, l'hébreu, le grec, le latin et l'arabe —, tel est l'objet que l'Institut de recherche et d'histoire des textes a, depuis sa fondation en 1937, vocation d'étudier — sans séparer le contenu du contenant. Si l'on excepte le fait qu'il soit manuscrit — d'où des servitudes, d'où le choix des méthodes d'analyse —, ce livre n'est pas si éloigné du nôtre. Il aide à comprendre le nôtre. Bien plus, c'est de lui qu'est sorti le nôtre.

Louis Holtz.

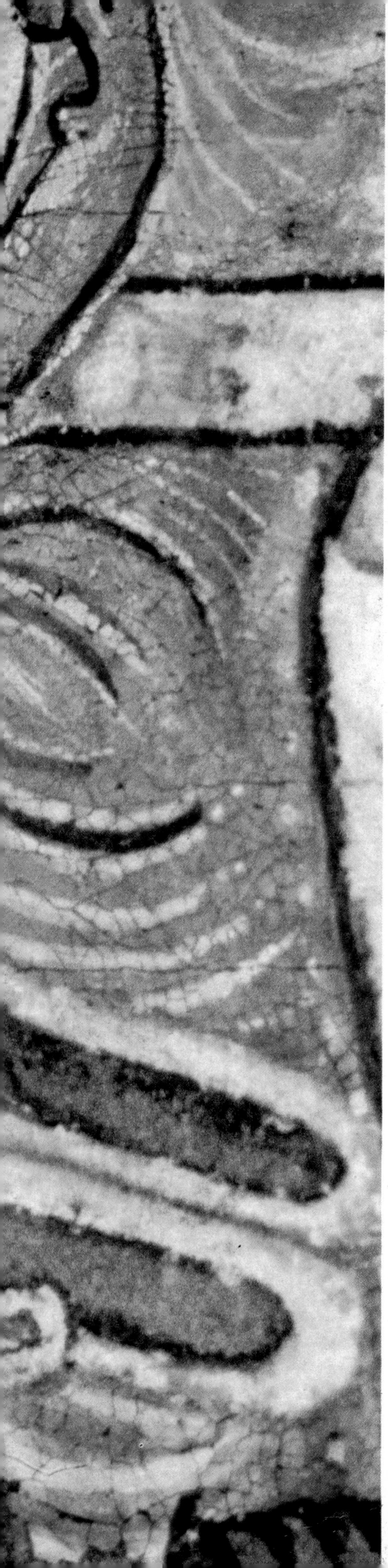

1

La fabrication du livre

Les supports de l'écriture

Saint Ambroise, *Opuscules* (Alençon, Bibl. mun. 11, fol. 1. XIIe s.).

Du rouleau au codex

1. Radiographie d'un papyrus (d'après E.G. Turner, *Greek Manuscripts of the Ancient World,* 2e éd., Londres, 1987, pl. 77).
2. Un rouleau de papyrus (d'après D. Muzerelle, *Vocabulaire codicologique,* Paris, 1985, pl. 10). A. feuillet. B. protocole. C. fibres verticales. D. fibres horizontales. E. joint. F et G. ombilic.

Trois grands moments marquent l'histoire graphique des civilisations humaines : l'invention de l'écriture, l'apparition du livre en cahiers* appelé codex*, l'invention de l'imprimerie. Notre temps voit une quatrième révolution : celle de l'écriture électronique.

Les premiers livres furent des rouleaux ; cette forme du livre est directement liée à son support : le papyrus, qui fut fabriqué en Égypte de 3000 avant notre ère jusqu'à 1100 après Jésus-Christ.

Le « papier » de papyrus est formé de rubans découpés dans la moelle de cette plante qui pousse particulièrement bien près du Nil. Deux couches se superposent à angle droit (doc. 1) ; collées l'une à l'autre par une colle végétale qui doit beaucoup aux eaux du Nil, elles forment un papier très fin et résistant. On fabriquait le papyrus en feuillets dont les dimensions ont beaucoup varié selon les époques ; les feuillets étaient collés les uns aux autres et se chevauchaient aux joints, mais la dénivellation ne gênait pas l'écriture.

Les rouleaux, de vingt feuillets en général, étaient vendus comme le tissu de nos jours et, suivant les besoins, on découpait ou on rajoutait. Les fibres horizontales se trouvaient à l'intérieur du rouleau et les fibres verticales à l'extérieur. Le rouleau fut aussi fait de peaux animales, cuir ou parchemin ; on écrivait alors sur la face lisse de la peau, placée à l'intérieur du rouleau. Aux deux extrémités, des baguettes soutenaient les bords et permettaient d'enrouler, de « plier » le livre dans un sens ou dans l'autre (doc. 2). Les rouleaux avaient le plus souvent moins de 5 mètres de long mais on en connaît, de papyrus comme de parchemin, qui ont près de 10 mètres.

La hauteur des rouleaux pouvait atteindre 42 centimètres ; ce fut le cas sous l'Ancien Empire (2635-2135 avant notre ère) et vers les Ve-VIIe siècles de

* Les mots suivis d'un astérisque figurent dans le glossaire, à la fin de l'ouvrage.

1

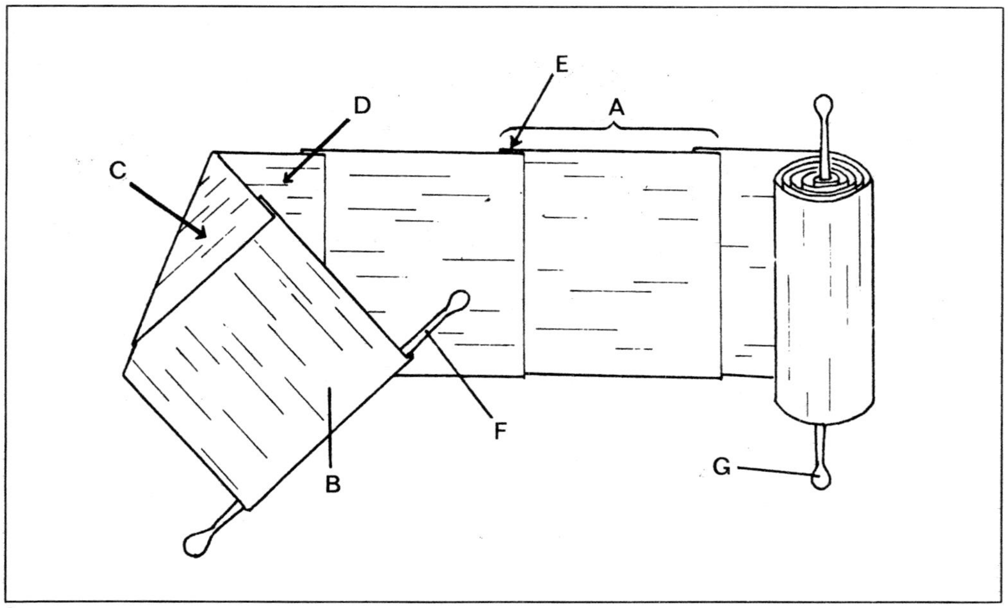

2

3. Commentaire sur le *Théétète* de Platon, écrit à Hermopolis (Égypte) au IIe siècle de notre ère (Berlin, Staatliche Museen, P. 9782).

3

4. Dans l'Évangile de Rossano (VIe s.) qui reproduit un modèle plus ancien, saint Marc écrit sur un rouleau (Rossano, trésor de la cathédrale).

5. Ce scribe égyptien date du XIVe siècle avant notre ère ; il montre bien ce qu'était la posture du scribe de rouleau, lorsqu'il écrivait en lignes horizontales (Berlin, Ægyptisches Museum, S.M.P.K. Inv. 21621).

6. Rouleau d'Isaïe (40, 2 à 28) du Ier siècle avant notre ère, trouvé à Qumran, au bord de la mer Morte (Jérusalem, musée d'Israël : le Sanctuaire du Livre).

notre ère ; durant l'époque classique et hellénistique, elle ne dépassait guère 25 centimètres. La hauteur la plus pratique est celle d'une cuisse humaine : entre 20 et 25 centimètres puisque, pour écrire les rouleaux, les scribes étaient assis en tailleur ou bien le genou relevé comme le scribe du document 5. Il n'existait pas de tables à écrire : les pupitres ne firent leur apparition qu'au Moyen Age. Pour écrire un rouleau tout en contrôlant ses deux extrémités et en les empêchant de se dérouler hors de portée de la main, il fallait être assis par terre.

Ce n'est pas par hasard que le scribe du document 5 est égyptien, et non grec ou latin. Nous n'avons aucune représentation de scribe grec ou romain écrivant un rouleau, cela jusqu'au IIIe siècle de notre ère, et encore n'est-il pas sûr que nous ayons là des représentations de scribes : il se peut qu'il s'agisse de correcteurs. Dans la civilisation égyptienne, écrire un rouleau était un acte digne des dieux : se faire représenter dans la position du scribe était un honneur. Pour les Grecs et les Romains, c'était un acte matériel qu'accomplissaient esclaves et mercenaires. Deux raisons expliquent ce manque de prestige de l'acte d'écrire : une posture corporelle indigne des hommes libres — qui s'asseyaient sur des chaises ou des

5

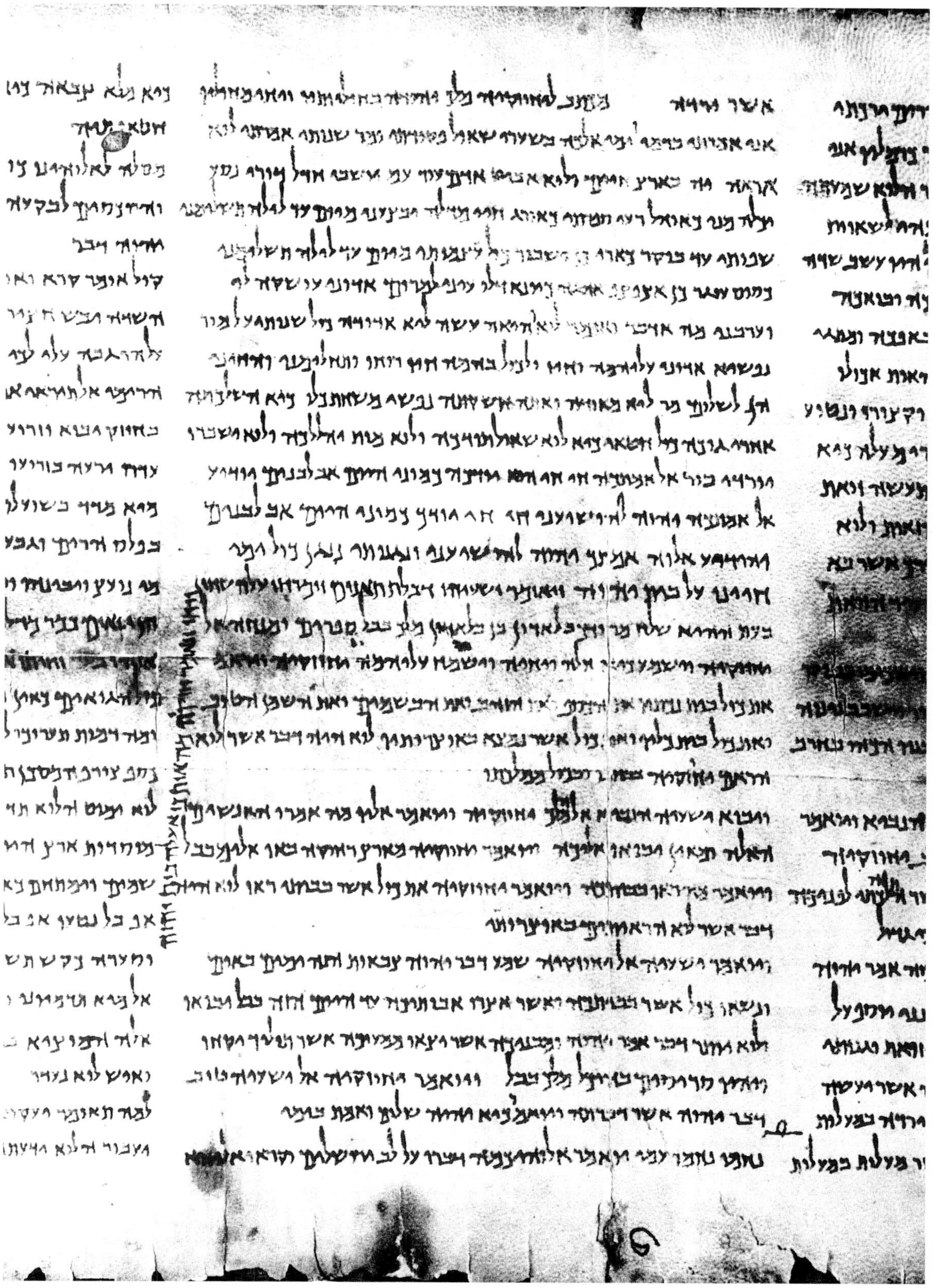

6

7. Fillette écrivant sur un diptyque, parallèlement au côté le plus long ; Béotie, début du IIIe siècle avant Jésus-Christ (musée du Louvre, CA 2160).

8. Diptyque et stylet (d'après D. Muzerelle, *Vocabulaire codicologique,* pl. 8).

9. L'auteur du *De eruditione principum* (censé être ici un cordelier) écrit sur un rouleau (Besançon, Bibl. mun. 434, fol. 1. Traduction française. Manuscrit daté de 1372).

7

tabourets — et l'importance politique et culturelle du discours oral. L'inscription d'un texte dans le rouleau n'était qu'un avatar relativement peu important de la parole.

Les représentations de Grecs et de Romains lisant dans des rouleaux sont, en revanche, très nombreuses. La lecture était faite à haute voix, pour soi-même et pour les autres. Orale et continue, elle n'était pas, comme de nos jours, recherche silencieuse et sélective de l'information, dont l'importance plus ou moins grande se marque, dans les journaux par exemple, par des alinéas ou des grands titres. Écrit, le texte grec ou latin n'était qu'un bloc de lettres de même module dont les mots n'étaient pas séparés entre eux. Les signes de ponctuation étaient rares ; quelquefois, la mise en page aidait le lecteur à couper la phrase au bon endroit (doc. 3). En hébreu, où seules les consonnes sont notées, les mots sont bien séparés (doc. 6). Par la bouche du lecteur le texte reprenait sa forme de discours, son rythme, son emphase, son sens.

Regardons écrire un scribe. Il a préparé à ses côtés ses instruments : couteau, roseaux, encre et éponge (pour effacer l'encre le cas échéant), pierre ponce pour lisser les irrégularités du papyrus ou du parchemin. Sur ses genoux, il a tendu un pagne ou placé une planchette : le rouleau est bien étalé. S'il écrit en égyptien, en araméen ou en hébreu, la ligne d'écriture va de droite à gauche et les colonnes se succéderont de la droite vers la gauche. S'il écrit en grec ou en latin, la ligne d'écriture va de gauche à droite et les colonnes se succéderont de la gauche vers la droite. Si son rouleau est de papyrus, les fibres horizontales guideront suffisamment la ligne d'écriture. S'il écrit sur du cuir ou du parchemin, il aura déjà réglé les lignes et les entrecolonnes à la pointe sèche.

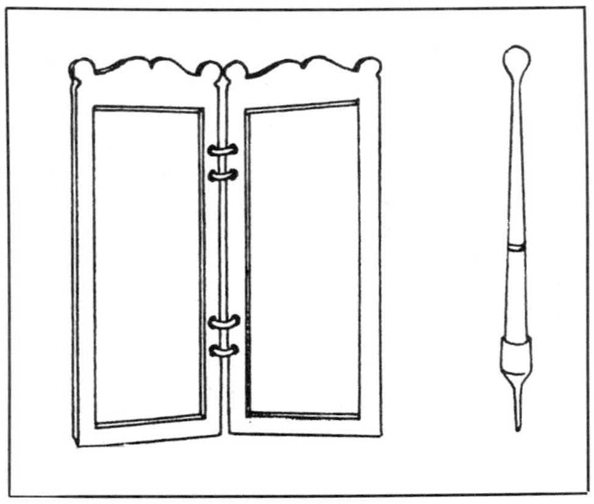

8

Venant de Mésopotamie, les tablettes d'argile ou de bois sont probablement aussi anciennes que les rouleaux : la sécheresse du climat égyptien nous a conservé les rouleaux de papyrus alors que l'humidité du climat mésopotamien aurait détruit les tablettes de bois, conservant celles d'argile. Les scribes sur tablette ne sont représentés qu'à partir des XIe-VIIIe siècles avant notre ère. Dès ces premières représentations de scribes des palais assyriens et babyloniens, on voit des tablettes de bois pliées, liées entre elles par des gonds. Celles qui furent trouvées dans les palais à Nimrod sont de peu postérieures. Il en existait de deux sortes :
— creusées et munies de cire, on y gravait à l'aide d'un stylet (doc. 8) ;
— de bois plein, couvertes ou non de stuc, on y écrivait à l'encre.

L'usage des tablettes dans le monde grec remonte aux XIIIe-XIIe siècles avant notre ère, puisque les tablettes d'argile découvertes à Chypre et à Minos portent du grec (linéaire B*), mais la première mention littéraire grecque est fournie par Homère (*Iliade* VI, 168 *sq.*) et il s'agit de tablettes de bois. Dans le monde grec et romain, les tablettes servirent surtout à l'inscription des contrats, des lettres, de notes diverses, et aux exercices d'écoliers. Jeunes garçons et jeunes filles (doc. 7) sont souvent représentés écrivant des tablettes, comme les femmes, déesses ou poétesses, notant pensées ou poèmes.

Les personnages écrivant des tablettes sont quelquefois debout mais, le plus souvent, assis sur des sièges : fauteuils ou tabourets. Dans les représentations grecques et latines, on écrit toujours sur

en la doctrine du gouverne-
ment des princes . i.

Quant au premier
est a savoir que
en ce livre et en tou-
te la matiere mo-
ral len ne doit
pas proceder par raison soutil

Ci comence le prologue de ce livre
qui est de lenseignement des princes.
Comme la compaignie
des princes soit no
ble ptie de leglise et
la vie du menu pue
ple depende mlt de
ceulz. La cure diceulz nest pas a des
pire de ceulz qui ont lamour de le

10. Gilles de Rome écrivant le *De regimine principum* (Besançon, Bibl. mun. 434, fol. 103 v°).

des tablettes et on lit toujours dans des rouleaux.

L'idée du codex fait de parchemin ou de papyrus est, semble-t-il, romaine, et traduit deux préoccupations nouvelles : remplacer le bois par un matériau plus léger et maniable ; écrire des deux côtés de ce matériau.

Contrairement aux rouleaux de papyrus ou de cuir, les tablettes de bois, comme les tablettes d'argile, étaient écrites des deux côtés. Certes, le verso des rouleaux de papyrus était souvent utilisé pour les comptes ou d'autres écritures, mais une belle copie était toujours faite sur du papyrus vierge. On a dit que les textes étaient copiés sur les fibres horizontales ; cependant, écrire sur les fibres verticales, de l'autre côté du rouleau, n'était pas inhabituel, comme en témoignent les lettres destinées à des personnages officiels, dès le XIVe siècle avant notre ère. Également, au Ier siècle de notre ère, le parchemin (sur lequel on peut écrire des deux côtés) commençait à remplacer le cuir (qui ne s'écrit que côté poil).

Toutes les idées étaient dans l'air : leur conjonction donna forme aux « tablettes de parchemin », le codex, notre livre actuel. Il est mentionné d'abord par Martial, à Rome, entre 84 et 86 de notre ère, qui en note les avantages : petit format qu'on peut facilement emporter en voyage, gain d'espace dans les bibliothèques...

Il faudra vingt siècles pour qu'on se rende compte que l'importance primordiale du codex pour notre civilisation a été de permettre la lecture sélective et non pas continue, contribuant ainsi à l'élaboration de structures mentales où le texte écrit est dissocié de la parole et de son rythme.

Au Ier siècle, c'était une innovation peu appréciée, qui sentait la boutique et le livre de comptes. Pour la copie des textes classiques, il fallut bien cinq ou six siècles avant que le codex remplaçât définitivement le rouleau.

Les promoteurs du codex furent les chrétiens : dès le IIe siècle de notre ère, la Bible — Ancien et Nouveau Testament — fut copiée sur des codex.

Ni les considérations matérielles ni les conditions pratiques n'expliquent ce choix. Au Ier siècle de notre ère, le papyrus était abondant et bon marché. Avec plus de raison, on pourrait évoquer la maniabilité du livre mais, à l'époque, les Évangiles et les livres de la Bible étaient copiés à part, sur de petits rouleaux très maniables qu'on glissait dans les manches. La recherche des références ne peut pas non plus fournir de motif, sauf à attribuer aux siècles passés des soucis modernes : au Moyen Age, les documents que l'on consultait le plus souvent étaient les archives, et ces archives furent, en Angleterre par exemple, copiées sur rouleaux jusqu'au XVIIe siècle. Il se pourrait que l'une des raisons du choix du codex par les chrétiens fut le désir de se différencier des juifs : ceux-ci n'adoptèrent le codex que vers le VIIIe siècle de notre ère, et encore ont-il conservé le rouleau pour la copie du Pentateuque (les cinq livres de Moïse). De nos jours encore, à la synagogue, la lecture du Pentateuque durant l'office liturgique, les lundis, jeudis, samedis et les jours de fête, est faite dans un rouleau écrit par un scribe selon les modalités codifiées au VIe et au VIIe siècle de notre ère, avant que le codex ne devienne la forme habituelle du livre pour tous les autres usages.

En fait, les chrétiens devaient résoudre un problème à première vue insoluble : acclimater dans le monde gréco-romain une religion fondée sur l'écriture. Les écritures sont au cœur des religions bibliques : judaïsme, chrétienté puis islam. Dieu lui-même a écrit les Tables de la Loi. Les évangélistes ont, en personne, écrit les Évangiles (doc. 4). Permettant d'écrire debout et non plus assis, le codex offrait la possibilité de copier les Évangiles dans une posture corporelle moins étrangère à la civilisation gréco-romaine. Le rouleau ne disparut pas pour autant ; il fut utilisé durant tout le Moyen Age (doc. 10).

C.S.

11

11. L'évangéliste saint Matthieu écrivant. Sur cette mosaïque de Ravenne (église Saint-Vital), sont réunis les deux genres de livres qui furent en usage jusqu'au Ve siècle : Matthieu écrit sur ses genoux ; le codex est déjà relié ; mais les livres-rouleaux, symboles de l'Écriture, sont placés au premier plan.

Le parchemin

12. Coupe transversale d'un cuir de mouton, faisant apparaître l'entrelacement des fibres de collagène tel qu'il existe dans la peau à l'état vivant (grossissement : 40 fois, cliché C. Chahine, CRCDG).

La peau animale a servi de support de l'écriture dès le début du IIIe millénaire avant notre ère, en Égypte comme en Mésopotamie, mais ne fut sûrement pas le support le plus commun. On a écrit sur des peaux de mouton, de chèvre, de veau ou encore d'âne ou de cerf, de daim ou de gazelle. Jusqu'au début de notre ère, la peau était un simple cuir, tel celui fabriqué pour les chaussures ou les ceintures, et dont la préparation n'a guère changé depuis.

Des deux parties principales de la peau, seul le derme est utilisé : du côté externe, on débarrasse la peau des poils et de la couche superficielle d'épiderme et, du côté interne, de la couche de graisse sous-cutanée qui la sépare de la chair ; c'est ce qu'on appelle le travail de rivière. Le tannage, par tanins végétaux ou d'alun, rend la peau imputrescible et la transforme en cuir. Dans le cuir, seule la surface d'implantation des poils (la fleur) est lisse (doc. 12) : le rouleau de cuir ne peut dont être écrit que d'un côté.

A l'inverse, le parchemin peut être écrit des deux côtés : après le travail de rivière, on monte la peau encore mouillée sur un cadre et on la fait sécher sous tension (doc. 14). La peau ne doit sécher ni trop lentement, ni trop vite : on la remouille si c'est nécessaire. Le séchage sous tension modifie la structure du derme : les fibres de collagène se disposent en couches lamellaires, parallèles à la surface de la peau (doc. 13). Le côté chair se trouve donc être lisse lui aussi. Le parchemin peut être ensuite aminci des deux côtés, du côté fleur comme du côté chair, jusqu'à ce que la feuille de parchemin soit aussi fine que du papier.

D'après Pline, la *charta pergamena,* le papier-parchemin, fut inventée à Pergame lorsque Ptolémée Epiphane, au IIe siècle avant notre ère, eut interdit l'exportation de papyrus vers la ville de Pergame, dont la bibliothèque rivalisait avec celle d'Alexandrie. Il semble plutôt que le procédé ait été mis au point peu à peu. Parmi les manuscrits de la mer Morte (Ier siècle avant notre ère-Ier siècle

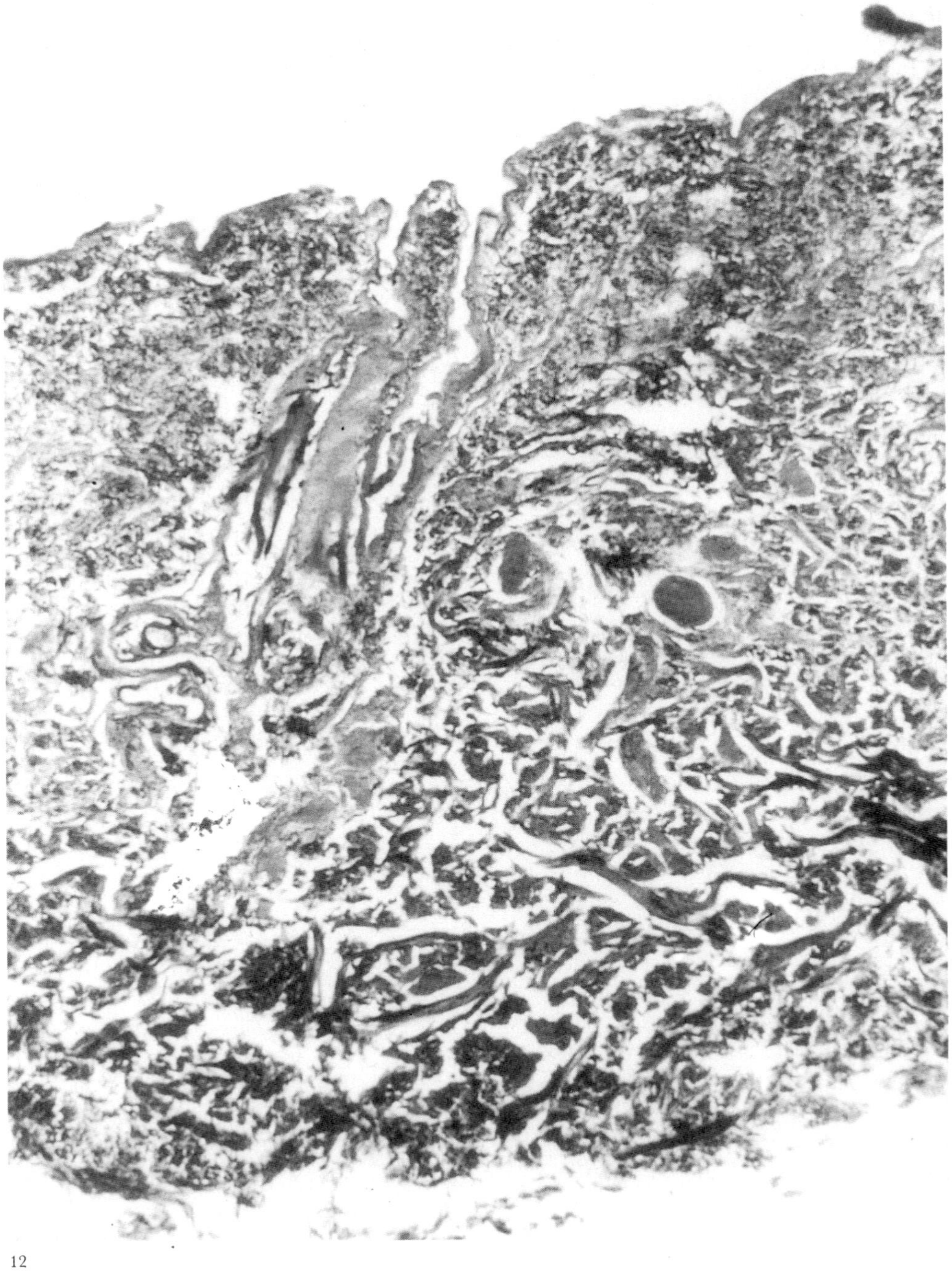

12

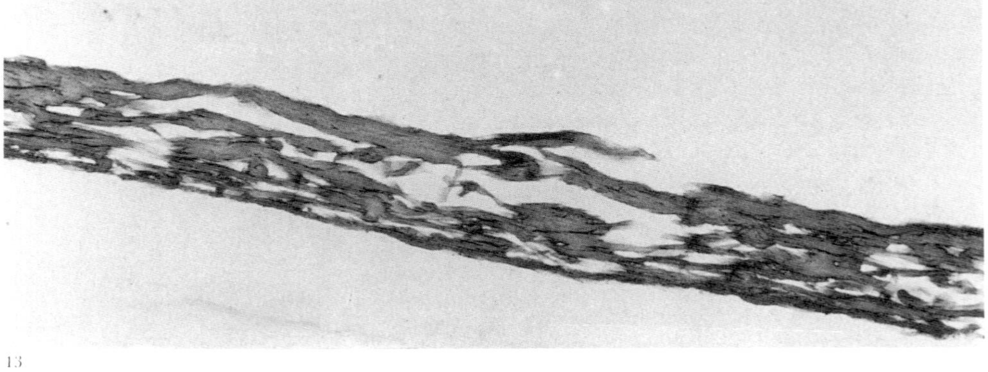

13

13. Coupe transversale d'un parchemin médiéval faisant apparaître la structure lamellaire caractéristique du matériau (grossissement : 40 fois, cliché C. Chahine, CRCDG).

14. Parcheminier au travail. D'après le *Livre de la Confrérie Mendel,* XVe siècle (Nuremberg, Stadtbibliothek).

15. Direction de l'axe autour duquel la peau a tendance à s'enrouler : elle correspond à l'orientation de l'échine de l'animal (d'après D. Muzerelle, *Vocabulaire codicologique,* Paris, 1985, pl. 15).

après), on trouve des parchemins grossiers légèrement tannés, comme des cuirs.

La qualité des parchemins est très diverse : certains sont épais comme du cuir, d'autres fins comme du papier à cigarettes ; ils peuvent être gris, jaunâtres, très blancs ; il y en eut de pourpres et de bleus. La diversité tient d'abord à l'espèce animale qui a fourni la peau, ensuite aux procédés de fabrication, variables selon les époques et différents en Orient et en Occident.

Lorsque le côté poil (fleur) a été conservé, on peut, grâce à des techniques photographiques récentes, identifier chèvre, mouton, veau ou porc, car l'image formée par l'implantation des poils diffère suivant les races d'animaux. Lorsque le parchemin a été « effleuré », c'est-à-dire que le côté poil a été gratté, l'identification de la peau est bien plus difficile et quelquefois impossible. Il ne reste qu'une surface tout à fait lisse des deux côtés, le parchemin est alors très blanc et très fin, et on l'appelle généralement « vélin » (dans son sens strict, le vélin désigne un parchemin fait de la peau de veaux mort-nés, de très jeunes veaux ou encore de très jeunes chevreaux).

En Orient, on savait, dès l'Antiquité, couper une peau dans l'épaisseur alors que, en Occident, il fallut attendre le XIXe siècle et la mécanisation pour faire deux peaux d'une seule.

Les procédés, mais aussi les substances de fabrication diffèrent : en Orient, on utilisait le sel et la farine ; en Occident, on a employé la chaux.

Pour que le parchemin fût blanc et opaque, il fallait qu'il fût totalement dégraissé. La finition était souvent assurée par les scribes eux-mêmes, utilisant de la chaux ou des cendres. Le parchemin était ensuite lissé à la pierre ponce et enfin blanchi à la craie.

Restait à découper les feuillets. On essayait de tirer d'une peau le plus de feuillets possible : si un trou déparait un feuillet, on le reprisait ou on y collait une pièce rapportée, une mouche. Les très beaux manuscrits se reconnaissent à ce qu'ils n'ont ni trous, ni reprises, ni mouches.

Le sens de la découpe n'est pas indifférent : la peau a tendance à s'enrouler dans le sens de l'« axe », si bien que des feuillets découpés à contresens ont tendance à corner (doc. 15).

C.S.

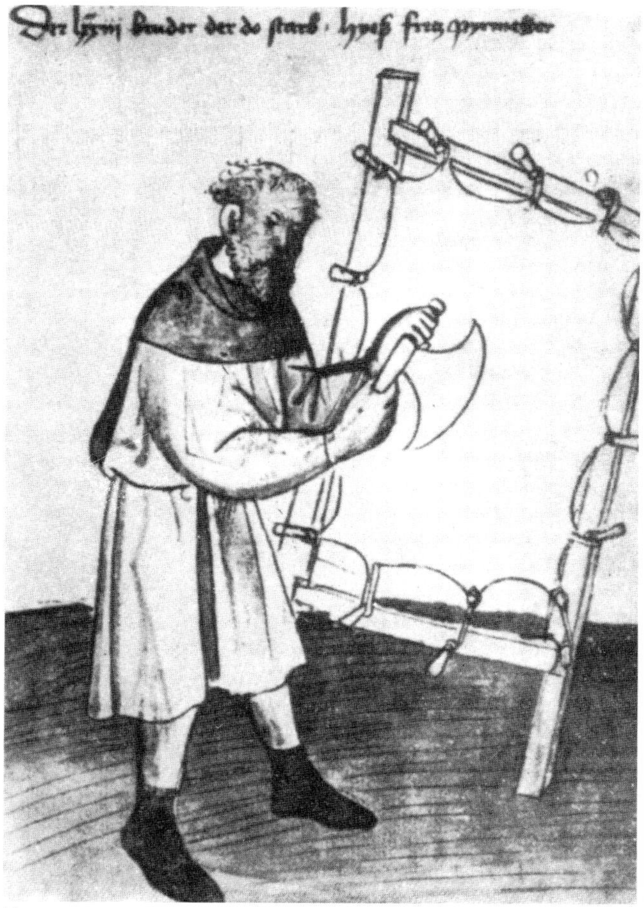

14

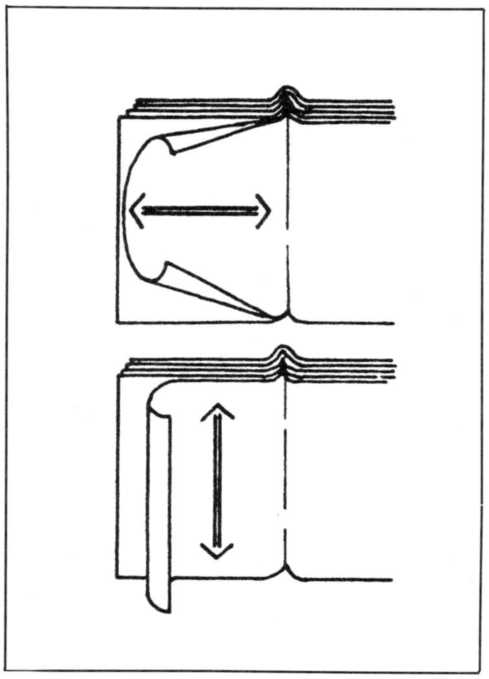

15

Recette de fabrication d'après un manuscrit écrit en Allemagne dans la première moitié du XIIIe siècle : Londres, British Library, Harley 3915, f. 148r (éd. H. Saxl, trad. franç. Cl. Chahine).
Comment le parchemin est fait à partir de la peau :

La peau provenant du veau est mise dans l'eau
Ajoute de la chaux, de telle sorte qu'elle morde cruellement la peau
Ceci doit nettoyer la peau et épiler les poils
Prépare un cadre circulaire et étends-y la peau
Expose-la au soleil pour que l'humidité s'en échappe
Le couteau passe et enlève les poils et la chair
Et il rend la peau fine.

Prépare la peau pour faire des livres :
D'abord coupe-la en feuilles carrées
Les feuilles sont groupées en cahiers de dimensions égales
Puis vient la ponce qui enlève ce qui est superflu
Enfin la craie qui empêchera l'encre de couler

Le palimpseste

Le parchemin coûtait cher ; il est arrivé que des feuillets de parchemin fussent grattés, lavés ou poncés afin de recevoir de nouveau l'écriture. On appelle palimpseste (le mot vient du grec) un manuscrit dans la confection duquel entrent des feuillets de parchemin qui portaient déjà un texte. Dans un palimpseste à trois niveaux*, le même fragment ancien a servi plus de deux fois.

Certains manuscrits ainsi constitués peuvent être entièrement palimpsestes, comme le manuscrit Vatican, Regina latin 2077, écrit probablement en Italie au VIIe siècle, et pour lequel ont été utilisés des fragments copiés en Italie également, mais au Ve siècle. Dans d'autres cas, les feuillets palimpsestes ont servi à compléter des manuscrits mutilés*.

Aux XIVe et XVe siècles, il est fréquent de renforcer les cahiers* de papier par un bi-folio extérieur* (souvent aussi par un bi-folio intérieur*) en parchemin pour en consolider la couture* : des fragments palimpsestes ont parfois servi à cet usage.

Les feuillets palimpsestes proviennent le plus souvent d'un seul manuscrit ancien, mais certains manuscrits réutilisent plusieurs fragments d'origine diverse. L'origine des feuillets réutilisés est variable :
— fragments de livres manuscrits, renfermant une grande variété de textes (classiques, bibliques, théologiques, liturgiques, scientifiques, juridiques, littéraires, etc.) ;
— fragments de documents d'archives (actes de chancellerie, registres de notaires, de tribunaux ou de comptes) ; ces documents, pour peu que leur état en permette une lecture assez nette, révèlent parfois des noms de personnes et de lieux ou des dates, rendant possibles une datation et/ou une localisation assez précise de la nouvelle copie.

Qu'ils proviennent de livres ou de documents, les feuillets palimpsestes sont remployés de deux façons (où le hasard est parfois le seul guide) :
— leur format a été jugé adapté au nouveau manuscrit, et le texte supérieur* est écrit parallèlement au texte inférieur*, comme dans les manuscrits Vatican, Palatin latin 24 f. 14 V° (doc. 17) et Londres, British Library, Harley 3941, copié au IXe-XIe siècle sur des feuillets écrits aux Ve et VIe siècles ;
— leur format a été jugé trop grand, et chaque feuillet ancien plié en deux constitue un nouveau bi-folio ; le texte supérieur est écrit perpendiculairement au texte inférieur, comme dans certains feuillets du manuscrit Vatican, Palatin latin 24 f. 141 (doc. 18).

Les textes supérieurs et inférieurs peuvent ne pas être dans la même langue :
— Un texte latin a recouvert des textes inférieurs non latins, par exemple dans le manuscrit démembré Vatican, Vatican latin 5763 et Wolfenbüttel, Herzog August Bibliothek, Weissemburg 64 (VIIIe siècle), qui remploie sept fragments, dont trois en grec copiés au VIe siècle.
— Un texte supérieur non latin a recouvert des textes inférieurs latins, comme dans le manuscrit Milan, Biblioteca Ambrosiana, Cimelio MS. 3, qui contient le texte arabe des *Vies des Pères,* écrit au XIe-XIIe siècle, où a été remployé un cahier palimpseste, avec des fragments de Virgile (texte latin et traduction grecque) copiés au Ve-VIe siècle.

Le nombre des palimpsestes, même si l'on n'en connaît pas le chiffre exact, représente certainement un faible pourcentage des manuscrits produits. Une étude portant sur environ cent quatre-vingts cas dans le domaine latin permet de distinguer, sur une durée de dix siècles (du Ve siècle au XVe siècle), trois périodes inégales en longueur et en importance.

Du VIe au Xe siècle, il existe environ quatre-vingts manuscrits palimpsestes. Le plus ancien est le manuscrit Rome, Biblioteca Nazionale Vittorio Emanuele, Sessoriano 55 (Ve-VIe siècle). La pénurie de parchemin gêne considérablement la production de nouveaux manuscrits. Parmi les feuillets remployés, on dénombre environ quarante-cinq fragments bibliques et patristiques, deux douzaines de fragments liturgiques, enfin une quarantaine de fragments classiques. Il ne faut donc pas conclure trop vite à un mépris systématique de la culture antique. Il a fallu attendre le début du XIXe siècle pour retrouver sous des textes médiévaux des œuvres classiques importantes dont un palimpseste constitue l'unique témoin subsistant (comme *la République* de Cicéron dans un codex de Bobbio). Ainsi, le manuscrit Vatican, Palatin latin 24, l'un des palimpsestes les plus complexes, a été copié en Italie au VIe-VIIe siècle et compte cent vingt-huit feuillets palimpsestes qui s'échelonnent du IIIe au VIe siècle et qui proviennent d'un manuscrit grec et de neuf manuscrits latins, tous classiques (sauf un fragment illisible) ; les fragments classiques contiennent ou bien des textes inconnus par ailleurs, comme le *De amicitia* et le *De vita patris* de Sénèque (il s'agit, en outre, du plus ancien texte inférieur, datable du IIIe-IVe siècle), ou bien des textes plus connus mais dont ils constituent le plus ancien ou l'un des plus anciens témoins (Lucain, copié au IVe siècle — Aulu-Gelle, copié au IV-Ve siècle).

Du XIe au XIIIe siècle, il semble que la production de parchemin et le besoin en nouveaux manuscrits aient atteint un certain point d'équilibre. La cinquantaine de fragments remployés provient de livres manuscrits et, principalement, de textes bibliques, patristiques et médiévaux ; on relève seulement trois fragments classiques. Les palimpsestes ont été copiés surtout en Italie, en Allemagne et en France.

Aux XIVe et XVe siècles, plusieurs facteurs, notamment en Italie, déséquilibrent le rapport entre la production de parchemin et celle des manuscrits : la recherche et l'étude des textes de l'Antiquité romaine par les humanistes, qui provoquent un nouvel engouement pour les auteurs classiques (pour copier au XVe siècle les poésies de Tibulle, récemment redécouvertes, on a sacrifié un Sénèque

16. Boutique de parcheminier.
Floriano da Villola, *Chronique* (en italien),
(Bologne, Biblioteca universitaria 963,
fol. 4. XVe s.).

16

17. Le texte supérieur a été copié parallèlement au texte inférieur, mais le folio ancien a été placé la tête en bas (Vatican, Pal. lat. 24, fol. 14 v°).
— *Texte supérieur :*
JECORE PISCIS FUGABITUR
DAEMONIUM SECUNDA UERO...
(*Tobie,* 6, 19).
— *Texte inférieur :*
QUAERIT ITER QUAE TORTA GRAUES LORICA...
(Lucain, *Pharsale,* VII, 498).

18. Le texte supérieur, à longues lignes, a été copié perpendiculairement au texte inférieur, écrit sur deux colonnes (Vatican, Pal. lat. 24, fol. 141, moitié inférieure du folio ancien).
— *Texte inférieur (col. gauche) :*
TAN (QUAM)
IN S (COLI PHI)
LOSO (PHORUM)
CUM (SUIS)...
(Aulu-Gelle, *Nuits attiques,* II, 8, 7).
— *Texte supérieur :*
TIMORE COGENTE PRIUAUIT
ENIM EAM DS SAPIENTIA NEC...
(*Job,* 39, 16).

du XIVe siècle), le développement des universités et l'augmentation du nombre des étudiants, l'émergence dans la classe dirigeante d'une élite de collectionneurs et de bibliophiles. Les feuillets remployés proviennent surtout de documents d'archives. Le parchemin neuf et de belle qualité est réservé aux exemplaires de luxe, généralement de grandes dimensions, ornés de miniatures et portant les armes de leurs possesseurs (il n'y a pas un seul palimpseste sur les cent vingt et quelques manuscrits classiques en parchemin rassemblés par Frédéric de Montefeltre, duc d'Urbin [mort en 1482] et ses successeurs) ; mais, pour les humanistes, les professeurs et leurs élèves, le recours aux cahiers de papier ou aux feuillets palimpsestes constituait parfois la seule solution.

Dans tous les cas, le manuscrit palimpseste contient deux, voire trois, livres en un, à condition de pouvoir déchiffrer les écritures sous-jacentes*. Les plus anciens procédés pour révéler l'écriture cachée datent du début du XIXe siècle, mais les premiers réactifs employés ont eu parfois pour effet de durcir ou de teinter les feuillets. C. Samaran, en utilisant la lampe de Wood* il y a près d'un demi-siècle et, tout dernièrement, J. Benton, grâce aux techniques sophistiquées d'interprétation des photographies prises par satellite, sont parvenus à atteindre le texte inférieur sans pour cela endommager le manuscrit.

J.F.

17

18

Les écrits sur écorce de bouleau

A mi-chemin entre les textes proprement dits et l'échange oral, les lettres, comptes, listes étaient mis par écrit sur des matières moins onéreuses et plus aisément disponibles que le parchemin. Les végétaux des différents pays ont fourni des matières à écrire de fabrication simple et non industrielle : écorce d'arbre, lamelles de bois, feuilles d'arbres ont servi à écrire dans tous les pays et à toutes les époques. Ces matériaux sont éminemment périssables et le fait est qu'ils ont presque toujours péri. Quelquefois, le hasard nous a conservé quelques bribes de ce que fut l'écriture dans sa réalité quotidienne.

Voulant souligner la pauvreté évangélique des moines russes de la fin du XIVe siècle, l'abbé de Volokolamsk, Joseph Sanin, précisait, plus de cent ans plus tard, que « même les livres n'étaient pas écrits sur parchemin mais sur écorce de bouleau ». Ce témoignage n'était confirmé par aucun indice concret jusqu'au jour où, en 1951, les archéologues trouvèrent à Novgorod, entre deux planches constituant le pavement d'une rue médiévale, un morceau d'écorce de bouleau enroulé sur lui-même.

Ce rouleau, une fois déplié, révéla des caractères cyrilliques gravés... Un nouveau type de sources écrites faisait son entrée dans le champ d'investigation des historiens. Depuis lors, le sol de Novgorod et celui de quelques autres villes ont livré près de sept cents documents, datant en majorité des XIVe-XVe siècles.

Ainsi, la Russie médiévale connaissait, à côté du parchemin, et plus tard, du papier, un support de l'écriture peu onéreux et, pour cette raison, accessible à un nombre relativement important d'usagers. Ceux-ci se servaient, pour y graver leur texte, de stylets, en métal ou en os, dont des échantillons ont été également retrouvés par les archéologues. Cet usage de l'écorce de bouleau était suffisamment courant pour que, dans certains documents, le terme qui désignait l'écorce, *beresta**, fût également appliqué au message transcrit.

Ces *beresty** — dont beaucoup ne nous sont parvenues que sous une forme fragmentaire — étaient, le plus souvent, des billets, des notes, des comptes, des aide-mémoire, bref, des écrits assez variés que recouvre le terme russe générique *gramoty**. On parle souvent des « chartes sur écorce de bouleau ». En fait, les documents consignant un acte juridique (vente, testament) ou judiciaire sont rares et, selon toute vraisemblance, ne sont que des copies ou des brouillons d'actes authentiques* : les écorces de bouleau ne sont, en effet, jamais scellées, alors que le sceau constitue, en Russie, depuis le XIe siècle probablement, le principal mode de validation.

Les documents découverts à Novgorod ne proviennent nullement de fonds d'archives sciemment constitués par leurs détenteurs : ils ne concernent que partiellement la diplomatique* mais intéressent pratiquement tous les

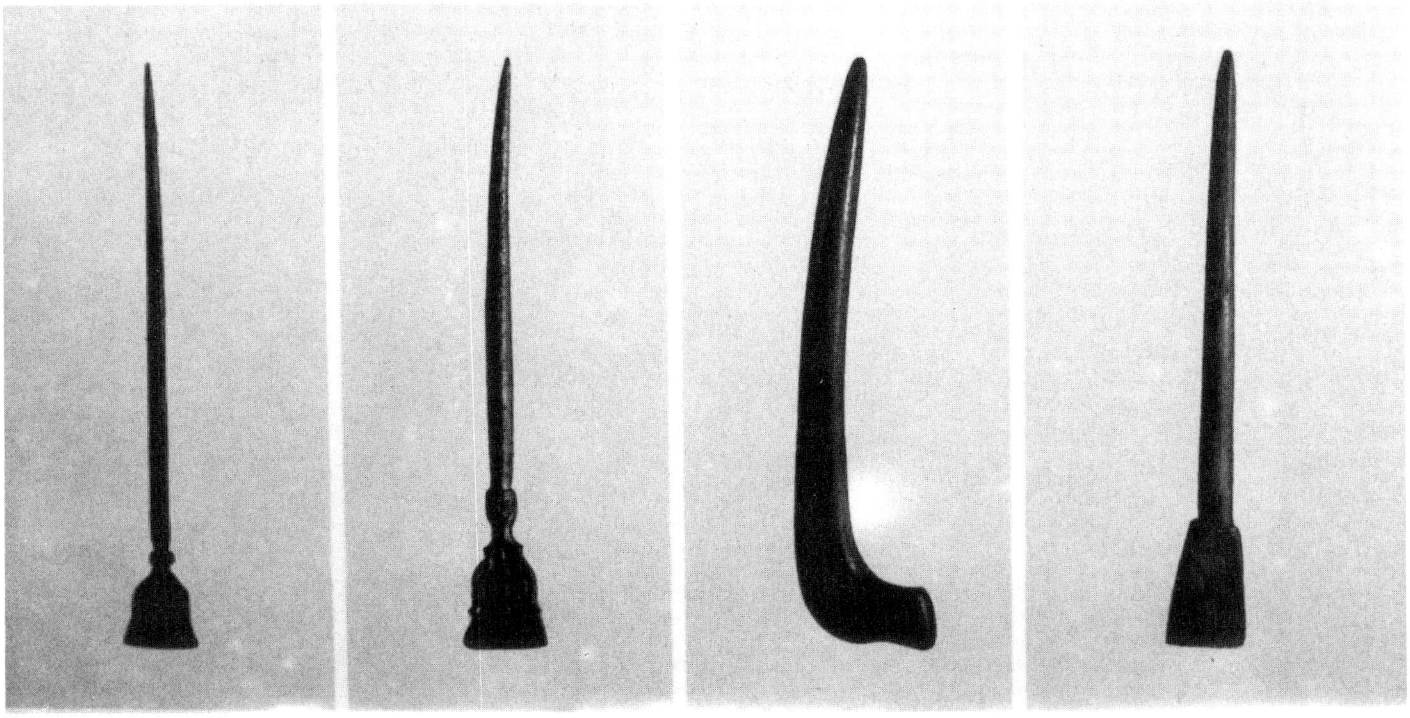

19 1 2 3 4

19 et 20. Stylets de Novgorod (entre 10 et 20 cm). En os d'animal : nos 1, 2, 6, 8. En bronze : nos 3, 4, 5 et 7. Dates : nos 1, 2, 3 : XIe s. ; 4, 5, 6 : XIIe s. ; 7 : XIIIe s. ; 8 : XIVe s. Le stylet no 6 est orné d'une tête de dragon.
D'après *Drevnij Novgorod, prikladnoe iskusstvo i archeologija,* Moscou, 1985.

aspects de la civilisation médiévale. Nombreux sont les textes qui reflètent des relations économiques, des rapports sociaux, familiaux, voire affectifs, plus rarement des faits politiques.

L'existence de ces écrits suppose une alphabétisation relativement large de la société. Échappant totalement à l'influence de la langue religieuse et savante (le slavon*) et, souvent, aux formulaires des chartes, ils sont une source exceptionnelle pour la reconstitution de la langue parlée. Leur importance n'est pas moins grande pour l'histoire de l'écriture. Le recours à un matériau relativement dur et au stylet a, dans une certaine mesure, figé le dessin des lettres et empêché de les lier entre elles. Il a ainsi contribué au conservatisme de l'écriture en Russie en freinant son évolution vers la cursive* : dans les manuscrits littéraires, comme dans les chartes sur papier, la semi-onciale* s'est maintenue de façon exclusive pendant presque tout le XVe siècle. Enfin, la codicologie* a également été enrichie par la découverte, à Novgorod, en 1963, d'un fragment de codex* contenant des textes liturgiques.

L'exploitation des *beresty* est une tâche complexe. Comme un fragment de parchemin ou de papier, ou une inscription dans la pierre, chacune d'entre elles doit être d'abord déchiffrée — ce qui est généralement facile — puis interprétée par un linguiste, exercice beaucoup plus délicat. Lorsque les obscurité formelles ont été éliminées, il reste encore à rattacher chacun de ces documents au site archéologique où il a été retrouvé, l'emplacement d'un habitat le plus souvent. Grâce à plusieurs écrits sur écorce de bouleau, parfois aussi à d'autres objets, on a identifié, par exemple, la demeure d'un *boïarin** novgorodien, d'un magistrat et même d'un peintre d'icônes, peut-être l'auteur des magnifiques fresques de l'église de la Nereditsa (XIIe-XIIIe siècle), au sud de la ville, détruites pendant la Seconde Guerre mondiale.

Localisés dans l'espace, les écrits sur écorce de bouleau sont aussi situés dans le temps suivant les différents horizons archéologiques. Ceux-ci sont, à Novgorod, clairement indiqués par les strates du pavement des rues, refait, en moyenne, tous les vingt ou vingt-cinq ans ; leur date peut être précisée grâce à la dendrochronologie*. Ainsi, des textes qui ne comportent jamais d'indication chronologique explicite peuvent être datés à un quart de siècle près environ.

Comme on peut le constater, l'étude des écrits sur écorce de bouleau se situe, comme l'épigraphie*, à la limite des disciplines consacrées aux sources écrites et de l'archéologie ; elle tend à effacer l'opposition entre les sources « parlantes » et les sources « muettes ».

W.V.

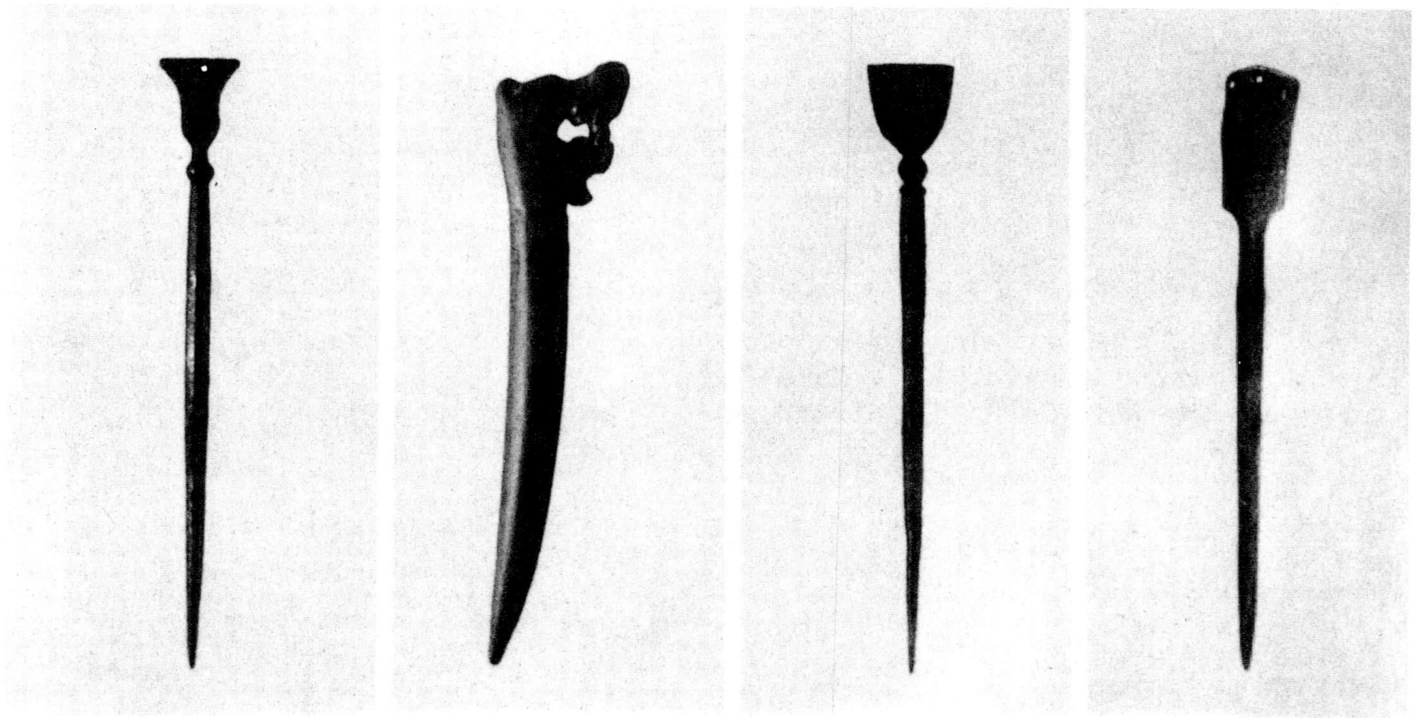

20 5 6 7 8

21. Deux spécimens bien conservés d'écrits sur écorce de bouleau du XIVe siècle. Le premier est une lettre traitant de questions domestiques (conservation du malt, préparation du pain ?). Le second contient le texte d'un accord (informel ?) à la suite d'un jugement par défaut, dans une affaire de blé en herbe piétiné (d'après *Drevnij Novgorod, prikladnoe iskusstvo i archeologija,* Moscou, Iskusstvo, 1985).

21

Les tablettes de cire

22. Tablettes de cire de Saint Louis. (Paris, Archives nat. AE II 258).

Les tablettes de bois et de cire étaient d'un usage général dans l'Antiquité ; elles furent aussi couramment utilisées du VIIe siècle au XVe siècle comme livres de comptes ou carnets de notes, on a tendance à l'oublier. Les tablettes des Ier et IIe siècles de notre ère trouvées à Pompéi ou en Transylvanie sont ainsi bien plus célèbres que les tablettes médiévales. Le Moyen Age continua pourtant sans interruption d'utiliser la cire pour écrire.

Les tablettes étaient constituées de planches de bois oblongues, très fines, creusées en leur milieu d'une cuvette dans laquelle était coulée une couche de cire souvent teintée en noir, parfois en rouge ou en vert, dans le cas de tablettes de luxe. On écrivait ensuite dessus à l'aide d'un stylet d'os ou de métal (doc. 19 et 20). Le bout arrondi du stylet servait à effacer l'écriture pour pouvoir réutiliser la tablette.

On réunissait ensuite les tablettes ainsi fabriquées. Si l'on voulait former un diptyque* ou un triptyque*, on utilisait parfois un pivot autour duquel tournaient les deux ou trois pages. Mais la plupart des livres de bois conservés comprennent plus d'une dizaine de tablettes, parfois jusqu'à seize. Dans ce cas, elles étaient reliées ensemble par une feuille ou des lanières de parchemin collées sur le grand côté des tablettes. Elles constituaient ainsi un épais volume ou codex*, lourd mais maniable, d'une trentaine de centimètres de haut sur une vingtaine de centimètres de large.

On utilisait les tablettes dans toutes les circonstances où le parchemin et la plume ne pouvaient être employés. On s'en servait donc pour prendre rapidement des notes ou écrire des brouillons qu'on effaçait ensuite sans difficulté. On copiait dessus des comptes que le scribe

22

23. Plats d'un carnet d'ivoire, XIVe siècle (Namur, musée d'Art ancien de pays namurois, n° 29). D'après *les Fastes du gothique. Le siècle de Charles V.* Catalogue d'exposition, Paris, 1984, p. 194, n° 155.

24. Disposition primitive d'un volume constitué de plusieurs tablettes. D'après le *Recueil des historiens de la France,* t. XXI.

devait écrire dans des conditions précaires, sans table ni support : les tablettes démontraient alors leur solidité et servaient d'écritoire en même temps que de manuscrit.

La plupart des personnes riches et cultivées, les étudiants ou les clercs, possédaient en guise de carnets de notes des tablettes plus petites, portées à la ceinture et servant à écrire vers d'amour, notes prises lors de sermons ou de cours, brouillons d'œuvres littéraires... Eginhard rapporte, par exemple, que Charlemagne possédait un carnet de cire pour s'exercer à tracer les lettres de l'alphabet.

Certains carnets de grand luxe étaient constitués de pages d'ivoire et sont connus pour leurs plats richement décorés (doc. 23). Les grands personnages portaient ces petites tablettes comme des bijoux.

E.L.

23

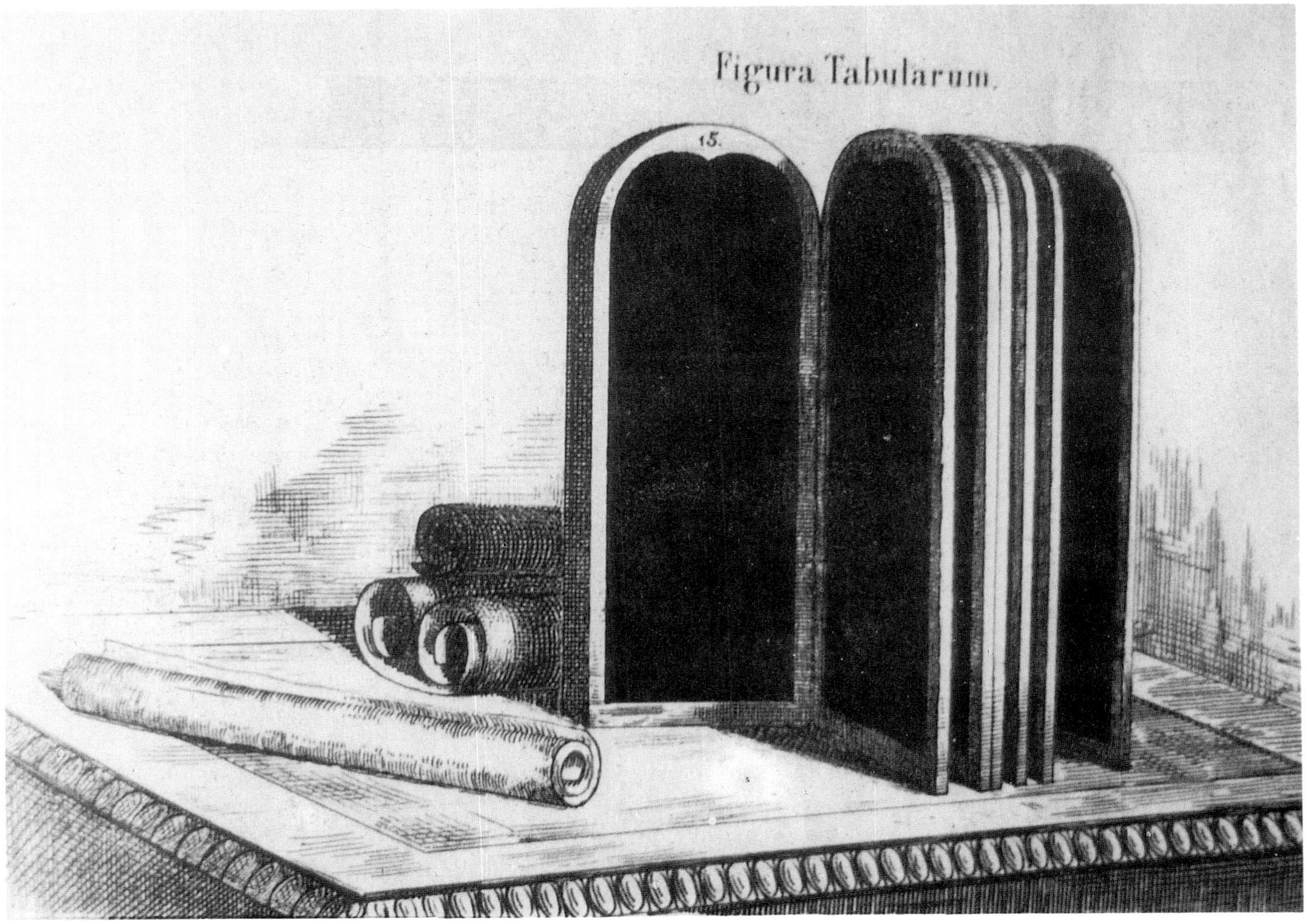

24

Le papier

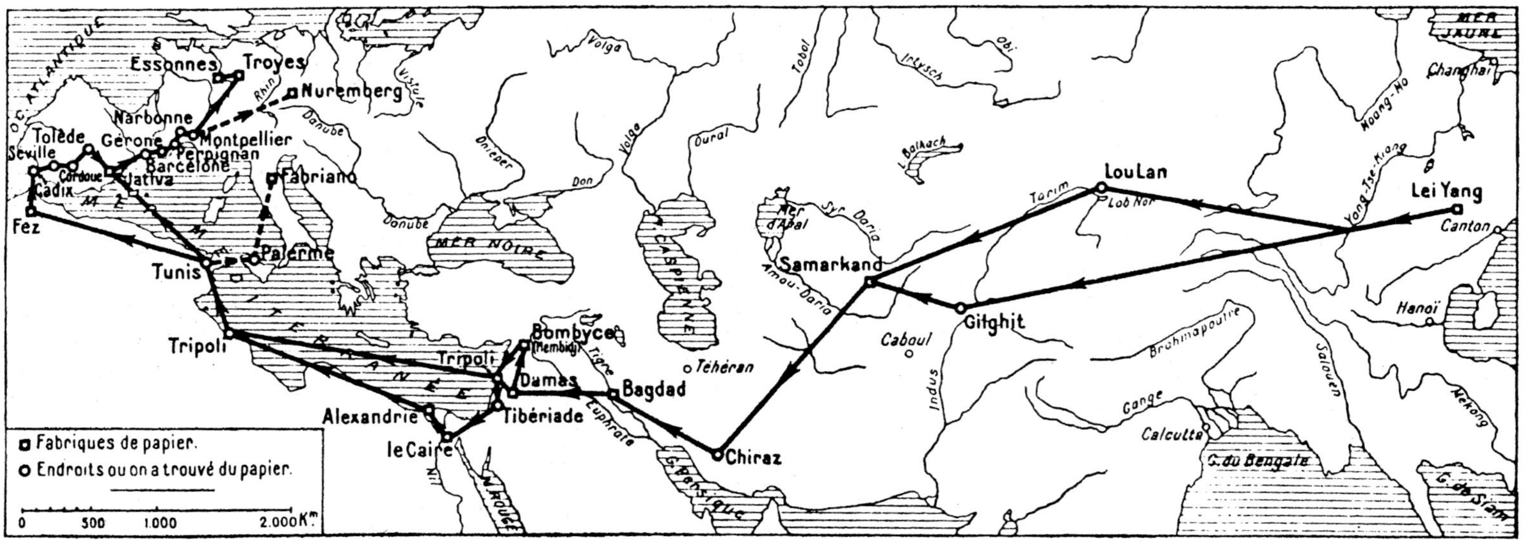

25

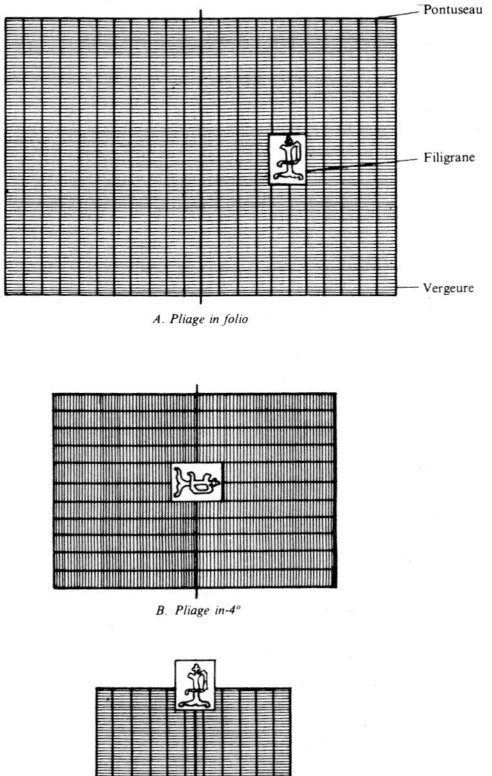

A. Pliage in folio

B. Pliage in-4°

C. Pliage in-8°

26

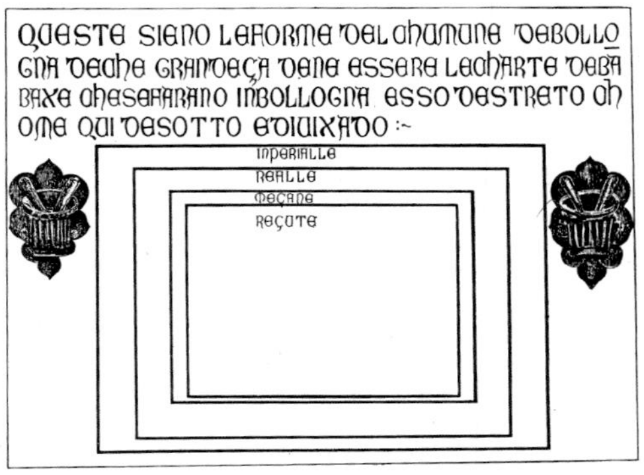

27

28

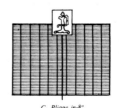

Le parchemin pouvait être fabriqué en tous lieux, mais il coûtait plus cher qu'un produit végétal. Moins coûteux, le papyrus était une matière à écrire aussi belle que solide. Son principal inconvénient tenait à ce qu'on le fabriquait en Égypte : toute perturbation dans le commerce international entraînait une pénurie de papyrus.

Le papyrus est formé de fibres végétales disposées en lamelles. C'est cette disposition que le papier reproduit, artificiellement, cette fois. Pour ce faire, un grand nombre de plantes, le bois ou les tissus peuvent être et ont été utilisés.

Les fibres végétales, raffinées et blanches, sont séparées les unes des autres et mises en suspension dans l'eau ; cette pâte à papier est alors puisée dans une forme*, remuée afin que les fibres s'entremêlent bien les unes aux autres, égouttée puis séchée. Un apprêt final lui donnera blancheur et imperméabilité.

La fabrication du papier varie selon le temps et le lieu ; on y distingue quatre étapes, qui diffèrent toutes suivant :
— le genre de plantes ou de tissu ;
— la forme dans laquelle la pâte est puisée (cette forme laisse son empreinte sur la feuille) ;
— le mode de séchage ;
— l'apprêt final.

25. La route du papier. D'après A. Blum, *les Origines du papier, de l'imprimerie à la gravure,* Paris, 1935.

26. Modes de pliage. D'après J. Irigoin, « La datation par les filigranes du papier », dans *Codicologica* 5, *les Matériaux du livre manuscrit,* p. 10.

27. Célèbre plaque de marbre de Bologne (Italie), vers 1389, qui aurait été gravée puis apposée sur la place publique pour indiquer les dénominations des papiers de l'époque : Imperialle, Realle, Mecane, Reçate. (D'après C.M. Briquet, *les Filigranes,* 2e éd., Amsterdam, 1968, t. 2, suppl.)

28. Griffon. Extrait du répertoire de Briquet (n° 7457, datant de 1401-1403).

29. Les filigranes utilisés par les papetiers constituent un excellent moyen de datation. A cet effet, les différents types ont été répertoriés et datés d'après les documents d'archives où ils apparaissent. On peut suivre ici l'évolution du type « coquille » depuis la fin du XIVe siècle jusqu'au milieu du XVIe.

Le papier naquit en Chine et, à mesure de son déplacement vers l'Europe (doc. 25), il subit nombre de transformations qui ne sont pas toujours bien connues : ainsi, nous savons fort peu de choses des papiers arabes et de leur fabrication. Lorsqu'on les regarde en transparence, on les reconnaît assez facilement : contrairement aux papiers européens, les vergeures — empreinte des fils de laiton parallèles aux grands côtés de la forme — sont pratiquement invisibles. Les pontuseaux — empreinte des pièces de bois parallèles aux petits côtés de la forme (doc. 26) —, sont absents ou très peu nombreux et disposés de manière inégale : quelquefois un seul pontuseau, quelquefois des groupes de deux ou trois.

Introduit en Europe par l'Espagne et la Sicile, le papier devint en Italie un produit industriel au sens moderne du terme. Les guildes en réglementèrent la fabrication et les formats (doc. 27).

Dès 1282, à Fabriano (Italie), on trouve une marque de fabrique sur chacune des feuilles, le filigrane. Dessin — plus tard lettre — en fil de laiton, cousu sur des paires de formes, les filigranes sont aussi des expressions de l'art populaire où l'on reconnaît des objets quotidiens mais aussi tous les animaux fantastiques qui peuplaient le monde médiéval, comme le griffon du document 28. Les formes s'usaient assez rapidement et devaient être remplacées tous les cinq ans environ, si bien que le tracé des vergeures, des pontuseaux et du filigrane diffère dans chacune des formes.

Reconstituer la feuille de papier — et donc la forme sur laquelle elle a été moulée — et reconnaître le filigrane n'est pas toujours facile, car, suivant le format du manuscrit et le pliage qu'a subi la feuille de papier, le filigrane peut être pris dans la couture du milieu ou coupé en tranche de tête (doc. 26).

Cependant, l'étude des feuilles de papier et de leur filigrane est l'un des moyens les plus sûrs pour dater un manuscrit en l'absence d'autres critères. Il est rare qu'un manuscrit tout entier soit écrit sur un papier portant un seul filigrane ; le plus souvent, on en distingue plusieurs. Plus on identifie de filigranes différents et plus il est facile de dater la copie grâce aux nombreux répertoires de filigranes. Le plus célèbre et le plus impressionnant est celui de C.-M. Briquet (16 112 filigranes répertoriés) publié à Paris en 1907. Les méthodes se sont affinées depuis et, au lieu de calquer les filigranes, on les bétaradiographie.

C.S.

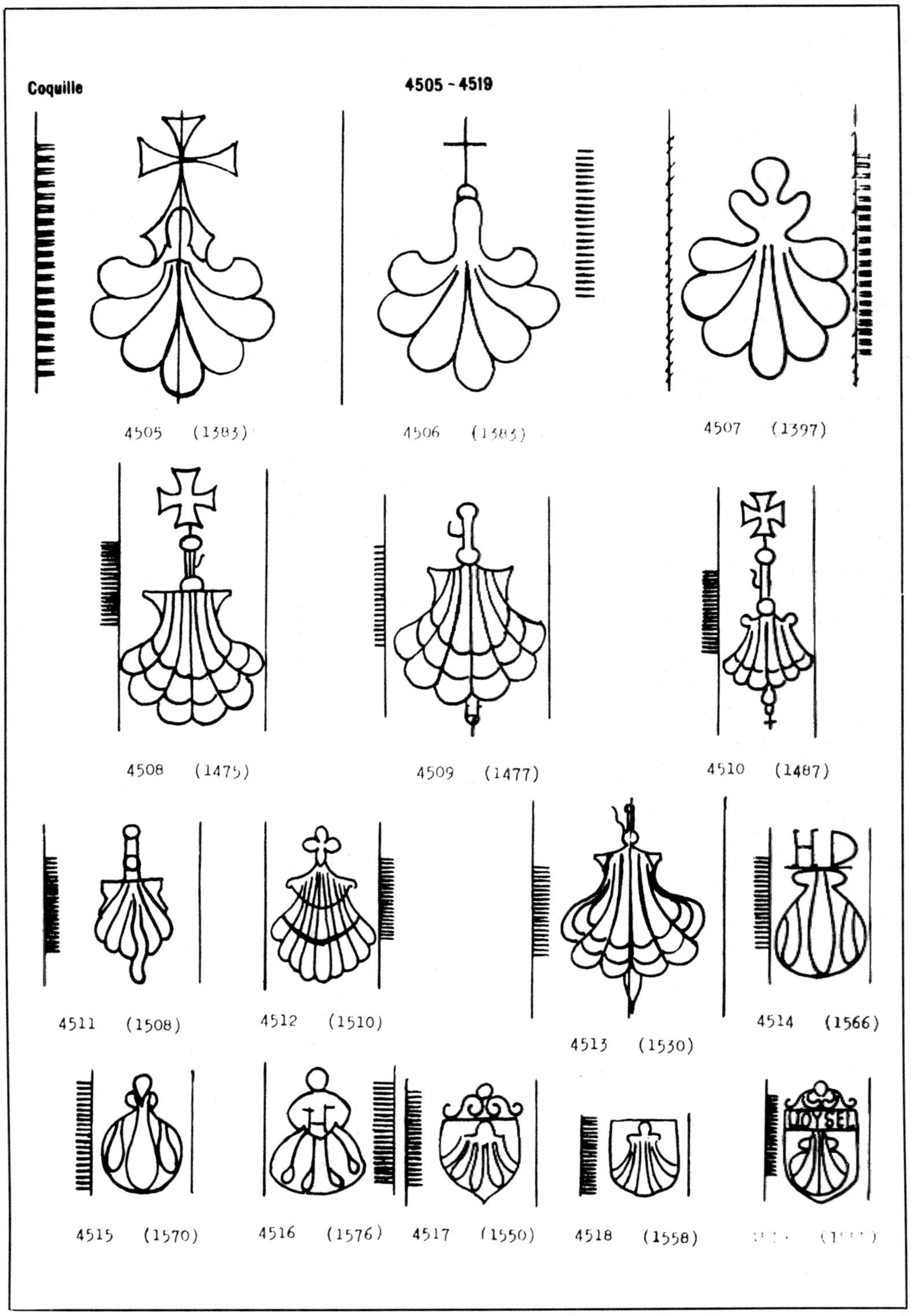

29

Les encres

30. Le prieur Rainaldus en train d'écrire. Dessin en marge d'un manuscrit ayant appartenu à l'abbaye bénédictine de Saint-Evroul, Orne (Alençon, Bibl. mun. 96, fol. 1. XIIIe s.).

31. Grégoire le Grand et ses secrétaires (Dijon, Bibl. mun. 180, fol. 1. XIIe s.).

La très grande majorité des documents manuscrits médiévaux sont écrits à l'encre noire. Toutefois, ces encres dites « noires » sont d'une extrême variété. Leurs nuances varient d'un manuscrit à l'autre, d'un folio à l'autre dans le même manuscrit et, parfois, d'une lettre à l'autre dans un même mot. Certaines sont très noires avec des reflets brillants alors que d'autres sont d'un brun clair et « bavochent* ». De plus, les unes adhèrent très fortement à leur support alors que d'autres s'écaillent facilement, certaines corrodent profondément le document ou encore pâlissent irrémédiablement avec le temps.

Il y a tout lieu de penser que la réactivité des encres vis-à-vis de leur support, ou leur apparente inertie, est directement liée à la nature de leurs composants et à la proportion des divers ingrédients à l'intérieur d'une même catégorie d'encres. En effet, pour une recette d'encre constituée des mêmes composants de base, mélanger ceux-ci en proportions différentes peut donner une encre de réactivité chimique variable, avec, pour conséquence, des effets divers sur le support. De même, une encre de nature et de composition données réagira très différemment suivant le support utilisé.

D'après les documents consultés, les encres appartiennent schématiquement à deux classes distinctes, de nature et de propriétés fondamentalement différentes : les encres au carbone et les encres métallogalliques. Entre ces deux classes, un type intermédiaire est celui des encres dites mixtes. Il y a, enfin, les encres incomplètes, qui correspondent soit à des encres au carbone, soit à des encres métallo-galliques dans lesquelles il manque un des éléments essentiels.

30

Les encres au carbone

Les encres au carbone sont constituées d'un pigment noir (produits calcinés ou noir de fumée) mélangé à un liant. Ce dernier est, en général, de nature glucidique (gomme d'arbres, gomme arabique, miel), mais aussi protéinique (blanc d'œuf, gélatine, colle de peau) ou lipidique (huiles). La nature du liant varie suivant les pays : en Extrême-Orient, il est protéinique alors que, en Afrique du Nord, au XIe siècle, il est aussi bien glucidique que protéinique. Les additifs les plus divers accompagnent les ingrédients de base.

Les encres au carbone se présentent, en général, sous forme solide et sont diluées dans l'eau au moment de l'écriture. Ces encres ne sont pas réactives chimiquement et ne sont sensibles ni à la réduction, ni à l'oxydation. Toutefois, le mélange liant - noir de carbone ne pénètre pas toujours très bien dans le support et un grattage suffit parfois à faire disparaître l'écriture.

L'encre au carbone a été utilisée en Extrême-Orient, et ce depuis la plus haute Antiquité semble-t-il, même si le premier témoignage littéraire date du Ve siècle de notre ère. Il est à noter que, dans ce texte, sont déjà mentionnées les caractéristiques fondamentales de ce que fut la préparation de l'encre pendant près de deux millénaires en Extrême-Orient : cela prouve avec quelle constance s'est conservée, tout en s'améliorant jusqu'à atteindre un degré de perfection inégalé dans le reste du monde, la tradition artisanale chinoise.

IN NOMINE DNI
INCIPIUNT EPLE
EX REGISTRO
BEATI GREGORII
MENSE SEPTEBRIO
INDICTIONE VIIII
GREGORIUS
UNIVERSIS EPIS
PER SICILIAM
CONSTITUTIS
ALDE
NECESSARIUM
ESSE
PERSPEXIMUS
VILLE DE DIJON
Liber cisterci

Qu'est-ce qu'une noix de galle ?

La noix de galle se forme sur les feuilles ou les jeunes pousses de certaines espèces de chêne à la suite de la piqûre de l'insecte *Cynips tinctoria,* venu déposer ses œufs. La plante réagit à la blessure par la formation d'une excroissance anormale : la galle. Celle-ci a la grosseur d'une cerise, à la surface d'apparence ligneuse et hérissée de pointes. Les galles les plus riches en tannins sont celles cueillies avant la sortie de l'insecte. Les petits trous sphériques qu'on observe parfois dans certaines galles sont les orifices par lesquels les insectes, arrivés à maturité, sont sortis de la galle ; celle-ci est alors légère et moins riche en tannins.

Les tannins et les encres

On regroupe sous le nom de tannins (ou tanins) de nombreux composés d'origine minérale ou organique, doués de propriétés communes, dont la plus connue est de transformer la peau d'un animal en cuir. Cependant, les tannins contenus dans certains végétaux possèdent, de plus, la propriété de donner des complexes foncés avec des sels de fer ou de cuivre, d'où leur application à la fabrication des encres.

Le vitriol

Fort heureusement pour les documents, dans les recettes des encres médiévales le vitriol ne correspond pas à la substance chimique extrêmement réactive qu'est l'acide sulfurique (sens qu'il avait au XIXe siècle et au début du XXe siècle), mais à l'un de ses sels : le sulfate métallique. Le mot vitriol dérive du bas latin *vitriolum,* lequel découle de *vitrum* : verre. En effet, les sulfates se présentent, en général, sous forme de cristaux transparents et ont, pour certains, une ressemblance physique avec le verre pilé. Le vitriol bleu correspond à du sulfate de cuivre, le vitriol vert à du sulfate de fer ferreux, le vitriol orange à du sulfate de fer ferrique, etc.

C'est encore une encre à base de carbone qui semble avoir été employée dans le bassin méditerranéen depuis la date des premières inscriptions trouvées en Égypte, c'est-à-dire aux environs du IVe millénaire avant notre ère.

L'une des plus anciennes recettes complète d'encre employée par les Gréco-Romains de l'Antiquité est donnée par Vitruve. Il s'agit, là encore, d'une encre au carbone pour laquelle le pigment noir peut aussi bien être de la suie que les produits de la calcination eux-mêmes.

Les textes écrits en Europe du IVe au XIIe siècle ne décrivent que des encres au carbone, mais tous ces témoignages reprennent à la lettre les recettes des Anciens. Il est donc difficile de savoir si ces encres étaient encore réellement utilisées à cette époque en tant que véhicules d'écriture ou s'il s'agit uniquement d'attestations littéraires.

En pays d'islam, dès le XIe siècle et contrairement à l'Occident, des encres de nature très variées étaient déjà en usage. Cependant, l'encre au carbone qui se nomme *midad* était toujours utilisée (et le sera longtemps encore). Voici comment Ibn Badis, auteur nord-africain du début du XIe siècle décrit l'une des multiples façons de la préparer :

« On construit un grand appareil sans trous ni ouvertures dont le centre est occupé par une espèce d'étagère carrée sur laquelle on dépose de la sandaraque et de l'orge. Puis on allume le feu à l'intérieur. L'ouverture du récipient est fermée. On laisse [le feu] jusqu'à ce que tout soit brûlé. Puis on laisse refroidir. On ouvre la porte et on recueille la suie dans un tamis de cuir, de celui qui n'est pas utilisé pour les parchemins destinés à l'écriture. Il s'agit d'un tamis de meunier. On met la suie dans un pot, on y verse de l'eau et on place sur un feu. Lorsqu'elle se dissout, cela devient fluide comme le liquide de l'acacia* ; ceci pourrait bien être de la gomme d'acacia*. Lorsque cela est bien dissous, on y verse un peu de vinaigre jusqu'à macération complète. Puis on étale le mélange sur une pierre imprégnée d'eau de camphre et on laisse sécher. On en fait autant de plaques qu'on le désire. C'est merveilleux. »

Les encres métallo-galliques

Les encres métallo-galliques sont préparées à partir d'extraits végétaux (noix de galle, par exemple) qui entrent pour la plupart dans la classe des tanins. A ces extraits, obtenus soit par décoction, soit par macération, puis filtrés, on ajoute un sel métallique : sulfate de cuivre ou sulfate de fer. Ce sulfate (souvent appelé vitriol au Moyen Age) entre en réaction avec les substances actives de l'extrait végétal (acide gallique ou composé plus complexe qui contient cet acide dans sa formule chimique), pour donner un précipité noir. Afin d'aider ce dernier à se maintenir en suspension, on augmente la viscosité du milieu en ajoutant un liant, le plus souvent de la gomme arabique.

Les encres métallo-galliques, fondamentalement différentes des encres au carbone, sont souvent des encres corrosives. Si la proportion de l'un des ingrédients est mal choisie, il peut arriver que l'équilibre de la réaction chimique qui crée le précipité noir se déplace dans le sens d'une plus grande acidité et, de ce fait, l'encre attaquera le support. Il est évident qu'un parchemin traité à la chaux résistera mieux qu'un papier, support plus fragile et à tendance déjà acide.

Dès le IIIe siècle avant Jésus-Christ, un texte de Philon de Byzance décrivant une encre sympathique, de même que des témoignages plus tardifs du IIIe siècle de notre ère, comme ceux de saint Hippolyte ou du papyrus V de Leyde, prouvent que l'action du vitriol sur les substances tannantes était connue, mais aucun texte ne donne de recette complète et sûre.

Alors que, au début du XIe siècle, en Afrique du Nord, Ibn Badis décrit déjà de nombreuses façons de préparer l'encre métallo-gallique, ce n'est qu'au XIIe siècle que Théophile donne pour le monde occidental la première recette de ce type. La substance végétale utilisée est du bois d'aubépine. Cependant, il s'agit là d'une encre incomplète qui se présente à l'état solide puisqu'un des ingrédients de base, le liant, en est absent.

Dès le XIIIe siècle, en Occident, les recettes d'encres métallo-galliques complètes se font nombreuses. Leur mode de préparation est plus ou moins soigné, les végétaux les plus divers sont employés, plus particulièrement les noix de galle. Au XIVe siècle, pratiquement toutes les recettes décrivent des encres métallo-galliques.

Le nombre de recettes d'encres du XVe siècle est considérable, mais le soin qu'on apporte à les préparer est souvent moindre qu'aux siècles précédents.

Voici ce qu'écrit un scribe flamand ou picard pendant le règne de Louis XI. La recette est très détaillée, le mode de préparation relativement soigné pour l'époque :

« Pour fere encquere, sans boullier. Pour deux pintes d'yauwe de plue ou de mares, il fault prendre deux onzes de noies de galle, deux onzes de copperot et deux onzes [et un scrupule] de gomme arrabe cler comme or ; et fault rompre le nois de galle bien menu, et mettre tremper trois jours dedens une pintte d'yauwe dessusdite, et batre sept ou huit fois le jour, environ le demy sept psalmen les trois jours durant, et puis rompre le copperot bien menu et mettre avecque les nois de galle, et battre encore trois jours comme devant ; se sont six jours acomply largement. Et fault prendre l'aultre pintte d'yauwe et mettre le gomme dedens quant on met les nois temprer ; et les six jours passé, il fault mettre ledit yauwe de gomme quant il est funduee avec l'yauwe des nois et de copperot, et les mouvoir tout trois ensamble ung jour ou deux comme dessus. Et dedans ung mois ou six septimaines r'oter l'encre hors de la mattere et le mettre en ung aultre pot de piere. »

La substance végétale est la noix de galle, le sel métallique, la couperose (autre terme utilisé au Moyen Age pour désigner le vitriol) et le liant, la gomme arabique dont on utilise deux onces plus... un scrupule. L'auteur recommande bien de battre le mélange eau-noix de galle pendant la moitié du temps nécessaire à la lecture des sept psaumes de la pénitence.

Les encres incomplètes

L'observation des manuscrits médiévaux amène à penser que, parallèlement à ces encres métallo-galliques devenues courantes, des encres strictement végétales (de couleur jaune ou brun clair, en général inoffensives pour le support) et même des encres strictement métalliques (jaunes également, mais cette fois très corrosives) étaient en usage. Des témoignages littéraires, bien que peu nombreux, confirment ces hypothèses, telle cette recette extraite d'un manuscrit grec du début du XIVe siècle, qui décrit une encre végétale incomplète, puisque le sel métallique est absent :

« Pour faire de l'encre de couleur fauve : prends un litre d'eau, mets-y deux onces de noix de galle, bien broyées. Laisse un jour, puis filtre et écris pour voir. Si cela boit, mets encore de la noix de galle, et si cela boit, mets deux onces de gomme. Laisse quatre jours, puis écris. »

Ou encore, ce texte plus tardif du XVIe siècle où, cette fois, la substance végétale manque, ce qui devrait aboutir à une encre plutôt corrosive pour le support :

« Pour faire de l'encre à écrire : prends deux onces de vitriol vert, mets-le dans un quart d'eau de pluie stagnante, laisse-le tremper trois jours, et prends trois onces de gomme, verse-la dessus et laisse le tout trois jours ; après quoi, tu auras une bonne encre pour écrire. »

C'est au XVIe siècle, lorsque l'étude de la calligraphie et celle des sciences annexes s'épanouissent, qu'un effet bénéfique se fait sentir dans le soin apporté à la préparation des encres.

M.Z.

Incipit epl'a sci ieronimi p̄b̄ri ad p
de omnibz diuine hystorie libri
Frat̃ am
michi m
pferen
et sua
que a p
prob
ac ia
ane u
licia
ture c
mo co
n uali
us nō
tempor nō subdola et
latio. sed dei timor et
turarū studia conciliā
iunctis; pstauit quo

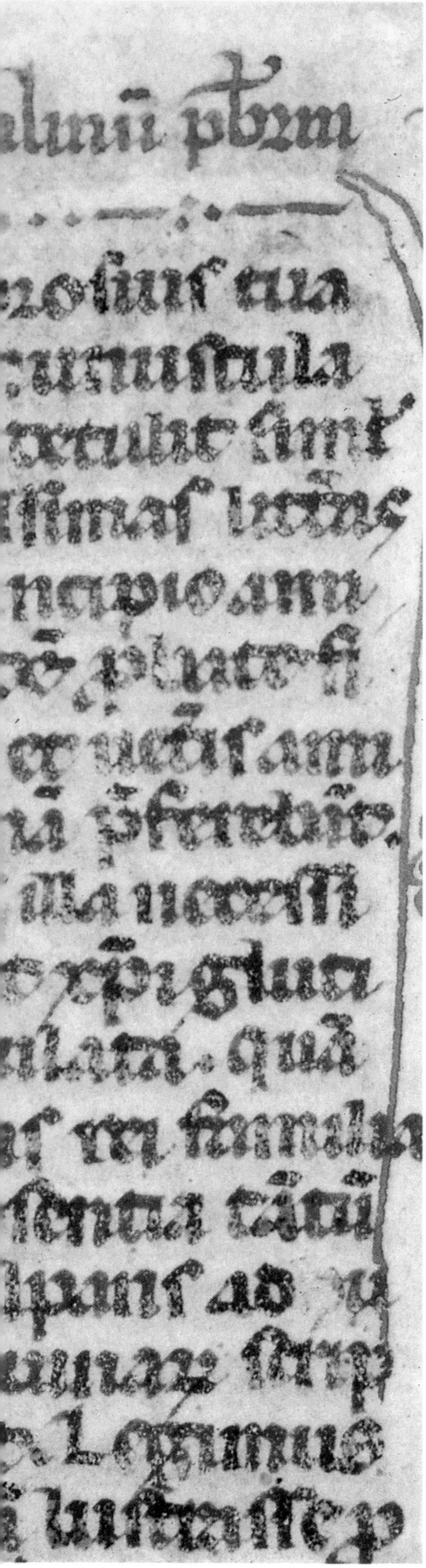

Ateliers et copistes

Saint Jérôme représenté sous les traits d'un moine en train d'écrire. Début d'une bible du XIIIe siècle (Auxerre, Bibl. mun. 1, fol. 1).

Les ateliers de copie

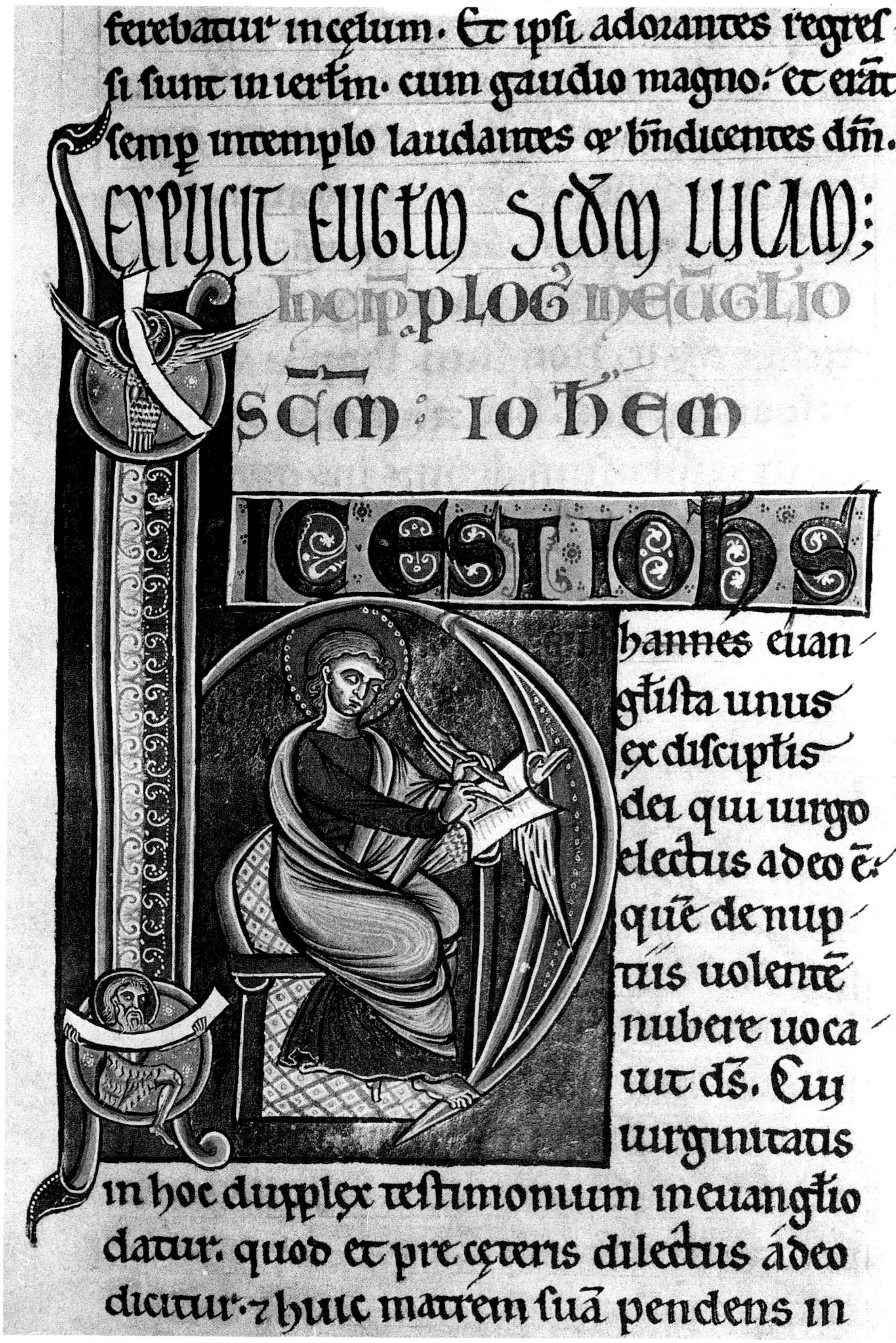

1

Après l'effondrement de l'Empire romain et les invasions barbares du Ve siècle, une mutation s'opère dans la production des livres : celle-ci n'est plus assurée par des individus — les *librarii* —, soucieux d'organiser la copie et le commerce des livres destinés à un public de lettrés, ou n'est plus le fait de patriciens cultivés, ayant à leur service quelques esclaves instruits, voire — tel Atticus, l'ami et éditeur de Cicéron — de véritables ateliers de copistes.

Désormais, la production des livres est assurée dans des centres ecclésiastiques qui n'ont plus pour objectif le commerce des livres mais la réalisation d'ouvrages nécessaires à la communauté. Il s'agit là d'une activité essentiellement désintéressée — du moins au regard des biens de ce monde —, inscrite au nombre des tâches que doit accomplir le moine ; en effet, la règle de saint Benoît, qui marqua de son empreinte tout le monachisme occidental, stipule que le moine a besoin de livres : livres liturgiques pour chanter l'office divin, commentaires de la Bible et des sentences des Pères pour nourrir sa méditation. A l'entrée du carême, le moine se voit remettre un certain nombre d'ouvrages dont la lecture doit l'aider dans cette période de pénitence et de recueillement. A une époque où le monastère apparaît comme un îlot qui doit se suffire à lui-même, il est clair que c'est aux moines qu'il revient d'assurer la production des livres.

En réponse à ces besoins furent créés les scriptoria*, ateliers de copie attachés à un monastère ou à une église cathédrale. Trop rares sont les sources nous renseignant sur l'organisation des scriptoria ecclésiastiques : le cas du monastère de Saint-Gall — un plan établi vers 830 indique l'emplacement de son scriptorium — reste exceptionnel. Toute la chaîne de production est assurée à l'intérieur même de l'établissement, de la préparation du parchemin — fourni souvent par les troupeaux du monastère —, à la reliure, en passant, bien sûr, par la copie et la décoration (doc. 2).

1. L'évangéliste Jean. (Clermont-Ferrand, Bibl. mun. 1, p. 353. XIIᵉ s.).

2. Rare exemple des quelques étapes de la fabrication du livre dans un scriptorium monastique (Bamberg, Staatsbibliothek, Msc. Patr. 5, fol. 1 v°). Colonne de gauche, de haut en bas : 1. le moine taille sa plume ; 2. il écrit son brouillon sur des tablettes ; 3. il prépare le parchemin ; 4. il taille les ais de la reliure. Colonne de droite de haut en bas : 5. le moine plie les feuilles en cahiers ; 6. il coud les feuilles au moyen d'un cousoir ; 7. il découpe les feuilles ; 8. il fabrique des fermoirs. Médaillon central du haut : 9. le codex est achevé, il reste à tracer la réglure avant de passer à la copie du texte. Médaillon central du bas : 10. utilisation du codex comme instrument d'éducation. L'interprétation de ces différentes étapes n'est pas sans poser quelques problèmes, notamment quant à l'ordre des opérations.

La copie même du texte est généralement un travail d'équipe, réalisé sous la direction d'un chef d'atelier. Un manuscrit peut être copié par un seul et même scribe ou bien par une équipe de copistes qui se partagent le travail, en général par cahiers : un changement d'écriture, de « main », permet alors de déterminer le nombre de copistes ayant participé à l'entreprise. Mais il est souvent très délicat de tenter de délimiter les différentes séquences de travail.

En effet, si le copiste se plaint parfois de la dureté de l'épreuve physique que représente pour lui la copie d'un volume — tel ce scribe de Corbie qui constate : « Bien que la plume soit tenue par trois doigts seulement, c'est tout le corps qui travaille » — ou s'il manifeste sa joie d'avoir achevé un si grand labeur (opinion que résume la poétique formule : « Ainsi, l'entrée du port n'est pas plus agréable au navigateur que la dernière ligne du manuscrit au *scriptor* fatigué »), il se montre le plus souvent d'une remarquable discrétion sur la part de travail qui lui revient dans l'exécution du manuscrit : dans certains cas, le scribe qui succède à un premier copiste prend le relais au début du verso d'un feuillet, afin de masquer une différence d'écriture qui n'apparaîtrait que trop clairement si elle intervenait entre deux pages qui se font face. D'ailleurs, une apparente modification de l'écriture peut simplement trahir la fatigue du copiste ou une reprise de plume, surtout lorsque celui-ci s'est attelé à la copie d'un ouvrage de plusieurs centaines de feuillets. Dirigé par le responsable de l'atelier, le travail du scribe, bien souvent sujet à des distractions ou recru de fatigue, est revu par des correcteurs intervenant au besoin, parfois d'une encre différente, qui dans les marges, qui dans l'interligne.

Tout au long du Moyen Age, c'est donc le manuscrit lui-même qui fournit le plus sûr témoignage sur la fabrication du livre médiéval et sur la répartition du travail dans les ateliers de production.

M.P.

2

3. Le missel de Stowe (Dublin Royal Irish Academy, D II 3, fol. 12) : fameux exemple, déjà tardif, de manuscrit exécuté en Irlande. Ce livre de messe en latin à l'usage de l'Église irlandaise primitive, le plus ancien que nous ayons conservé, fut produit vers 800 par une équipe de cinq scribes qui employaient une écriture irlandaise très anguleuse. A l'exception de la première initiale placée dans un cadre de couleur et de quelques initiales dessinées à la plume, la décoration est inexistante. Il s'agissait certainement là d'un exemplaire destiné à un usage quotidien que ses petites dimensions permettaient d'emporter facilement en voyage.

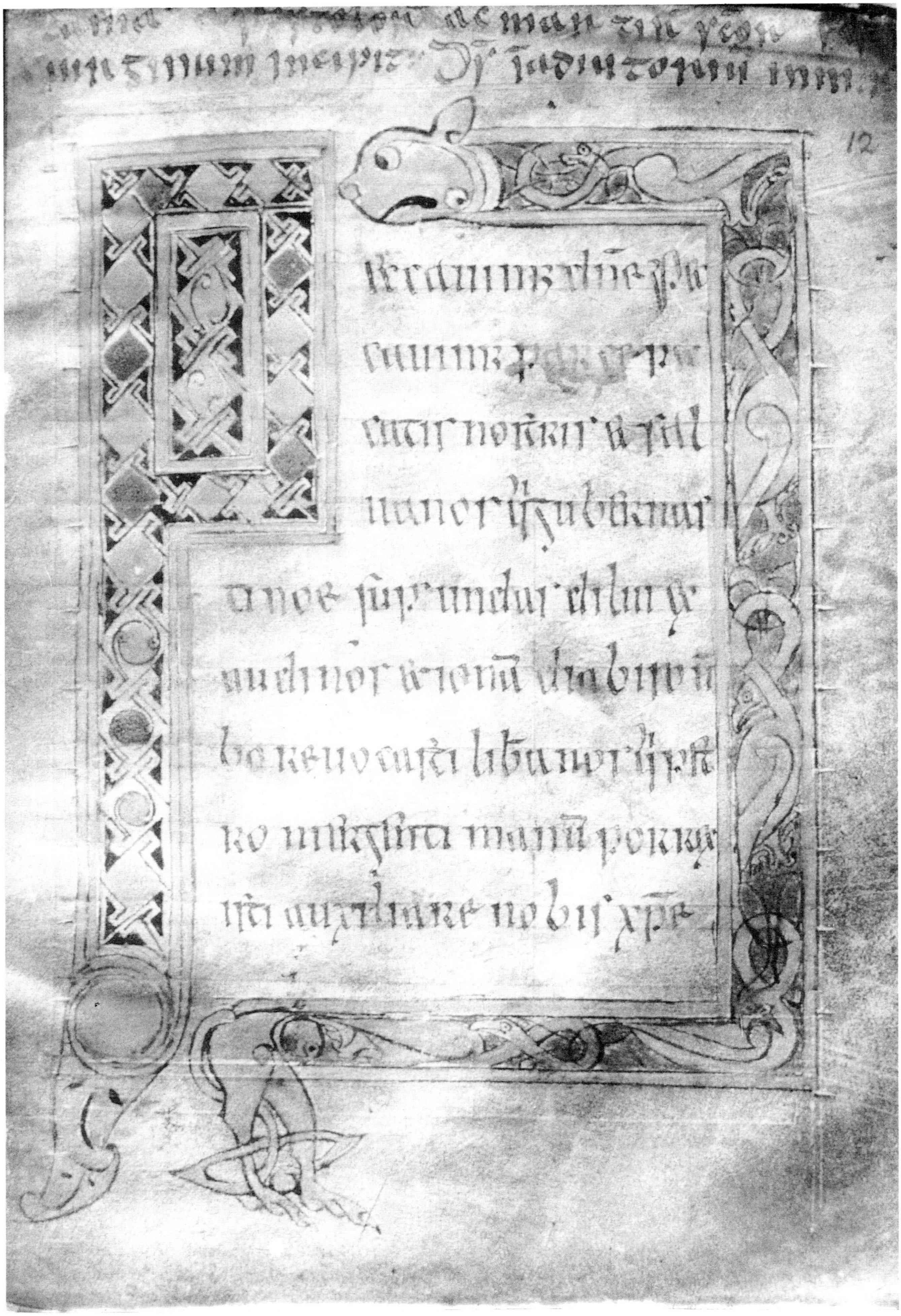

3

Les scriptoria ecclésiastiques dans le monde occidental du Ve au XIIe siècle

Durant tout le haut Moyen Age et jusqu'au XIIe siècle environ, l'histoire de la culture occidentale est indissociable de celle des scriptoria* ecclésiastiques : ces ateliers de copie assurent — parfois sans mesurer la portée d'un tel héritage — la transmission des textes classiques et la diffusion d'une nouvelle culture, de tendance contemplative, fondée sur la lecture de la Bible et des Pères.

Les scriptoria de la période précaroline (Ve-VIIIe siècle)

Seule fondation due à l'initiative, au VIe siècle, d'un individu, Cassiodore, patricien issu d'une famille romaine et entré au service de Théodoric, roi des Ostrogoths, Vivarium est une tentative de conciliation de l'héritage du monde antique et de la nouvelle culture chrétienne.

Mais c'est principalement à la faveur des grands courants missionnaires que naissent, du VIe au VIIIe siècle, les établissements religieux qui vont devenir des centres de copie actifs.

Fondée dans la première moitié du Ve siècle par le Breton saint Patrick, la jeune église irlandaise, dont la métropole est établie à Armagh, fait preuve d'un dynamisme remarquable. Très vite, l'évêché d'Armagh, les monastères de Bangor et d'Iona — île au large de la côte ouest de l'Écosse — donnent naissance à des ateliers de copie florissants, caractérisés par un type d'écriture particulier — l'écriture dite insulaire — et par une décoration fortement marquée par l'héritage celtique (doc. 3). Le plus ancien témoin de cette production artistique est le *Livre de Durrow*, évangéliaire latin réalisé vers 675 dans le monastère d'où il tire son nom. Le *Livre de Kells*, recueil d'Évangiles latin, peut-être issu du scriptorium de Iona entre le milieu du VIIIe et le deuxième quart du IXe siècle, et le *Livre d'Armagh*, un Nouveau Testament copié en minuscule insulaire dans les premières années du

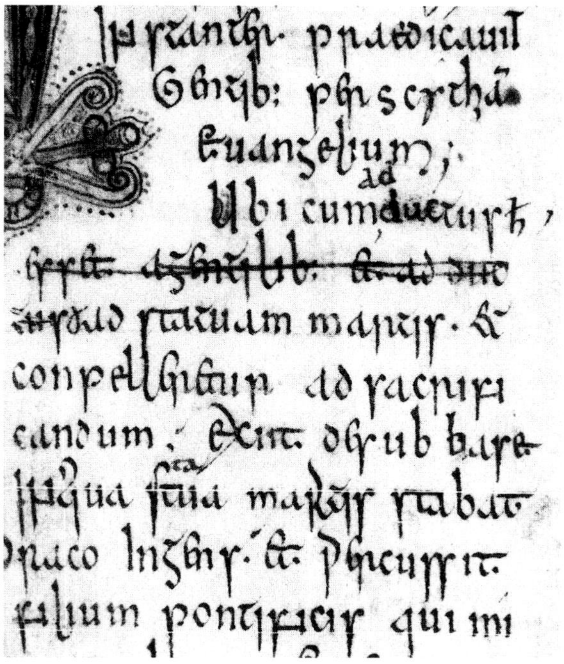

4a

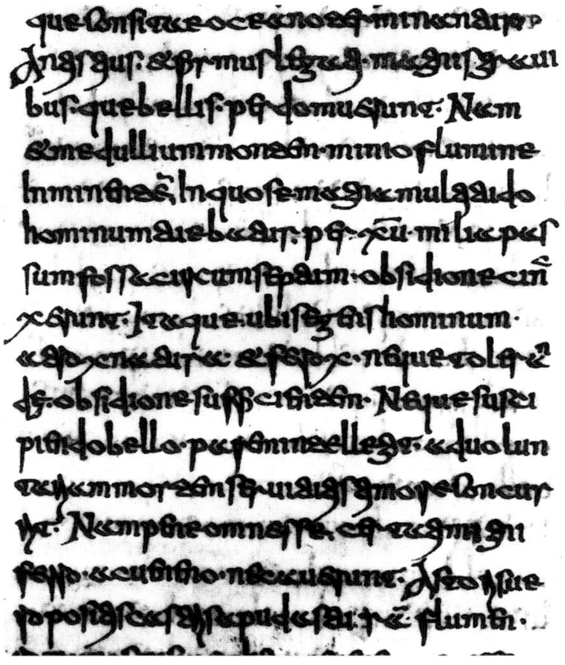

4b

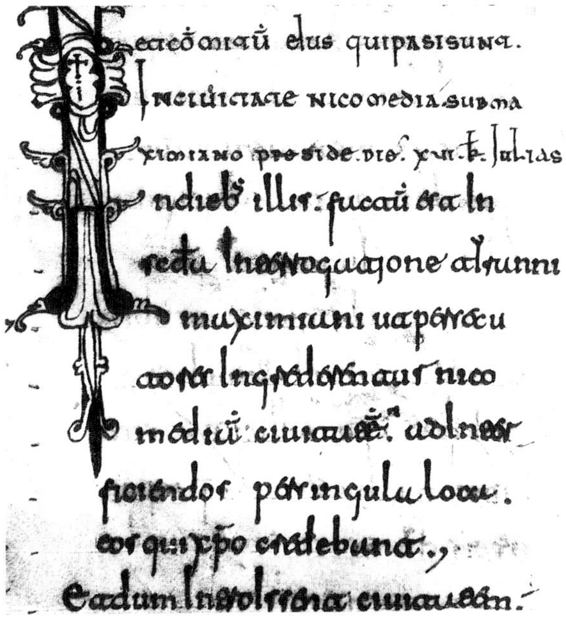

4c

4d

4. Quelques exemples d'écritures nationales : ces écritures aux caractères régionaux très marqués se sont développées aux VIIe et VIIIe siècles dans les différents royaumes barbares issus de l'effondrement de l'empire romain : a) minuscule anglo-saxonne du premier quart du IXe siècle (Paris, Bibl. nat., latin 10861, fol. 2) ; b) exemple d'écriture dite en *az* de Laon, exécutée au milieu du VIIIe siècle, probablement à Laon même (Laon, Bibl. mun. 137, fol. 108) ; c) écriture wisigothique de la fin du Xe siècle, peut-être originaire de San Pelayo de Cerrato (Paris, Bibl. nat., nouv. acq. lat. 2180, fol. 172) ; d) écriture bénéventine du XIIe siècle (Bénévent, Bibl. capitulaire 5, fol. 69 v°). Certaines d'entre elles ont continué à être couramment utilisées après la réforme carolingienne de l'écriture.

5. Préface de saint Jérôme au livre d'Esdras. L'auteur est représenté avec les attributs du copiste : plume et grattoir (Troyes, Bibl. mun. 28, t. II, fol. 96 v°. XIIe s.).

6. Début de l'*Expositio* de Bède sur le *Cantique des Cantiques* (Alençon, Bibl. mun. 26, fol. 78. XIIe s.).

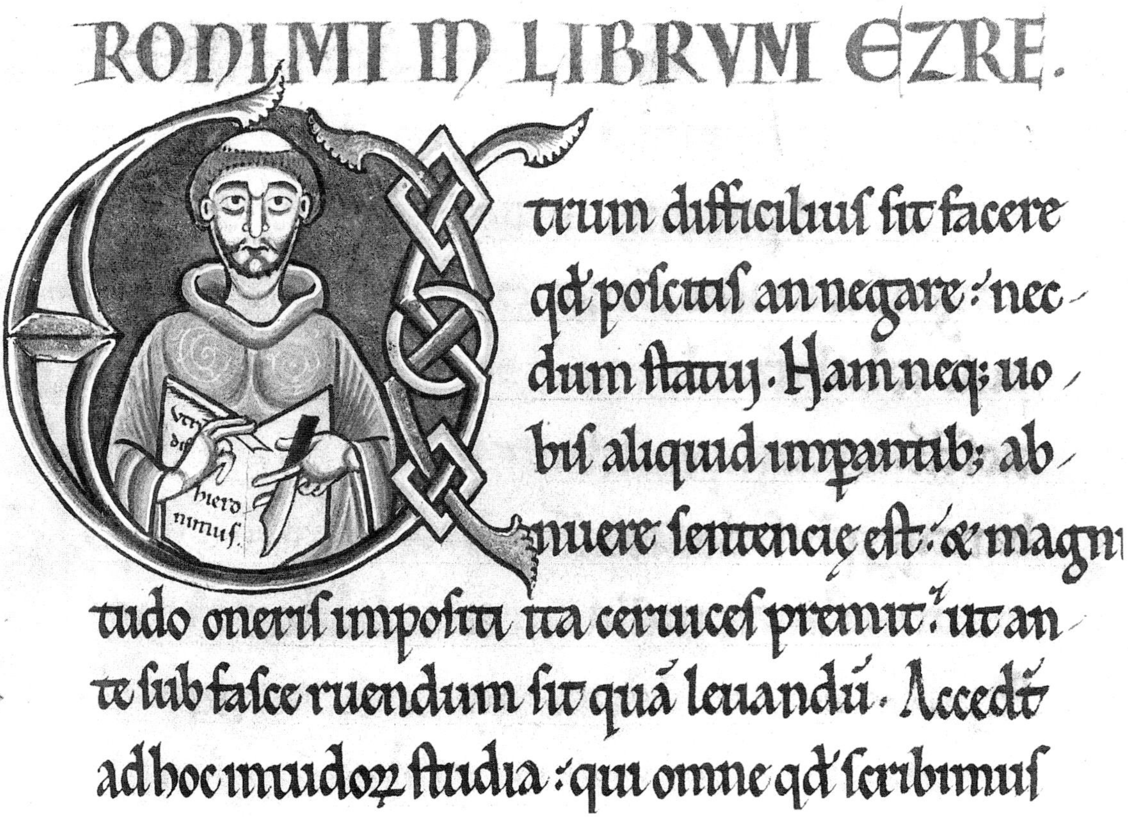

5

IXe siècle, en partie par le scribe Ferdomnach, figurent au nombre des exemples les plus achevés de l'art irlandais.

L'art des copistes irlandais ne se limite cependant pas à leur pays natal. Voyageurs infatigables, les moines irlandais vont franchir les mers pour convertir les païens au christianisme, emportant avec eux des spécimens issus de leurs scriptoria.

Tous les livres produits dans les monastères fondés par les moines irlandais en Grande-Bretagne — Lindisfarne, dans le deuxième quart du VIIe siècle, par exemple — et sur le continent trahissent cette influence insulaire, notamment dans le domaine de l'écriture, comme à Luxeuil et à Bobbio, les deux plus importantes fondations du moine irlandais Colomban.

L'impulsion donnée par les moines irlandais est capitale : les monastères qu'ils ont fondés essaiment à leur tour, donnant naissance à des centres de copie actifs : Corbie, un peu au nord de la Somme, Corvey, en Saxe, Saint-Wandrille, sur la Seine, Saint-Bertin, près de Saint-Omer.

Marqué aux premiers temps de son existence par l'influence de Luxeuil, le scriptorium de Corbie se livra à des recherches sur l'écriture qui, à terme, débouchèrent sur l'emploi de la minuscule caroline. Au VIIIe siècle, le nombre des copistes employés dans l'atelier devait être important, ainsi qu'en atteste le nombre de mains relevées dans les manuscrits. La Bible de douze volumes, commandée par l'abbé Maurdramne — dont le nom est resté attaché à un type d'écriture en usage à Corbie —, a été exécutée par une équipe de sept copistes au moins. Encore actif au IXe siècle, particulièrement sous l'abbé Adalard, ce scriptorium a vu sa production décliner au Xe siècle.

Parallèlement, un autre courant missionnaire naît à Rome dans l'entourage du pape Grégoire le Grand, qui confie la conversion des Saxons implantés en Grande-Bretagne au moine Augustin ; ce dernier ne tarde pas à fonder, à la fin du VIe siècle, la métropole de Cantorbéry. Au cours du VIIe siècle, sont fondés trois autres établissements qui deviennent des centres de vie intellectuelle : la métropole d'York et son école cathédrale prirent un essor considérable sous l'épiscopat d'Egbert ; la renaissance northumbrienne, dont le plus illustre témoin est le *Codex Amiatinus*, eut pour cadre les monastères de Saint-Pierre de Wearmouth et de Saint-Paul de Jarrow ; c'est dans ce dernier centre que le fameux Bède le Vénérable élabora toute son œuvre.

Avec le zèle propre aux nouveaux convertis, les moines anglo-saxons entreprennent, à leur tour, l'évangélisation des contrées sises au-delà du Rhin. C'est à saint Boniface que sont dues, au début du VIIIe siècle, les grandes fondations en Germanie : le monastère de Fulda, les évêchés de Ratisbonne, de Salzbourg et de Freising en Bavière, tous dotés de scriptoria actifs.

Benoît de Nursie, le grand réformateur du monachisme occidental, a également mis en place des abbayes dont le scriptorium a été florissant : c'est en particulier le cas au monastère du Mont-Cassin, fondé en 529 et dont la bibliothèque fut l'une des plus riches d'Europe occidentale.

La production livresque des premiers centres de copie ecclésiastiques garde l'empreinte de caractères nationaux fortement marqués. C'est peut-être dans le domaine de l'écriture (doc. 4) que les particularismes locaux sont le plus fortement marqués : l'écriture bénéventine, dont l'usage se survivra jusqu'au bas Moyen Age, naît en Italie, au Mont-Cassin ; l'Espagne est le domaine de l'écriture wisigothique ; dans les royaumes mérovingiens, se répandent plusieurs types d'écriture qu'on a essayé de désigner en les rattachant, à plus ou moins bon droit, à des centres importants de production : c'est le cas de l'écriture dite de Luxeuil ou de l'écriture de Corbie.

INCIPIT ALLEGO
RICAE EXPOSITIO
VENERABILIS
BEDE PRESBITE
RI IN LIBRUM
TOBIAE
LIBER SCI PATRIS NRI
TOBIE ET IN SUPFICIE
littere salubris patet legen
tibus. utpote qui maximis uite
moralis et exemplis habundat
et monitis. et si quis eundē etiā
allegorice nouit interptari.
quantū poma foliis. tantū inte
riorē ei sensū simplicitati uidet
littere prestare. Maxima
nanque xpi
et eccle sacramta si spualiter
intellegite. in se continere pbatur. Siquidē

7. Saint Jérôme. Bible du XIIIe siècle (Le Mans, Bibl. mun. 262, t. 1, fol. 1).

8. La Bible d'Hincmar. Cette superbe bible du IXe siècle, donnée par l'archevêque Hincmar à la cathédrale de Reims, illustre parfaitement l'apport de la Renaissance carolingienne au domaine du livre : le retour à une écriture claire et soignée, la minuscule caroline ; les premiers mots du texte, la Genèse, sont ici mis en valeur par l'emploi d'une décoration à base d'entrelacs et par l'utilisation des capitales (Reims, Bibl. mun. 1, fol. 8).

Les scriptoria issus de la renaissance carolingienne (VIIIe-Xe siècle)

L'empereur Charlemagne, par le soutien qu'il a accordé aux lettrés de son empire, a permis une véritable renaissance : réforme de l'Église et en particulier du monachisme, essor d'un nouveau type d'écriture, caractérisée par sa clarté : la minuscule caroline. La renaissance carolingienne s'est donc développée avant tout dans les centres monastiques, en fonction des personnalités des abbés et des lettrés.

Les scriptoria monastiques

L'essor du scriptorium de Ferrières-en-Gâtinais est lié à la personnalité de son abbé, Loup — connu pour son importante correspondance, recueillie dans un manuscrit du IXe siècle écrit dans le scriptorium de l'abbaye —, et pour l'intérêt qu'il manifesta pour les auteurs classiques latins : il fit venir du monastère de Fulda une copie d'un manuscrit de Suétone pour la bibliothèque de Ferrières.

Le scriptorium de Saint-Benoît de Fleury a joué un rôle certain dans l'essor de la minuscule caroline au VIIIe siècle. Encore importante au IXe siècle, son activité s'accrut sous l'abbatiat d'Abbon, auteur d'une correspondance et de traités de comput, et se poursuivit jusqu'au XIe siècle. L'abbaye était le centre d'une importante activité littéraire : en son sein furent composés les *Gesta Francorum* d'Aimoin.

L'activité du scriptorium attaché à l'ancienne abbaye de Saint-Martin-de-Tours — centre du culte de l'apôtre de la Gaule — remonte sans doute au VIe siècle et ne s'est jamais ralentie au long de la période mérovingienne. Elle fut particulièrement intense sous l'abbatiat de l'Anglo-Saxon Alcuin (796-802), l'un des instigateurs de la renaissance carolingienne, qui entreprit une révision du texte des livres liturgiques et de la Bible : parmi les manuscrits tourangeaux subsistant, une trentaine de bibles et autant d'évangiles ont été produits, soit dans le scriptorium de Saint-Martin, soit dans ceux des établissements voisins de Marmoutier ou de Saint-Gatien. Mais ce scriptorium acquit une grande réputation en inondant l'Europe entière des *Martinelli*, recueils de textes hagiographiques ayant trait à saint Martin.

Le grand scriptorium de la région parisienne est celui de Saint-Denis, fondation de l'époque mérovingienne, qui entretint d'étroites relations avec la dynastie carolingienne. C'est de cet atelier, marqué par la personnalité de l'abbé Hilduin — traducteur des œuvres de Denys l'Aréopagite, auquel il voulait attribuer la fondation du monastère — que sortit l'un des joyaux de l'enluminure de l'école dite franco-saxonne, la seconde bible de Charles le Chauve.

Actif du VIIIe au XIe siècle, le scriptorium de Saint-Amand-en-Pévèle s'illustra dans la production des manuscrits liturgiques, en particulier des sacramentaires, dont la décoration se rattache à la plus pure tradition de l'école franco-saxonne.

Fondé dès la fin du VIIIe siècle, le scriptorium de Reichenau était certainement très productif : en 822, un inventaire de la bibliothèque recensait quatre cent quinze manuscrits, dont la majorité fut vraisemblablement copiée sur place. Les livres qui furent exécutés dans cet atelier, livres liturgiques ou textes sacrés pour la plupart, étaient souvent des manuscrits de luxe, remarquables par leur décoration. La réputation du scriptorium était telle qu'il fut amené à travailler pour les archevêques de Trèves et les empereurs.

7

Le scriptorium du monastère de Saint-Gall fut longtemps marqué par l'influence insulaire, notamment dans son écriture, avant que s'impose l'écriture rhétique. Au IXe siècle, particulièrement sous l'abbatiat de Gozlin (816-836) et sous celui d'Hartmut (872-883), la production du scriptorium fut très importante, surtout dans le domaine des bibles, véritables chefs-d'œuvre de l'enluminure. Bien que ralentie, son activité se maintint aux Xe et XIe siècles.

Le faible nombre des manuscrits subsistants originaires du sud de la Loire explique le peu d'études consacrées aux scriptoria méridionaux. Saint-Sever est célèbre pour le « Commentaire » du prêtre espagnol Beatus sur l'Apocalypse (IXe siècle). Moissac possédait une importante bibliothèque et un scriptorium actif. De la production de Saint-Martial de Limoges, dont l'activité n'est perceptible qu'à partir du Xe siècle et est particulièrement florissante, on connaît surtout la riche collection de livres liturgiques. En revanche, il n'est pas certain que le sacramentaire dit de Gellone ait été exécuté au sein du monastère catalan.

Les églises cathédrales

La réforme carolingienne a souvent été considérée comme l'œuvre des maîtres d'école (le Lombard Paul Diacre, l'Anglo-Saxon Alcuin). L'implantation, à l'ombre des cathédrales, d'écoles appelées à un rôle de plus en plus important a relancé l'activité des ateliers qui y étaient attachés.

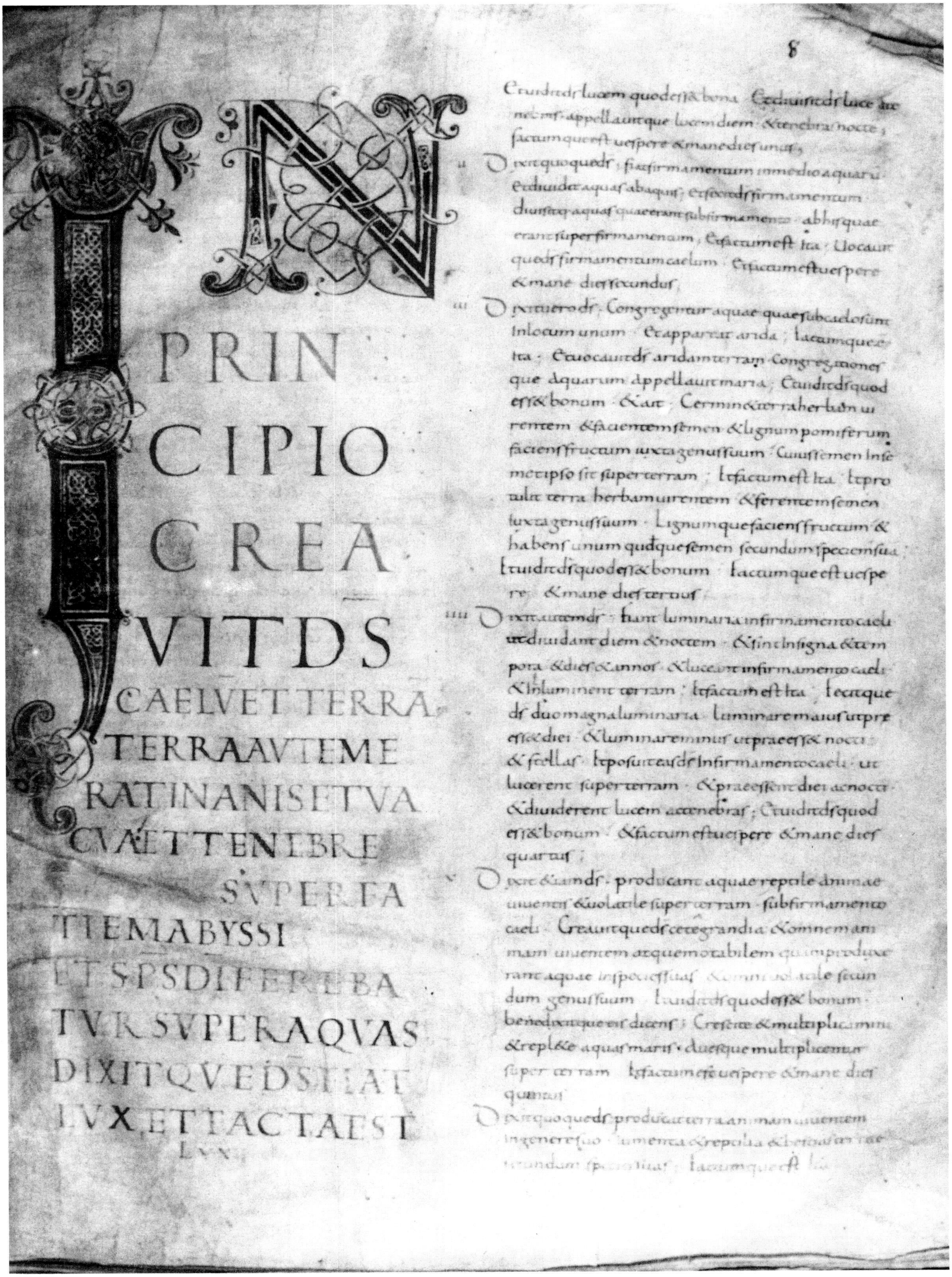
PRIN
CIPIO
CREA
VITDS
CAELVET TERRA
TERRAAVTEME
RATINANISETVA
CVAETTENEBRE
SVPERFA
TIEMABYSSI
ET SPSDIFEREBA
TVRSVPERAQVAS
DIXITQVEDSFIAT
LVXETFACTAEST
LVX

9. La Bible de Saint-Bénigne de Dijon. Typique des manuscrits réalisés dans le milieu monastique, cette bible a peut-être été exécutée au sein même de l'abbaye dans la première moitié du XIIe siècle : caractéristique est le cadre, ici inachevé, orné de rinceaux, de palmettes et de têtes d'animaux, ainsi que la très belle initiale à décor pour l'essentiel végétal qui introduit les premiers mots du texte sacré, mis en valeur par l'emploi des capitales ; dans la deuxième colonne, est employée une écriture de type monastique (Dijon, Bibl. mun. 2, fol. 7 v°).

Le scriptorium de l'église cathédrale de Lyon est l'un des rares centres de copie à avoir fonctionné pratiquement sans solution de continuité depuis le Bas-Empire. Au IXe siècle, il connaît un nouvel essor grâce à l'intense activité littéraire de l'évêque Agobard et du diacre Florus.

A Orléans, la personnalité de l'évêque Théodulfe, originaire de Septimanie — région de Narbonne, longtemps soumise à la domination wisigothique — a profondément marqué l'activité du scriptorium ainsi qu'en témoignent les deux bibles dites de Théodulfe exécutées sous sa direction.

L'activité du scriptorium de la cathédrale de Laon, dont le nom est resté attaché à un type d'écriture — l'écriture *az* de Laon —, utilisée au VIIIe siècle, s'est poursuivie tout au long du IXe et a connu une nouvelle impulsion au XIe siècle, avec la renommée de l'école attachée à la cathédrale.

Une des grandes périodes d'essor du scriptorium de l'archevêché de Reims se situe pendant l'épiscopat d'Hincmar (doc. 8), élu en 845. Son intense activité littéraire nécessitait certainement la présence d'une importante équipe de scribes. L'activité du scriptorium s'est poursuivie tout au long du Xe siècle, stimulée par les travaux de l'historien Flodoard et par ceux de l'écolâtre Gerbert d'Aurillac, devenu pape en 999 sous le nom de Sylvestre II.

Les plus anciens produits du scriptorium de la cathédrale de Cologne remontent certainement au VIIe siècle ; parmi les manuscrits copiés au début du IXe, on peut en citer treize, tous exécutés sur l'ordre de l'archevêque Hildebald (mort en 819).

Ancienne fondation des missionnaires anglo-saxons, l'église de Mayence a longtemps conservé dans sa production les traces de cette influence : un manuscrit de Lucrèce, en écriture continentale, a été revu par un correcteur qui utilise encore la minuscule anglo-saxonne.

Les scriptoria de certaines églises cathédrales ont entretenu des rapports étroits avec les établissements monastiques implantés dans la même ville : par exemple, les abbayes Saint-Germain, à Auxerre, Saint-Thierry et Saint-Remi, à Reims.

Ce phénomène ne permet pas toujours de distinguer la part de la production manuscrite qui revient à chaque établissement : ainsi, les évangiles de la cathédrale de Trèves furent écrits vers 775 au monastère d'Echternach.

A Constance, les liens entre l'église cathédrale et les monastères voisins de Reichenau et de Saint-Gall étaient si étroits — les évêques étant souvent en même temps abbés de ces monastères — qu'il est permis de se demander si la bibliothèque de l'église cathédrale ne se fournissait pas pour l'essentiel dans les scriptoria monastiques voisins.

Les scriptoria des abbayes réformées (Xe-XIIe siècle)

Les invasions normandes avaient porté un coup d'arrêt à l'activité des scriptoria monastiques. Mais les réformes entreprises dès le Xe siècle à Cluny et en Lorraine vont remettre à l'honneur le goût pour les études et la liturgie dans les abbayes rassemblées en congrégations.

Le scriptorium du Mont-Saint-Michel, actif dès le Xe siècle et dont l'essor se situe au XIe siècle, est le plus fameux des ateliers des monastères normands. Parmi les monastères productifs, il convient de citer également ceux de Fécamp et de Jumièges, ainsi que celui du Bec-Hellouin, fondé seulement au XIe siècle et particulièrement florissant pendant la vie de Lanfranc. A Saint-Bénigne de Dijon (doc. 9), c'est un Italien, Guillaume de Volpiano, qui aurait reconstitué le scriptorium avec l'aide de moines grecs et italiens.

Les croisades ont permis l'implantation, dans les royaumes latins de Palestine et de Syrie, de scriptoria, surtout d'influence française, parmi lesquels le plus brillant fut certainement celui de Tyr.

A la fin du XIe siècle et au début du XIIe siècle, la naissance d'ordres monastiques nouveaux et centralisés, animés par un esprit de réforme, donne une nouvelle impulsion à l'activité des scriptoria monastiques : à l'atelier de Cîteaux on doit certainement quelques-unes des plus belles réussites de l'art roman — dont la bible d'Étienne Harding —, mais les scriptoria prémontrés et chartreux ne furent pas moins actifs.

Cependant, les conditions de production des livres évoluent : dans la riche et très active abbaye de Saint-Victor de Paris, liée de très près aux rois capétiens et à leur chancellerie, berceau d'une des plus grandes écoles du XIIe siècle, l'enrichissement de la bibliothèque ne repose plus sur la seule activité du scriptorium, mais également sur le travail de scribes extérieurs au monastère, embauchés par l'*armarius**. La grande époque des scriptoria monastiques est définitivement révolue.

Un tel panorama des ateliers de copie ecclésiastiques suppose que l'on a déterminé, au préalable, le centre dans lequel ont été écrits les manuscrits conservés aujourd'hui. Chaque scriptorium monastique présente des traits particuliers, régionaux ou propres à l'ordre auquel il appartient. En théorie, une étude attentive de ces caractéristiques devrait permettre de rendre à chaque centre de copie la part de la production manuscrite qui lui revient : habitudes de mise en page, systèmes d'abréviation ou de ponctuation — telle façon de tracer le point d'interrogation, caractéristique de l'abbaye de Saint-Denis ; styles d'enluminure — ainsi, celui, typique, des manuscrits d'origine insulaire ; techniques de reliure — particularité des reliures fabriquées dans les abbayes de l'ordre de Cîteaux, telle Clairmarais ; écritures tout à fait propres à un centre de production — telle l'écriture de Corbie... Mais, au cours des siècles, les centres de copie ont été soumis à diverses influences, ils se sont mutuellement livrés à des échanges : en pratique, aucune tâche n'est plus ardue que de déterminer l'origine d'un manuscrit.

M.P.

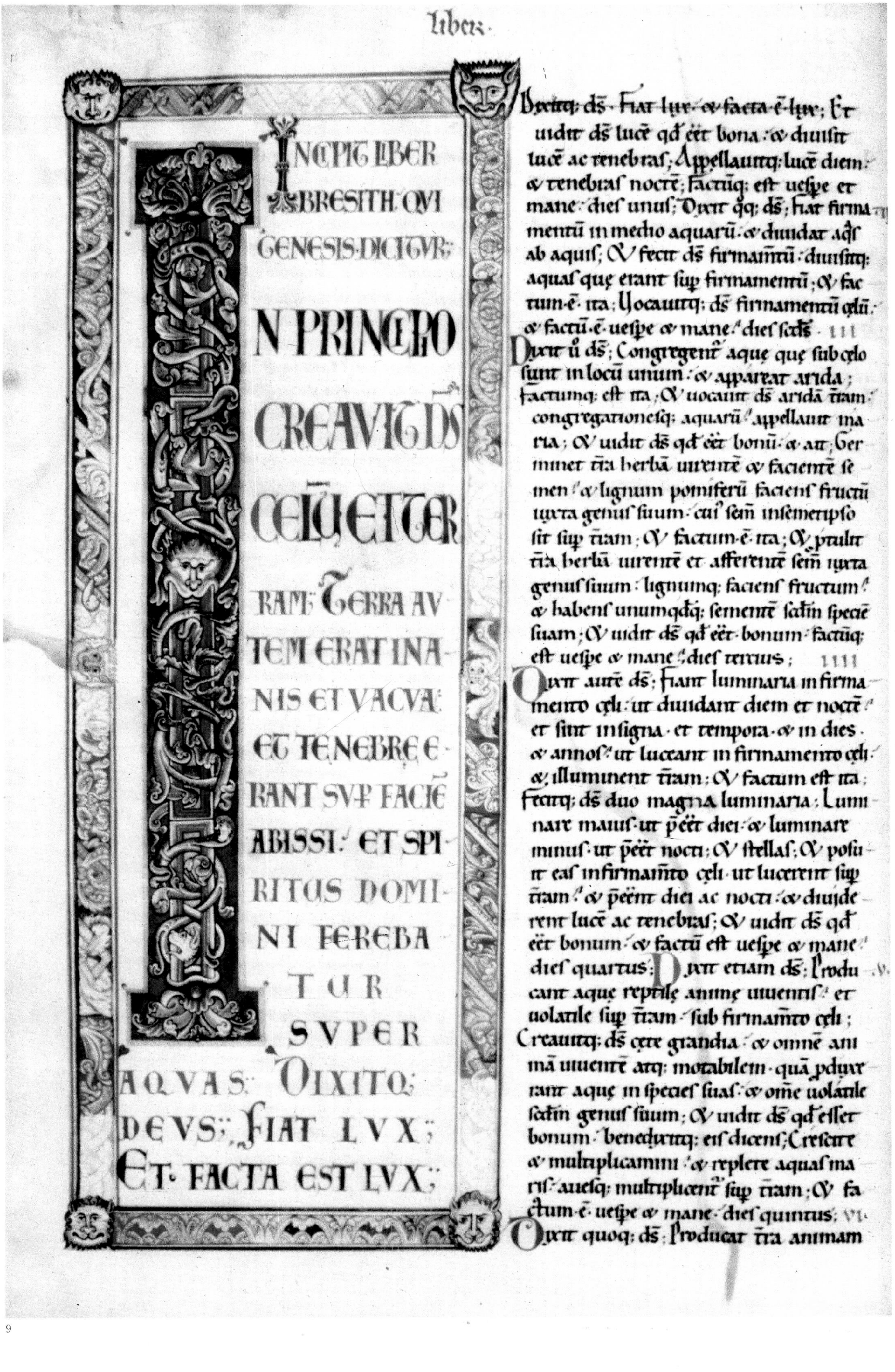
liber.
INCIPIT LIBER
BRESITH QUI
GENESIS DICITUR;
IN PRINCIPIO
CREAVIT DS
CELUM ET TER
RAM. TERRA AU
TEM ERAT INA
NIS ET VACUA:
ET TENEBRE E
RANT SUP FACIE
ABISSI: ET SPI
RITUS DOMI
NI FEREBA
TUR
SUPER
AQUAS: DIXITQ;
DEUS; FIAT LUX;
ET FACTA EST LUX;
Dixitq; ds. Fiat lux. & facta ē lux; Et
uidit ds lucē qđ eēt bona: & diuisit
lucē ac tenebras; Appellauitq; lucē diem:
& tenebras noctē; Factūq; est uespe et
mane: dies unus; Dixit quoq; ds; Fiat firma
mentū in medio aquarū: & diuidat aqs
ab aquis; Et fecit ds firmamētū: diuisitq;
aquas que erant sup firmamentū; & fac
tum ē ita; Uocauitq; ds firmamentū celū:
& factū ē uespe & mane: dies secds. III
Dixit uero ds; Congregent aque que sub celo
sunt in locū unum: & appareat arida;
Factumq; est ita; Et uocauit ds aridā terrā:
congregationesq; aquarū appellauit ma
ria; Et uidit ds qđ eēt bonū: & ait; Ger
minet terra herbā uirentē & facientē se
men: & lignum pomiferū faciens fructū
iuxta genus suum: cui sem̄ in semetipso
sit sup terram; Et factum ē ita; Et protulit
terra herbā uirentē et afferentē sem̄ iuxta
genus suum: lignumq; faciens fructum:
& habens unumqđq; sementē sedm speciē
suam; Et uidit ds qđ eēt bonum: factūq;
est uespe & mane: dies tertius; IIII
Dixit autē ds; Fiant luminaria in firma
mento celi: ut diuidant diem et noctē:
et sint in signa et tempora & in dies
& annos: ut luceant in firmamento celi:
& illuminent terram; Et factum est ita;
Fecitq; ds duo magna luminaria; Lumi
nare maius: ut pēēt diei: & luminare
minus: ut pēēt nocti: Et stellas; Et posu
it eas in firmamēto celi: ut lucerent sup
terram: & pēēnt diei ac nocti: & diuide
rent lucē ac tenebras; Et uidit ds qđ
eēt bonum: & factū est uespe & mane
dies quartus; Dixit etiam ds; Produ V
cant aque reptile anime uiuentis: et
uolatile sup terram: sub firmamēto celi;
Creauitq; ds cete grandia: & omnē ani
mā uiuentē atq; motabilem quā pduxe
rant aque in species suas: & omē uolatile
sedm genus suum; Et uidit ds qđ esset
bonum: benedixitq; eis dicens; Crescite
& multiplicamini: & replete aquas ma
ris: auesq; multiplicent sup terram; Et fa
ctum ē uespe & mane: dies quintus; VI
Dixit quoq; ds; Producat terra animam

9

Quelques grands types d'écriture usités du VIe au XVe siècle

Semi-onciale,
VIe siècle.

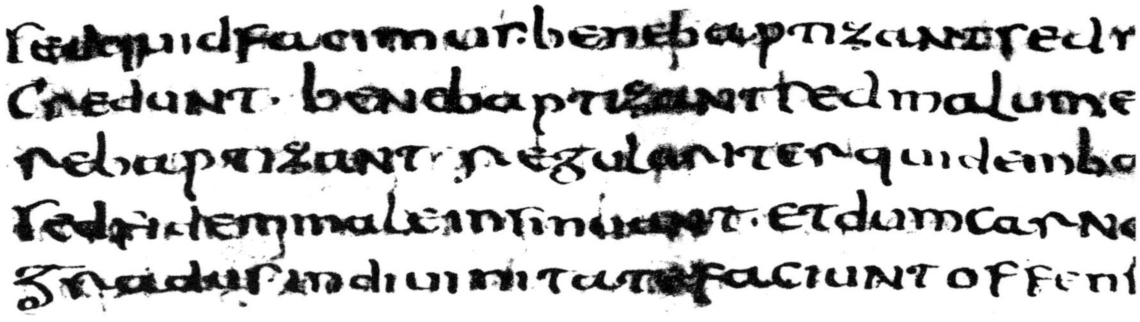

Cursive mérovingienne,
VIIIe siècle.

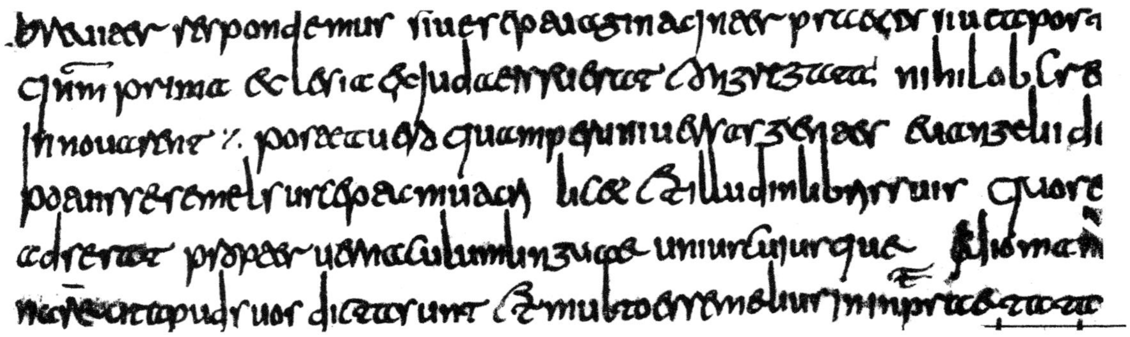

Minuscule caroline,
IXe siècle.

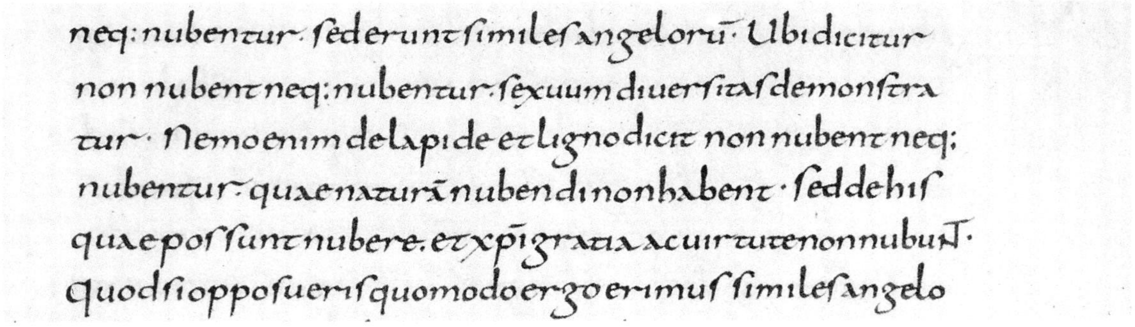

Ecriture monastique,
XIIe siècle.

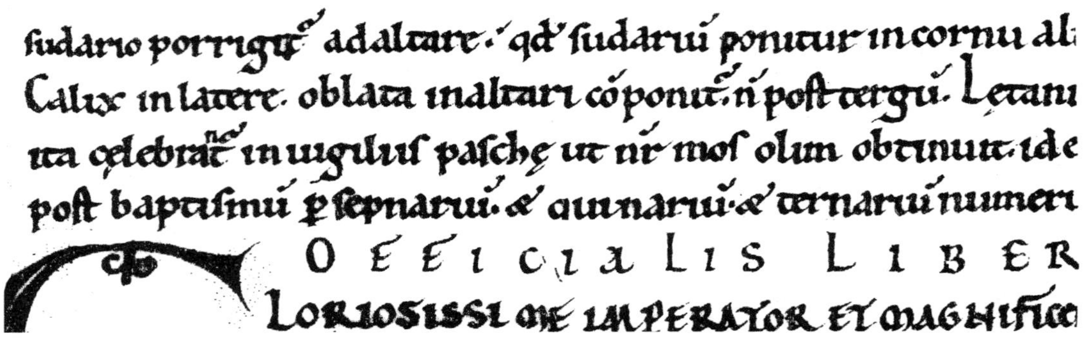

10

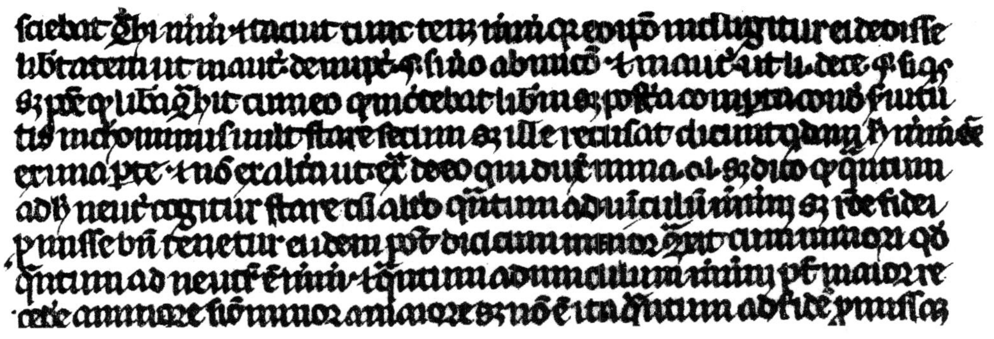

Gothique universitaire, XIIIe siècle.

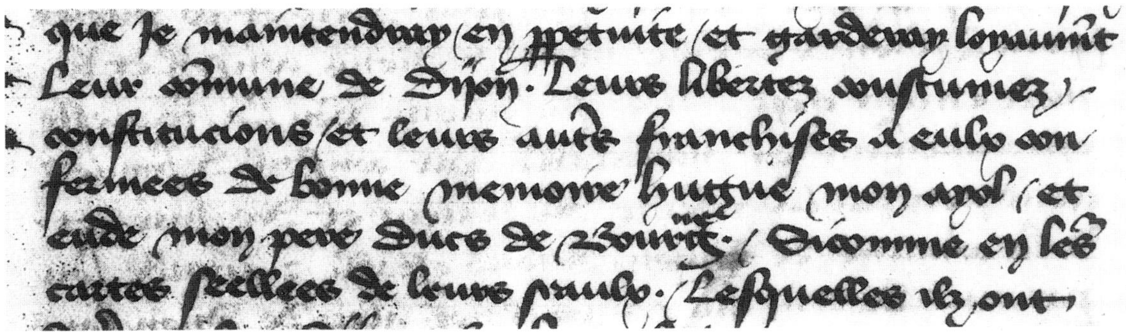

que je maintendray en perpetuite et garderay loyaumet
leur commune de Dijon. Leurs libertez coustumez
constitucions et leurs autres franchises a eulx con
fermees de bonne memoire Hugue mon ayol et
Eude mon pere Ducs de Bourgne. Si comme en les
cartes seellees de leurs seaulx. Lesquelles ilz ont

Cursive livresque, XIVe-XVe siècle.

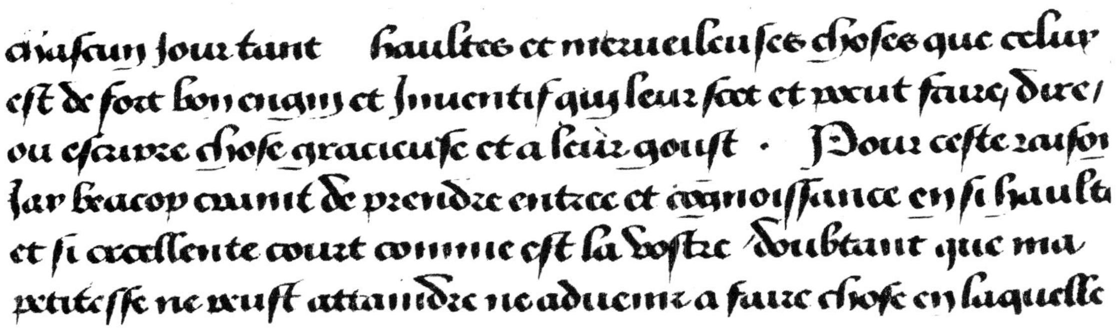

chascun jour tant haultes et merveilleuses choses que celui
est de fort bon engin et inventif qui leur scet et peut faire, dire
ou escrire chose gracieuse et a leur goust. Pour ceste raison
lay bien cause de prendre entree et congnoissance en si haulte
et si excellente court comme est la vostre, doubtant que ma
petitesse ne peust attaindre ne advenir a faire chose en laquelle

Bâtarde bourguignonne, XVe siècle.

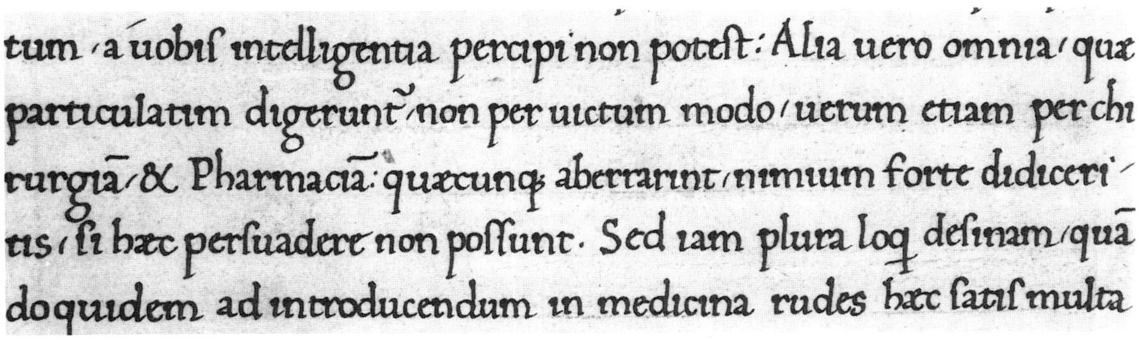

tum, a uobis intelligentia percipi non potest: Alia uero omnia, quæ
particulatim digeruntur, non per uictum modo, uerum etiam per chi
rurgiam & Pharmaciam quæcunque aberrarint, nimium forte didiceri
tis, si hæc persuadere non possunt. Sed iam plura loqui desinam, quan
doquidem ad introducendum in medicina rudes hæc satis multa

Humanistique ronde, XVe siècle.

11. La plus ancienne version du *Liber pastoralis* de saint Grégoire le Grand (Troyes, Bibl. mun. 504, fol. 48 v°. VIIe s.).

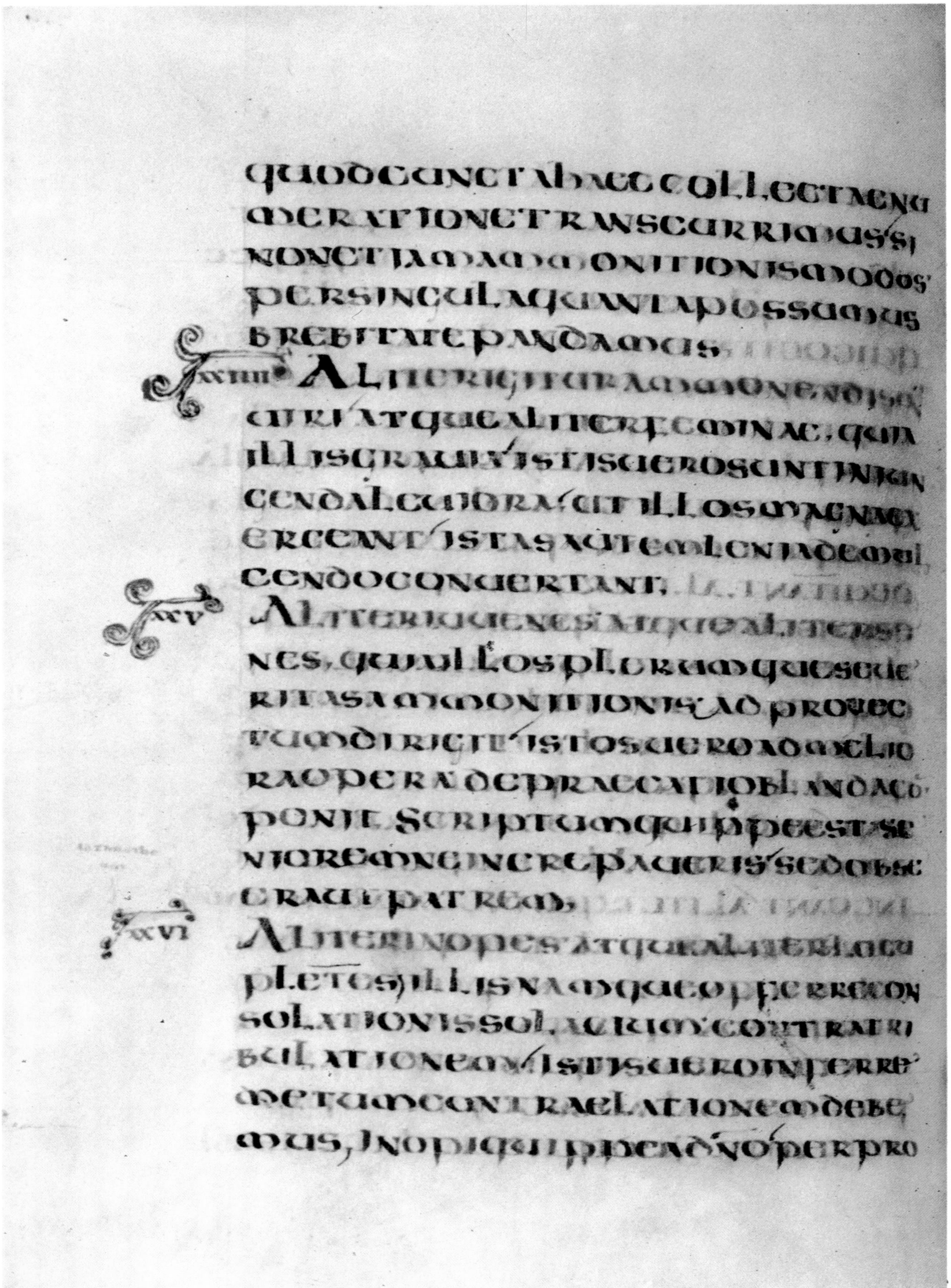

12. Le même ouvrage
dans un manuscrit issu du scriptorium
de Clairvaux au XIIᵉ siècle
(Troyes, Bibl. mun. 955, fol. 57).

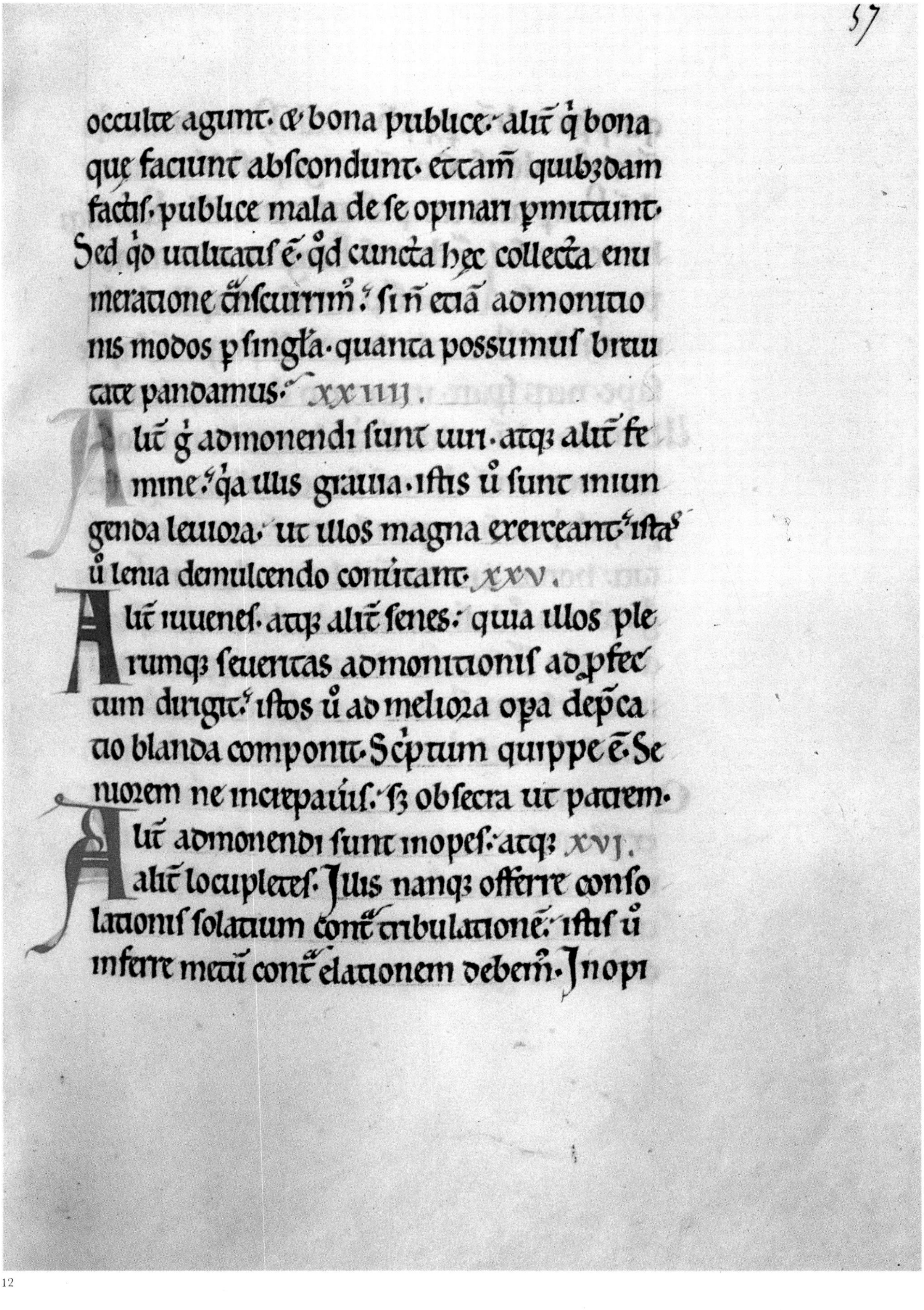
57

occulte agunt. et bona publice. aliter que bona
que faciunt abscondunt. etiam quibusdam
factis publice mala de se opinari permittunt.
Sed quo utilitatis est. quod cuncta hec collecta enu
meratione discurrimus. si non etiam admonitio
nis modos per singula. quanta possumus brevi
tate pandamus. XXIIII.
Aliter ergo admonendi sunt viri. atque aliter fe
mine. quia illis gravia. istis vero sunt iniun
genda leviora. ut illos magna exerceant. istas
vero lenia demulcendo convertant. XXV.
Aliter iuvenes. atque aliter senes. quia illos ple
rumque severitas admonitionis ad profec
tum dirigit. istos vero ad meliora opera depreca
tio blanda componit. Scriptum quippe est. Se
niorem ne increpaveris. sed obsecra ut patrem.
Aliter admonendi sunt inopes. atque XXVI.
aliter locupletes. Illis namque offerre conso
lationis solatium contra tribulationem. istis vero
inferre metum contra elationem debemus. Inopi

Manuscrits monastiques et scriptoria aux XIe et XIIe siècles

Le codicologue soucieux de tracer son chemin à travers « la forêt touffue des écritures médiévales », selon la jolie expression de Charles Samaran, doit prendre des points de repère en situant les productions des différents scriptoria* les unes par rapport aux autres. Cela n'est pas si simple qu'il pourrait le paraître au départ.

En effet, le travail d'écriture avait alors un caractère religieux et les scribes, qui accomplissaient par obéissance une tâche non rémunérée, signaient rarement leur ouvrage ; ils n'appartenaient même pas toujours à la communauté de laquelle dépendait leur scriptorium, car les centres mal pourvus en bons écrivains accueillaient volontiers des *peregrini* capables de copier pour eux des manuscrits ou d'apprendre à écrire à leurs moines (ainsi, au IXe siècle, trouve-t-on des « insulaires » dans toute l'Europe de l'Ouest, des Italiens en Allemagne, des Espagnols sur la Loire ou des Normands dans les abbayes anglaises après la conquête).

De ces déplacements de religieux d'un couvent à l'autre, de l'ignorance dans laquelle ils ont laissé le lecteur de leurs faits et gestes, naît une première cause de confusion et d'erreur. Une autre difficulté vient de cette propriété bien irritante du manuscrit, quel qu'il soit : celle d'avoir été grand voyageur. Nombreux sont, parmi les volumes qui sont parvenus jusqu'à nous ceux qui ont abouti dans des collections ou des bibliothèques fort éloignées de leur point de départ.

Enfin, la vie du manuscrit ne s'interrompt pas au mot « *finis* » ou « *explicit* » tracé par son dernier copiste. Qu'il soit demeuré là où il a été copié ou qu'il ait circulé, il est passé entre bien des mains, dont certaines ont pu chercher à faire disparaître les marques d'une appartenance antérieure.

Il est donc indispensable, pour procéder à une juste analyse codicologique d'un manuscrit, de distinguer son origine (le lieu où il a été réalisé) de sa ou ses provenances (les lieux où il a été conservé).

De quels moyens dispose-t-on pour y parvenir ? En l'absence de répertoires nous informant sur la production même des scriptoria, les inventaires anciens des bibliothèques médiévales pourraient être une source de renseignements. Au mieux, ils énumèrent les volumes dans l'ordre des acquisitions, mais sans faire de distinction entre les livres copiés sur place et les apports extérieurs : l'*Index major* de Saint-Amand en Pevèle, par exemple, ou le premier catalogue de Saint-Evroult d'Ouche, dressés tous deux au cours du XIIe siècle.

Elias Avery Lowe énonce dans la préface de ses *Codices*

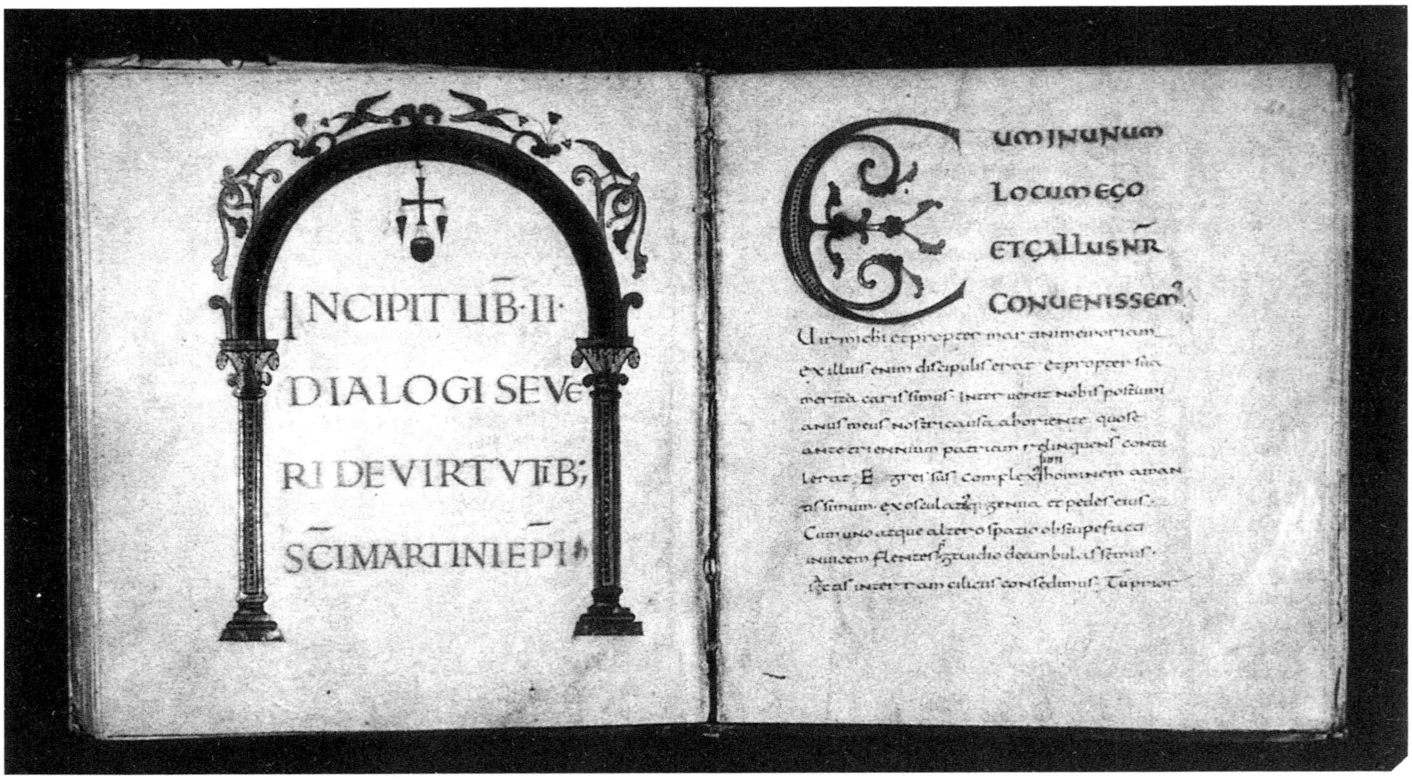

13

13. Ce manuscrit des *Gesta sancti Martini* (dialogues de Sulpice Sévère) a été copié au IXᵉ siècle dans un scriptorium de Tours. Le titre est écrit en capitales sous un arc à l'antique, les premiers mots sont en onciale, le reste du texte est en caroline (Berlin, Deutsche Staatsbibliothek, Phillipps 1877, fol. 59 v°-60).

14. Début des *Moralia in Job* de saint Grégoire le Grand, l'un des textes les plus représentatifs de la littérature monastique (Tours, Bibl. mun. 321, fol. 2. XIIᵉ s.).

Lugdunenses antiquissimi, trois règles qui devaient, selon lui, rendre possible la détermination de l'origine d'un manuscrit avec un haut degré de probabilité :

— Si un très ancien manuscrit se trouve conservé dans un centre plus ancien encore, on est fondé à croire, à défaut de preuves contraires, qu'il en est originaire.

— Si, de plus, ce manuscrit reproduit l'ouvrage d'un auteur qui florissait dans ce centre ou appartient à un genre littéraire qui y fut cultivé, l'origine supposée se trouve renforcée.

— Enfin, si les manuscrits conservés dans ce centre présentent des traits communs, différents de ceux des manuscrits comparables qui se trouvent dans d'autres régions, on peut conclure avec assez de confiance qu'il s'agit bien de productions d'une même école.

La troisième règle est la plus féconde. En explorant, dans les diverses bibliothèques de France, les fonds monastiques restés groupés, ressemblances et différences s'affirment ; des rapprochements de mains ou de styles apparaissent, des chronologies s'ébauchent. Bien des livres dépourvus de carte d'identité, ainsi replacés dans un ensemble, deviennent localisables et même, dans les meilleurs cas, approximativement datables.

Toutefois, un lot d'ouvrages peut avoir été donné à la bibliothèque et conservé par elle. Au-delà des ressemblances, il faut des preuves positives et deux conditions doivent être remplies pour que l'identification d'un atelier soit possible :

— l'existence d'un fonds suffisamment important, dont les manuscrits présentent entre eux un air de famille ;

— la présence dans ce fonds d'éléments sûrement localisés qui servent de points de repère et de points de comparaison.

Ces éléments auront été localisés grâce à divers critères :

— une souscription, datée ou non, donnant le nom du centre ou, tout au moins, celui d'un abbé, d'un dignitaire, d'un copiste connu ;

— une miniature de dédicace où figurent les patrons de l'église ou du monastère ;

— un ex-libris écrit de la main de l'un des copistes du texte ;

— des indications fournies par le contenu des livres liturgiques, des coutumiers, des ouvrages narratifs, etc.

Chacun de ces critères, s'il est pris isolément, peut prêter le flanc à la critique, mais il est déjà plus difficile de mettre en doute plusieurs critères associés, lorsque, par exemple, aux indications tirées du contenu d'un manuscrit s'ajoutent des marques de propriété du même monastère. Cependant, pour atteindre à une certitude,

14

il faut replacer le livre parmi d'autres volumes issus du même fonds. Un ex-libris de la main du texte, une souscription de copiste ou tout autre indice objectif ne prendra vraiment son sens que s'il correspond à des caractères codicologiques communs à tout un groupe : aspect de l'écriture et couleur de l'encre, caractères de la mise en page et de la décoration, couleurs employées, mode de reliure, etc.

A considérer ce qui subsiste des bibliothèques médiévales, on constate que la production du IXᵉ siècle a été conservée en relative abondance, mais qu'elle est dispersée, et qu'en dehors de cas exceptionnels, tels les fonds de Fleury, de Corbie ou de Saint-Gall, les indices y sont d'interprétation difficile et le contexte historique souvent obscur ; la production du Xᵉ siècle est presque partout réduite à l'état d'épaves et il faut attendre le XIᵉ et le XIIᵉ siècle pour rencontrer des ensembles nombreux, personnalisés, répondant aux conditions proposées ci-dessus. Les sources narratives et diplomatiques concernant cette dernière période, âge d'or de la civilisation monastique, fournissent une foule de renseignements assez précis pour permettre recoupements et vérifications. C'est sans doute pourquoi les manuscrits de cette époque intéressent de plus en plus paléographes et codicologues.

M.G.

15. Rituel pour la Pâque (haggada), manuscrit ashkenaze, XVe siècle (Darmstadt Hochschulbibliothek, cod. orient. 8, fol. 37 v°).

16. Rituel pour la Pâque (haggada), même manuscrit (Darmstadt, Hochschulbibliothek, cod. orient. 8, fol. 4).

15

16

Les scribes hébreux

17. Scène d'école, tirée d'un manuscrit de 1395 (Londres, British Library, Add. 19776, fol. 72 v°).

18. Copiste représenté dans un manuscrit du XIIIe siècle, d'origine allemande (Oxford, Bodl. Libr., Laud. 321, fol. 165 v°).

Au Moyen Age, dans les communautés juives, les petits garçons et certaines petites filles allaient à l'école. Le jour de la Pentecôte marquait le début de l'année scolaire. En France et en Allemagne, ce jour-là l'enfant était amené en classe pour la première fois et il recevait les lettres de l'alphabet moulées en pâte à gâteau et trempées dans du miel, afin que s'accomplisse le verset d'Ezéchiel (III, 3) : « Je mangeai ce rouleau [de la loi divine] et celle-ci fut dans ma bouche douce comme du miel. »

L'apprentissage n'était pas toujours doux ; un texte moral écrit en Rhénanie vers 1210 recommande : « Si un rabbin se met en colère contre un élève, il ne le frappera pas avec un livre. Un élève ne se protégera pas des coups avec un livre, sauf s'il y a danger de mort. » A défaut de pouvoir se servir d'un livre, le maître utilisait un martinet (doc. 17). Tous les enfants apprenaient à lire d'abord l'alphabet, puis la Bible, en commençant par le Lévitique.

Une fois dans sa vie, chaque juif avait l'obligation de copier lui-même un rouleau de la Tora, le Pentateuque. Tous n'en étaient pas capables et seuls les intellectuels écrivaient bien : rabbins, médecins, astrologues-astronomes et marchands. De plus, les règles de copie des rouleaux du Pentateuque sont très

17

strictes. Les scribes contemporains copient presque de la même manière qu'ils l'auraient fait il y a mille ans. Certes, ils n'auraient pas pu utiliser une table à écrire ; ils auraient copié sur leurs genoux ou sur un pupitre comme le scribe du document 18. A la fin du Moyen Age, ils auraient peut-être comme leur descendant moderne, porté lunettes ou plutôt pince-nez (doc. 19).

En 1404, Hayyim, fils de Saül Migdoli, nous dit être âgé de soixante ans et « avoir copié cette Bible grâce à des loupes de verre pour [ses] deux yeux ».

Copier des livres était un plaisir autant qu'un travail ; même en prison, on s'arrangeait quelquefois pour copier et même commenter des textes. La fatigue de la tâche, si couramment

18

19. Moïse, fils de Josué, portant un pince-nez (Paris, Bibl. nat., hébr. 402, fol. 206 v°).

exprimée par les scribes latins, n'est presque pas évoquée par les scribes hébreux. Ils avaient le sentiment d'acquérir par là un grand mérite et remercient Dieu de leur en donner la possibilité. Ainsi, Isaac d'Evreux, en 1384, écrit, en langue française et hébraïque (le tout en caractères hébreux) :

« Avec l'aide du Dieu puissant qui règne [sur les dominateurs,
Qui fait pousser les plantes et les blés [et les fleurs.
Celui qui me fait coucher tard et qui [me fait lever matin,
Qui enseigne à ma langue à parler [l'allemand comme le latin,
Je commence à écrire le traité Gittin. »

Le colophon est le témoignage principal sur l'activité du scribe. Il est la manifestation par laquelle le scribe, comme le lecteur, accorde valeur et dignité à la copie du livre. Il suffit pour s'en convaincre de voir le soin avec lequel certains copistes ont disposé leurs colophons. La composition peut en être artistique, littéraire ou encore amusante, sous forme de « texte fléché » (doc. 20).

Les colophons informent en général de la date et de la localisation d'un manuscrit ; ils permettent souvent de connaître le nom du scribe et celui du commanditaire ; les colophons sont aussi une mine de renseignements sur le contexte sociologique, historique et parfois sur la vie des scribes eux-mêmes. Les indications plus précises sur les conditions de travail d'un scribe, son environnement ou le temps passé à la copie, interviennent plus rarement : les médiévaux n'avaient pas une appréciation du temps aussi précise que la nôtre, les horloges mécaniques n'existaient pas, les sabliers étaient rares ; quant aux horloges solaires, elles découpaient les heures du jour en fonction des saisons — plus longues en été, plus courtes en hiver.

Véritable Stakhanov de la copie, Menahem, fils de Benjamin, scribe du XIIIe siècle, constitue une exception riche d'enseignements.

Sa conception du temps est bien proche de la nôtre. Ainsi, il termine la copie d'un traité philosophique occupant les cent quarante premiers feuillets du manuscrit Add. 173 de la Bibliothèque universitaire de Cambridge sur les mots suivants :

« Ce livre a été achevé par la main de Menahem, fils de Benjamin, lundi 2 Shevat 5049 [26 décembre 1288], il a été écrit et entièrement terminé en sept jours...

« Celui qui viendra après moi et refusera de croire, qu'il ne s'étonne pas, car c'est ainsi ma façon d'écrire, avec rapidité, grâce à l'aide divine qui m'a été accordée et j'ai pris à témoin des

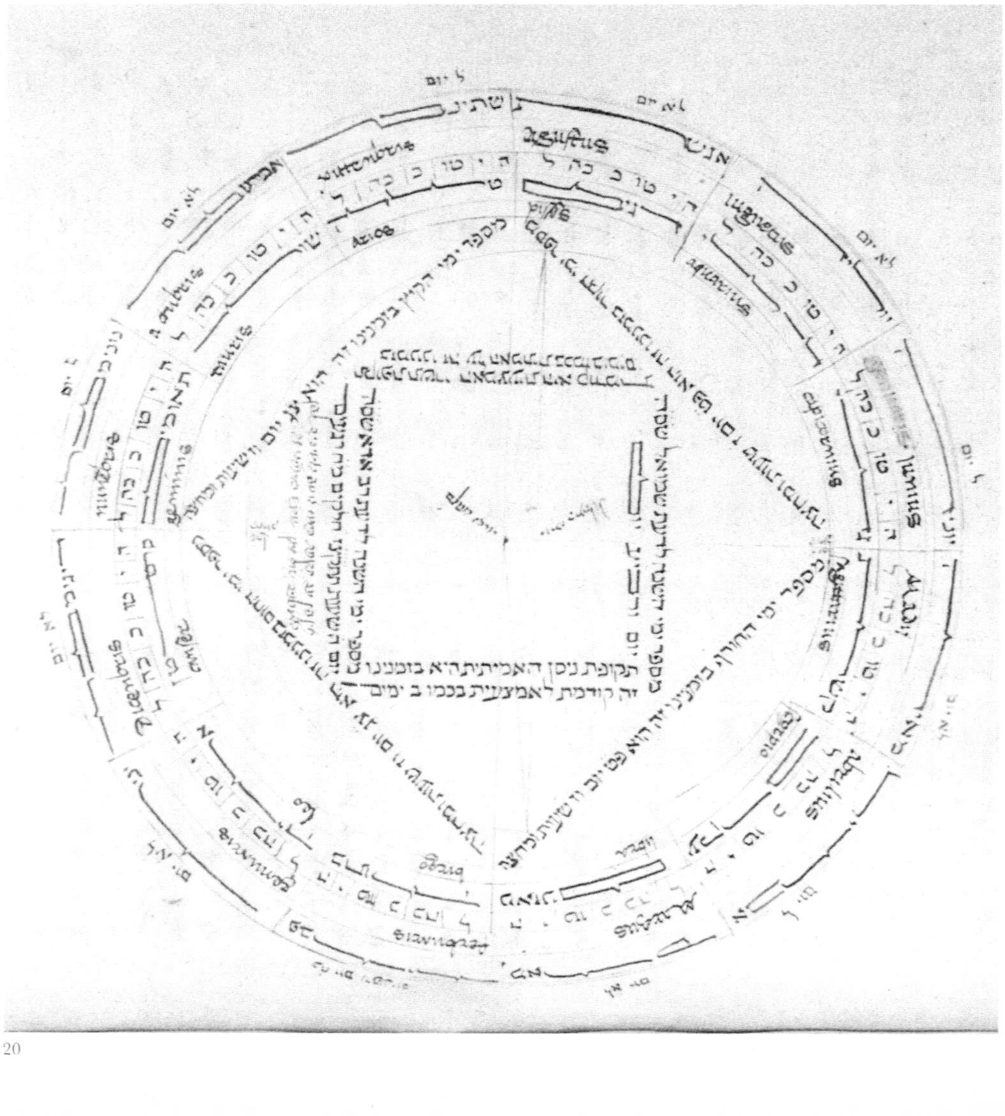

20. Colophon d'Isaac Israëli, tiré du manuscrit des *Fondements du monde,* copié à Syracuse (Sicile) en 1491 (Paris, Bibl. nat., hébr. 1069, fol. 133).

21. Rituel pour la Pâque (haggada) Barcelone, vers 1350 (Londres, British Library, Add. 14761, fol. 88).

21

personnages dignes de confiance parmi ceux de ma génération qui ont vu et entendu mes paroles car ils se sont aussi étonnés de ce fait et s'ils n'avaient pas pu le constater, ils ne l'auraient pas cru... »

Quatre manuscrits copiés par Menahem en Italie entre 1285 et 1289 ont été conservés. A l'origine, ils ne se présentaient pas en livres ; Menahem écrivait ses textes sur des séries de cahiers* numérotés, qu'il prenait ou reprenait en fonction, probablement, de la disponibilité des modèles qu'il copiait.

Menahem, fils de Benjamin, est un cas particulier : un « moderne » parmi les scribes juifs car, dans les manuscrits copiés, apparemment pour son propre usage, il a noté le temps qu'il a mis à reproduire tel ou tel traité. D'après les différents colophons qui accompagnent les textes, un certain nombre d'entre eux ont été copiés la nuit, et dans le tableau ci-dessous, on remarquera combien le travail nocturne à la chandelle était une épreuve difficile : la moyenne de copie est de trois feuillets par nuit pour plus de dix-sept feuillets, le jour. Menahem était un scribe « fécond » et plein de vitalité, puisqu'il a terminé dans la nuit du 19 Chevat 5047 (5 février 1287) les feuillets 43r à 114v du manuscrit de Parme puis, dans la foulée, il copia, le jour même du 19 Chevat, les feuillets 186r à 230v, soit quarante-trois feuillets recto-verso dans la journée !

Pour apprécier la rapidité du scribe Menahem, citons l'exemple d'une copie (dont les caractéristiques codicologiques et paléographiques* sont proches de celles relevées dans les manuscrits écrits par Menahem) faite par un scribe inconnu en 1471, en zone Byzantine, dans des conditions bien particulières :

« Le possesseur du livre ne voulait pas que j'en fasse une copie, aussi avec beaucoup d'efforts l'ai-je écrit en sept jours... profitant de ce qu'il avait oublié le livre.

« Une heure après que j'eusse fini, le possesseur du modèle est arrivé et, avec

PARIS (Bibl. nat. hébr. 1221)	PARME (Palatine 2784)	LONDRES (Brit. Lib. Or. 6712)	CAMBRIDGE (Bibl. univ. Add. 173)
70 feuillets/5 jours (1) 43 feuillets/1 jour (2) 23 feuillets/2 jours (3)	5 feuillets/2 nuits (4) 4 feuillets/1 nuit (5)	170 feuillets/ 6 1/2 jours (6)	140 feuillets/7 jours (7) 158 feuillets/8 jours (8)
136 feuillets/8 jours soit 17 feuillets/jour	9 feuillets/3 nuits soit 3 feuillets/nuit	170 feuillets/7 jours soit 24 feuillets/jour	258 feuillets/15 jours soit 17 feuillets/jour

1 : feuillets 43r-114v. 2 : feuillets 186v-230v. 3 : feuillets 115r-138v. 4 : feuillets 15r-20r. 5 : feuillets 20v-24r. 6 : feuillets 1r-170r. 7 : feuillets 1v-140r. 8 : feuillets 141r-298v.

colère, m'a demandé le livre pensant que je le copiais et voulant m'en empêcher. Je lui ai alors répondu : ''Voici ton livre ! Prends-le !'' Et il est reparti en paix ! » (Paris, Bibl. nat. hébr. 713, fol. 176r)

Ce scribe inconnu, particulièrement pressé, a copié cent dix feuillets en sept jours, soit seize feuillets par jour. La moyenne de copie de Menahem, fils de Benjamin, était de vingt feuillets à la journée.

Malgré la productivité exceptionnelle de Menahem, peut-on le considérer comme scribe professionnel, scribe de métier ? Si tous les juifs de sexe masculin et parfois quelques femmes apprenaient à lire et à écrire, tous n'écrivaient pas des livres ; parmi les scribes de livres, il y avait des professionnels, mais rares étaient ceux qui vivaient de leur plume : les colophons apportent souvent la preuve qu'ils exerçaient aussi le métier de chantre, de médecin, d'orfèvre... L'activité de copiste faisant partie du « cursus universitaire », des savants juifs ont parfois mis leurs étudiants à l'épreuve de la copie pour eux-mêmes, ainsi des bibliothèques se constituaient-elles ! Le travail des scribes juifs ne se limitait pas à la seule copie de livres, ils copiaient des contrats, des lettres, des talismans...

Le maniement de la plume était, certes, pour Menahem un acte habituel, cependant aucun des manuscrits qu'il a copiés ne fait mention d'un commanditaire. Issu d'une famille de grande renommée, Menahem, fils de Benjamin, était probablement un savant, sinon un lettré, qui enrichissait sa bibliothèque soit en copiant lui-même ses livres ou en les faisant copier, soit en les achetant.

A la fin d'un recueil de lois tirées du Talmud*, copié à Rome en 1293, Paula, fille d'Abraham le scribe, déclare :

« [Je] proclame les bienfaits du Seigneur, les louanges de l'Éternel, en raison de toutes les bontés dont il m'a comblée et fait grâce, à moi Paula, fille d'Abraham le scribe... Je n'avais pas encore achevé de parler à moi-même, que Rav Menahem, fils de Benjamin, le juste, mon proche parent et mon aimé, vint vers moi m'a suppliée, obligée et convaincue de lui copier ce saint livre... » (Oxford, bibl. Bodléienne, Can. Or. 89-90).

En 1286, Menahem, fils de Benjamin,

22

22. Livre de prière de rite ashkenaze, écrit par Simha le Scribe, de Nuremberg (Jérusalem, Bibl. nat. et univ., hébr. 4° 781/1, fol. 170 v°).

a acheté un livre de proverbes et de poésies comme l'indique l'acte figurant au folio 101r° d'un manuscrit de Munich (Bayerische Staatsbibliothek, Cod. Heb. 207).

Professionnels ou non, peu de scribes juifs ont, semble-t-il, égalé ou surpassé le rendement de Menahem, fils de Benjamin. Le fait qu'il ait pris des témoins pour attester de la rapidité de son travail en est une preuve supplémentaire.

Reste que le temps consacré à la copie dépendait du genre du texte copié : livre courant dont les copies de Menahem sont un exemple, ou livre de luxe qu'on pourrait illustrer par un livre de prières le *Mahzor Worms,* écrit en 1272 en Allemagne (Jérusalem, Bibl. nat. et univ. héb. 4° 781, 1). C'est un livre de lutrin, de grand format, enluminé. Ses deux cent dix-neuf feuillets, ont été écrits à longues lignes, vingt-sept lignes par page pour la partie liturgique, en trois colonnes ayant chacune trente-deux lignes écrites pour les textes bibliques. Dans son colophon, Simha le scribe mentionne le temps passé à la copie : quarante-quatre semaines, soit une moyenne de cinq feuillets par semaine, même pas un folio par jour ! Cette précision a été apportée vraisemblablement pour des raisons différentes de celles qui ont amené Menahem, fils de Benjamin, à proclamer son efficacité : Simha le scribe était probablement lié par un contrat qui précisait non seulement les détails de la préparation du manuscrit mais aussi la date de livraison.

Si les renseignements sur la durée de la copie sont rares, c'est que les scribes hébreux au Moyen Age n'avaient pas une conscience aiguë du rendement. Bien plus que la rapidité de la copie, ils recherchaient plutôt la beauté calligraphique, la qualité du matériau, l'élégance de la mise en page… Pour noter les temps passés à la copie, comme l'a fait Menahem, fils de Benjamin, il fallait sans doute un scribe original.

M.D. et C.S.

Fragments de 5 cm de côté extraits
des manuscrits copiés par Menahem, fils de Benjamin

Paris, Bibl. nat., hébr. 1283.

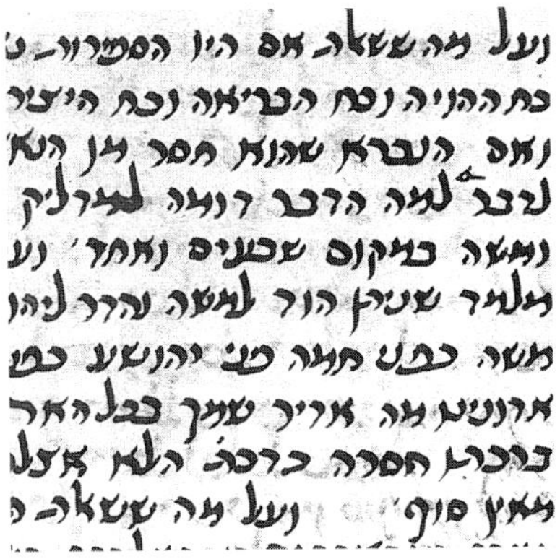

Parme, Bibl. Palatina 2784.

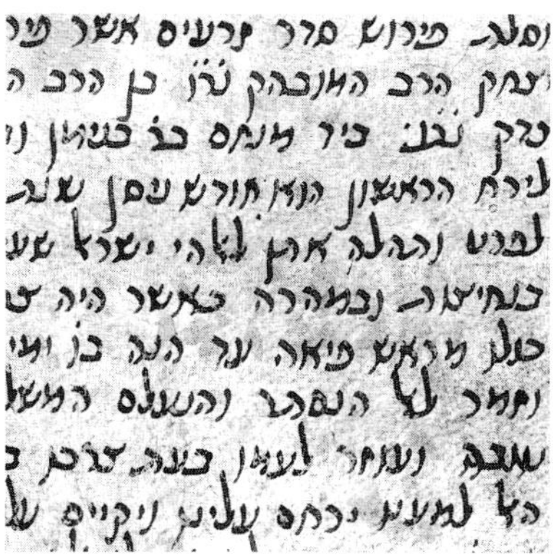

Londres, British Library, Or. 6712.

Cambridge, University Library, Add. 173.

Fragment de 5 cm de côté extrait
du manuscrit copié par Simha le Scribe

Jérusalem, Bibl. nat. et univ., hébr. 4° 781/1.

23

24. Maïmonide, le *Guide des égarés,* copie faite à Barcelone en 1347-1348 (Copenhague, Kongelige Bibl., cod. hebr. 37, fol. 114, détail).

25. *Le Petit Livre des Commandements (Sefer mitzvot qatan)* compilé par Isaac de Corbeil (Vienne, Bibl. nat., cod. hebr. 75, fol. 78. Rhin-Supérieur, vers 1320).

25

La facture du livre médiéval

26. Types de réglures. Un aperçu très partiel de la variété des schémas de réglure employés dans les manuscrits. D'après J. Leroy, *les Types de réglure des manuscrits grecs,* Paris, 1976.

27. Spécimen tout à fait exceptionnel de page, telle qu'elle sortait des mains du copiste. Pour une raison quelconque, cette page n'a pas été utilisée, et n'a donc été ni rognée, ni reliée. Les contours du feuillet conservent approximativement la forme de la peau de bête. Au milieu de la marge, on voit nettement les piqûres qui ont guidé la réglure et au ras desquelles le feuillet aurait dû être rogné (Paris, Bibl. nat., lat. 12205, f. de garde).

Prolongeant le codex* antique, qui supplanta progressivement le *volumen** à partir du IIIe siècle, le livre médiéval ne diffère guère, dans sa structure, du livre moderne tel qu'il s'est fabriqué jusqu'aux inventions de la bureautique contemporaine. Les feuilles du matériau choisi pour recevoir l'écriture (parchemin puis, de plus en plus dès la fin du XIIIe siècle, papier) sont pliées en deux ou en quatre — pliage in-folio* ou in-quarto* (les formats* inférieurs restent exceptionnels) — et assemblées en petits fascicules de quatre à six feuilles doubles (bifeuillets*) formant un cahier.

Dans le cas du parchemin, la succession des feuillets obéit à la règle assez stricte qui assure une certaine homogénéité aux deux pages qui se font face lorsqu'on ouvre le volume : toutes deux doivent présenter la même face du parchemin, côté poil* ou côté chair*.

Pour le papier, une certaine méfiance à l'égard de sa résistance a longtemps poussé à ne pas l'employer seul : au cahier de papier, on ajoutait souvent un bifeuillet extérieur en parchemin, formant chemise, destiné à le renforcer ; un autre était parfois placé au centre du cahier. Cette pratique a survécu plus longtemps pour le seul premier cahier : elle donnait l'illusion au lecteur ouvrant le volume d'un livre de meilleure qualité et facilitait l'exécution d'un frontispice* en tête de l'ouvrage.

La copie du texte ne pouvait commencer sans une certaine préparation de la page. Le support, déjà apprêté par le parcheminier ou le papetier, était à nouveau poli pour n'offrir aucune aspérité à la plume. Puis, à partir d'une série de points de repère marqués par de petits trous, les piqûres* (doc. 27), on traçait par divers procédés qui ont varié au cours du temps (pointe sèche, mine de plomb, encre noire ou de couleur) un schéma plus ou moins compliqué, destiné à organiser la mise en page (réglure) et qui tenait généralement compte des gloses marginales* qui viendraient s'ajouter au texte, dès l'origine ou de la main d'un futur

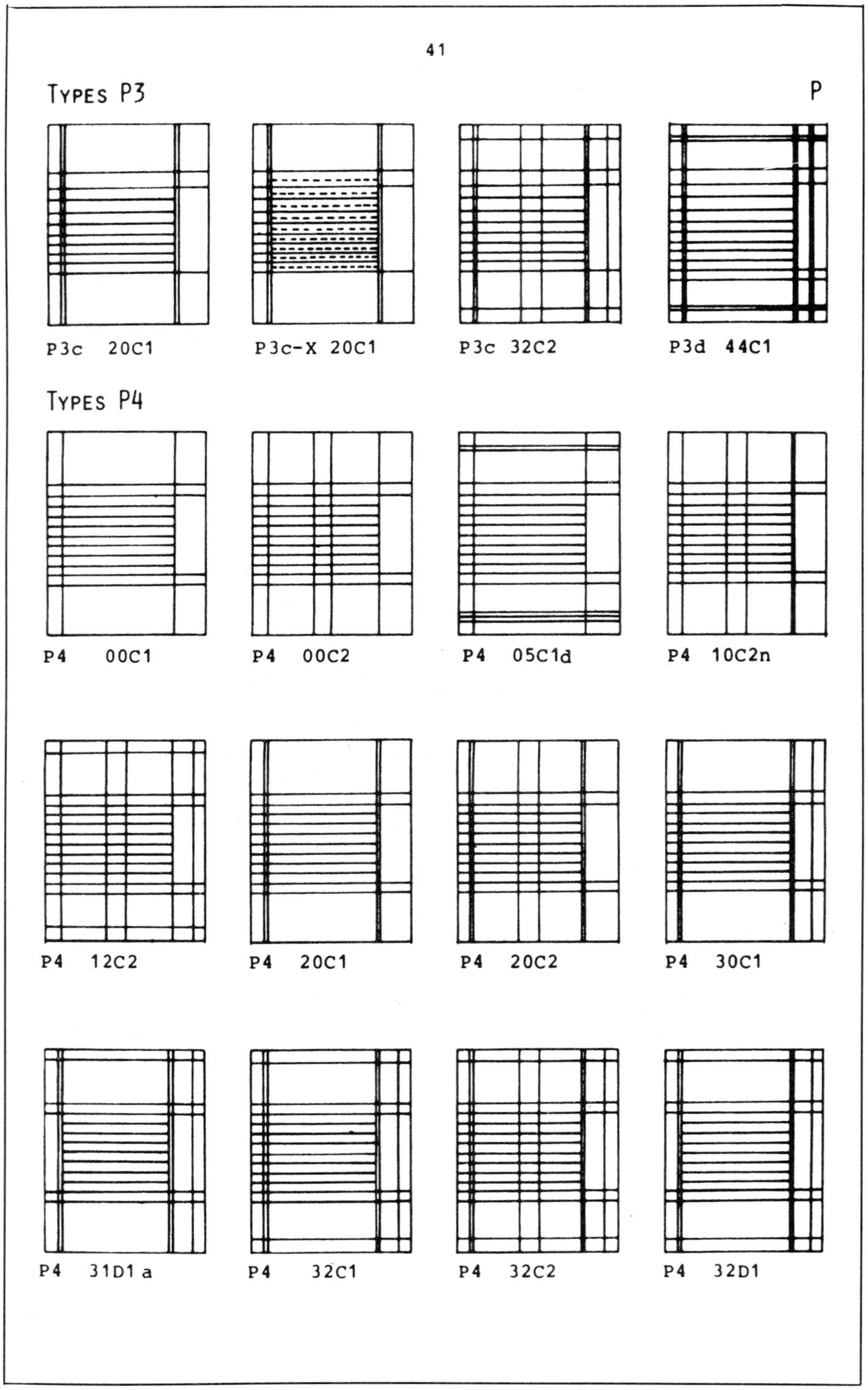

26

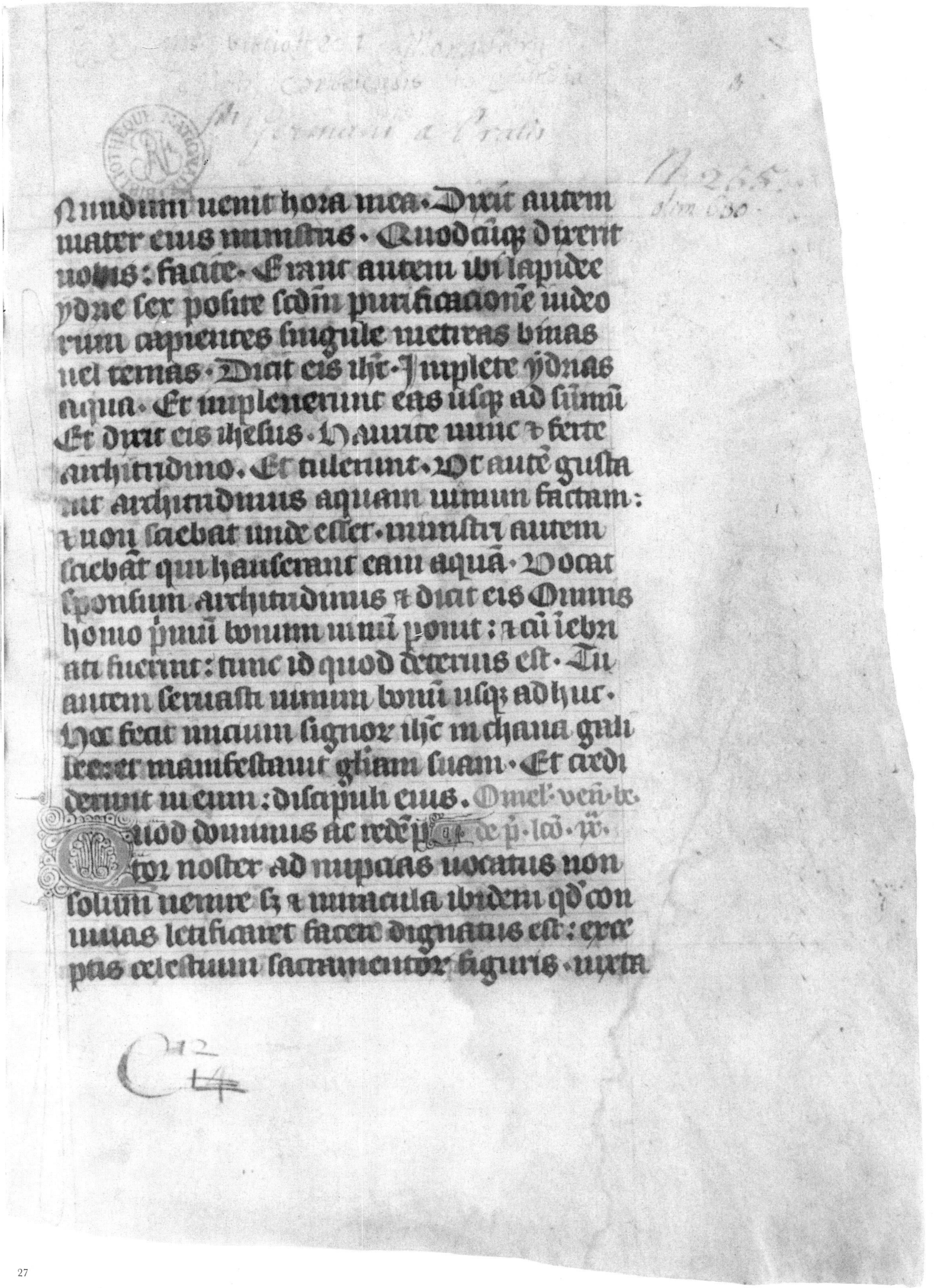
Nundum uenit hora mea. Dixit autem
mater eius ministris. Quodcumque dixerit
uobis: facite. Erant autem ibi lapidee
ydrie sex posite secundum purificationem iudeo
rum capientes singule metretas binas
uel ternas. Dicit eis ihesus. Implete ydrias
aqua. Et impleuerunt eas usque ad summum.
Et dixit eis ihesus. Haurite nunc et ferte
architriclino. Et tulerunt. Ut autem gusta
uit architriclinus aquam uinum factam:
et non sciebat unde esset. ministri autem
sciebant qui hauserant aquam. Vocat
sponsum architriclinus et dicit ei. Omnis
homo primum bonum uinum ponit: et cum inebri
ati fuerint: tunc id quod deterius est. Tu
autem seruasti uinum bonum usque adhuc.
Hoc fecit initium signorum ihesus in chana gali
lee et manifestauit gloriam suam. Et credi
derunt in eum: discipuli eius. Omel. uen. be.
Quod dominus ac redemptor de p. lect. xx.
noster ad nuptias uocatus non
solum uenire sed et miracula ibidem quod con
uiuas letificaret facere dignatus est: exce
ptis celestium sacramentorum figuris. iuxta

28. Le copiste agrémente parfois ses réclames de dessins à la plume, où il laisse aller son imagination. Ici, il s'est amusé à représenter le retour à Rome du pape Urbain V, en 1367 (légende : *Urbanus Romam navigat* ; le pavillon du navire est à ses armes), accompagné de deux cardinaux dont l'un est identifié par un écusson : il s'agit de Guillaume de La Jugie, archevêque de Narbonne († 1374), à qui est destiné le manuscrit. Cette caricature d'actualité permet de dater assez précisément la confection du volume (Avignon, Bibl. mun. 1348, France du Sud, 1367-1374).

29. Neuf copistes se sont partagé la copie de ce manuscrit, exécutée à Saint-Vaast d'Arras, au XIe siècle. Chacun d'eux a inscrit son nom en tête de la partie dont il est responsable, ce qui est une pratique tout à fait exceptionnelle (Arras, Bibl. mun. 675).

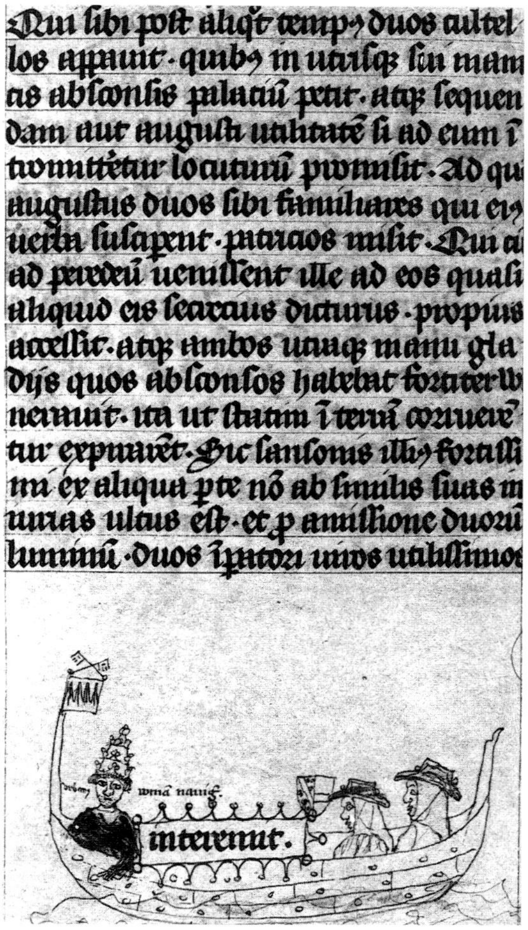

28

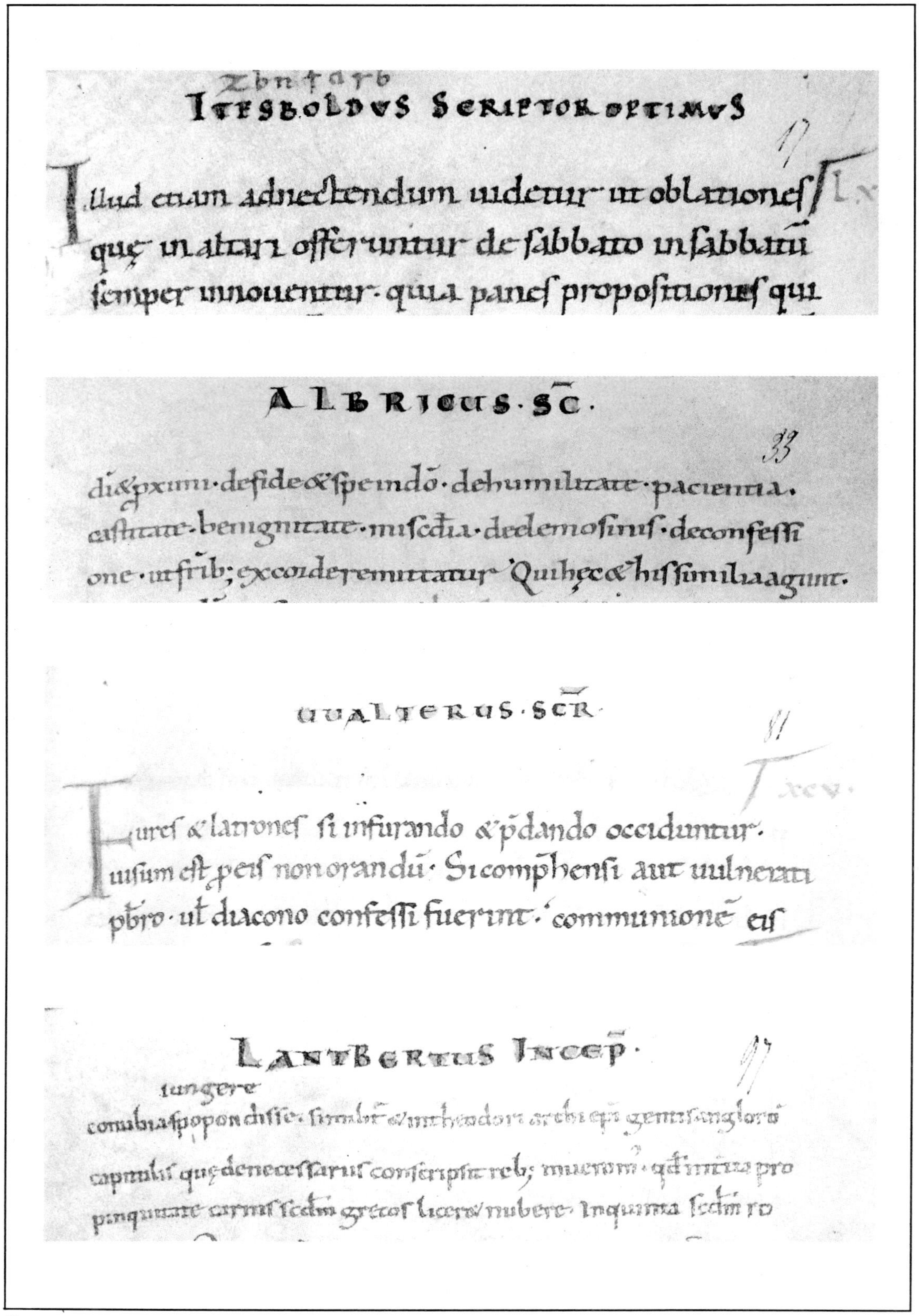

29

30. En tête de ce manuscrit copié à Hautmont (Nord) vers 1195, le copiste a composé une courte pièce en vers expliquant comment trois copistes se sont relayés pour l'exécuter (Paris, Bibl. nat., nouv. acq. lat. 264).

lecteur. La surface réservée à l'écriture (justification*) était enfin remplie de lignes parallèles destinées à guider la plume du copiste (doc. 26).

Le prix du parchemin n'autorisait guère le gaspillage de l'espace disponible. Au plus fort de la production universitaire, la mise en page est d'une densité presque impénétrable. Les titres sont étroitement enchâssés dans le texte, simplement mis en évidence par l'emploi d'encre rouge (rubriques*) ; les paragraphes s'enchaînent sans alinéa, séparés les uns des autres par un signe en forme de crochet (le pied-de-mouche*), lui aussi rubriqué. Mais la complexité des argumentations scolastiques, fortement structurées, obligeait à fournir, en marge, des points de repère supplémentaires : titre courant* en tête de chaque page, rappelant les grandes parties du texte ; manchettes* dans les marges latérales, signalant (souvent d'un simple « *Nota* ») les points importants. L'habitude de numéroter les feuillets ne s'introduisit que fort tard, en premier lieu dans les registres administratifs.

Pour assurer l'assemblage en bon ordre des cahiers, il était nécessaire d'indiquer sur chacun d'eux (généralement dans la marge inférieure de la dernière page) un numéro d'ordre, qui peut prendre la forme d'un chiffre ou d'une lettre de l'alphabet : la signature*. Ou bien, suivant une autre technique qui se développa à partir du XIIe siècle, on garantissait la continuité en annonçant à la fin de chaque cahier les premiers mots du suivant : les réclames* (doc. 28).

Après un rognage* destiné à égaliser les dimensions des cahiers, on pouvait procéder à la reliure. Les cahiers étaient cousus à travers leur pliure à de fortes bandes de cuir (les nerfs*) dont les extrémités étaient fixées à des planchettes de bois (les ais*) formant l'armature de la couverture. Ceux-ci étaient le plus communément recouverts de peau, parfois encore garnie de son poil, et renforcés de clous à grosse tête (les boulons* ou bouillons*) et de ferrures diverses. Dans les bibliothèques collectives, on y ajoutait une forte chaîne qui attachait chaque livre à son pupitre.

Un travail collectif

Le manuscrit médiéval n'est généralement pas l'œuvre d'un seul individu (à moins qu'il n'écrive pour son propre usage), mais d'une équipe de personnes qui se relaient (doc. 30) ou qui collaborent selon un scénario organisé.

Dans les scriptoria monastiques du haut Moyen Age, pour permettre à plusieurs moines de travailler simultanément à la confection d'un livre dont on n'avait emprunté le précieux modèle que pour un court délai, il était fréquent qu'on dérelie celui-ci et que l'on confie un ou plusieurs cahiers* à copier à chacun des collaborateurs (doc. 29).

Par la suite, c'est plutôt la division du travail en fonction des compétences qui prévalut : l'exécution se trouvait alors répartie entre les copistes, chargés du texte proprement dit, les rubricateurs*, qui effectuaient les travaux à l'encre de couleur (titres en rouge, décoration mineure en couleurs franches), les enlumineurs — peut-être assistés de doreurs — à qui revenaient l'exécution des « histoires »*, le tout sous la supervision d'un censeur*, correcteur ou réviseur, responsable de la production, qui organisait le travail et contrôlait les résultats (doc. 31).

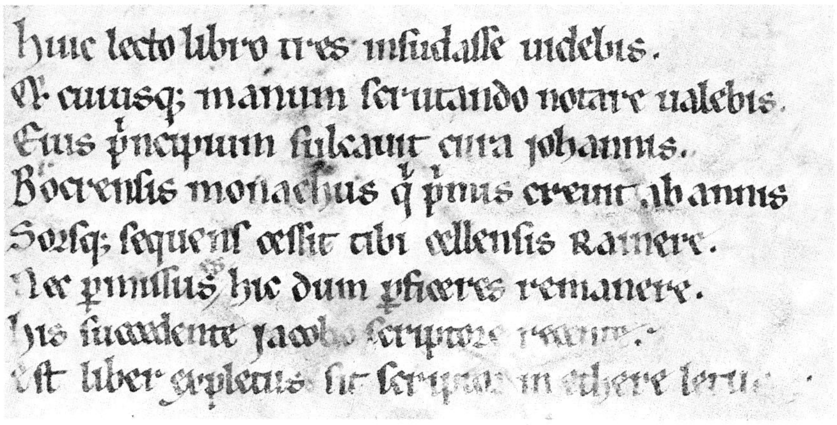

« Huic lecto libro tres insudasse uidebis & cuiusq(ue) manum scrutando notare ualebis. Eius p(ri)ncipium sulcauit cura Johannis Brocrensis monachus q(ui) p(ri)mus creuit ab annis. Sorsq(ue) sequens cessit tibi, Cellensis Rainere ; Nec p(er)missus es hic dum p(er)ficeres remanere. His succedente Jacobo scriptore recente Est liber expletus. Sit scriptor in ethere letus. »

« Quand tu l'auras lu, tu constateras que trois personnes ont travaillé à ce livre et, en l'examinant, tu pourras reconnaître la main de chacun. Le début a été tracé par Jean, moine de Brocqueroy, qui le premier a été atteint par l'âge. Ensuite vint ton tour, Renier de La Celle ; mais il ne t'a pas été permis de rester ici jusqu'à ce que tu l'achèves. Le livre a été terminé par le copiste Jacques, succédant à ceux-ci. Que le copiste soit heureux aux cieux ! »

30

31. Lors de la copie du texte, le copiste a laissé un blanc à la place où devait venir s'insérer l'intertitre et a indiqué dans le bas du feuillet le texte correspondant. Par la suite, le rubricateur a inscrit ce titre en rouge, en même temps qu'il exécutait le titre courant et les nerfs qui ornent l'intercolonne. Enfin, un réviseur a corrigé les fautes et numéroté en marge les points de l'argumentation (Angers, Bibl. mun. 250, fin du XIIIe s.).

32. La pratique consistant à copier les pages d'un livre sur la feuille, avant pliage, en les disposant à la manière des typographes, ne nous est connue que par quelques rares feuillets qui n'ont pas servi et ont été conservés comme matériau de remploi (gardes...). Après le pliage et la reliure en volume, rien ne permet plus de les distinguer. Dans tous les cas, il s'agit d'ouvrages tardifs, de petites dimensions, destinés à une grande diffusion : ici, un livre d'heures « nain » de 55 mm × 35 mm, de la seconde moitié du XVe siècle (Paris, Bibl. nat. lat. 1107).

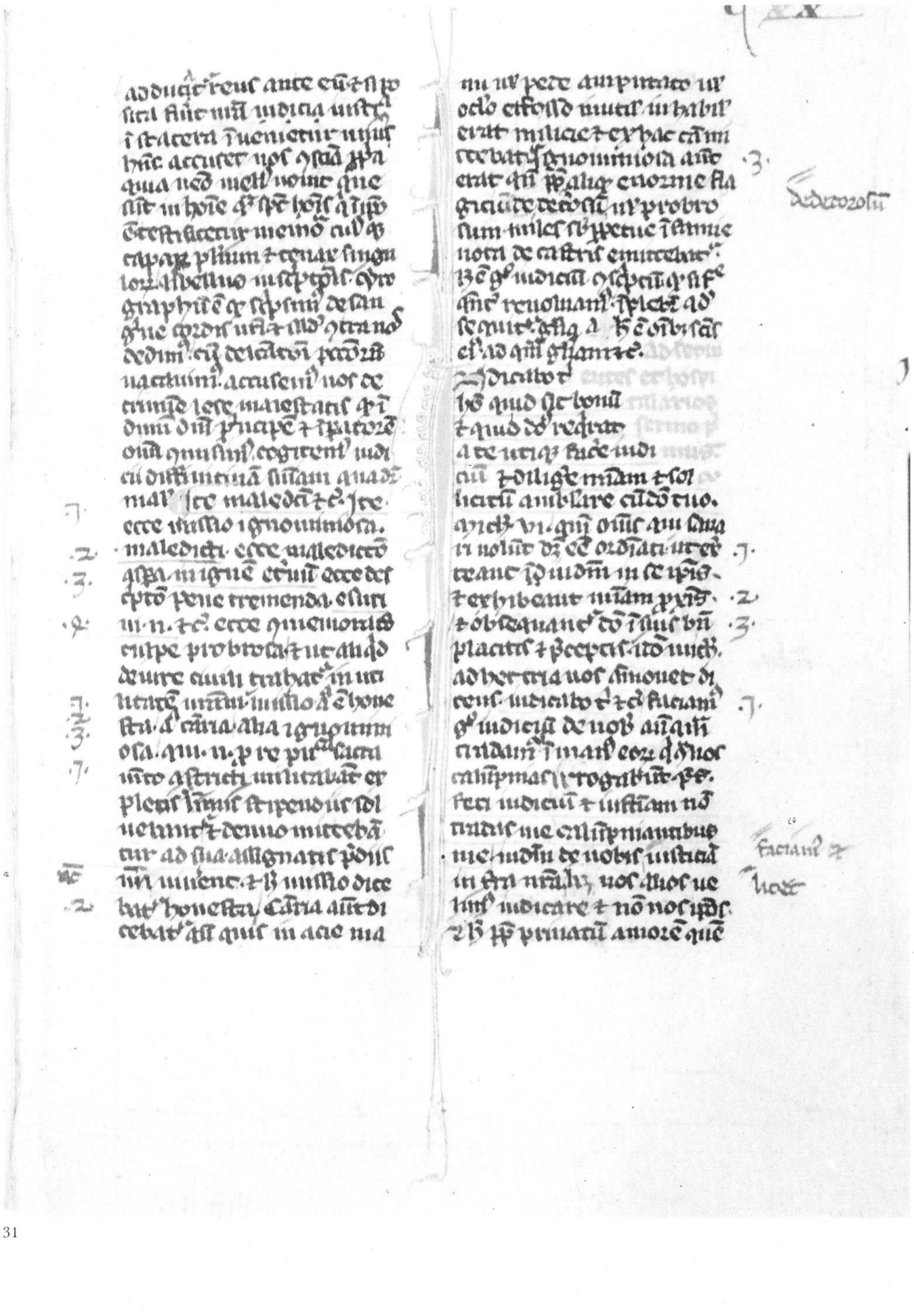

31

Différentes marques ou notes d'atelier*, souvent fort discrètes, témoignent de cette décomposition de travail : signes conventionnels, instructions à l'usage du rubricateur ou de l'enlumineur, généralement inscrites à la pointe sèche ou à la mine de plomb. L'état d'achèvement des volumes nous en apprend aussi fort long sur ce sujet. Il n'est pas rare, en effet, que les opérations n'aient pu se dérouler jusqu'à la phase ultime. L'enluminure, très coûteuse, est souvent restée en suspens, les réserves* nécessaires ayant été ménagées à l'endroit prévu. Les initiales peuvent avoir connu le même sort et rester « provisoirement » suppléées par de discrètes lettres d'attente*. Les titres eux-mêmes n'ont pas toujours été exécutés.

Dans les universités médiévales, pour répondre à l'énorme demande de textes identiques, une technique très particulière s'est développée aux XIIIe et XIVe siècles. Il n'y avait pas, en fait, de manuscrit modèle, mais une série de modèles partiels (les *peciae**), correspondant à un cahier (doc. 34) — soit une semaine de travail — que les copistes venaient louer successivement et à tour de rôle, pour copier, chacun de son côté, un exemplaire complet du texte. Le tout se déroulait sous l'autorité de l'université, qui contrôlait étroitement les tarifs de location aussi bien que la correction des modèles proposés.

Enfin, on a pu montrer que, dans certains cas (tous très tardifs), les copistes ne transcrivaient pas leur texte, comme il serait naturel, dans l'ordre du texte, du début à la fin du volume. Travaillant sur de grandes feuilles dépliées, ils copiaient sur chaque face, dans un ordre déterminé, les différentes pages, de telle façon que, en pliant la feuille en quatre ou en huit, les feuilles viennent prendre leur ordre normal de succession (doc. 32), exactement de la façon dont travaillent aujourd'hui les typographes pour imposer* une feuille in-quarto ou in-octavo.

D.M.

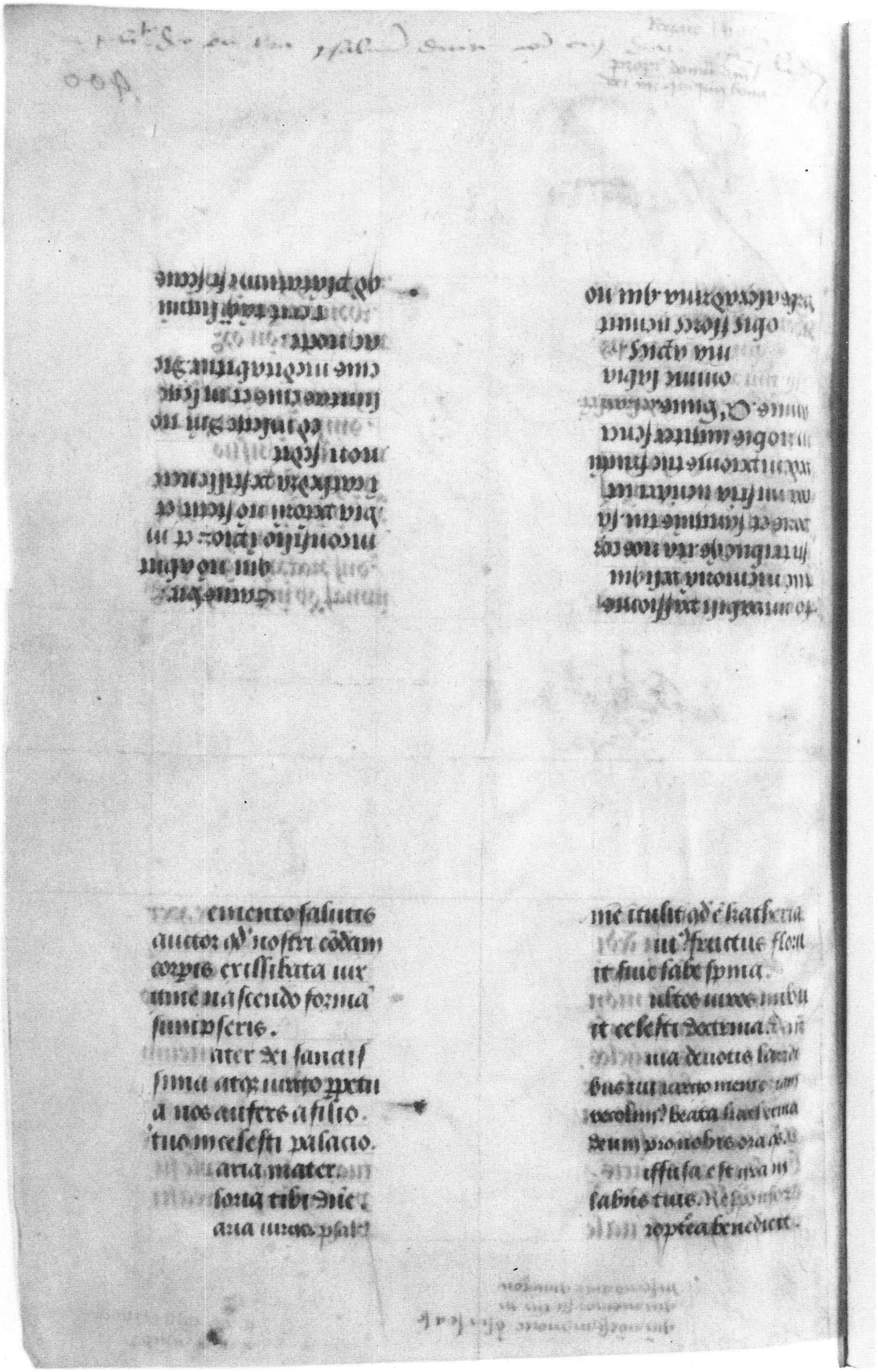

32

Hactenus aruorum cultus
et sydera celi
Nunc te bache canam
necnō siluestria tecum
Virgulta et prolem tarde crescentis oliue

L'essor des ateliers laïcs (XIIe-XVe siècle)

33. Cette copie de luxe des œuvres de Virgile accompagnées du commentaire de Servius est datée de 1469. La décoration, plus tardive, indique un atelier du centre de la France (Dijon, Bibl. mun. 493, fol. 29 : début du l.II des *Géorgiques*).

Dès le XIIe siècle et bien que la majorité des ordres monastiques ait conservé la coutume de copier des livres jusqu'à la fin du Moyen Age, se mettent en place les conditions d'une mutation dans la production des livres : évolution des goûts de la noblesse féodale et émergence d'une classe bourgeoise composée, pour l'essentiel, de marchands et de juristes, naissance, au XIIIe siècle, des universités. Les méthodes de production du livre utilisées dans le cadre des scriptoria ecclésiastiques sont désormais insuffisantes pour répondre aux besoins qui se font jour.

La production universitaire

Les métiers du livre s'organisent pour faire face à une demande toujours plus pressante. L'exemple de l'Université est très éclairant : pour satisfaire les professeurs et les étudiants, désireux de se procurer des livres bon marché et dans les meilleurs délais, une véritable industrie du livre s'organise dans chaque grand centre universitaire (Paris, Oxford, Bologne, Florence, pour ne citer que les plus célèbres). Dirigée par des laïcs, les libraires, à la fois éditeurs et commerçants, la fabrication du manuscrit était répartie entre plusieurs corporations distinctes : au parcheminier revenait la tâche de préparer le support ; de véritables professionnels de la copie, souvent des clercs, reproduisaient des modèles fournis par le libraire ; l'illustration, absente d'un grand nombre de manuscrits universitaires, était confiée à des ateliers d'enlumineurs, la reliure relevant encore d'un autre type d'artisans. A Paris, par exemple, les différents corps de métier collaborant à la fabrication du livre s'étaient regroupés dans le quartier Saint-Séverin, à proximité de leur principal client, l'*alma mater*, sise sur la montagne Sainte-Geneviève.

Pour améliorer encore les délais de production, fut mis en place le système dit de la pecia, géré par l'intermédiaire de libraires agréés, les stationnaires, sous le contrôle de l'Université. C'est par ce procédé que furent diffusés la plupart

34

des textes universitaires, du XIIIe au début du XVe siècle (doc. 36).

Les nouveaux bibliophiles

A côté de ces livres destinés à un public de clercs et d'intellectuels, apparaît un nouveau type de manuscrits issus d'une nouvelle culture laïque, composés directement en langue vernaculaire ou traduits du latin — on pense au grand mouvement de traduction des textes classiques et médiévaux entrepris à l'instigation du sage roi Charles V.

Des études récentes ont mis en lumière l'existence, dès le XIIe siècle, d'ateliers dont la production était destinée à de grands seigneurs laïcs, tels ceux qui travaillèrent en Champagne pour le comte Henri le Libéral (1127-1181) et sa femme Marie (1138-1198). Ces manuscrits de luxe étaient destinés à des bibliophiles avertis, rois et princes du sang — dont les plus fameux sont Jean, duc de Berry (1340-1416), frère du roi Charles V, célèbre pour les *Riches Heures* qu'il fit exécuter, et Philippe le Bon, duc de Bourgogne de 1419 à 1467, qui employa les meilleurs artistes issus des ateliers flamands —, mais aussi seigneurs de haut rang, comme ce Guillaume de Dampierre, seigneur de Saint-Dizier (mort après 1314), qui fit exécuter pour lui et sa femme une traduction française, somptueusement illustrée, du *Traité de fauconnerie* rédigé au siècle précédent par l'empereur Frédéric II de Hohenstaufen (doc. 35).

Pour ce nouveau public, l'image prime souvent le texte (doc. 37) ; la Bible, texte sacré par excellence, ne fut pas épargnée par cette prééminence de l'illustration : les bibles moralisées — dont l'une des plus belles réussites est sans conteste la *Bible moralisée* exécu-

34. *Page précédente :* l'*exemplar* (modèle) universitaire, destiné à la multiplication des textes scolastiques, était formé de cahiers indépendants *(peciae)* que les étudiants louaient successivement auprès du stationnaire. Rarement réuni et soumis à une utilisation intensive, il a peu souvent survécu. Celui-ci est assez représentatif : parchemin médiocre mais robuste ; écriture rapide mais claire ; traces du travail de nombreux copistes (tirets dans les marges latérales repérant les interruptions, essais de plume dans les marges inférieures).
Dans la marge inférieure de la page de gauche (fin d'une *pecia*), mention « .cor'. » *(correctus)*, certifiant la conformité du texte, et réclame de la *pecia* suivante. Celle-ci (page de droite) est annoncée par une simple numérotation dans la marge supérieure : « *.XXXVIII. pecia* ». On notera que la division en *peciae* est purement matérielle et ne se préoccupe pas des articulations du texte. La coupure tombe le plus souvent au milieu d'une phrase, voire d'un mot (Paris, Bibl. nat., nouv. acq. lat. 343 [Nicolas de Biard, *Sermones*], XIIIe s., fol. 163 v°-164).

35

35. Au nombre des traités cynégétiques composés à la fin du Moyen Age par ou pour des seigneurs de haut rang, tel le *Livre de la chasse* dû au légendaire comte de Foix Gaston Phoebus, figure ce traité de fauconnerie rédigé entre 1244 et 1250 par l'empereur Frédéric II de Hohenstaufen. Dans ce magnifique exemplaire du début du XIVe siècle, vraisemblablement exécuté à l'intention de Jean II de Dampierre, seigneur de Saint-Dizier, commanditaire de la traduction française, l'illustration se développe, pleine de vie et de mouvement, dans les larges marges, encadrant le texte soigneusement calligraphié et resserré sur deux colonnes (Paris, Bibl. nat., français 12400, fol. 25).

36. Cet exemplaire du *Digestum vetus* de Justinien, encadré par la glose ordinaire d'Accurse, a été exécuté dans la première moitié du XIVe siècle, à Bologne, suivant le système de la *pecia*, le scribe ayant utilisé un modèle différent pour le texte et pour la glose. Remarquable par sa mise en page et sa décoration extrêmement soignées, il témoigne du fait que certaines disciplines universitaires particulièrement lucratives — tel le droit, spécialité de l'université de Bologne depuis le XIIe siècle — ont vu se développer, à côté des simples manuscrits de travail, une production de luxe (Paris, Bibl. nat., lat. 14339, fol. 183).

XII

tée pour Jean le Bon, roi de France de 1350 à 1364 — constituent de véritables « bandes dessinées » dans lesquelles les quelques lignes de texte ne sont que des auxiliaires de l'illustration, répartie dans la page en médaillons, en général à raison de huit par page. Il n'est donc pas surprenant que, dans l'étude du livre produit à l'époque gothique, on ait retenu, bien plus que le nom des copistes, celui des artistes autour desquels se formait un atelier — un Jean Pucelle, par exemple, ou un Jean Fouquet.

Les bibliophiles de haut rang utilisaient certainement les offices de libraires spécialisés dans la production de livres, tel Philippe le Hardi, duc de Bourgogne de 1364 à 1404, dont les comptes mentionnent à plusieurs reprises des achats de livres au marchand lombard Jacques Raponde : en 1403, notamment, le duc ordonna de lui payer trois exemplaires d'un même ouvrage qu'il comptait offrir à ses frères, les ducs de Berry et d'Anjou.

Ces grands libraires-éditeurs ne contrôlaient cependant pas toute la production ; il existait également des scribes indépendants qui travaillaient de façon plus ou moins régulière pour les amateurs de livres : Jacques d'Armagnac (mort en 1477), l'un des grands bibliophiles du règne de Louis XI, semble avoir souvent fait appel à des clercs apparemment indépendants du diocèse de Bourges, tel Michel Gonneau, simple prêtre de Crozant, dans la Creuse.

De ces scribes professionnels on parvient parfois à connaître le nom même lorsque celui-ci est dissimulé sous un anagramme, tel celui de Denis d'Hormes, quelquefois le salaire, rarement la date d'achèvement de leur travail.

Le manuscrit humanistique

C'est dans l'Italie du XVe siècle qu'apparaît un nouveau type de livre : le manuscrit humanistique. Né, comme son nom l'indique, dans le milieu humaniste, il se démarque du manuscrit gothique par un retour aux formes anciennes du livre (doc. 38) : la beauté et la clarté de la calligraphie, directement inspirée de la minuscule caroline, prennent le pas sur la richesse de l'illustration. Bien que destinés pour l'essentiel à un public de laïcs, les textes en sont écrits en latin. Enfin, à une époque où, par souci d'économie, se répand l'usage du papier, le manuscrit humanistique reste un livre écrit sur parchemin, de grande qualité par surcroît.

Écrit à l'origine par des humanistes qui copiaient des textes pour leur usage personnel — tel Poggio Bracciolini (1380-1459), secrétaire du pape, grand découvreur de textes classiques et qui, le premier, imposa ce nouveau type d'écriture — le manuscrit humanistique, dont l'usage devint courant dans l'Italie du XVe siècle, fut produit à grande échelle dans les centres de Florence, de Rome et de Naples, pour ne citer que les plus importants. Cette production ne semble toutefois pas avoir été le fait d'ateliers organisés, mais

37

37. Un manuscrit laïc de la seconde moitié du XIVe siècle. Cet exemplaire des *Chroniques* de Bernard Gui est typique de la production ordinaire des ateliers laïcs : le texte a été traduit du latin en français, l'image, qui illustre parfaitement la vogue des grisailles, est présente dans le texte, écrit en cursive livresque (Besançon, Bibl. mun. 677, fol. 102 v°).

bien plutôt de scribes indépendants, travaillant pour des libraires. De ces libraires-éditeurs, le plus fameux demeure le Florentin Vespasiano da Bisticci (1421-1498), qui employa dans le même temps plus de quarante-cinq scribes.

Par la haute qualité de son exécution, le manuscrit humanistique ne pouvait que séduire les grands bibliophiles de la péninsule italienne, tels Laurent de Médicis ou les rois aragonais de Naples, mais aussi un roi humaniste comme Mathias Corvin, souverain de Hongrie de 1458 à 1490. Aux yeux de mécènes comme Frédéric de Montefeltro, duc d'Urbino de 1474 à 1482, le manuscrit humanistique apparaissait comme le dernier rempart contre l'invasion du livre imprimé.

Il serait erroné de penser que la production de luxe constituait le seul débouché des ateliers de copistes. Il existait, en effet, une production de livres d'un usage plus courant, destinés à d'autres classes de la société, tel le livre d'heures. La vogue de celui-ci est liée au développement de la piété personnelle. Certains ateliers, notamment en Flandre, se spécialisèrent dans une production devenue quasi industrielle : des enlumineurs multipliaient à l'envi des scènes destinées à illustrer les grandes fêtes liturgiques, des copistes exécutaient la partie commune du livre d'heures tandis que d'autres se chargeaient d'ajouter les calendriers propres à chaque diocèse.

Le livre manuscrit, conçu comme un objet de luxe destiné à une élite, survécut quelque temps à l'apparition de l'imprimé. Bien qu'appartenant encore au monde médiéval par les techniques de copie utilisées, le manuscrit humanistique et le livre d'heures annonçaient déjà l'arrivée du livre imprimé, en offrant au lecteur, l'un, une écriture parfaitement lisible, l'autre, un essai de reproduction des textes en un grand nombre d'exemplaires.

M.P.

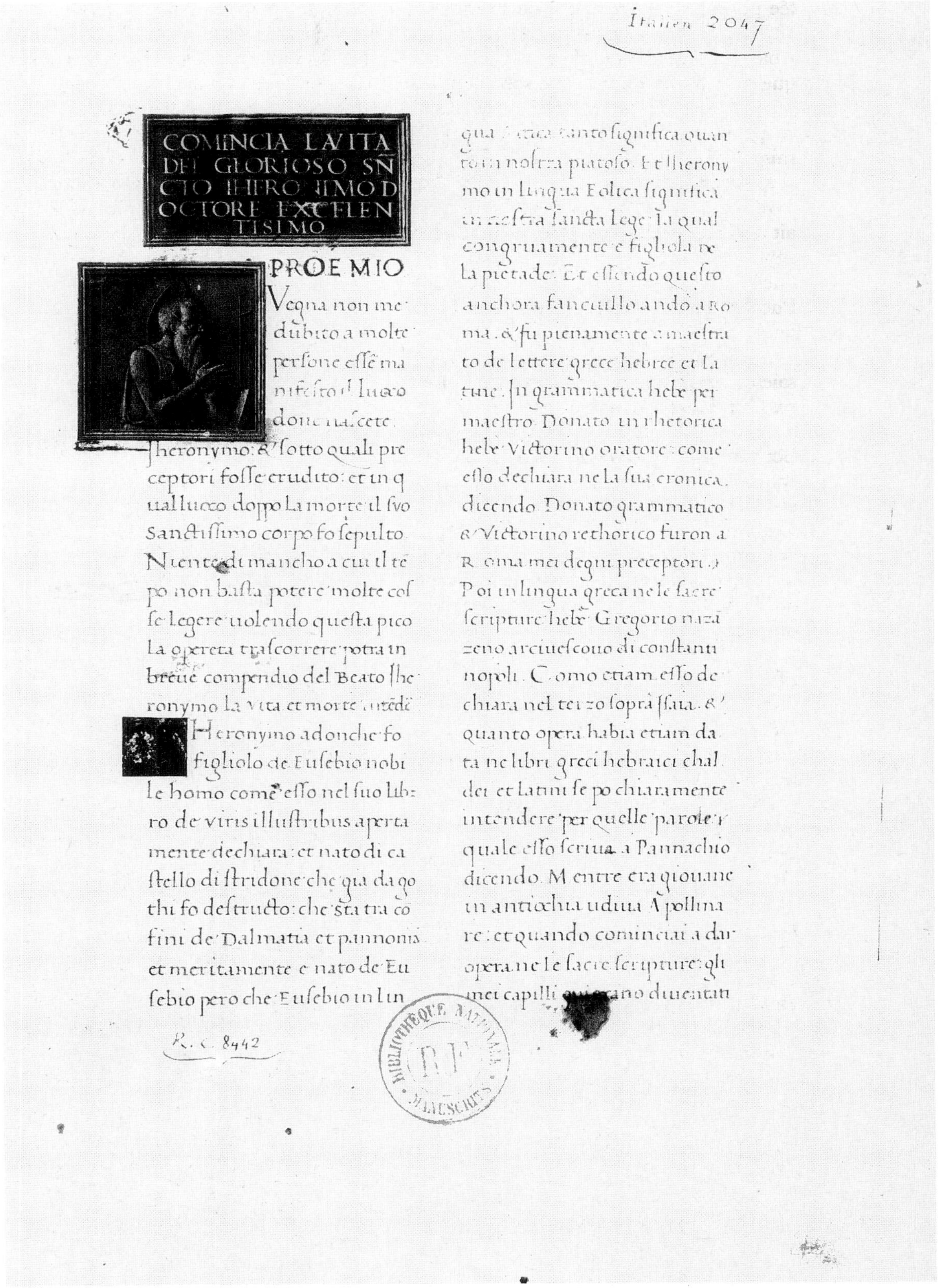

COMINCIA LA VITA DEL GLORIOSO SANCTO IHERONIMO DOCTORE EXCELLENTISIMO

PROEMIO

Vegna non me dubito a molte persone esse manifesto il luoco done nascete Iheronymo: et sotto quali preceptori fosse erudito: et in qual luoco doppo la morte il suo sanctissimo corpo fo sepulto. Niente di mancho a cui il tempo non basta potere molte cosse legere uolendo questa picola opereta trascorrere potra in breue compendio del Beato Iheronymo la vita et morte intendere.

Heronymo adonche fo figliolo de Eusebio nobile homo come esso nel suo libro de viris illustribus apertamente dechiara: et nato di castello di Stridone che gia da gothi fo destructo: che sta tra confini de Dalmatia et pannonia et meritamente e nato de Eusebio pero che Eusebio in lingua [illegible] tanto significa quanto in nostra piatoso. Et Iheronymo in lingua Eolica significa in nostra sancta lege la qual congruamente e figliola de la pietade. Et essendo questo anchora fanciullo ando a Roma. & fu pienamente amaestrato de lettere grece hebree et latine. In grammatica hebe per maestro Donato in rhetorica hebe Victorino oratore: come esso dechiara ne la sua cronica. dicendo Donato grammatico & Victorino rethorico furon a Roma mei degni preceptori. Poi in lingua greca ne le sacre scripture hebe Gregorio nazazeno arciuescouo di constantinopoli. Como etiam esso dechiara nel terzo sopra Isaia. & quanto opera habia etiam data ne libri greci hebraici chaldei et latini se po chiaramente intendere per quelle parole le quale esso scriua a Pannachio dicendo. Mentre era giouane in antiochia udiua Apollinare: et quando cominciai a dar opera ne le sacre scripture: gli mei capilli [illegible] erano diuentati

38

38. Cet exemplaire d'une œuvre de Giovanni d'Andrea, copié à Venise en 1480 par le scribe Marc Pierantonio da Vicenza, présente toutes les caractéristiques de ce nouveau type de livres : une mise en page très claire et soignée, des marges très importantes, une écriture humanistique qui rappelle par sa netteté la minuscule caroline, enfin, un décor sobre, inspiré de l'antique (Paris, Bibl. nat., italien 2047, fol. 1).

39

Les reliures

39. Reliure estampée d'un volume apporté à Clairvaux vers 1145-1147 par le prince Henri de France, fils de Louis VI. Quand il devint évêque de Beauvais, en 1149, il laissa ses livres à son ancienne abbaye ; il mourut archevêque de Reims en 1175 (Troyes, Bibl. mun. 2266, *Épîtres* de saint Paul glosées, plat sup.).

40. Même volume, plat inférieur. Aux quatre coins et au centre, traces des bouillons. Une chaîne (sans doute ajoutée au XIVe ou au XVe siècle) était attachée au bas du plat.

La reliure naît à l'époque où le livre, abandonnant sa forme de rouleau (*volumen*), a pris l'aspect, toujours actuel, de feuilles réunies en cahiers (codex*). Elle, a toutefois connu une histoire différente dans le monde byzantin et dans le monde latin.

La reliure byzantine ne change que très peu, contrairement à la reliure occidentale, qui évolue dès les VIIIe-IXe siècles. Le plus ancien témoin connu semble être l'évangile trouvé dans la tombe de saint Cuthbert de Lindisfarne, mort en 687 : c'est une reliure sans nerfs*, à deux aiguillées de fil indépendantes. Jusqu'au XIe siècle, semble-t-il, le premier ais* était utilisé comme base pour coudre les cahiers ; une fois ceux-ci assemblés, on mettait en place le second ais. Ce n'est qu'à partir du XIe siècle qu'on se sert du cousoir*, toujours en usage aujourd'hui. La plus grande nouveauté est la couture sur doubles nerfs, qui apparaît au XIVe siècle.

Les plats aussi évoluent. Les ais de bois — dur ou tendre selon les régions et provenant des forêts avoisinantes —, au début très épais, iront s'amincissant. Les peaux utilisées avant le XIIe siècle pour relier les livres ont en général un aspect duveteux, une couleur verdâtre ou blanchâtre, et semblent provenir de daims ou de cerfs (on a retrouvé un texte de Charlemagne autorisant les moines de Saint-Bertin à chasser pour se procurer le cuir des volumes à relier). Ce n'est qu'à partir du XIIe siècle qu'on a commencé à utiliser la peau des ovins puis, vers le XIVe, celle du veau.

Dans les bibliothèques médiévales, les livres étaient en général posés à plat. Le titre était inscrit sur une pièce de parchemin fixée par de la corne et encadrée de quatre bandes de laiton clouées sur l'ais. Plus tard, le titre figure sur une étiquette en papier collée à l'un des plats. Quelquefois, il est écrit à même la peau. Des lettres calligraphiées et peintes de différentes couleurs témoignent, le cas échéant, d'un système de classement des volumes dans la bibliothèque.

40

41.42. Évangéliaire de Notre-Dame-aux-Nonnains, à Troyes, offert au monastère par l'une des abbesses, XIIIe siècle. Le plat supérieur est recouvert de vermeil repoussé (Troyes, Bibl. mun. 2251).

43. Ce manuscrit daté de 1506 porte une reliure à roulettes de la première moitié du XVIe s. Les cornières, bouillons et fermoirs sont semblables à ceux qu'on trouvait au siècle précédent (Châlons-sur-Marne, Bibl. mun. 337, plat sup.).

44. Reliure en veau à petits fers sur ais de bois. Trace d'un fermoir central, dos restauré. Fin du XVe siècle (Salins-les-Bains, Bibl. mun. 11, plat sup.).

45. Reliure en veau à petits fers sur ais de bois. Chaîne fixée en haut du plat supérieur, pièce de titre collée au plat inférieur. Fin du XVe siècle (Dole, Bibl. mun. 20, plat inf.).

Selon les pays, le livre reposait sur le second plat (Allemagne, Suisse, Flandre) ou sur le premier (Angleterre, France). Selon la convention adoptée, les fermoirs, composés d'une attache et d'une agrafe, étaient disposés différemment. En France et en Angleterre par exemple, les lanières partaient du plat supérieur et les agrafes qui les terminent s'attachaient à des tenons fixés sur le plat inférieur portant le titre.

A partir du XIIIe siècle, les volumes furent attachés au pupitre par une chaîne, pour éviter le vol. Chaque établissement avait ses particularités : la chaîne pouvait être fixée en tête*, sur la gouttière* ou en queue*. La forme de certaines attaches permet quelquefois d'identifier la provenance du volume.

Pour protéger le cuir des livres posés sur les pupitres, on avait recours à des bouillons* et à des cornières, généralement en cuivre ou en laiton plus ou moins ouvragé (certains bouillons ont la forme d'un chapeau de cardinal).

A la fin du Moyen Age, la substitution du papier au parchemin pour copier les livres permit d'en alléger le poids. L'usage des ais de bois disparaît peu à peu et l'on voit, à partir du XIVe siècle, des plats formés de carton ou de morceaux de parchemin hors d'usage, coupés à la dimension du livre et contrecollés. On a pu retrouver ainsi des textes ou des documents intéressants l'histoire des bibliothèques : fragments de catalogues ou de registres de prêt, comme celui de la Sorbonne vers 1275.

La reliure des manuscrits était parfois décorée. Les plus anciens décors retrouvés proviennent de l'abbaye de Corbie. Ils consistent en filets dessinant des rectangles et portant de petits fers à leur intersection. Aux XIIe et XIIIe siècles apparaît la reliure dite romane, ornée de fers de forme ovale ou de mandorles* représentant des saints, des chevaliers ou des monstres ailés, le tout disposé sur le plat d'une manière architecturale. Au XIVe siècle, le décor se simplifie, les fers deviennent plus nombreux et d'une forme moins originale. Ces décors évoluent jusqu'au milieu du XVe siècle avec l'apparition des plaques, dont la vogue durera jusque vers 1520-1530. L'origine semble en être flamande. En France, les centres de diffusion semblent avoir été la Normandie et Paris, et l'on en trouve peu au sud de la Loire. Les thèmes iconographiques sont très variés. Enfin apparaît la roulette* puis la reliure dorée, toujours en vogue de nos jours. En pays germanique, on voit des reliures ciselées au burin sur peau de truie.

Toutefois, les souverains, les grands seigneurs et l'Église préféraient des étoffes précieuses accompagnées de fermoirs d'or, décorés d'émaux ou de pierres précieuses. Certains livres liturgiques du haut Moyen Age ont des reliures faites de diptyques, doubles plaques d'ivoire sculpté. On a conservé du VIIe siècle un évangéliaire de la reine Théodolinde, aux plats recouverts de feuilles d'or et portant une croix en relief rehaussée de pierres précieuses et d'émaux. Aux XIIe et XIIIe siècles, plusieurs manuscrits ont été décorés d'émaux de Limoges ou de la région mosane. Signalons enfin quelques reliures curieuses : ainsi les livres aumônières, dont la couvrure est d'une surface beaucoup plus importante que le volume. Dépassant largement en queue, elle forme une sorte de sac pouvant être porté à la ceinture. On connaît aussi le chansonnier de Jean de Montchenu, aujourd'hui dans la collection Rothschild, et qui a la forme d'un cœur.

D.G.

41

42

43

44

45

2

L'USAGE DU LIVRE

Virgile présentant son œuvre à Mécène
(Dijon, Bibl. mun. 493, fol. 19. XVe s.).

Un objet précieux mais menacé

L'idéal de pérennité du livre

Le livre médiéval est conçu pour durer. D'abord, il coûte cher, en raison à la fois des matériaux utilisés et du temps mis à le fabriquer. Bien traité et de bonne qualité, le parchemin est un support durable, mais le nombre de bêtes sacrifiées pour copier un volume de quelque ampleur est nécessairement considérable. Pour des livres de petit format, comme les bibles portatives qu'on produisait en grande quantité à Paris au XIIIe siècle, ou les recueils de sermons que les prédicateurs itinérants emportaient avec eux, il ne fallait pas espérer tirer plus de seize feuillets d'une peau de veau ou de mouton. Or la plupart des livres d'étude atteignaient un format qu'on qualifierait grossièrement aujourd'hui de grand in-8° ou d'in-4° : un Commentaire de saint Thomas sur l'*Éthique*, conservé aujourd'hui à la Bibliothèque nationale de Paris (latin 16106) comprend 108 folios de 315 mm x 235 mm : sa confection a dû nécessiter treize peaux et demie. Certains volumes, enfin, étaient de grands in-folio : les livres de chœur, les belles copies des œuvres complètes de Pères de l'Église (*originalia sanctorum*) réalisées dans les scriptoria* monastiques du XIIe siècle (ainsi la grande collection des œuvres de saint Augustin conservée aujourd'hui à la bibliothèque de Troyes sous la cote 40) ; un peu plus tard, les livres de droit copiés dans les ateliers bolonais n'étaient guère inférieurs en dimensions.

L'apparition du papier permit de réaliser des économies sur la matière première : quatre fois moins cher que le parchemin au XIVe siècle, treize fois moins à la fin du XVe, il resta toutefois longtemps confiné dans un rôle subalterne, parce que plus fragile. Dans son *De laude scriptorum* écrit en 1423, Gerson considérait qu'un livre en papier était voué à une destruction rapide et qu'en copier ou faire copier était perdre son argent et sa peine. A la fin du siècle, Jean Trithème pensait encore de même.

Beaucoup plus, d'ailleurs, que le coût du support, c'est la faible productivité des techniques de fabrication qui explique le prix de revient élevé du livre manuscrit. Bien qu'il n'existe là-dessus que des études partielles, toutes s'accordent sur cette conclusion : ce qui coûte le plus cher, c'est la main-d'œuvre. En voici, pris au hasard, un exemple inédit. Dans le premier tiers du XIIIe siècle, un chanoine de Langres, Ferry de Pontailler, personnage certainement fortuné car à sa fonction d'official il joignait plusieurs bénéfices importants, commanda à son intention une collection de livres bibliques de grand format (au moins 372 mm x 270 mm), où le texte, parfaitement calligraphié, se présente encadré par la Glose ordinaire. Sur l'un de ces volumes (Troyes, Bibl. mun. 157), il a récapitulé ses dépenses. Pour les Évangiles, distribués en deux tomes, le parchemin a coûté 100 sols, mais la copie (« *manus* ») a demandé 9 livres et demie, soit presque deux fois plus, la livre comprenant 20 sols ; quant à la location du modèle (*« exemplar »*), elle ne représente dans le total que 5 sols, ce qui est également le montant de la reliure. C'est donc bien la lenteur de la copie qui grève le prix du livre. A Bologne, dans la seconde moitié du XIIIe siècle, il fallait compter de dix à quinze mois pour avoir le recueil des *Décrétales* accompagnées de leur Glose ; le *Digestum vetus*, première partie d'une des compilations ordonnées par Justinien et ouvrage indispensable aux civilistes, exigeait en moyenne six mois de travail.

Ainsi, jusqu'à la diffusion de l'imprimé, le livre est resté un objet onéreux. Des recherches récentes ont montré que, pour un lettré appartenant à un milieu relativement aisé (secrétaires de la chancellerie royale française), l'achat d'un livre neuf représentait, au début du XVe siècle, une mise de fonds équivalente à onze jours et demi d'émoluments. Un livre d'occasion coûtait environ moitié moins. Or il s'agit là de manuscrits de qualité ordinaire : dans une collection princière comme celle de Jean de Berry, qui fit l'objet d'un prisée

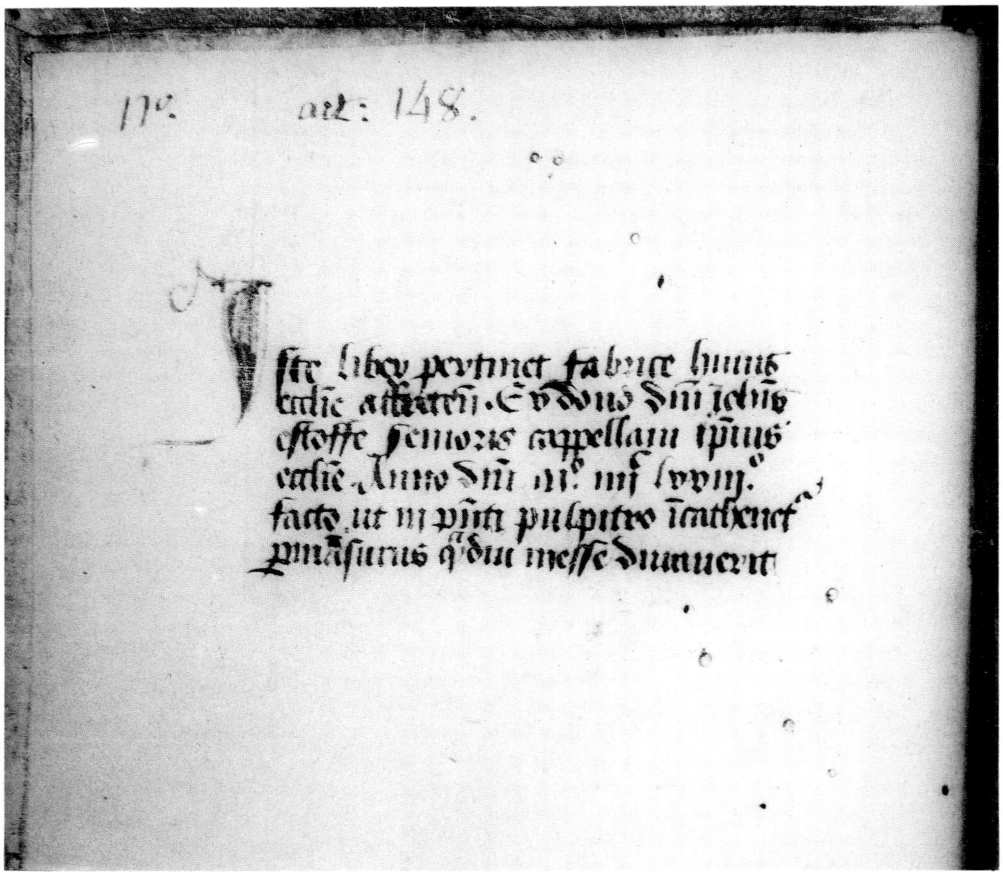

1

1. « Ce livre appartient à la fabrique de l'église d'Arras. Il a été donné par monseigneur Jean Estoffe l'Aîné, chapelain de ladite église, l'an du Seigneur M.CCCC.LXXIII, pour qu'il soit enchaîné au présent pupitre et qu'il y demeure aussi longtemps qu'il durera. » *Ex dono* inscrit sur le folio de garde d'un recueil patristique du XIe siècle (Arras, Bibl. mun. 1030).

2. Boèce dans sa bibliothèque (Mâcon, Bibl. mun. 95, fol. 1. XVe s.).

en 1421, la valeur moyenne des volumes était vingt fois plus élevée.

A ces conditions techniques se mêlent étroitement des facteurs d'ordre religieux, social ou psychologique. La vénération pour le texte rejaillit sur son support matériel. Religion du Livre, comme le judaïsme et l'islam, le christianisme repose sur des écritures saintes. Suivant un processus classique de contamination, ce respect finit par s'étendre à d'autres corpus formant la base de l'enseignement, même dans des domaines profanes. Par ailleurs, en raison même de sa valeur, le livre s'insère dans une économie de don et de contre-don, qui est l'une des caractéristiques de la société médiévale et qui affecte aussi bien l'ordre spirituel que le temporel. Offrir un livre à un haut personnage est un des moyens les plus sûrs d'obtenir sa faveur ; en faire présent à une église ou à un couvent, c'est s'assurer les prières de la communauté et l'inscription à l'obituaire. Il n'est pas rare, d'ailleurs, que le donateur ou le testateur aille jusqu'à préciser l'emplacement du volume, ou que les bénéficiaires prescrivent qu'il y demeurera indéfiniment (doc. 1).

En outre, une valeur particulière peut s'ajouter au livre à cause de ses possesseurs antérieurs, réels ou supposés : le catalogue de Clairvaux, rédigé en 1472, décrit une bible « de monsieur saint Bernard » ; à la fin du XIVe siècle, la reine Blanche de Navarre gardait précieusement le psautier où saint Louis avait appris à lire : légué par elle à son fils Philippe le Hardi, il est aujourd'hui à la bibliothèque de l'université de Leyde.

Enfin, même et surtout à l'intérieur d'une communauté étroitement fermée, le livre peut cristalliser des affinités électives. Témoin cette inscription sur un manuscrit aujourd'hui à Chantilly (musée Condé 54) : « Ce breviare est a seurs K[atherine] la Chandelliere et K[atherine] Nicolas, religieuses en l'église monseigneur saint Loys de Poissy, et demourra du tout a la survivant d'eulx deux. »

2

3. *Ex dono* accompagné d'un anathème : « Ce livre est au monastère de Saint-Mesmin. Il a été donné par le prêtre Augustin le VIIIe jour des Kalendes d'avril, sous ce vœu que quiconque le retirerait de ce lieu dans l'intention de ne pas le rendre soit damné en compagnie de Judas le traître, d'Anne et Caïphe, et de Pilate. Amen. » (Flavius Josèphe. Berne, Burgerbibliothek 50, fol. 181 v°. IXe-Xe s.).

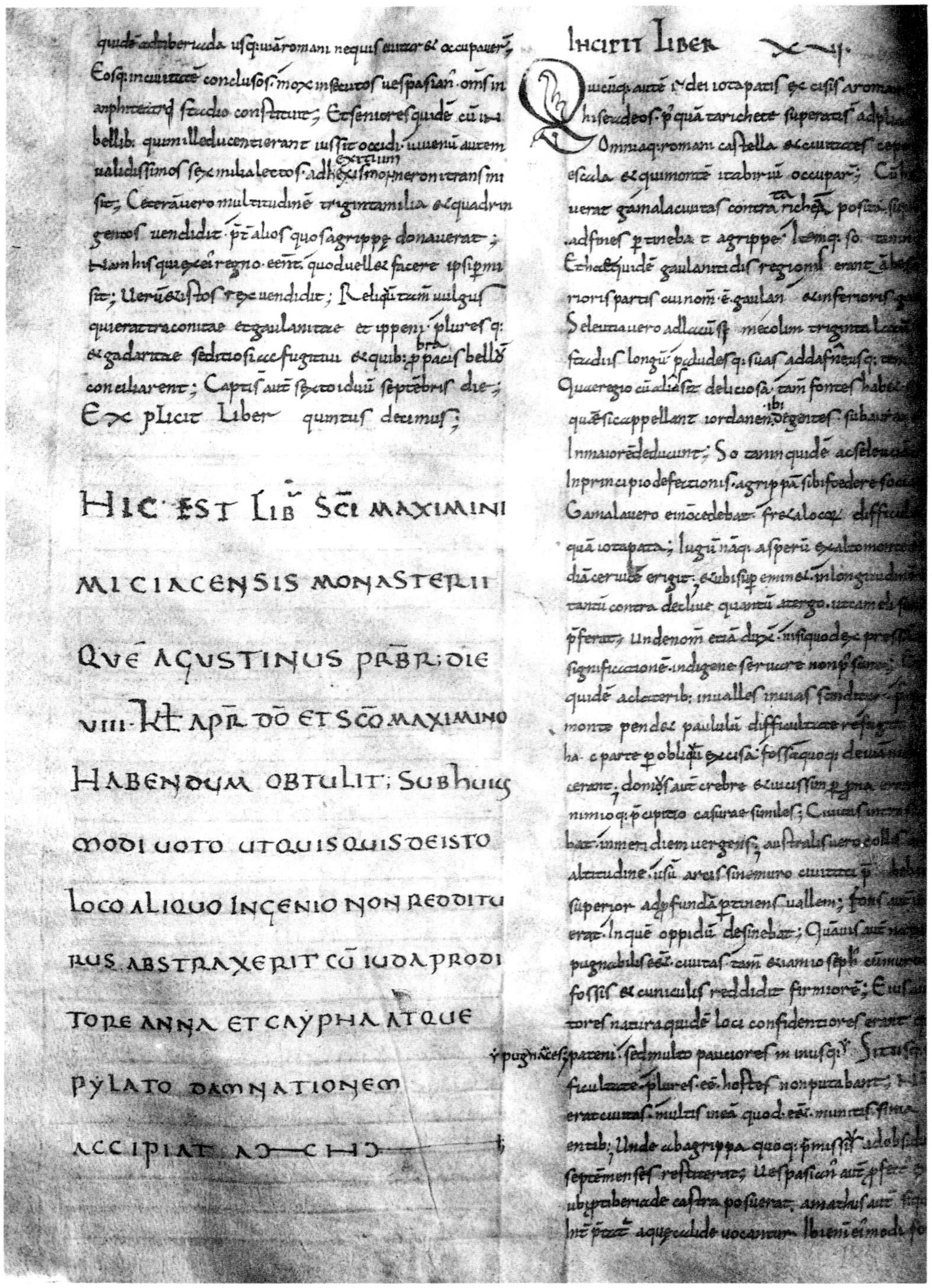

3

Vols, dilapidations, destructions

Tel est l'idéal. En fait, tout au long du Moyen Age, le livre a été menacé. Il est exposé à la cupidité des tiers, à la négligence ou à la légèreté de son propriétaire légitime, à toutes les catastrophes, enfin, qui menacent les biens dans une société où l'insécurité, plus ou moins marquée selon les lieux et les époques, subsiste néanmoins à l'état endémique.

Normalement, le propriétaire du volume, qu'il s'agisse d'une communauté ou d'un individu, ou le possesseur à titre précaire, par exemple le religieux à qui un livre a été concédé *ad usum*, y inscrit son nom au début ou à la fin. A noter, au passage, que le terme *ex libris* n'apparaît pas avant le XVIe siècle : il n'est que la transcription, en meilleur latin, d'une formule tardive : *de libris*..., qui commence à se répandre au XVe siècle. Mais le plus souvent, surtout s'il s'agit d'une communauté religieuse, le propriétaire ajoute à son nom quelque menace destinée à dissuader un lecteur éventuel de dérober le livre. Dans le haut Moyen Age, période où les manuscrits sont rares et revêtent un caractère quasi sacral, les formules d'anathème sont particulièrement virulentes : le voleur est voué à la damnation perpétuelle, au sort de Caïn ou de Pilate (doc. 3). Par la suite, ces imprécations disparaissent, mais la menace subsiste : *« Quicunque hunc librum furatus fuerit, anathema sit »* est une mention courante au XIIIe et au XIVe siècle. Peu à peu, on y joint ou on y substitue la perspective de châtiments plus immédiats : « Pendu soit qui l'emblera » (Paris, bibl. Mazarine 1720), formule qui tend d'ailleurs à se stéréotyper de manière plus ou moins burlesque. Au XVe siècle, beaucoup de possesseurs se font plus réalistes : ainsi ce moine de Clairvaux, étudiant à Paris au collège Saint-Bernard, qui promet à celui qui rapportera le livre de trinquer avec lui à la taverne de *la Pomme de pin* : *« Bonum vinum bibet*

4. Vignette en tête d'un commentaire anonyme sur le quatrième livre des *Décrétales* (Lons-le-Saunier, Archives départementales du Jura, ms. 22, fol. 2. XVᵉ siècle).

ad Pomum pigny » (Troyes, Bibl. mun. 1995). De l'anathème au pourboire : cette évolution révèle une indéniable banalisation du livre.

Pour écarter un voleur sans scrupules ni remords, ces inscriptions étaient peu efficaces : la plupart du temps, il est facile de les gratter, de les laver ou de les découper. C'est pourquoi, à partir du XIVᵉ siècle et sur le modèle de la Sorbonne, les bibliothécaires de nombre d'établissements (et aussi les notaires dressant des inventaires après décès) prirent l'habitude de relever ce qu'on pourrait appeler les « empreintes » du volume, par exemple les premiers mots du deuxième ou du troisième folio et les derniers du pénultième : chaque manuscrit étant en principe seul de son espèce, on avait là un moyen d'identifier rapidement le véritable propriétaire en cas de perte ou de vol. L'application de ce procédé rend aujourd'hui encore bien des services aux érudits qui reconstituent

4

5. Malgré la disparition de l'ex-libris, la provenance de ce volume peut être restituée grâce aux premiers mots du folio 2 : « Est quoddam » : ceux-ci sont relevés dans le catalogue de Clairvaux établi en 1472, sous la cote T 44. Le manuscrit fut acquis au XVIIIe siècle par le marquis de Paulmy († 1787) dans des conditions peu claires (Paris, Bibl. de l'Arsenal 887, fol. 2).

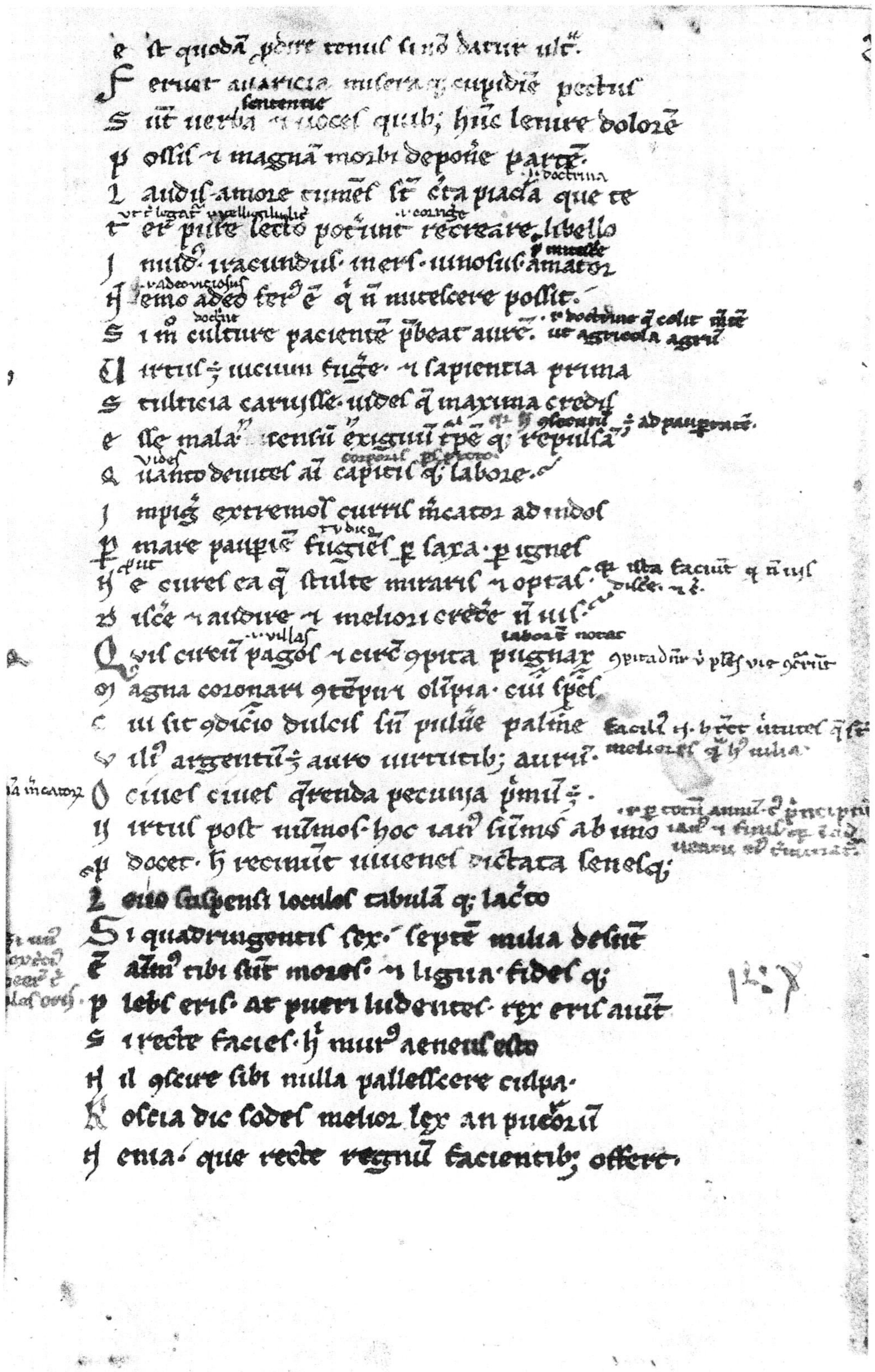

5

l'histoire des bibliothèques. Il existe ainsi à la bibliothèque de l'Arsenal un élégant manuscrit des *Épîtres* d'Horace, copié en France en 1218, et qui a retenu l'attention de plusieurs auteurs de catalogues de manuscrits datés : mais c'est seulement en 1979 qu'on a pu établir que le volume provenait de Clairvaux, où il avait été répertorié en 1472 (doc. 5).

A l'intérieur même d'un établissement, le danger peut venir d'en haut. Chroniques et archives signalent d'innombrables cas de bibliothèques dilapidées par ceux qui en avaient la responsabilité soit qu'ils aient agi dans leur intérêt personnel, soit, dans la meilleure des hypothèses, pour obtenir quelques avantages matériels immédiats au profit de la communauté. Un abbé de Saint-Albans offrit ainsi au célèbre bibliophile Richard de Bury, évêque de Durham et personnage puissant à la cour d'Édouard III, un lot de manuscrits de Térence, Virgile et saint Jérôme, en échange de deux chartes améliorant le temporel de l'abbaye ; le chroniqueur Thomas de Walsingham, qui rapporte le fait, ne cache pas son indignation : *« Abominabile prorsus donum ! »* Plus désastreuse encore fut pour l'abbaye de Saint-Denis l'administration de Jean Jouffroi (1464-1473), qui fut accusé par ses propres moines d'avoir détourné une grande partie des livres.

Le transport des manuscrits constituait à lui seul une opération risquée. Les routes étaient peu sûres, les voyageurs — particuliers ou marchands — exposés au brigandage et aux coups de main des gens de guerre. Le poète et humaniste Angelo Decembrio fut dépouillé en 1466, à Rodez, par les hommes du comte d'Armagnac. On a conservé la lettre qu'il écrivit peu après au duc de Ferrare pour conter sa mésaventure : elle mentionne quatorze ouvrages volés. Pour pallier ces dangers, on voit, aux XIIIe et XIVe siècles, des compagnies de commerce italiennes spécialisées dans le transport des manuscrits juridiques bolonais ajouter au simple contrat de portage un véritable contrat d'assurance, garantissant les propriétaires contre les risques de détérioration ou de perte des volumes.

Les fluctuations économiques et la misère causée par la guerre pouvaient aussi amener une communauté à vendre la meilleure partie de son mobilier, y compris les livres. Ces cas de nécessité furent fréquents en France à l'époque de la guerre de Cent Ans. Ainsi des clarisses de Longchamp : « Il est a savoir que ou temps de ladite suer Marie de Gueus [abbesse de 1348 à 1360], le couvent la esté fortement grevé et damagé pour cause des guerres et de la mutation des monnoies, et n'a peu estre paié de ses rentes ; par quoi il a convenu vendre joiaus d'argent, livres et plusieurs meubles de l'église pour le vivre du couvent. »

Toutes ces vicissitudes affectaient la pérennité du fonds, non l'intégrité des livres. Or ceux-ci sont sujets à bien d'autres dangers qui menacent leur existence même : détériorations, usure, destruction. Dans son *Philobiblon* (1345), livre écrit à la gloire du Livre, Richard de Bury stigmatise toute une galerie d'usagers malpropres ou malfaisants : l'écolier morveux, celui qui marque un passage de son ongle crasseux ou utilise comme signets des fétus de paille ou des fleurs fraîchement coupées ; tel autre, tout en lisant, déjeune d'un morceau de fromage ou d'une pomme, et les reliefs de son repas tombent entre les feuillets. Il y a enfin la foule de ceux qui se servent des marges et des feuillets de garde pour essayer leur plume en griffonnant quelque phrase, sans compter ceux qui vont jusqu'à les découper. Quant aux mutilations infligées aux manuscrits à peintures, il ne faudrait pas croire que la cupidité des amateurs modernes en soit toujours la seule responsable : déjà, en 1472, le bibliothécaire de Clairvaux recensait un « tresbeau volume [...] dont les premieres lettres souloient estre moult bien faictes et enluminees d'or et d'azur, mais elles ont esté toutes emblees et coppees, excepté six. »

Les livres d'étude élémentaires, les bréviaires de poche, les psautiers individuels, constamment feuilletés, ont disparu massivement soit par usure, soit lorsque les imprimés sont venus les remplacer. Le catalogue de Clairvaux dressé en 1472 permet de mesurer le taux de destruction des manuscrits liturgiques : c'est le plus élevé de tout le fonds. Sur cent quatorze bréviaires, il n'en subsiste aujourd'hui que trente-huit ; quant aux psautiers, qui étaient au nombre de quarante-quatre, on en a conservé seulement trois. Mais les manuels scolaires et les livres liturgiques ne sont pas les seuls à avoir souffert de l'invention de l'imprimerie. Dans bien des cas, l'édition d'un texte à la fin du XVᵉ siècle ou au XVIᵉ entraînait la disparition du manuscrit, même relativement ancien, remis à l'imprimeur : sitôt le travail des typographes achevé, le manuscrit était mis au rebut, comme on fait aujourd'hui d'une banale copie.

Dernier facteur de destruction, et non le moindre : l'incendie, accidentel ou provoqué par la guerre. Il l'emporte sur tous les autres par son triste privilège d'échapper à toute limitation chronologique. Comment ne pas rappeler ici, parmi tant d'autres exemples, la disparition totale de la bibliothèque du grand couvent des cordeliers à Paris, brûlée en 1580 : avec elle disparut l'un des fonds les plus précieux pour la connaissance du rôle joué pendant trois siècles par les maîtres et bacheliers franciscains à l'université de Paris.

Dans ces conditions, on voit combien il est difficile — mais passionnant aussi — de reconstituer, non seulement l'histoire particulière d'un manuscrit conservé, mais surtout celle des fonds, collectifs ou privés, auxquels il a successivement appartenu avant de prendre place aujourd'hui dans un dépôt public ou dans la bibliothèque d'un collectionneur. Une première phase du travail consiste à déchiffrer les noms des anciens possesseurs et lecteurs, à relever les cotes, à noter certains détails caractéristiques (par exemple, la présence de tel saint au calendrier s'il s'agit d'un livre liturgique) qui permettent de cerner la provenance et l'histoire du volume. D'autres types de documents doivent être alors mis en rapport avec ces indices : chroniques faisant état du contenu de la bibliothèque, correspondances de lettrés à la recherche de manuscrits, comptes (le plus souvent princiers) où sont mentionnés les commandes et les achats, testaments, inventaires après décès et, surtout, catalogues médiévaux de bibliothèques. C'est la confrontation, toujours imparfaite, de ces deux types de sources — les volumes conservés et les témoignages anciens — qui rend possible une histoire des bibliothèques médiévales : travail indispensable à toute approche de l'histoire du livre et de la lecture.

J.-F. G.

6

6. Le bibliomane de *la Nef des fous* de Sébastien Brant (éd. de Bâle, 1494, fol. 3 v°).

Les inventaires des bibliothèques médiévales

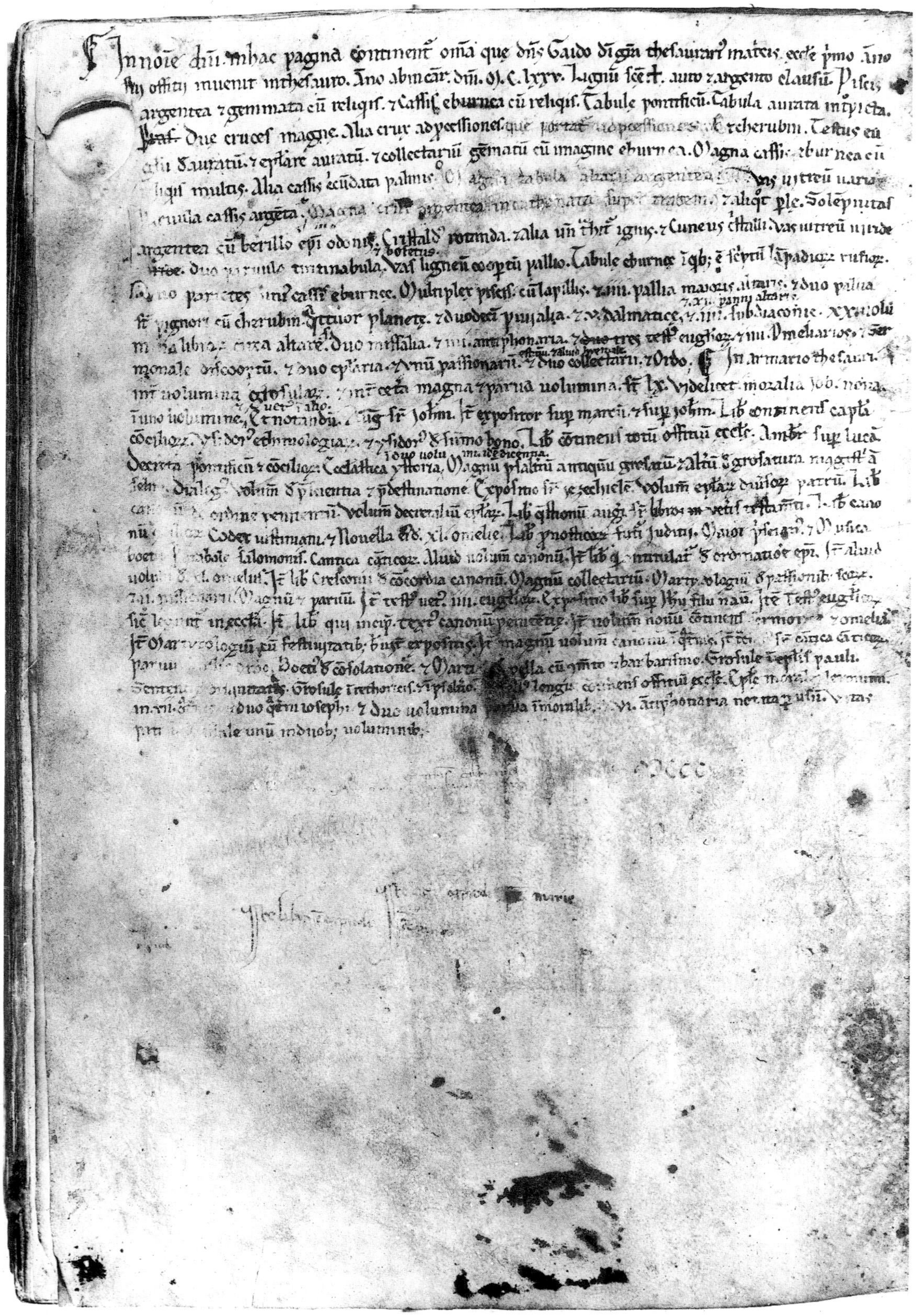

7

Les inventaires sont l'un des témoignages les plus significatifs pour l'étude des bibliothèques médiévales. On sait que ces collections ont été rassemblées pour répondre à des exigences d'ordre spirituel, intellectuel ou professionnel ; toutefois, leur signification dépassait toujours celle d'un simple outil, en raison de l'importance accordée aux livres, de leur rareté et des conditions particulières de leur reproduction et de leur acquisition au Moyen Age.

Pour les communautés monastiques, par exemple, les livres transmettaient l'enseignement divin, qu'il fallait constamment lire et méditer : *« Claustrum sine armario est quasi castrum sine armamentario »* (un cloître sans bibliothèque est comme une armée sans armes), disait-on au XIIe siècle, adaptant une citation de Varron au contexte féodal. Un tel dicton montre bien comment la bibliothèque était intimement liée à la raison d'être d'un monastère. Ce rapport étroit est confirmé, du reste, par les anciens plans de certaines abbayes. Dans celle de Saint-Gall, la bibliothèque était placée à proximité immédiate de l'église, comme si elle en constituait l'accès privilégié.

La plupart de ces collections monastiques, si florissantes au Moyen Age, ainsi que d'autres bibliothèques de la même époque appartenant à des particuliers ou à des institutions (universités, collèges, etc.) sont actuellement dispersées. Sur les mille six cents volumes qui appartenaient à la fin du XVe siècle à l'abbaye de Saint-Denis, cent soixante-dix seulement ont pu être retrouvés. Leur dispersion remonte à l'époque des guerres de religion. Beaucoup d'autres manuscrits ont été détruits à des époques plus récentes, notamment durant la Seconde Guerre mondiale, comme ceux de la cathédrale de Chartres.

A défaut de manuscrits subsistants, l'étude du contenu des bibliothèques anciennes peut cependant être entreprise à partir des inventaires que leurs possesseurs dressèrent au Moyen Age. Toutefois, les renseignements que ces docu-

7. Inventaire des objets précieux et des livres de la cathédrale de Novare (Italie), dressé par le trésorier Gaido (Novare, Bibl. del Duomo, XXXIX, dernier fol. XIIe s.).

ments nous offrent sont, dans bien des cas, très limités.

On y trouve, par exemple, des descriptions très succinctes du contenu des manuscrits. Seul le premier ou les deux premiers textes d'un recueil sont alors mentionnés. C'est le cas d'un inventaire de la bibliothèque du monastère de Saint-Martial de Limoges, dressé à la fin du XIIe siècle. Les textes peuvent être cités d'une façon plus sommaire encore : on ne donne alors que leur titre ou le nom de leur auteur. Il est difficile de savoir quelles sont les œuvres poétiques désignées par les seules mentions d'*Ovidius* ou de *Vergilius*. Dans d'autres circonstances, les textes sont attribués, selon la tradition, à quelques grands auteurs, comme saint Augustin, saint Jérôme ou Bernard de Clairvaux, dans le cas des communautés monastiques. Il est parfois difficile de restituer ces œuvres à leurs auteurs véritables, faute de pouvoir se rapporter aux manuscrits subsistants. Rappelons enfin que beaucoup d'inventaires médiévaux sont incomplets, ne concernant pas l'ensemble mais une partie seulement des livres ayant appartenu à une institution ou à un particulier.

En fait, loin de constituer un corpus uniforme, les inventaires médiévaux sont souvent très différents entre eux, dans la mesure où ils reflètent des types différents de bibliothèques. Fondée sur une démarche descriptive, leur rédaction subit des modifications et des évolutions, suivant les situations et les époques.

Mais cette variété est, elle-même, source de renseignements, puisqu'elle nous aide à comprendre l'attitude des hommes du Moyen Age face aux bibliothèques, aux livres et aux textes qu'elles renfermaient.

Tout d'abord, le livre médiéval représentait un bien précieux. De nombreux inventaires d'églises ou d'abbayes décrivent ainsi les livres comme partie du

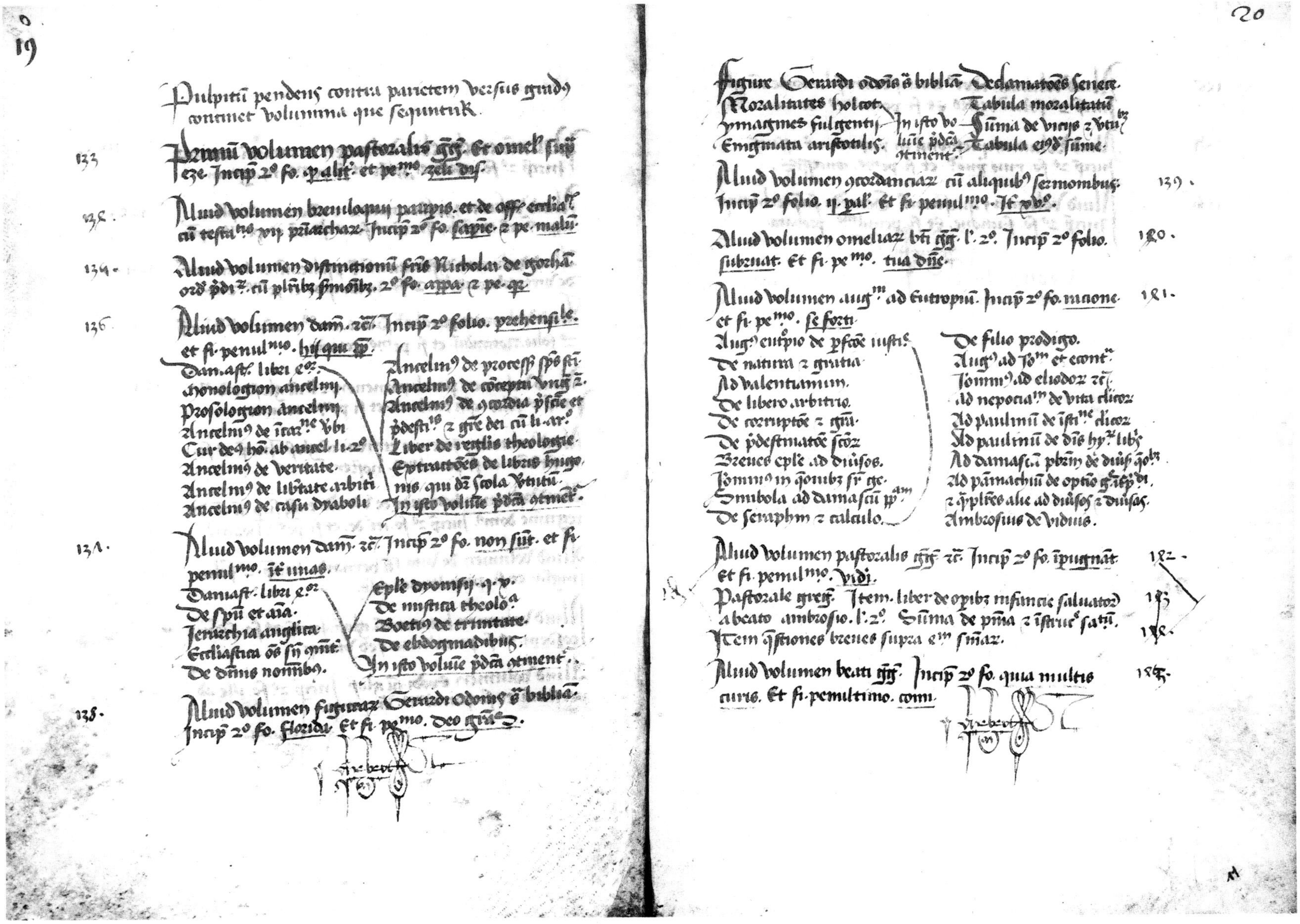

8. Deux pages de l'inventaire de la bibliothèque du collège du Trésorier de Paris. Ce document donne des indications très précises pour identifier chaque manuscrit, comme la mention du début du deuxième feuillet et de la fin de l'avant-dernier, et le détail des titres, joints par des accolades (Paris, Arch. nat., M 194, n° 5, p. 19-20. An 1437).

trésor ; c'est le cas, par exemple, de celui de l'église de Saint-Aphrodise de Béziers, dressé au XIIe siècle, ou encore de celui de la cathédrale de Novare, de la même époque (doc. 7). Les manuscrits y sont dénombrés avec d'autres objets tels les calices en argent, les croix, etc.

Une série d'inventaires, dressés dans la seconde moitié du XVe siècle dans les abbayes cisterciennes, à la suite d'une ordonnance de 1456 des chapitres généraux de l'ordre, montre que les livres sont l'objet de descriptions très soigneuses : on y indiquait leur matériau (parchemin ou papier), leur reliure et l'état général du volume. Parfois, même, l'aspect matériel est encore davantage précisé. Ainsi l'inventaire de Cîteaux, rédigé entre 1480 et 1482, indique-t-il à chaque fois le format, la reliure et, dans beaucoup de cas, la décoration et l'écriture. Ce dernier élément nous permet, notamment, de distinguer les plus anciens manuscrits conservés, à cette époque, dans la bibliothèque de l'abbaye mère de l'ordre cistercien ; il s'agissait de ceux écrits en *littera antiqua*. Mais il y avait également quelques volumes écrits *in forma* (écriture gothique, répandue au XIVe siècle) et même des *libri impressi* (les imprimés). Ces derniers n'étaient évidemment pas très nombreux, vu la date du document. De même, l'inventaire de l'abbaye bénédictine de Saint-Claude du Jura, dressé en 1492, décrit dans un manuscrit d'Alcuin comme écrit d'*antique lectre*. L'inventaire de la bibliothèque de la cathédrale de Beauvais, rédigé au début du XVe siècle, mentionne, lui, le format de chaque manuscrit : il y en avait des petits (ou *parvi*), des moyens (*mediocres* ou *modici*) et des grands (*grossi*). Il fournit également des renseignements sur la mise en page, signalant si un manuscrit était copié à longues lignes (*cum una margine*) où à deux colonnes (*cum duplici margine*). Il donne enfin le prix de chaque volume.

De nombreux détails sur l'aspect matériel des livres sont également présents dans les inventaires des bibliothèques privées, dressés souvent après la mort de leurs possesseurs, dans le cadre d'une évaluation générale de leur patrimoine. C'est le cas de l'inventaire des biens et des livres de maître Hugues, un médecin bolonais mort en 1294. Pour chacun des manuscrits sont indiqués la reliure, l'écriture, le nombre de cahiers et le prix. On trouve également dans ce document, et dans beaucoup d'autres, la mention des premiers et des derniers mots de chaque manuscrit. Certains signalent aussi le début du deuxième, voire du troisième feuillet et la fin de l'avant-dernier. Ces indications répondaient au souci de pouvoir plus facilement identifier les volumes décrits, comme dans l'inventaire de la bibliothèque du collège du Trésorier de Paris, dressé en 1437 (doc. 8).

De telles descriptions suggèrent donc une perception du livre en tant qu'objet de valeur et partie du patrimoine. Mais les inventaires où prime la description matérielle peuvent également nous renseigner sur le mode de rangement des volumes ; on peut ainsi en déduire l'usage qu'on faisait de certains manuscrits.

Dans l'inventaire de la cathédrale d'Amiens, rédigé en 1347, certains livres sont décrits comme étant enchaînés dans le chœur ou derrière un autel. Le catalogue de Cîteaux, mentionné plus haut, rapporte qu'un manuscrit était enchaîné près du siège réservé au moine chargé des lectures qui devaient accompagner, selon la règle, les repas en commun. Des manuscrits se trouvaient également en permanence dans le réfectoire de l'abbaye bénédictine de Reading, ainsi que dans celui du couvent des frères franciscains d'Assise, selon un catalogue de 1381. A l'abbaye de San Martino al Cimino, près de Viterbe, en Italie, il y avait des livres un peu partout ; on en trouvait d'abord une collection importante dans la bibliothèque destinée à l'étude des moines. Des livres liturgiques, des recueils de règles et des statuts étaient conservés dans la chambre de l'abbé, afin que ce dernier pût y avoir recours pour l'administration de la communauté monastique. Dans le chœur de l'église étaient rangés les missels, les antiphonaires, les hymnaires et autres livres servant au culte. Même l'infirmerie possédait quelques manuscrits renfermant des vies de saints et des textes pieux qui devaient servir aux prières des moines malades.

Le classement matériel des livres reflète aussi une interprétation d'ordre intellectuel et culturel. Ainsi, certains inventaires, généralement d'abbayes ou de cathédrales, sont, en fait, des listes d'autorités : l'Écriture sainte et quelques grands auteurs constituaient autant de références culturelles pour ces communautés. L'inventaire de l'abbaye de Pontigny, du XIIe siècle, classe les œuvres sous les noms de principaux Pères de l'Église, donnés par ordre d'importance (doc. 9).

Mais ces listes de « chefs-d'œuvre », très caractéristiques de la spiritualité monastique, ne pouvaient plus répondre aux nouvelles exigences culturelles, d'étude et de recherche, qui se développent dans le courant du XIIIe siècle. C'est aux institutions, qui prendront le relais des monastères dans la transmission et la diffusion de la culture — l'Université et les ordres mendiants —, que reviendra donc, à partir du XIIIe siècle, la tâche d'élaborer de nouveaux modèles d'inventaires. Ces derniers, qui vont désormais être conçus pour aider à la recherche des textes, constituent, en fait, de véritables catalogues. Ils accordent une place plus large à l'analyse des œuvres contenues dans les manuscrits, en les détaillant soigneusement, comme dans l'inventaire du collège du Trésorier de Paris (doc. 8). Ils indiquent également l'éventuelle répartition d'une œuvre en livres et en chapitres, et résument parfois son contenu. C'est le cas de l'inventaire de la « petite librairie » de la Sorbonne, en 1338. Des deux bibliothèques dont disposait ce collège, ce fonds particulier était destiné aux recherches spécialisées, menées par maîtres et étudiants.

9. Une page de l'inventaire de l'abbaye de Pontigny, où les œuvres sont classées sous les noms des principaux Pères de l'Église (Montpellier, Bibl. interuniv., Médecine 12, fol. 178. XIIe s.).

On se préoccupait également de recenser toutes les ressources des bibliothèques. C'est ainsi que, au XIIIe siècle, par exemple, un membre du collège de la Sorbonne, voulant savoir où il aurait pu se procurer les textes qui ne se trouvaient pas à l'université, entreprit un catalogue collectif des principaux fonds parisiens, décrivant tous les livres qui y étaient conservés. Seul un fragment de cet intéressant répertoire nous est parvenu. On connaît en revanche, dans son intégralité, le catalogue collectif rédigé au cours du XIVe siècle à l'initiative des franciscains, et concernant toutes les bibliothèques que leur ordre possédait en Angleterre, en Écosse et au pays de Galles. Des répertoires ou inventaires méthodiques, classant les œuvres selon les disciplines étudiées furent également rédigés : c'est le cas du répertoire de la grande librairie de la Sorbonne au XIVe siècle (il s'agissait, cette fois-ci, de la bibliothèque principale de cette institution, ouverte à la consultation de tous). Les sections par matière, extrêmement fines, peuvent être ramenées à la série des quatre facultés de l'Université : les arts, la médecine, la théologie et le décret.

Toujours à cette époque apparaissent des guides de lectures, ou des catalogues raisonnés, proposant un mode d'utilisation pour une collection de livres ou pour une bibliothèque tout entière. La *Tabula* (ou répertoire) de livres spirituels, composée à la fin du XIVe siècle par un moine de Saint-Denis, ou encore le catalogue de la chartreuse de Salvatorberg, au diocèse d'Erfurt, de la fin du XVe siècle, en sont des exemples.

Qu'ils se présentent comme des descriptions de biens ou comme de véritables instruments de recherche, les inventaires médiévaux constituent un outil privilégié pour la recherche historique. En effet, ils nous montrent comment on utilisait et interprétait ces livres, qui étaient à la fois, selon une expression de Georges Duby, « véhicules et conservatoires » de culture.

D.N.-D.G.

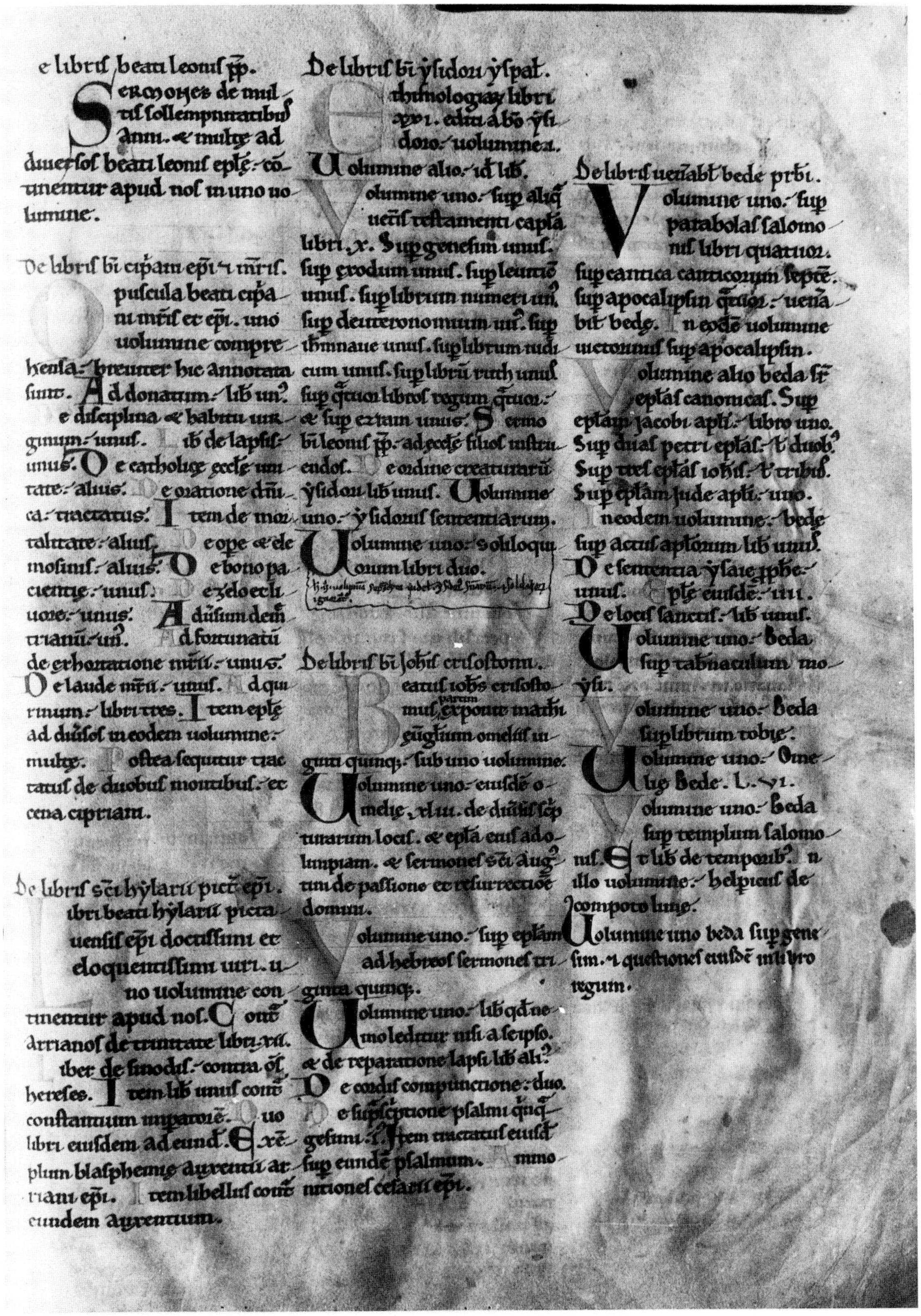

9

Un livre vivant, l'obituaire

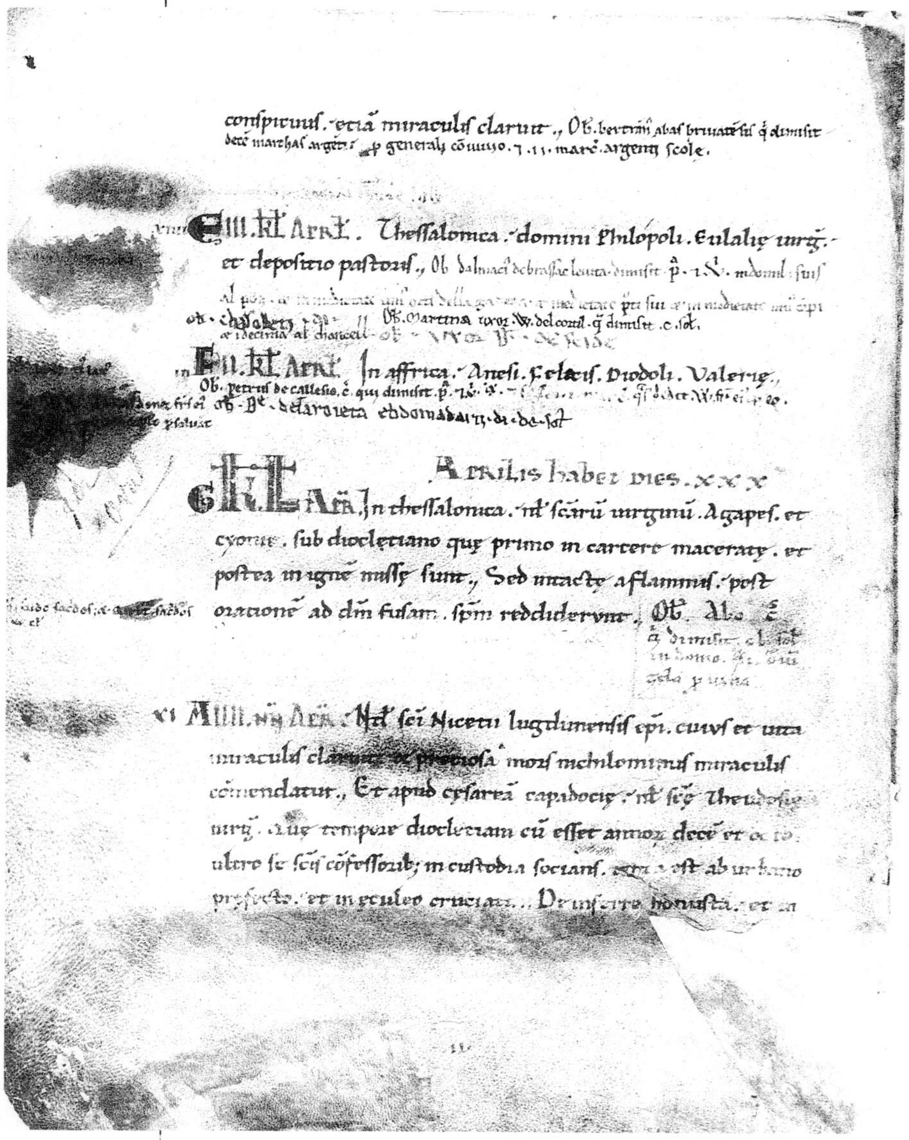

10

Parmi les livres liturgiques utilisés par l'Église latine figure un livre exceptionnel par son usage et sa forme : l'obituaire*, utilisé sans discontinuer du IXe siècle au XVIIIe pour rappeler les noms des défunts dont l'Église faisait mémoire.

Aucun livre liturgique n'a eu une carrière aussi longue. Aucun livre liturgique n'a eu un pareil emploi, n'a été constamment enrichi, tenu à jour, pendant plusieurs siècles successifs jusqu'à ce qu'une surabondance de noms le rende difficilement utilisable. Source irremplaçable, seul l'obituaire est le reflet de la vie et de la mort au sein d'une communauté, et c'est pour cette raison qu'il a été recherché par les historiens dès les premiers pas de l'histoire érudite.

Des défunts avaient déjà été associés à un calendrier des saints dès le VIIIe siècle, en Northumbrie. On les inscrivit sur un calendrier particulier dès le premier tiers du IXe siècle. A partir du XIIIe siècle, la fondation d'anniversaires ou de messes prit progressivement le pas sur la simple commémoration, rappel collectif du nom du défunt associé aux prières de la communauté. Les marges des martyrologes* ne suffisaient plus et l'on passa ainsi du nécrologe à l'obituaire, aux dimensions beaucoup plus vastes, formant parfois un livre complet. Dans ce livre n'étaient pratiquement plus inscrits que les fidèles ayant demandé expressément qu'on célébrât leur anniversaire et ayant assuré matériellement cette fondation.

L'inscription se faisait au coup par coup, en fonction soit du jour du décès, soit d'un jour choisi de son vivant par le fondateur, surtout lorsque celui-ci fondait une messe votive (messe de la Vierge, du Saint-Esprit), à transformer en messe de requiem après sa mort. En général, on la laissait à cette date sans tenir compte de la date réelle du trépas du fondateur. L'obituaire était donc construit sur un calendrier suivant l'ordre des jours, du 1er janvier au 31 décembre. Rares sont les obituaires qui suivent les usages propres à certaines communautés et commencent à une date particulière.

Deux solutions prévalurent : additions au martyrologe ou fabrication d'un nécrologe inséré dans le Livre du chapitre.

Le plus ancien système utilisé est l'addition des obits en marge ou à la suite des éloges* d'un martyrologe. Le martyrologe est un livre conçu pour la lecture orale, c'est-à-dire un texte aéré, avec de grandes marges. Toutes les marges sont utilisées pour inscrire des obits. Mais la page est vite saturée : aussi, les scribes désireux de réunir martyrologe et nécrologe organisèrent leur page dans cette perspective, en réservant des espaces pour l'inscription des noms.

10. Martyrologe-obituaire du chapitre collégial Saint-Julien de Brioude, XIIe siècle. Martyrologe d'Adon, 30 mars-2 avril, avec espaces réservés à la suite des éloges (Clermont-Ferrand, Bibl. mun. 860, fol. 15 v°).

11. Martyrologe-obituaire des trinitaires de Fontainebleau, milieu du XIIIe siècle. Martyrologe d'Usuard, 6-9 mai, avec espace réservé pour chaque jour à gauche du martyrologe (Paris, Bibl. nat., lat. 9970, fol. 100 v°).

12. Martyrologe-obituaire du chapitre collégial Saint-Étienne de Narbonne, début du XIVe siècle. Martyrologe d'Adon abrégé, 13-18 mars, avec colonne réservée à droite du martyrologe (Paris, Bibl. nat., lat. 5255, fol. 16).

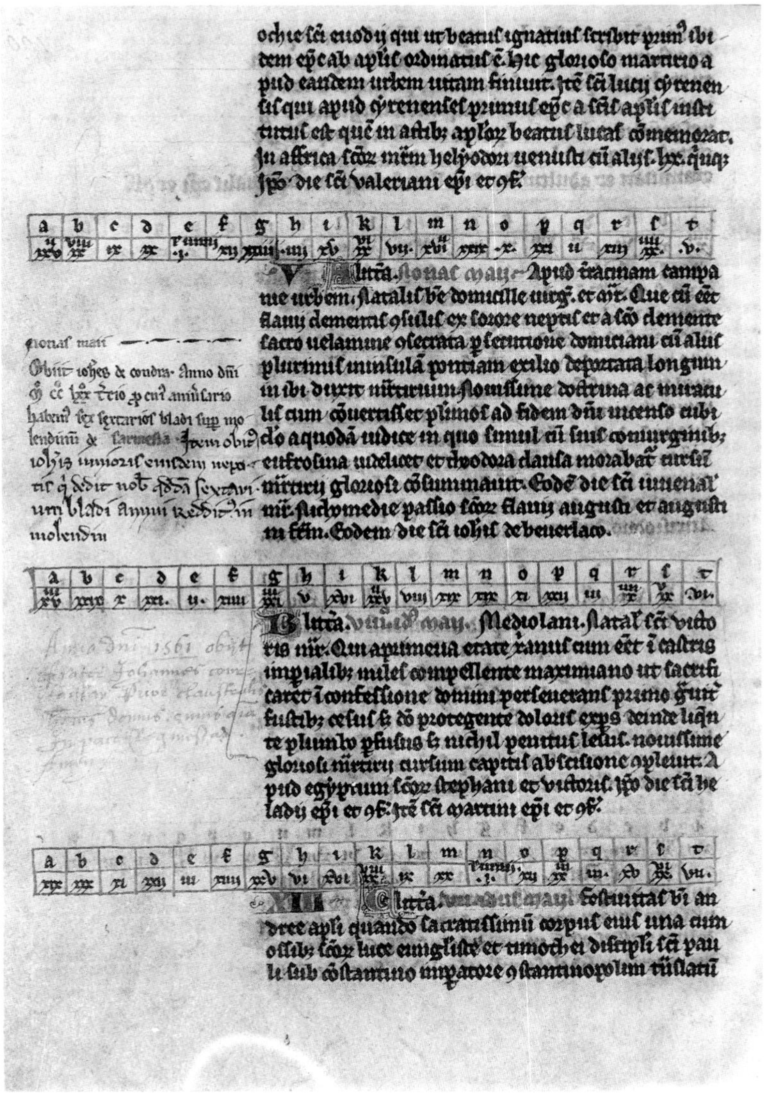

11

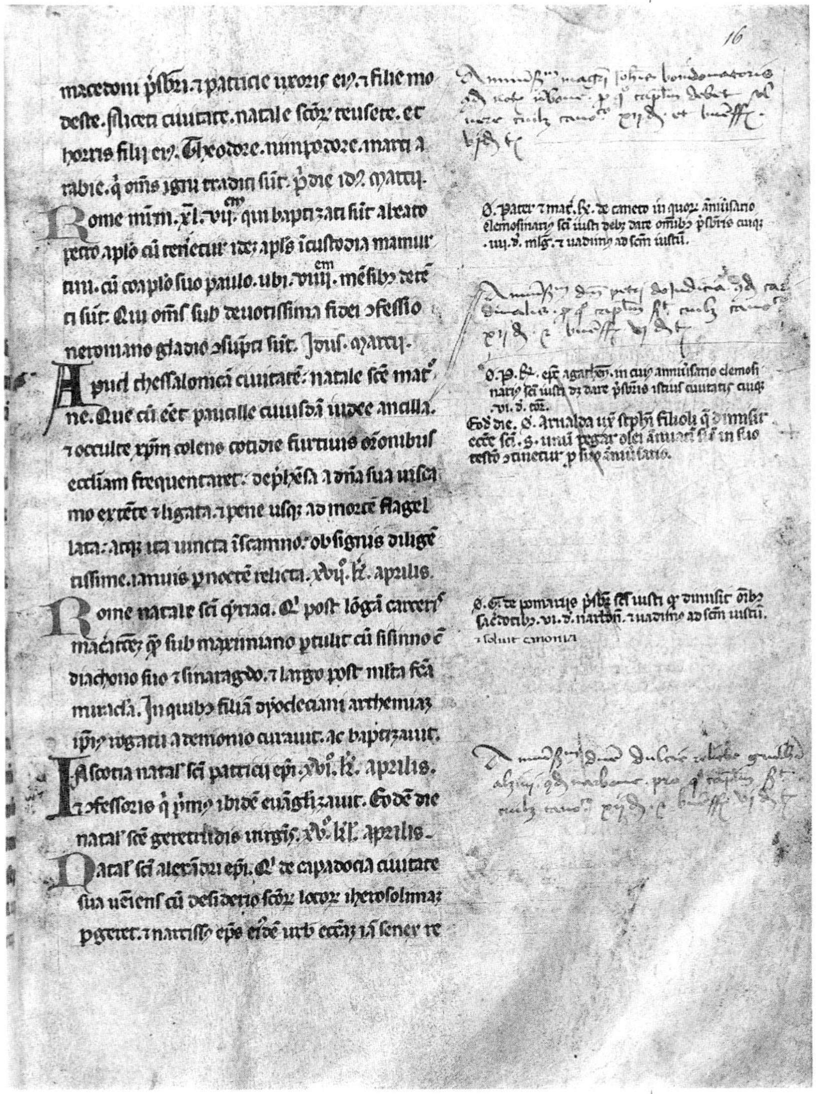

12

Un premier schéma fut celui des espaces horizontaux, à la suite des éloges (doc. 10). Aux XIIIe et XIVe siècles, on en vint même à réserver une page pour chaque jour. On trouvait en tête de la page les éléments de comput et le martyrologe, puis le reste de la page était affecté au nécrologe ou à l'obituaire.

Un autre schéma fut très en vogue durant tout le Moyen Age : la répartition du texte en deux colonnes égales ou inégales, les ajouts figurant à droite ou à gauche (doc. 11 et 12) ; ou bien une colonne centrale large pour le martyrologe, encadrée par deux colonnes étroites.

A partir du XIIIe siècle, avec le développement des fondations, pratique qui augmenta considérablement le volume des notices, on en vint à individualiser l'obituaire, qui devint alors un véritable agenda, avec un emplacement réservé à l'inscription des noms et des fondations, égal pour tous les jours de l'année.

Suivant l'ampleur de l'espace réservé et la fréquence des inscriptions, le manuscrit pouvait être utilisé plus ou moins longtemps.

A chaque nouvelle rédaction le nombre des notices augmentait, mais on en profitait aussi pour éliminer des noms trop anciens, qui ne disaient plus rien, ou — lorsque la pratique des anniversaires fondés fut bien établie — qui ne rapportaient plus rien.

13. Obituaire du chapitre cathédral de Dol, XIVe siècle. Obituaire seul, 7-11 octobre. Anniversaires inscrits de première main, avec espace réservé à la fin de chaque jour (cinq lignes environ) pour l'inscription éventuelle de nouvelles fondations (Arch. dép. d'Ille-et-Vilaine, G. 289, fol. 46 v°-47).

Une des caractéristiques du nécrologe était d'être un texte unique, propre à la seule communauté pour laquelle il avait été constitué. Il était donc nécessairement manuscrit, fournissant un excellent témoignage des écritures pratiquées dans cette maison et de leur évolution. On ne connaît que de très rares obituaires imprimés, faits à la fin du XVIIe siècle ou au début du XVIIIe pour de riches chapitres.

La Règle de saint Benoît et le martyrologe ayant été tôt imprimés, certains eurent l'idée de mélanger imprimé et manuscrit pour réaliser un livre du chapitre. On conserve ainsi celui des célestins de Rouen, où l'on a réuni sous une même reliure un calendrier écrit vers 1442, un martyrologe romain imprimé à Paris en 1584, une règle de saint Benoît et un obituaire manuscrit du XVe siècle (Rouen, Bibl. mun., Mm 155).

Certaines communautés continuèrent aux Temps modernes à copier martyrologe et obituaire, négligeant toutefois la Règle, dont chaque moine devait posséder un exemplaire. Ainsi le livre du chapitre cathédral d'Amiens, en deux volumes, martyrologe, obituaire et homéliaire, copié en 1737-1738, le dernier fait à notre connaissance (Amiens, Bibl. mun., 194).

J.-L. L.

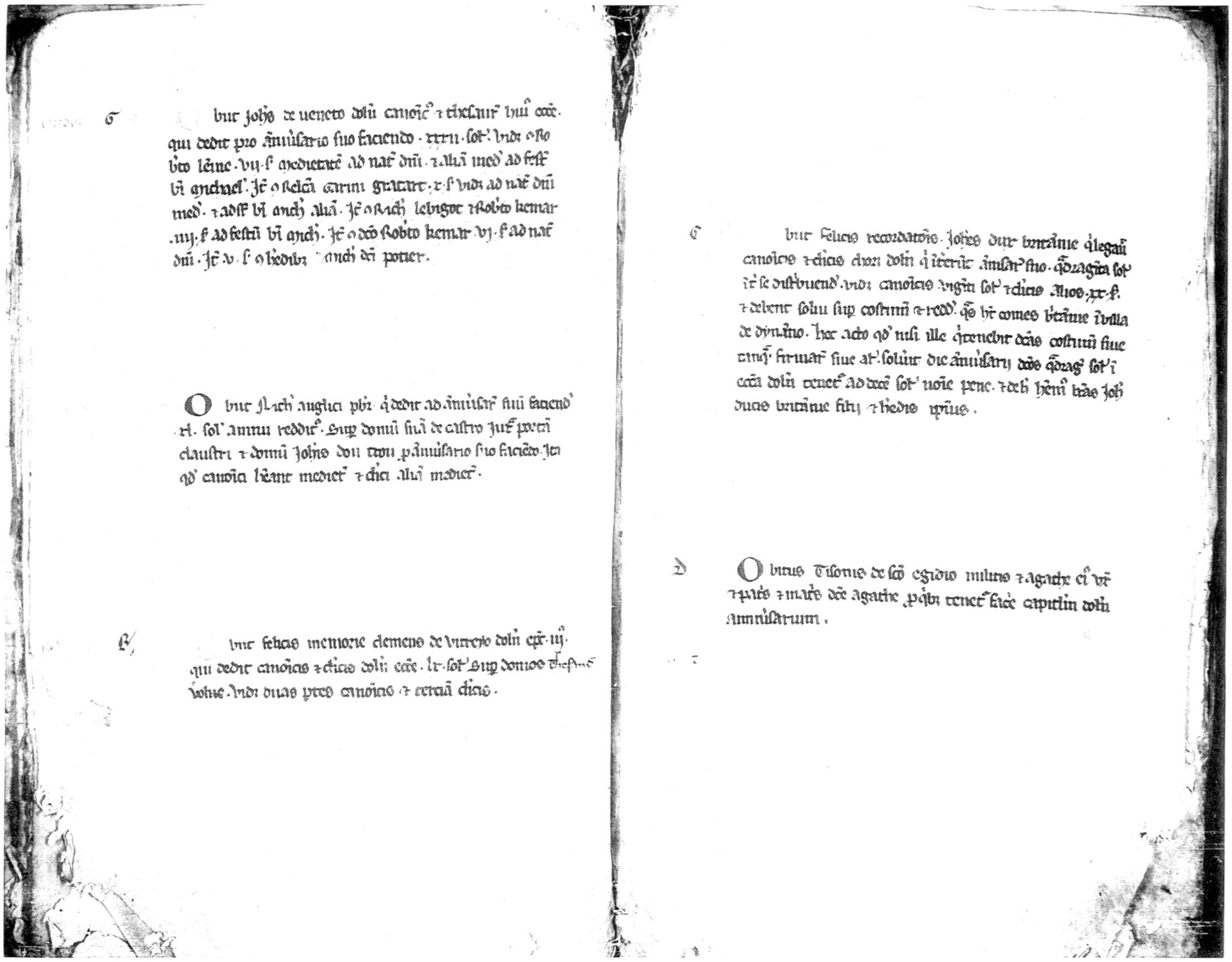

13

Types de livres et de lecteurs en Occident

Les lectures monastiques

Avec la disparition des classes sociales — riches fonctionnaires ou notables municipaux — qui, dans l'Empire romain, formaient la clientèle assurée des bibliothèques publiques et des libraires, la lecture trouva asile dans les seules institutions qui ne pouvaient subsister sans un minimum de livres : les églises cathédrales et les monastères. Le déclin de la civilisation urbaine ne laissa aux premières qu'un rôle subalterne jusqu'au XIIᵉ siècle, tandis que les bibliothèques monastiques, liées à un mode de vie religieuse en expansion, s'assurèrent une indiscutable hégémonie. Dans ces deux sortes d'établissements, auxquels une école était souvent jointe, la nature et la fonction des livres n'était d'ailleurs pas très différente.

Les premières communautés de moines n'avaient pas pour tâche la préservation d'un vaste patrimoine littéraire. Il leur suffisait de disposer des livres liturgiques, de la Bible, avec quelques commentaires, et de textes édifiants. Beaucoup de monastères, surtout parmi les plus pauvres, n'allèrent jamais au-delà.

Plusieurs conditions favorables, toutefois, permettaient la formation, au moins à long terme, de véritables bibliothèques, riches de textes plus variés. D'abord, la place faite dans la règle à la lecture, à côté de la prière et du travail manuel. Bien que dans l'esprit des fondateurs la lecture fût essentiellement conçue comme un exercice spirituel, aucune catégorie de livres n'était formellement exclue. D'autre part, l'accès à la Bible exigeait un certain nombre de connaissances préalables.

Capital à cet égard est le rôle joué par le *De doctrina christiana*, écrit par saint Augustin entre 397 et 427, et destiné à un public assez large de « jeunes gens studieux ». Cet ouvrage se propose de fournir des règles pour l'interprétation des Écritures. Augustin se trouve donc inévitablement amené à y traiter aussi des disciplines profanes. L'importance de cet ouvrage réside surtout dans la légitimation des arts libéraux. Le nombre de ceux-ci était, dès la fin de l'Antiquité, fixé à sept : la grammaire (qui comprenait aussi l'explication d'un canon scolaire d'auteurs), la rhétorique et la dialectique, toutes trois réunies à partir du IXᵉ siècle sous le nom de *trivium* ; l'arithmétique, la géométrie, la musique et l'astronomie, que Boèce devait appeler au VIᵉ siècle *quadruvium* (on dira plus tard *quadrivium*). A l'époque

14

14. Début des *Postilles* du franciscain Nicolas de Lyre († 1349) sur l'Ancien et le Nouveau Testament. Le volume a appartenu aux prémontrés de Belval, Ardennes (Charleville-Mézières, Bibl. mun. 267, t. III, fol. 1. XIVᵉ s.).

15. Un religieux de l'ordre de Prémontré faisant une lecture (Besançon, Bibl. mun. 667, fol. 1. XIVe s.).

16. Codex Amiatinus. Cette peinture en tête du manuscrit représente, sous les traits du scribe Esdras copiant les livres de la Loi, Cassiodore lui-même, derrière lequel se trouve un meuble (*armarium*) comprenant quatre tablettes où sont posés des codex. Le manuscrit a été exécuté en Angleterre au monastère de Jarrow ou de Wearmouth, vers 700, mais il est lui-même la copie d'un *codex grandior* mentionné par Cassiodore (Florence, Biblioteca Medicea Laurenziana, Amiatino 1. VIIIe s.).

de Sénèque, les arts libéraux étaient encore regardés comme une simple propédeutique à la philosophie. Celle-ci ayant progressivement disparu des écoles avant même le triomphe du christianisme, les arts libéraux devinrent à eux seuls tout le système du savoir vers la fin de l'Antiquité. Le rôle d'Augustin fut d'en faire de nouveau des sciences auxiliaires, mais cette fois pour l'étude des textes sacrés.

Deux autres « textes fondateurs » reprirent et amplifièrent ce programme : les *Institutiones divinarum et saecularium literarum*, écrites par Cassiodore aux environs de 562 et qui furent liées par lui à l'installation d'une importante bibliothèque au monastère de Vivarium (doc. 16) ; enfin, les *Étymologies* d'Isidore de Séville (vers 570-636), énorme compilation encyclopédique traitant aussi bien des techniques (les arts mécaniques) que des choses divines, mais qui réservait parmi les arts libéraux une place prépondérante à la grammaire.

Ce programme ne commença à porter ses fruits qu'à partir de la renaissance carolingienne, où apparaissent non seulement de brillants professeurs, comme Alcuin, à qui Charlemagne confia la direction de l'école du palais, mais aussi de véritables philologues, comme Loup de Ferrières (vers 805-862) qui, par sa recherche incessante de manuscrits, préfigure les humanistes de la fin du Moyen Age. C'est également de cette période que datent les premiers catalogues de bibliothèques qui nous soient parvenus. Malgré la désagrégation de l'Empire carolingien, l'effort d'accumulation se poursuivit au Xe siècle, surtout dans l'Allemagne ottonienne et l'Italie. Il se généralisa dans toute l'Europe chrétienne avec, au XIe siècle, la réforme clunisienne et, au XIIe siècle, l'apparition d'ordres nouveaux (cisterciens, chartreux) ainsi que l'essor des établissements de chanoines réguliers suivant la règle de saint Augustin, comme Saint-Victor de Paris.

La liste des bibliothèques monastiques ou cathédrales de quelque importance se confond pratiquement avec celle des scriptoria* ecclésiastiques. Jusqu'au XIIe siècle, en effet, un monastère vit presque entièrement en économie fermée : l'existence de la bibliothèque est donc inséparable de celle du scriptorium, et sa richesse est fonction de la production réalisée par celui-ci.

Le nombre des volumes est souvent difficile à estimer, même lorsqu'on en conserve un relevé ancien, parce que beaucoup de ces documents ne distinguent pas entre textes (*libri*) et volumes (*codices*), alors que plusieurs textes se trouvent souvent réunis dans un même recueil. A Reichenau, où le bibliothécaire a fait soigneusement cette distinction, l'effectif de la bibliothèque, en 822, dépassait 400 volumes, quantité énorme pour l'époque et dont on ne trouve l'équivalent qu'à Saint-Gall. En 831, Saint-Riquier ne comptait que 256 volumes. Le catalogue de Bobbio, au Xe siècle, dépasse 600 articles, mais le nombre des codex* était certainement très inférieur ; de même à Lorsch (590

15

articles). Pour les grandes abbayes des XIe et XIIe siècles, à l'exception de Saint-Maximin de Trèves, où sont énumérés 151 volumes, on dispose surtout de listes de titres : 305 articles à Saint-Bertin, au XIIe siècle, 313 à Corbie, 266 à Saint-Pierre de Salzbourg, un peu plus de 160 à Saint-Vaast d'Arras et au Bec, 546 à la cathédrale de Durham.

Quant au plan, ces catalogues présentent quelques points communs, mais aussi beaucoup de diversité. Ils commencent en général par la Bible (qui garde jusqu'à la fin du XIIe siècle son appellation de *Bibliotheca*). Viennent ensuite les Pères, parmi lesquels les quatre grands docteurs latins — Ambroise, Jérôme, Augustin et Grégoire le Grand — occupent une place prépondérante ; puis, dans un ordre variable, des auteurs ecclésiastiques mineurs ou plus récents, la Règle, les Vies des Pères du désert, les livres nécessaires à l'apprentissage des arts libéraux. Des sous-titres précisent parfois des classes : à Saint-Riquier, en 831, on voit ainsi les *codices librorum de divinis* s'opposer aux *libri grammaticorum* et à ceux des historiens et géographes (*libri antiquorum qui de gestis regum vel situ terrarum scripserunt*). Mais, à l'intérieur de ces trois dernières classes, Cicéron et Virgile côtoient des poètes chrétiens comme Prosper, Sedulius ou Juvencus ; Flavius Josèphe voisine avec l'*Epitomé* de Trogue-Pompée et l'*Histoire ecclésiastique* de Bède. La même distinction et les mêmes voisinages se retrouvent à Saint-Vaast au XIIe siècle, où la bibliothèque est divisée en *libri philosophiae artis* et *libri divini*.

Comment ces livres étaient-ils utilisés ? Il y avait, en fait, plusieurs types de lecture monastique. La règle de saint Benoît prescrivait une distribution annuelle des livres au début du Carême. Chaque moine recevait un volume, devait le lire de bout en bout et le remettre au Carême suivant. D'après la règle de saint Augustin, que suivaient les chanoines réguliers, on pouvait demander chaque jour au bibliothécaire, à heure fixe le matin, un volume qu'on

CODICIBUS SACRIS
PERUSTIS
ESDRA DO FERVENS
REPARAVIT OPUS

17. Ce manuscrit des *Méditations* de Guigues le Chartreux a été annoté à Clairvaux en vue de la préparation d'un florilège (*Liber deflorationum*). Les extraits retenus correspondent aux annotations marginales du texte intégral de Guigues (Troyes, Bibl. mun. 854, fol. 139. XIIe s.).

18. L'*armarium* dans le cloître de l'abbaye cistercienne de Fossa Nuova, en Italie centrale, vers 1187-1208 (d'après J.W. Clark, *The Care of Books*, 2e éd., Cambridge, 1902, p. 73).

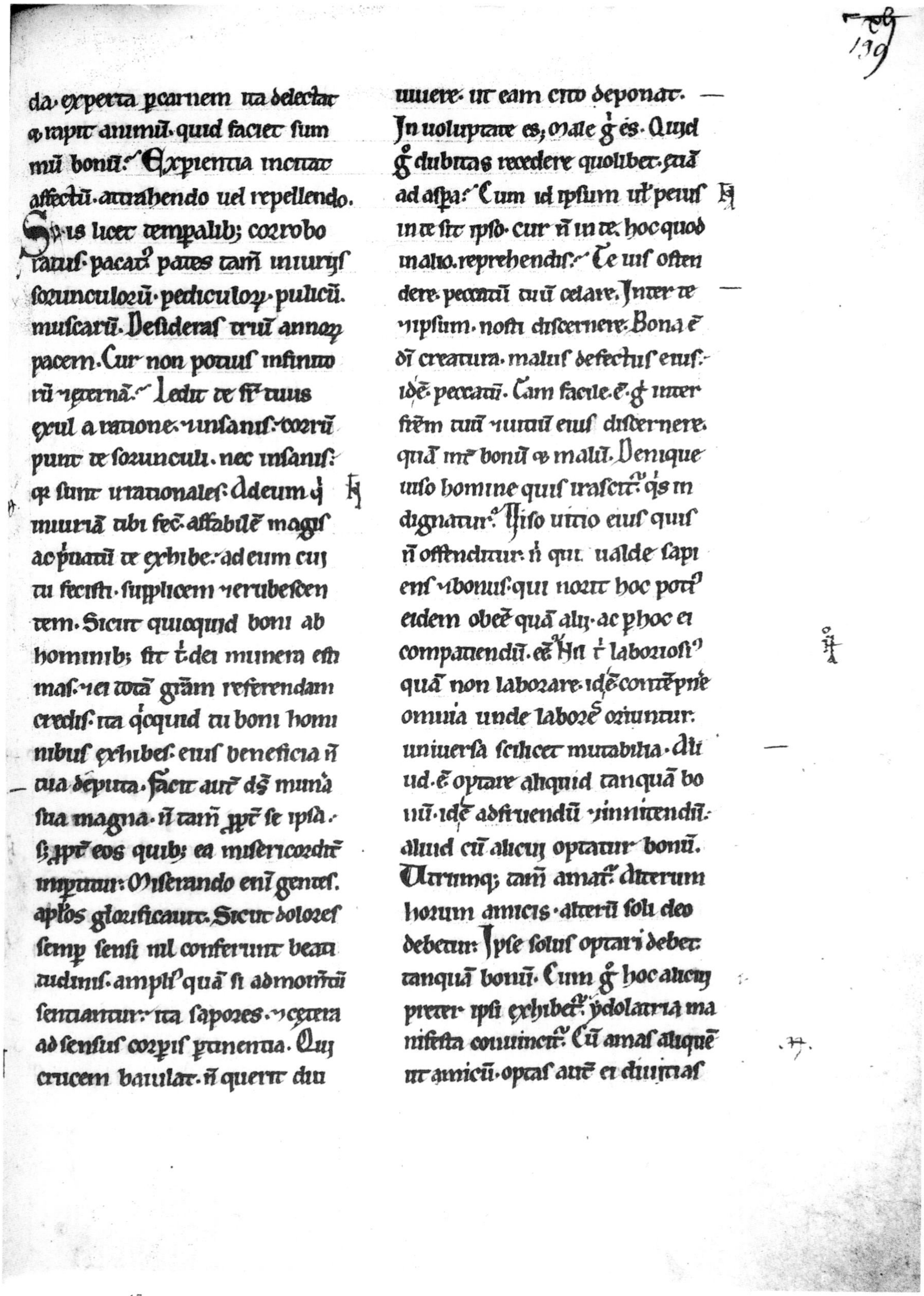

17

rendait le soir. C'étaient là des lectures individuelles. D'autres, de caractère uniquement spirituel, avaient lieu en commun, au réfectoire, au chapitre ou aux collations (conférences) tenues dans le cloître et présidées par l'abbé.

L'intérêt porté à un livre se mesure souvent aux annotations qu'il porte et qui permettent d'estimer s'il a fait l'objet de lectures fréquentes. Beaucoup ont servi de matière pour l'élaboration de florilèges, genre littéraire très répandu à cette époque (doc. 17).

Certains livres, surtout liturgiques, étaient conservés dans le trésor ou dans le chœur de l'église, mais la plus grande partie du fonds était rangée dans des meubles en forme d'armoires, sur les tablettes desquels ils étaient posés à plat. Le terme *armarium* servit à désigner à la fois le meuble, le renfoncement dans une galerie du cloître où il était enfermé (doc. 18) et, plus généralement, le fonds de livres possédé par l'établissement considéré dans sa totalité. Le bibliothécaire (*armarius, librarius*) était un personnage important, qui pouvait avoir aussi la responsabilité de l'école annexée au monastère : *scole preceptor*, dit un document du Xe siècle provenant de Fleury (Saint-Benoît-sur-Loire). Il avait aussi la direction du scriptorium.

La « lectio scolastica »

A partir du milieu du XIIe siècle s'amorce une véritable révolution intellectuelle.

18

19. Bible glosée montrant la hiérarchie : texte (en gros caractères), glose ordinaire (encadrante) et gloses ajoutées par un maître ou un étudiant, lorsque le livre a été « lu », c'est-à-dire a fait l'objet d'une leçon universitaire (Troyes, Bibl. mun. 81, fol. 2 v°. XIIIe s.).

19

Avec le renouveau urbain, les écoles cathédrales se développent ; d'autres s'ouvrent à l'initiative de maîtres qui recrutent leur propre auditoire. Au début du XIIIe siècle, la reconnaissance de l'Université de Paris par le pape comme par le roi consacre ce vaste mouvement.

En même temps apparaît une nouvelle manière de penser. Pendant des siècles, on avait accumulé des commentaires sur l'Écriture. Le besoin se fit sentir d'en extraire des passages et de les regrouper parallèlement au texte sacré pour le gloser, c'est-à-dire l'expliquer ou l'interpréter. Ces gloses, interlinéaires ou marginales, prirent de plus en plus d'ampleur avant de se codifier en « Glose ordinaire ». L'aspect de la page écrite s'en trouva profondément modifié (doc. 19). La référence aux « autorités » était signalée dans le texte principal par des signes (points diversement disposés ou lettres), qui sont les ancêtres de nos appels de notes.

Cet effort de réorganisation et de mise en ordre se traduisit aussi par la rédaction de traités abordant l'étude du dogme ou du droit canonique suivant un plan rationnel. Le *Décret*, compilé vers 1140 par Gratien, un maître de Bologne, à partir de citations des Pères et d'extraits de lettres pontificales, et divisé en trois parties, forme ainsi un premier essai de code complet de droit canonique. Peu de temps après, entre 1154 et 1158, Pierre Lombard rédigeait à Paris ses quatre livres des *Sentences*, où les autorités scripturaires et patristiques sont regroupées de manière systématique : Dieu (livre premier), la création (1. II), le Christ et la vie morale (1. III), les sacrements (1. IV).

Les canonistes poursuivirent au XIIIe siècle l'effort commencé par Gratien en compilant et en éditant des recueils de *Décrétales* plus récentes des papes. En revanche, il n'y eut jamais de Glose ordinaire pour les *Sentences* de Pierre Lombard. Son texte, devenu la base de l'enseignement théologique, servit de point de départ pour des spéculations

20. L'auteur est reconnaissable à son habit et à sa cordelière de franciscain. Le public auquel il s'adresse est plus large qu'un simple groupe d'étudiants ; deux religieuses figurent au premier rang : une clarisse à droite et, à gauche, une carmélite (Reims, Bibl. mun. 178, fol. 1. XIVe s. Nicolas de Lyre, *Postilles* sur la Bible).

21. Le maître enseignant porte le manteau blanc des carmes (Paris, Bibl. Mazarine 3519, fol. 1. XIVᵉ s. Osbert l'Anglais, *Determinationes*).

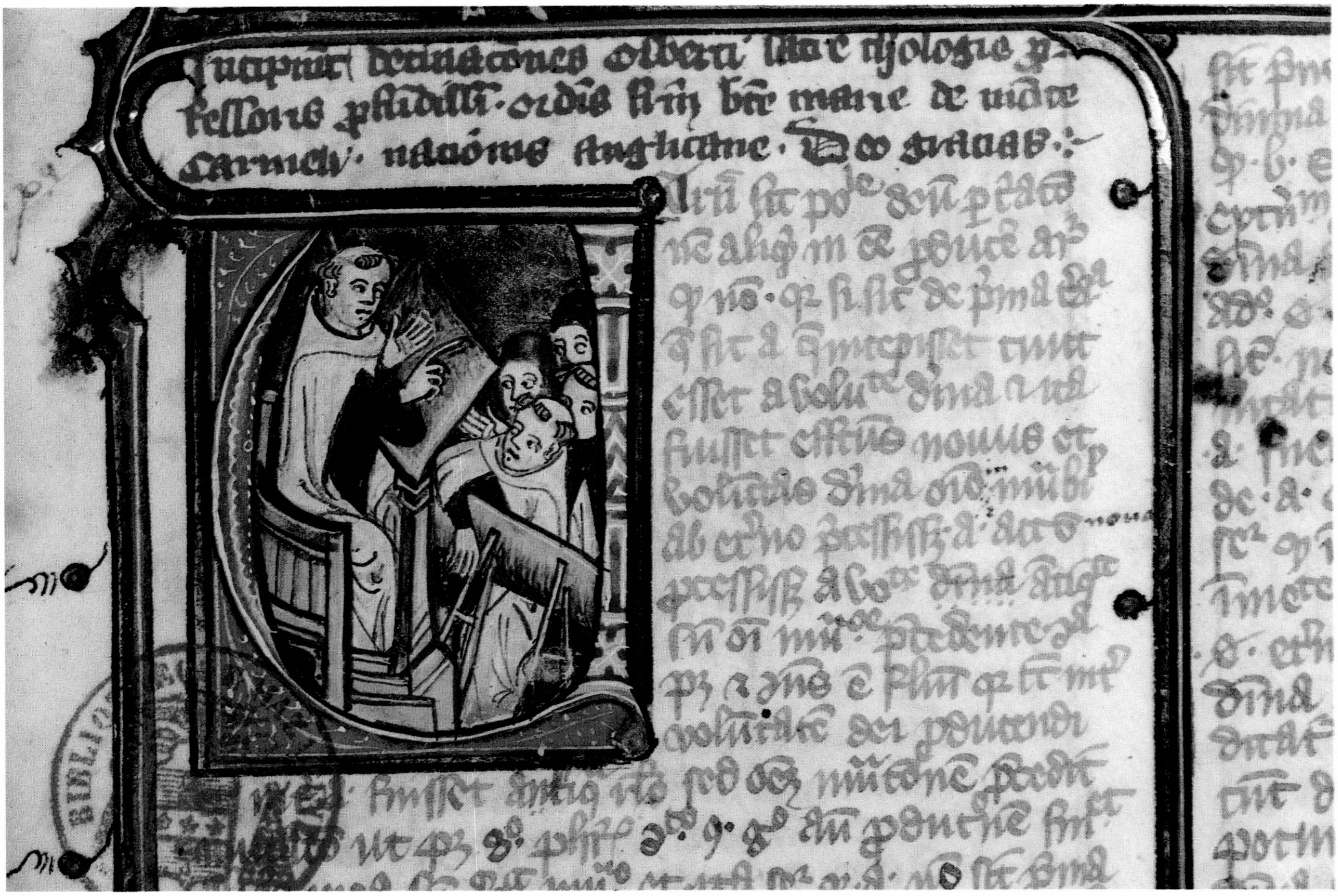

22. Un instrument de travail :
la *Tabula* du dominicain Hervé de La Queue
sur les œuvres de saint Thomas
(Troyes, Bibl. mun. 625, fol. 6. XVᵉ s.).

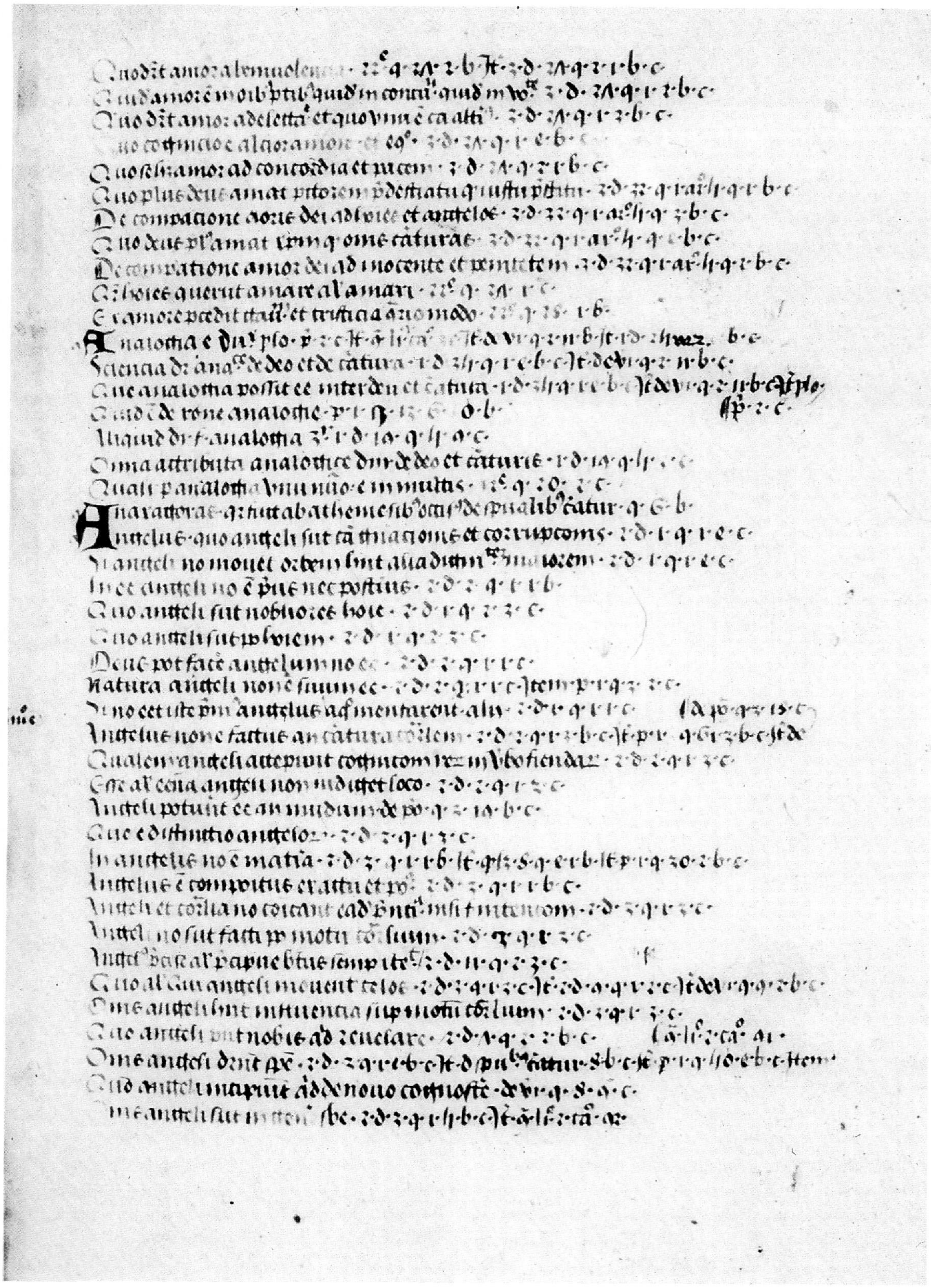

22

théologiques et philosophiques de plus en plus abstraites et techniques, que nourrit l'arrivée massive en Occident de l'œuvre d'Aristote, au XIIIᵉ siècle.

Cette mutation intellectuelle constituait une rupture complète avec la culture monastique traditionnelle. Celle-ci, nourrie de la Bible et des Pères, reposait sur la lecture solitaire et la méditation. Elle avait pour matière des textes proprement littéraires, c'est-à-dire tissés d'images et de symboles, non des idées pures. Les maîtres du XIIIᵉ siècle estiment, au contraire, que la théologie doit se constituer en « science » au sens aristotélicien du terme : un enchaînement nécessaire de propositions. Pour eux, et comme l'écrit saint Thomas, « procéder par comparaisons diverses et par images est le propre de la poésie, qui est le dernier de tous les moyens d'enseigner (*infima inter omnes doctrinas*) ». En outre, ce nouveau type d'étude reposait principalement sur des échanges parlés, dont le modèle est la *disputatio* universitaire, toute à l'opposé de la règle monacale du silence. Le terme *legere* et ses dérivés (*lectio, lectura*) furent désormais étroitement associés à l'idée de leçon (ce sens subsiste aujourd'hui dans le mot anglais *lecture*).

Étienne de Lexington, abbé de Clairvaux de 1243 à 1257, avait bien vu la portée de ces bouleversements : « Après avoir été les premiers, nous allons rétrograder dans notre foi [...] à cause de notre simplicité et de notre ignorance des lettres sacrées, dont nous ne connaissons par les interprétations, et à cause du silence et de la solitude. » Aussi réussit-il, non sans mal, à imposer la fondation à Paris d'un collège destiné aux étudiants cisterciens : ce fut le collège Saint-Bernard. Mais l'adaptation des ordres anciens aux nouveaux modèles culturels ne se fit qu'imparfaitement, surtout chez les bénédictins. Au contraire, les ordres mendiants fondés au XIIIᵉ siècle — dominicains, franciscains, augustins et carmes — assimilèrent très vite les techniques de l'Université (doc. 20 et 21), à laquelle ils fournirent de

23. Le cistercien Pierre de Ceffons enseignant au collège Saint-Bernard de Paris (Troyes, Bibl. mun. 62, fol. 1. Milieu du XIVe s.).
24. Disposition des pupitres et des livres enchaînés à la bibliothèque de Césène, construite en 1452 (d'après J.W. Clark, *The Care of Books*, p. 195).

25. Traduction française du *De regimine principum* de Gilles de Rome. Manuscrit ayant appartenu à Charles V, dont il porte l'ex-libris daté de 1372 (Besançon, Bibl. mun. 434, fol. 103).
26. Tite-Live traduit en français par Pierre Bersuire, copie de luxe effectuée au XVe siècle (Troyes, Bibl. mun. 178, fol. 11).

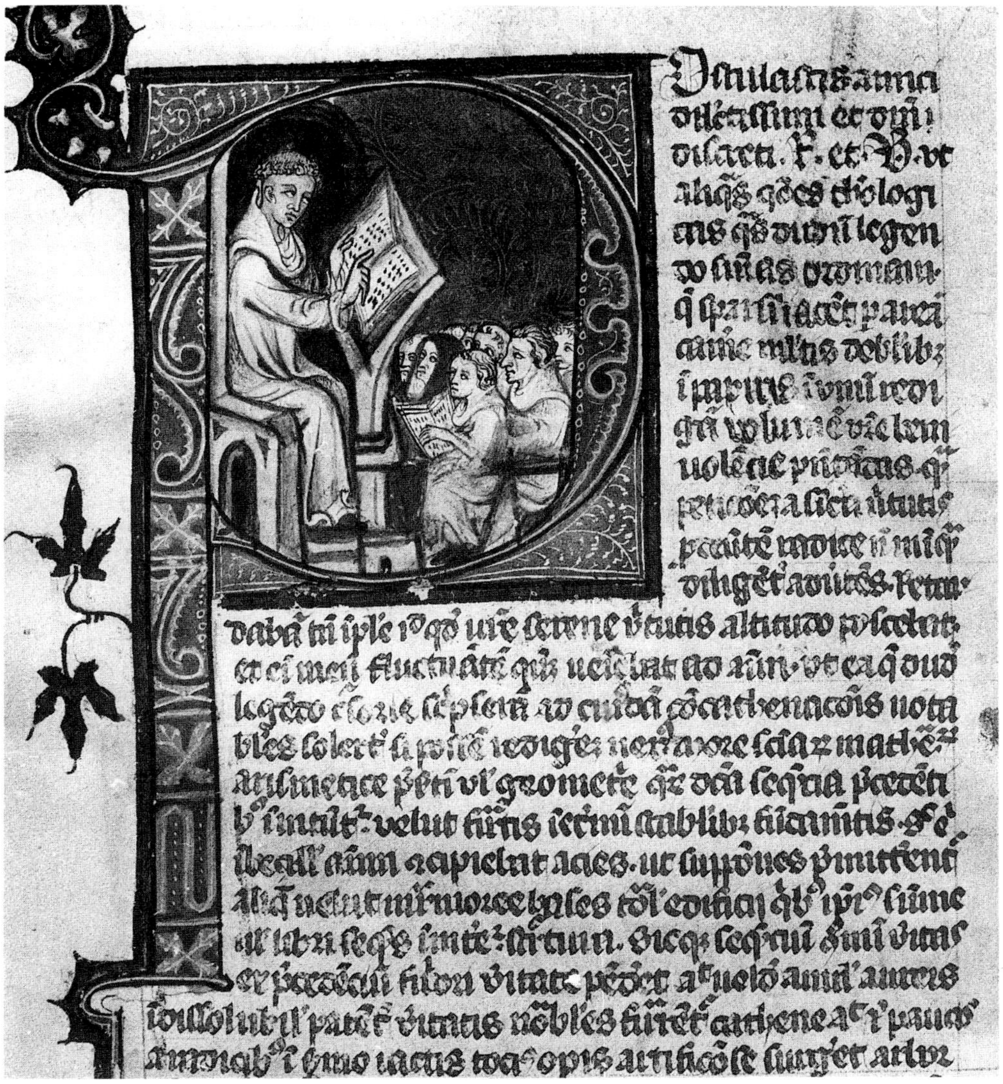

23

24

nombreux maîtres — et parfois les plus célèbres.

Abstraction et technicité croissantes : ces conditions déterminent l'évolution des livres et des bibliothèques au cours des XIIIe et XIVe siècles. Du moment où penser devient un métier, il faut disposer d'outils de travail toujours plus nombreux et plus perfectionnés : sommes, recueils de questions disputées, concordances permettant de retrouver rapidement tel passage ou tel thème dans la Bible, voire dans un auteur prolixe et important (doc. 22). Au milieu du XIIe siècle, un maître pouvait se contenter d'une collection personnelle de quelques livres. Cent ans plus tard, il lui faut une véritable bibliothèque, alors que le coût de fabrication du livre n'a pas baissé, même si le système de la pecia* permet une diffusion plus rapide des textes. Certains maîtres très riches, ceux qui cumulent d'importants bénéfices, canonicats ou autres, peuvent s'offrir ce luxe : ainsi Richard de Fournival (mort en 1260), dont la bibliothèque personnelle est recensée dans sa *Biblionomia*, et dont une partie des livres légués par lui à Gérard d'Abbeville passèrent finalement dans le fonds de la Sorbonne. Mais la masse des étudiants pauvres ne pouvaient poursuivre leur études qu'en étant accueillis dans des collèges dont la bibliothèque, ouverte quelquefois aussi à d'autres usagers, leur offrait les livres nécessaires.

Toutes les villes universitaires médiévales ont connu ce type de fondations, mais la plus importante par son ampleur reste le collège créé vers 1250 par Robert de Sorbon pour « les maîtres pauvres de la Faculté de théologie de Paris ». La bibliothèque de la Sorbonne se forma peu à peu grâce aux dons faits par les membres mêmes du collège. En 1290, elle renfermait déjà 1017 manuscrits et le catalogue rédigé en 1338 énumère 1722 volumes. Dès la fin du XIIIe siècle, elle était divisée en grande et petite bibliothèque. La *libraria magna*, ouverte à tous, comprenait les livres les plus importants ; ils étaient enchaînés à des

Ci commence le livre du gouver
nement des roys et des princes.
A mon tres especial
seigneur nez de
royal et tres sai
te lignee. Mon
seigneur phelip
pe ainsne filz de tres haut et tres
noble Mon seigneur phelippe

25

11

Se je me prens a escrire
les choses faites
par les Rommains
des le commencement
que Romme fu fondee
je ne scay pas se ce
sera chose convenable
Et se je le scay si
ne l'ose je dire pour
ce que je voy que c'est une chose
qui par les aucteurs a ja este escripte et
publiee Mais pource que les nouv

aulx escripvains cuident et esperent
dire et traitier tousjours aucune chose
plus vraye et plus certaine ou la rudesse
de l'ancien langaige surmonter et
l'antiquite et matiere declairer par
plus artificiel langaige pource se me
plaira aidier et conseillier ou avoir
conseillie en ma partie a tenir en
memoire les fais de cellui peuple qui est
princes des terres Et se en si grant
tourbe d'escripvains qui les dites choses ont
escript avant moy ma renommee est

27. Christine de Pizan rédigeant sa *Mutacion de fortune* (Bruxelles, Bibl. royale 9508, fol. 2. Manuscrit daté de 1403).

pupitres. La *libraria parva* constituait un fonds dont les volumes pouvaient être prêtés : doubles ou textes peu lus. Par son organisation matérielle et son type de catalogage relevant les mots repères de chaque manuscrit, la Sorbonne servit de modèle aux autres bibliothèques de collèges et de couvents d'étude (*studia*) des ordres mendiants.

C'est également à cette époque que se fixa un certain modèle pour la disposition intérieure des grandes bibliothèques, avec leur allée centrale et, de part et d'autre, entre les fenêtres latérales, les « bancs » ou pupitres où reposaient les livres. La bibliothèque de l'ancien couvent des franciscains de Césène, construite au XVe siècle et qui a conservé son mobilier ancien, en offre aujourd'hui un exemple intact (doc. 24).

Les collections princières

Il n'est guère d'époque du Moyen Age où il ne se soit trouvé au moins quelques laïcs pour posséder des livres. On a conservé les testaments de deux hauts personnages de l'époque carolingienne, Evrard, duc de Frioul (mort en 867) et Heccard, comte d'Autun et de Mâcon (mort vers 879) : ils détenaient quelques dizaines de manuscrits. Dans la première moitié du XIIIe siècle, l'empereur Frédéric II (1211-1250), fondateur de l'université de Naples, joua un rôle important dans l'entreprise de traduction des œuvres d'Aristote. Mais c'est à partir du milieu du XIVe siècle qu'apparaissent et se développent rapidement de véritables bibliothèques princières, dont le prototype fut celle de Charles V (1364-1380), installée à partir de 1367 dans la tour de la Fauconnerie au Louvre, sur trois étages. Le catalogue dressé en 1373 par le garde de la librairie, Gilles Malet, a disparu, mais il a servi de modèle à l'inventaire dressé à la mort du souverain, en 1373 : la collection comprenait alors plus de 900 volumes. Après diverses vicissitudes, la librairie royale comptait en 1424, à la mort de Charles VI, 843 articles. Paris étant à l'époque sous domination anglaise, le duc de Bedford acheta le fonds et emporta les livres, ultérieurement, à Rouen puis en Angleterre. Ils furent rapidement dispersés.

Les frères de Charles V formèrent sur le modèle de la bibliothèque royale leurs propres collections. La bibliothèque du duc de Bourgogne Philippe le Hardi (1363-1404) est, de toutes les collections réunies par les Valois, la mieux conservée ; à la mort de Charles le Téméraire (1477), la plus grande partie s'en trouvait dans les résidences ducales de Bruges, Gand et Bruxelles ; c'est dans cette dernière ville qu'elle fut concentrée à partir du milieu du XVIe siècle.

Ces bibliothèques présentent beaucoup de points communs. Les livres religieux et les textes laïcs s'y équilibrent à peu près. Les premiers sont en majorité des livres de chapelle, somptueusement ornés, ou des ouvrages de dévotion : livres d'heures — dont l'usage se répand rapidement à partir des années 1300 et qui sont une marque de distinction sociale ; *Légende dorée* et textes d'édification comme le *Pèlerinage de vie humaine* de Guillaume de Digulleville (texte si célèbre qu'il servit encore en partie de modèle au *Pilgrim's Progress*, de Bunyan, dans l'Angleterre puritaine du XVIIe siècle). La liste des textes laïcs conservés dans la bibliothèque de Philippe le Hardi est beaucoup plus variée : versions françaises de traités didactiques dont la traduction avait été demandée par Charles V : les *Éthiques, Politiques* et *Économiques* d'Aristote, mises en langue vulgaire par Nicole Oresme, l'un des maîtres du collège de Navarre ; quelques *Décades* de Tite-Live, la *Consolation de philosophie* de Boèce, les *Échecs moralisés* de Jacques de Cessoles ; le *Livre des propriétés des choses*, de Barthélemi l'Anglais. De l'histoire, et contemporaine même, avec les *Grandes Chroniques de France*. Quant au *Roman de la rose*, on a une preuve de la persistance de son succès et de son influence sur l'imagination aristocratique, non seulement en raison de sa présence dans la bibliothèque, mais aussi par cette commande en 1393 d'« une chambre de tapisserie blanche toute ouvrée de plusieurs ymaiges sur la contenance du Roman de la Rose ». Le rêve de croisade, qui subsistait toujours, explique la présence de la Chronique de Guillaume de Tyr, relatant les hauts faits de Godefroi de Bouillon, celle de la *Fleur des histoires* d'Hayton, ou le *Voyage d'outremer* de Jean de Mandeville.

La formation de ces collections relève aussi du mécénat. A la fin du XIVe siècle, les écrivains ont coutume d'offrir à un haut personnage leur exemplaire de dédicace et nombreux sont les manuscrits de luxe qui représentent la scène (doc. 25). Ils n'hésitaient pas, d'ailleurs, à répéter l'opération auprès de princes différents, même si le texte était identique. Honoré Bouvet (ou Bonnet), prieur augustin de Salon-de-Provence, offrit ainsi son *Arbre des batailles* à Charles VI puis, trois ans plus tard, à Philippe le Hardi ; Gaston Phébus, comte de Foix, dédia également au duc de Bourgogne son *Livre de la chasse* ; quant à Christine de Pizan, fille de l'astrologue de Charles V, femme de lettres et féministe, elle fit aussi partie de l'entourage de Philippe le Hardi.

27

28. En réunissant entre 1325 et 1329 trois décades de l'*Histoire romaine* de Tite-Live (livres I-X et XXI-XXX), qu'il a corrigées et annotées, Pétrarque a été le premier à se constituer une véritable édition de cet ouvrage. Au XVe siècle le volume a appartenu à Laurent Valla, qui l'a également annoté. (Londres, British Library, Harley 2493).
Le noyau du recueil est un manuscrit de la troisième décade (ici fol. 173) copié vers 1200 et dont Pétrarque a collationné le texte avec un manuscrit de Chartres aujourd'hui perdu.

La lecture érudite à la fin du Moyen Age

Parmi les protégés de Philippe le Hardi se trouvaient aussi des secrétaires de chancellerie, comme Jean de Montreuil, Gonthier Col et Nicolas de Clamenges, dont l'orientation intellectuelle était assez différente de celle des écrivains favoris du duc : avec eux, on aborde un courant nouveau, celui de l'humanisme.

Le terme est issu lui-même de l'argot des écoliers italiens au XVe siècle : l'*humanista* est d'abord celui qui enseigne les humanités (*studia humanitatis*), comme le *legista* ou le *jurista* est un professeur de droit. L'humanisme, en effet, même s'il recrute ses adeptes en dehors de ce strict milieu social, notamment parmi les secrétaires et les notaires formés à l'*ars dictaminis*, est avant tout un mouvement de retour aux belles-lettres, par-delà la longue coupure de la scolastique. Selon la description de Rand, déjà ancienne (1928), mais qui pour l'essentiel demeure valable, « un humaniste est un homme qui aime les choses humaines ; il préfère l'art et la littérature, surtout ceux de la Grèce et de Rome, à la froide lumière de la raison ou à la fuite mystique dans l'inconnu [...] ; il adore les éditions critiques pourvues de variantes [...] ; il a la passion des manuscrits, il aimerait les découvrir, il les mendierait, les emprunterait ou les volerait même ; il a une langue déliée, dont il fait grand usage, une parole incisive, qui éclate parfois en jargon de poissonnière ou décoche à l'adversaire le trait d'une épigramme ».

Si ce portrait ne coïncide que partiellement avec la personnalité de Pétrarque qui, grand admirateur de Cicéron, fut aussi un fervent de saint Augustin, il convient très bien à un homme comme Le Pogge (Poggio Bracciolini, 1380-1459) à qui l'on doit, au début du XVe siècle, quelques-unes des redécouvertes les plus importantes de textes anciens. Secrétaire pontifical, il se rendit à Constance à l'occasion du concile (1414-1417) convoqué pour mettre fin au

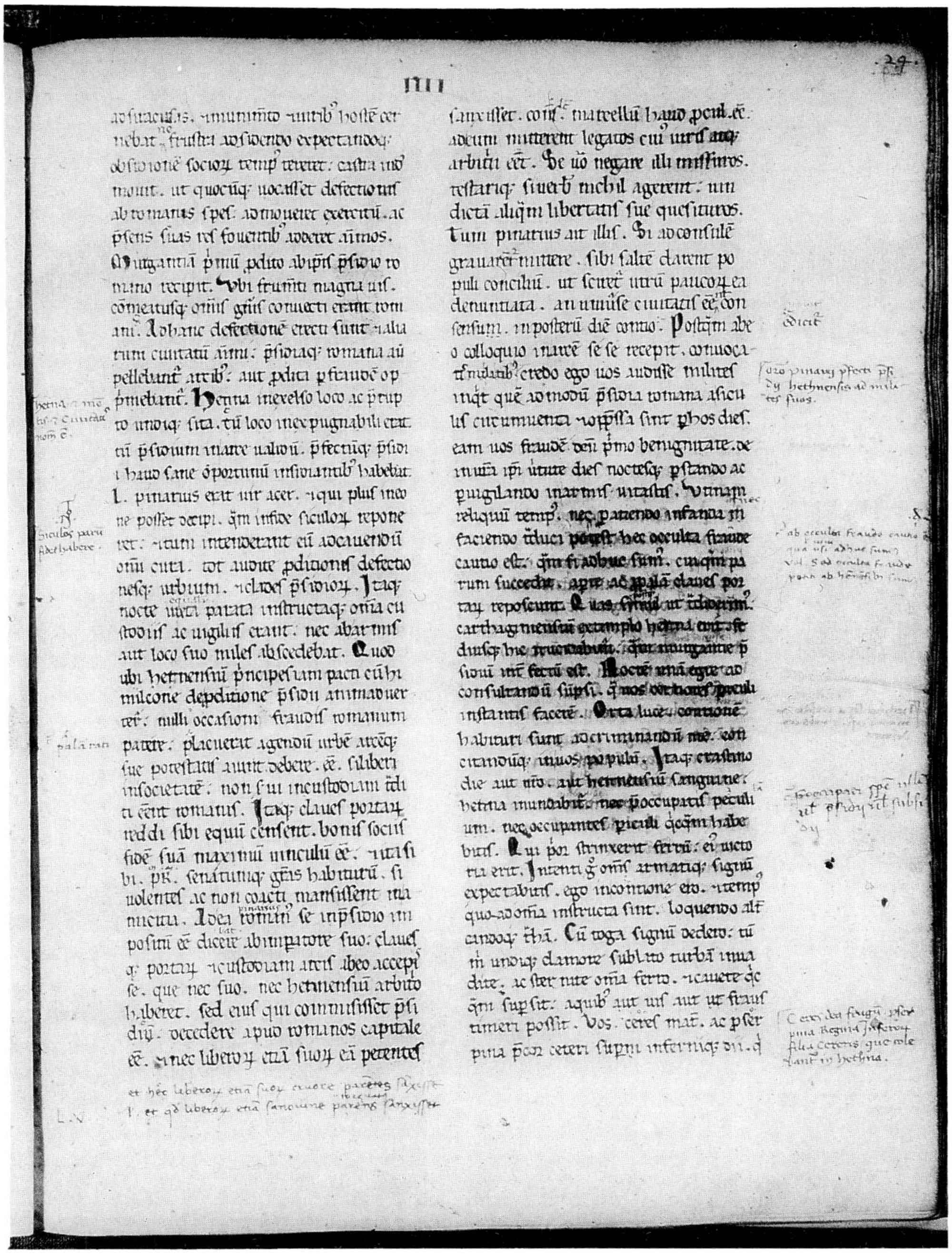

28

29. Tite-Live copié pour Matthias Corvin dans la seconde moitié du XVe siècle. Riches enluminures à rinceaux de style florentin. Dans la marge inférieure, les armes de Matthias Corvin (New York, Public Library, Spencer Coll. 27, fol. 1).

TITI LIVII PATAVINI DE SECVNDO BELLO PVNICO
LIBER PRIMVS INCIPIT

29

Grand Schisme. A la faveur de ses amples loisirs, il profita de cette situation géographique pour explorer les fonds de quelques abbayes de la région. En 1415, il découvrit à Cluny un manuscrit ancien de Cicéron qui contenait deux discours jusqu'alors inconnus (le *Pro Roscio Amerino* et le *Pro Murena*) : le manuscrit fut ensuite perdu, mais il en reste une copie exécutée par Nicolas de Clamenges qui, lui aussi, était venu à Constance pour la tenue du concile. En 1416 et en 1417, il se rendit par trois fois à Saint-Gall et dans d'autres établissements. Il y multiplia les trouvailles. D'autres érudits parmi ses protégés et ses amis firent des découvertes semblables. Cette chasse aux manuscrits et l'orientation nouvelle qu'elle donna au goût littéraire fut relayée et appuyée par l'aide qu'apportèrent à des philologues comme Laurent Valla (1407-1457) les nouvelles bibliothèques établies par de nombreux princes : les Visconti à Pavie, le duc Frédéric à Urbino, les Médicis à Florence et, à Rome, le pape Nicolas V.

Un nouveau type de bibliothèques princières, très différent de celles du milieu du XIVe siècle, se répandit hors d'Italie : un exemple en est fourni par la collection réunie par le roi de Hongrie Matthias Corvin (doc. 29). Enfin, l'agonie de l'Empire byzantin amena la tenue à Florence et à Ferrare d'un concile, en 1438, où fut proclamée (mais sans lendemain) l'union des Églises grecque et romaine. L'évêque de Nicée, Bessarion, y avait joué un rôle fondamental. Fixé en Italie, nommé cardinal, il avait réuni une bibliothèque d'une richesse exceptionnelle, tant en manuscrits grecs que latins, qu'il offrit de son vivant à la cité de Venise (1468). Intervenant peu de temps après la chute de Constantinople (1453), cette donation consacre la résurrection des lettres grecques en Occident et ferme symboliquement la période médiévale, en réunissant, au moins dans l'ordre de la culture, les deux parties de l'ancienne Romania séparées depuis dix siècles.

J.-F. G.

Les marges du manuscrit arabe, espace de la transmission orale

« A moins d'avoir une immense quantité de sources en mémoire, il est utile de réunir des livres » : c'est ainsi que le littérateur basrien al-Jâhiz, à la fin du IIe siècle de l'hégire (VIIIe siècle de notre ère) témoigne du prix accordé alors à l'écrit. Dès la fin du Ier siècle de l'hégire en effet, les paroles, les gestes et la conduite exemplaire du Prophète, transmis oralement jusque-là, comme l'étaient les œuvres littéraires de l'époque, véhiculés de mémoire à mémoire, sont consignés, tout ou partie, dans de précieux manuscrits. On sait que le Prophète a dit : « Les anges ne cesseront d'implorer la miséricorde divine sur celui qui aura écrit la formule qui suit la mention de mon nom [c'est-à-dire : « la bénédiction et le salut de Dieu soient sur lui »] aussi longtemps que mon nom demeurera dans ce document. »

Collectionnés, achetés, empruntés, les manuscrits arabes, fortune des scribes, cadeau des princes, sont conservés dans les demeures et dans les bibliothèques. Ils accompagnent le voyageur et circulent dans les mains des savants. Ils sont un point d'attraction. On se réunit pour les

30

31

شرح العقائد
للشيخ سعد الدين
التفتازاني
نفع الله
بهما امين
ملكه من فضل ربه الغني محمد ابن حطاب ابن محمد
القوصي بالابتياع الشرعي من الشيخ محمد المناوى
بشهاده من يضع خطه بثمن مقبوض في المجلس
بتاريخ خامس عشر جمادى الاول سنة
ثلاث وثمانين وتسعمائه وحسبنا الله ونعم الوكيل
حضر ذلك وشهد به
وكتبه العبد

30. Une bibliothèque publique en Égypte au XIIIe siècle, par le peintre Wâsitî, de l'école de Bagdad. Cette illustration est extraite d'un des manuscrits les plus célèbres de la Bibliothèque nationale (arabe 5847, fol. 5 v°), celui des *Maqâmât* d'al-Harîrî, discours édifiants en prose rimée entre le héros et le narrateur.

31. Recueil de traditions prophétiques rédigé au IXe siècle avec les attestations de sa transmission jusqu'au XIIe siècle (Paris, Bibl. nat., arabe 709, fol. 2).

32. Page de titre, avec marques de possession et certificats de lecture, d'un manuscrit du XVIe siècle (Paris, Bibl. nat., arabe 1237, fol. 1).

lire à haute voix. La langue arabe, en effet, n'écrit généralement que les consonnes et les voyelles longues, la vocalisation au moyen des voyelles brèves étant notée exceptionnellement par des signes placés au-dessus et au-dessous des consonnes, entre les lignes, dans les cas où le contexte risque de prêter à confusion. Les règles d'écriture du manuscrit sont explicitées dans des manuels. Surtout, pour la clarté du texte, il est conseillé de marquer avec soin les points diacritiques qui permettent de distinguer certaines consonnes entre elles (on épellera en quelque sorte en précisant : « Il s'agit bien de telle consonne avec deux points au-dessous »). Il est recommandé également d'inscrire les voyelles dans les passages difficiles où le contexte ne permet pas une compréhension immédiate et de porter une attention toute particulière aux noms propres dont la vocalisation pose souvent problème.

Le but est d'aboutir à un texte clair et bien présenté, avec des espaces blancs — les marges, en particulier — dans lesquels scribes et lecteurs interviendront par écrit pour apporter un témoignage, confirmer une graphie ou une vocalisation, donner leur appréciation sur la lisibilité du texte. Mais c'est la lecture à haute voix qui fournira aux lecteurs et aux auditeurs l'occasion d'intervenir à leur tour au moyen d'inscriptions dans les marges et les espaces blancs des manuscrits, et de perpétuer ainsi (paradoxalement : par écrit) les mécanismes de la transmission orale.

Au VIe siècle de l'hégire (XIIe siècle de notre ère), le savant bibliophile Ibn Hamdûn décrivait ainsi cette situation : « D'une belle écriture il recopia de nombreux ouvrages de tradition, importants et moins importants, il les collationna, il les corrigea et il les étudia avec l'aide des maîtres. » Les ouvrages ainsi étudiés avec les maîtres n'étaient pas seulement les recueils de traditions prophétiques : des « certificats de lecture » et des « licences de transmettre », figurent aussi dans les marges de manuscrits traitant de sujets divers : grammaire, médecine, jurisprudence, histoire, poésie, mystique et même bibliographie.

« Certificats » et « licences » témoignent ainsi du fait que le texte a été lu à haute voix, donc vocalisé, en présence de l'autorité compétente. Surtout, ils évoquent la méthode de transmission orale du savoir telle qu'elle a été pratiquée dès les tout débuts de l'islam. Les traditions prophétiques, en effet, qui avec le Coran forment la base de la jurisprudence musulmane, ont été véhiculées oralement au moins pendant un siècle avant d'être mises par écrit. Leur transmission a été assurée par des chaînes de personnages dûment identifiés et dignes de foi. Ces chaînes de noms propres qui garantissent l'authenticité des traditions font en quelque sorte partie de la matière même des traditions. Dans les manuscrits et, plus tard, au stade de l'imprimé, texte des traditions et chaînes de transmetteurs sont transcrits ensemble et forment un tout indissociable. A partir du moment où ce tout est écrit, la chaîne de transmetteurs n'est plus extensible, on ne peut lui ajouter indéfiniment des noms. C'est à ce moment qu'intervient le mécanisme du « certificat d'audition » et de la « licence de transmettre ».

Plusieurs modes de transmission orale d'un texte écrit sont ainsi répertoriés. Le maître est présent, il a le livre entre les mains ou bien en mémoire. Le disciple a le livre, il écoute ou bien il lit, et le maître le corrige. Il écrira sur le manuscrit, de préférence à la fin du texte : « J'ai entendu le maître Un tel réciter/lire ce texte en présence de Tel et Tel. Cela se passait dans tel endroit à telle date », ou bien : « J'ai lu en présence du maître... » C'est le « certificat d'audition ». S'il ajoute : « et le maître m'a donné licence de transmettre », il est devenu lui-même un maître qui peut à son tour accorder des « licences de transmettre ».

Autres modalités : le maître donne au disciple un autographe ou bien une copie du texte dont il a vérifié la qualité, il peut aussi conférer au disciple particulièrement attentif la licence de transmettre l'ensemble de son œuvre, ou encore lui léguer ses livres à sa mort avec licence globale de les transmettre. Il existait des degrés dans la qualité de la transmission suivant les circonstances : un savant déclare qu'il a entendu lire un texte sans préciser qu'on lui a donné licence de le transmettre. Ou bien un maître écrit lui-même le certificat d'audition dans le manuscrit et précise que s'il a bien donné à tel auditeur sa « licence », tel autre qui était présent a dormi pendant la séance.

On assiste aussi à des abus : des « licences » sont envoyées à des inconnus qu'on estime mais qui n'ont jamais vraiment entendu le maître lire le texte. Des enfants reçoivent l'enseignement dès avant leur naissance, leur mère enceinte assistant à des séances de lecture. Mais ce ne sont que des cas marginaux dans le vaste courant de la transmission qui incita tant de savants à parcourir le monde de l'islam, au Moyen Age, dans le but unique de rencontrer et d'écouter les savants et d'en porter témoignage dans les marges des manuscrits.

J.S.

بها واياك ان يكون مثلك مثل العلجوم الذي اراد قتل السرطان فقتل نفسه قال
الغراب وكيف كان ذلك قال ابن اوى زعموا ان علجوما عشش في اجمة
كثيرة السمك فعاش بها ما عاش ثم انقطع الماء عن تلك الاجمة ونفد السمك فاضر

الجذي ذلك بالعلجوم فاصابه جوع وجهد شديد فجلس حزينا يلتمس النجاة في امره فمر
به سرطان فرأى حالته وما هو عليه من الكآبة والحزن فدنا منه وقال ما لي اراك
ايها الطائر هكذا حزينا كئيبا قال العلجوم وكيف لا احزن وقد كنت

3

Les textes et leur transmission

Le *Livre de Kalila et Dimna* (Paris, Bibl. nat., arabe 3465, fol. 66).

hoc uirtus meruit · partus & hoc tribuit ·
HEC · SUSTINENTES · ONUS · QUOD · BAIULAT · ISTE · PATRONUS
HEC · HABEAT · GRATUM · PRESENS · OPUS · AC · ONERATUM

1

Une histoire mouvementée

1. Saint Jérôme, *Commentaire sur Jérémie*, copié à Saint-Vaast d'Arras vers 1125. De part et d'autre de la Vierge, l'abbé de Saint-Vaast et l'abbé de Cîteaux, Étienne Harding. En bas, le scribe Osbert (Dijon, Bibl. mun. 130, fol. 104).
2. Saint Augustin en controverse avec le manichéen Fauste de Milève (Sées, Évêché, ms. 9, fol. 33).

Copié sur un support généralement plus durable que la cire, le livre manuscrit a été conçu pour prolonger la mémoire des hommes et préserver les œuvres jugées dignes d'être transmises à la postérité. De la chute de Rome (476) à celle de Constantinople (1453), c'est le héros d'une histoire aux péripéties nombreuses : le sauvetage difficile de l'héritage antique, grec et latin ; l'émergence plus ou moins précoce, en Europe comme en Orient, de littératures vernaculaires ; la supériorité durable de la culture et de la science arabes ; la création des universités qui multiplient le nombre des intellectuels (et des libraires) ; enfin, l'apparition de l'humanisme qui, par son culte exclusif de l'Antiquité, met entre parenthèses les âges intermédiaires, devenus depuis lors « Moyen Age ».

De cette longue histoire, il était difficile de retracer toutes les étapes. Plutôt que d'en donner ici une image complète, mais schématique, on a préféré mettre l'accent sur certaines périodes méconnues et décisives pour l'évolution générale, ainsi que sur les relations entre les diverses cultures qui se sont partagé le monde méditerranéen.

Le Moyen Age, qui s'étend sur dix siècles, n'a rien d'un bloc homogène et ne ressemble guère aux stéréotypes qui encombrent encore souvent les esprits des modernes. Il est fait de crises certes, mais aussi de naissances et de renaissances, durant lesquelles hommes, livres et idées circulent à une vitesse remarquable.

A l'ouest de la Méditerranée, le Moyen Age débute par une catastrophe, l'effondrement de l'Empire romain d'Occident, dont les structures administratives et militaires, dans la seconde moitié du Ve siècle, sont bousculées de façon définitive. Mais le christianisme, qui était devenu la religion officielle de l'État défunt, survit d'abord puis s'épanouit dans les jeunes royaumes barbares. La volonté de sauvegarder l'héritage littéraire des Pères de l'Église, le maintien des traditions liturgiques d'expression latine contribuent puissamment à la naissance et au développement d'un « latin médiéval ».

Dans les villes qui s'amenuisent, écoles et bibliothèques disparaissent, mais de nouvelles fondations monastiques conservent de l'héritage antique tout ce qui semblait utile à la compréhension des Écritures. Loin d'être anéanties, langue et culture latines se répandent dans des zones (comme l'Irlande et la Germanie orientale, puis la Scandinavie ou la Pologne) que les Romains n'avaient jamais occupées. La Rome chrétienne prolonge ainsi culturellement la Rome impériale.

2

3. Plotin (à gauche) et saint Augustin (Mâcon, Bibl. mun. 1, traduction de la *Cité de Dieu* par Raoul de Presles, fol. 289. XVe s.).

Dans l'autre moitié du bassin méditerranéen, l'Empire romain d'Orient — qui était de langue grecque — avait mieux résisté aux premières invasions barbares. Mais, à partir du VIIe siècle, l'expansion victorieuse de l'islam et les querelles religieuses liées au culte des images (l'iconoclasme*) amènent une décadence rapide de l'État. Constantinople se dépeuple et perd son rôle culturel. C'est dans le monde ecclésiastique que, là encore, apparaissent les premiers signes d'une renaissance, à la fin du VIIIe siècle et au IXe. Cet « humanisme » des cercles byzantins voit se généraliser l'emploi d'un nouveau type d'écriture, la minuscule, plus resserrée et plus rapide que l'onciale antérieure. Cette évolution accomplie, les anciens manuscrits, devenus difficiles à déchiffrer, disparaissent en grand nombre. Lorsque la société byzantine s'écroula au XVe siècle sous les coups des Ottomans, les livres que les réfugiés grecs emportèrent en Italie étaient les descendants de ces volumes en minuscule. Notre connaissance de la littérature grecque antique dépend donc en partie des choix et des transcriptions effectués au IXe siècle dans cet étroit milieu d'érudits.

Le même phénomène de « translittération » aurait pu être étudié dans d'autres aires culturelles, car les périodes de renaissance entraînent régulièrement des changements important dans la copie des livres.

En Occident, le succès de la minuscule caroline, propagée par les milieux dirigeants de l'empire de Charlemagne, a également éliminé, mais de façon plus graduelle, les écritures cursives héritées des Anciens. Cette même caroline, considérée à tort comme antique au XVe siècle, fut imitée à son tour dans les écritures humanistiques et se trouve ainsi à l'origine des caractères les plus courants (ou « romains ») de nos imprimés actuels.

L'histoire intellectuelle du Moyen Age ne se réduit pas à la survie hasardeuse des traditions antiques. Latin et grec restent, tout au long de cette période, des langues vivantes et créatrices ; mais, à leur contact, les idiomes des anciens peuples barbares accèdent progressivement au statut de langue littéraire (et donc livresque). En Orient, après les conquêtes de l'islam, l'arabe s'impose d'emblée au détriment du syriaque et du copte, tandis que le slavon, l'arménien et le géorgien développent leur rôle culturel au nord et à l'est de l'empire byzantin. En Occident, les premières littératures en langue vulgaire naissent en dehors des frontières du monde antique, chez les peuples n'ayant jamais connu le latin comme langue officielle : en Irlande, en Allemagne, chez les Anglo-Saxons émigrés en Grande-Bretagne, et en Scandinavie. C'est plus tardivement que les parlers des pays anciennement romanisés : français, provençal, catalan, espagnol ou italien, deviennent le support d'une littérature propre, car ils étaient directement concurrencés par le latin, bien vivant dans l'Église et les écoles.

En ce domaine aussi, il était impossible de tout dire. On a choisi de commenter ici les plus anciens textes écrits dans notre langue : brouillons de sermons, fragments de dictionnaires, adaptations de poèmes religieux, etc., insérés, pourrait-on dire, en contrebande dans des volumes latins. La modestie de ces premiers témoins n'a rien qui doive surprendre dans la mesure où l'enseignement se faisait entièrement en latin. Mais, à partir du XIIe siècle, quelle revanche ! Beaucoup d'auteurs, comme Dante, écrivent en langue vulgaire autant et plus qu'en latin, dont l'emploi littéraire se réduit régulièrement jusqu'à la fin du Moyen Age.

Le bilinguisme est, du reste, un phénomène banal dans un monde où le parler quotidien ne se confond pas, en général, avec la langue de culture. Les meilleurs parmi les lettrés cherchent même à devenir trilingues, comme l'Anglais Jean de Salisbury, qui séjourne en Italie du Sud, vers le milieu du XIIe siècle, pour s'initier au grec. Un Italien installé peu avant 1130 à Constantinople, Moïse de Bergame, sert de secrétaire latin à la cour du basileus Comnène. Son aisance à manier les langues est telle qu'il joue le rôle d'interprète officiel dans les disputes théologiques entre orthodoxes et catholiques romains. Longtemps avant les premiers humanistes, il recherche, pour les traduire, les œuvres inconnues en Occident et se constitue à prix d'or une collection de manuscrits grecs.

Les communautés juives, répandues partout, parlaient en général la langue du pays où elles résidaient, même si elles conservaient l'hébreu dans leur liturgie. Les relations familiales ou commerciales (et parfois les persécutions) amenaient les membres de ces communautés à se déplacer autour de la Méditerranée. Les manuscrits hébraïques sont donc soumis, plus que d'autres, à des influences diverses et fournissent un excellent point d'observation pour l'étude de la production livresque au Moyen Age. Quant aux lettrés juifs, ils servent souvent d'interprètes entre Orientaux et Occidentaux, et leur talent de polyglotte est unanimement apprécié.

L'activité de traduction apparaît en définitive comme un trait essentiel de la vie intellectuelle au Moyen Age. Dans tout le bassin méditerranéen, les textes circulent d'une langue à l'autre, non sans quelques déformations. Dans cette Babel des sociétés médiévales, on ne se résigne pas à l'incompréhension réciproque. Les originaux, souvent grecs, plus rarement indiens (comme dans le cas du livre de Kalila et Dimna), sont inlassablement traduits en latin ou en syriaque, en arabe ou en hébreu, avant de passer dans l'une des nombreuses langues vernaculaires d'Europe ou du Moyen-Orient.

La figure d'un érudit, patiemment occupé dans son cabinet à traduire des textes, mériterait de se substituer, comme emblématique du monde médiéval, aux images conventionnelles de l'inquisiteur et de la sorcière.

F.D.

3

Naissance du latin médiéval

Dans la ville d'Hippone assiégée depuis plusieurs mois par les Vandales de Genséric, le 28 août 430 s'éteignait l'évêque Augustin. Il était si pauvre, note plus tard son biographe Possidius, qu'il n'eut pas à faire de testament, mais il laissait une œuvre écrite immense...

Vers le milieu du IXe siècle, l'Afrique du Nord est submergée par la conquête arabe et l'organisation ecclésiastique presque anéantie : le nombre des chrétiens s'est amenuisé et la culture latine tend à disparaître. Tout au contraire, dans les royaumes carolingiens, en Gaule et en Germanie, le latin a retrouvé la clarté et l'élégance de la langue classique, et dans les débats théologiques les adversaires puisent leurs arguments dans l'œuvre d'Augustin. L'évêque d'Hippone est devenu la lumière intellectuelle de l'Europe occidentale, tandis qu'en Afrique la culture latine et chrétienne se trouve sur le point de disparaître.

Les œuvres des auteurs latins de l'époque classique comme de l'époque patristique se sont conservées et ont franchi les sombres siècles du haut Moyen Age, parce qu'en Europe occidentale la langue latine est restée usuelle et a été adoptée par les envahisseurs. L'*Ars Donati*, sans cesse recopiée, témoigne de la permanence de l'enseignement du latin.

Professeur à Rome vers les années 340-370, Donat a eu Jérôme parmi ses élèves. Il a publié un manuel (*ars*) de grammaire, qui est devenu l'instrument indispensable de la connaissance du latin, langue officielle de l'Église et du gouvernement carolingiens.

L'adoption de la langue latine par les barbares a entraîné la conservation non seulement de traités grammaticaux, mais aussi des œuvres classiques sur lesquelles se fondaient l'enseignement du grammairien. Bien souvent, les clercs et surtout les moines ont essayé de substituer les textes scripturaires ou patristiques aux auteurs païens. Ce sont pourtant les bibliothèques des monastères qui conservent au IXe siècle les ouvrages de la littérature classique, selon l'exemple de Charlemagne qui avait réuni à Aix-la-Chapelle, vers la fin du VIIIe siècle, peut-être davantage pour relever le prestige de son palais que par amour des lettres, tout ce qu'il avait pu atteindre de l'antique littérature de Rome.

L'Église, sous l'influence de laquelle se sont développées les écoles épiscopales ou monastiques, qui ont peu à peu succédé à l'ancienne organisation de l'enseignement, a favorisé la diffusion des textes bibliques et patristiques, tant pour leur valeur doctrinale que pour leurs qualités proprement littéraires. Les auteurs chrétiens, avec l'Écriture dont ils sont les commentateurs, fondent l'enseignement de l'Église et lui apportent en même temps une tradition culturelle qu'elle peut opposer victorieusement à celle de la Rome antique et païenne, et imposer par la conversion aux envahisseurs barbares. Aussi bien tous les auteurs chrétiens n'ont-ils pas connu la même postérité. Malgré leurs lacunes, les catalogues littéraires (*De viris illustribus*) de Jérôme et de Gennade, composés en 393 et 476-478, révèlent que nombre d'ouvrages patristiques sont tombés très tôt dans l'oubli, tandis que l'œuvre de saint Augustin, en raison de son importance doctrinale et pastorale, est parvenue aux lecteurs carolingiens presque sans dommage.

L'heureuse survie de la littérature latine ne résulte pas seulement d'une conjoncture favorable, malgré l'instabilité politique et la disparition progressive des institutions scolaires romaines, mais bien davantage du génie des écrivains qui ont permis à cette langue de demeurer vivante. La continuité de la culture latine a été assurée par une multitude de copistes, mais leur humble travail, dont les traces subsistent jusqu'à nos jours, n'aurait eu aucun sens si les livres copiés n'avaient pas trouvé de lecteurs et si le trésor d'une longue tradition culturelle n'avait pas servi à nourrir des ouvrages nouveaux. Les véritables artisans de la transmission de la littéra-

4

4. Saint Augustin dialoguant
avec les représentants de la sagesse païenne :
Antiochus, Zénon, Épicure et Varron
(Mâcon, Bibl. mun. 2, traduction
de la *Cité de Dieu* par Raoul de Presles,
fol. 193. XVe s.).

ture latine entre le Ve et le IXe siècle sont tout d'abord les auteurs qui ont illustré cette époque.

Si, au Ve siècle et jusqu'au début du VIe siècle, l'organisation scolaire, à Rome principalement, mais ausi à Milan ou en Gaule méridionale, en Espagne et en Afrique, s'est maintenue, offrant la même formation aux jeunes gens qui, plus tard, exerceraient les fonctions les plus élevées dans l'Église ou l'État, une certaine réticence à l'égard de l'enseignement classique se manifeste chez les clercs et chez les moines, en même temps que le désir d'une éducation davantage tournée vers l'Écriture sainte et l'ascétisme. La prédication de deux évêques d'Arles, issus l'un et l'autre du monastère de Lérins, fournit un exemple de cette évolution. Des sermons prononcés par Hilaire d'Arles (430-449), il ne reste que le panégyrique de son prédécesseur Honorat (427-430), de composition harmonieuse et de style raffiné, même s'il est entièrement consacré à peindre la profondeur de la vie spirituelle de l'évêque défunt et à faire l'éloge de l'ascétisme. A l'inverse, des centaines de manuscrits font connaître la prédication de Césaire (503-542), dont les sermons, d'une très grande simplicité, sont souvent une reprise textuelle d'un discours d'Augustin ou d'un autre Père, mais ne se réfèrent d'aucune manière à la réthorique antique.

Boèce, né à Rome vers 480, conseiller du roi goth Théodoric qui s'est imposé en Italie, accusé de haute trahison et assigné à résidence à Pavie avant d'être décapité en 525, a composé dans le temps de son exil un étonnant ouvrage d'inspiration néoplatonicienne : *la Consolation de philosophie*, qui a connu dans les écoles du Moyen Age un immense succès. L'art de la composition, l'éclat du style, la noblesse de la pensée confèrent à cette œuvre une place éminente dans la littérature latine, mais la situation dramatique de son auteur — Romain au service d'un barbare, chrétien qui exprime sa conviction en philosophe païen — en fait un témoin particulièrement représentatif de la transition entre la culture antique et celle de l'époque carolingienne.

Cassiodore (vers 490-vers 585), après avoir fait carrière au service de l'État, se retira vers 540 dans le monastère de Vivarium, en Calabre, avec le désir de développer chez les moines l'étude des lettres divines et humaines, selon le programme exposé dans les *Institutions*. La tradition monastique inaugurée à Vivarium, contemporaine mais indépendante de celle qui a vu le jour au Mont-Cassin avec saint Benoît, a contribué au développement des études dans de nombreux monastères du Moyen Age et de l'époque carolingienne.

Grégoire, né à Rome vers 540, après avoir été préfet de la ville en 572-573, puis, une fois diacre, apocrisiaire (c'est-à-dire ambassadeur) à Constantinople (580-585), a été élu pape en 590. En quatorze années de pontificat, ce moine donna à la papauté la position dominante qu'elle occupera pendant le Moyen Age dans le monde occidental. Il est célèbre par ses *Homélies* sur les Évangiles et sur Ézéchiel, par son commentaire extraordinairement développé sur Job (*Morales sur Job*), par son *Pastoral* et par les *Dialogues sur la vie et les miracles des saints d'Italie*. Tous ces ouvrages visent à l'édification morale et favorisent l'ascétisme chrétien, sans allusion à la littérature classique, ni à la philosophie antique, ni même aux débats proprement théologiques. Grégoire reste cependant un lettré, dont la *Correspondance*, en particulier, révèle les qualités, mais il a complètement mis l'étude du profane au service de celle du texte sacré, en donnant une forme littéraire propre à l'exégèse spirituelle et à l'ascétisme chrétien. Souvent, Grégoire est tenu pour responsable de l'appauvrissement de la culture en Occident, mais il a seulement mené à son terme une entreprise à laquelle l'un de ses modèles préférés, Augustin d'Hippone, avait particulièrement travaillé, pour donner naissance à une nouvelle latinité de plus en plus indépendante de ses sources antiques et patristiques, du moins tant que la nécessité d'y rechercher les preuves traditionnelles de la théologie et de la morale ne s'est pas imposée.

Vers 599, Isidore succéda sur le siège épiscopal de Séville à son frère Léandre qui, lors d'une mission à Constantinople, s'était lié d'amitié avec le futur pape Grégoire. Après un siècle et demi d'invasions et de guerres, à la fin du VIe siècle et pendant les premières décennies du VIIe siècle, l'Espagne vit en paix sous l'autorité des souverains wisigoths de Tolède et connaît des conditions favorables au développement de l'enseignement et de la culture. Isidore est mort en 636 et il est souvent désigné comme le dernier Père de l'Église d'Occident. Par l'ampleur et la variété de son œuvre, il résume en effet toute la tradition patristique et scolaire de l'antiquité latine, mais l'orientation totalement chrétienne de sa pensée et l'influence qu'il a exercée en font davantage l'un des premiers écrivains de la latinité médiévale.

A la suite des missions organisées par saint Grégoire, le développement du catholicisme en Angleterre a entraîné la fondation de monastères qui, sous l'influence de Rome, soint devenus des centres culturels importants. Bède, dès l'âge de sept ans, est entré dans le nouveau monastère de Wearmouth, puis il a achevé sa formation, à partir de 685, dans celui de Jarrow, où il demeura jusqu'à sa mort en 735, observant la discipline de la règle, comme il l'indique

5

5. Grégoire le Grand remettant ses *Morales sur Job* à Léandre, évêque de Séville (Tours, Bibl. mun. 321, fol. 2. XIIe s.).

6 et 7. Saint Grégoire le Grand (pape de 590 à 604), *Pastoral* ou *Traité sur les devoirs d'un évêque.* 6. Copie effectuée probablement à Rome, au début du VIIe siècle (Troyes, Bibl. mun. 504, fol. 113). 7. Copie du IXe siècle (Troyes, Bibl. mun. 247, fol. 219 v°). Ces deux manuscrits ont appartenu au magistrat érudit Pierre Pithou (1539-1596), puis au collège de l'Oratoire à Troyes.

lui-même, et le chant quotidien des offices à l'église, trouvant son plaisir dans l'étude, l'enseignement ou l'écriture. Son œuvre, qui comprend des manuels, des ouvrages historiques comme l'*Histoire ecclésiastique de la nation anglaise* et surtout des travaux d'exégèse sous forme d'homélies et de commentaires, dénote, par son style et son érudition, une fréquentation assidue des auteurs anciens dont les écrits avaient été récemment importés de Rome en Angleterre. Mais l'intérêt de Bède se porte avant tout sur la Bible, dont il affirme la supériorité sur tous les autres textes, non seulement en raison de son autorité — puisqu'elle est divine —, ou de son utilité — puisqu'elle conduit à la vie éternelle —, mais aussi en raison de son antiquité et de sa forme littéraire. Bède, qui n'entretient avec la latinité antique et patristique que des relations superficielles, témoigne de l'originalité de la littérature latine médiévale, qui s'est développée comme un immense commentaire des Écritures.

Connaissance nécessaire de la langue latine, sauvegarde d'une littérature antique comme fondement de la véritable latinité, tradition d'une littérature patristique comme source de l'enseignement ecclésiastique, ont ensemble contribué à maintenir pendant le haut Moyen Age la culture latine en Europe occidentale, malgré la désorganisation des écoles, malgré la décadence culturelle, malgré l'évidente nécessité pastorale d'évangéliser chaque peuple dans son idiome propre. L'Église a sauvé la langue et la littérature latines, parce qu'elle avait elle-même hérité de la volonté unitaire de la Rome antique et parce qu'elle possédait déjà, au moment des invasions barbares, une expression littéraire de son enseignement systématique. Sans doute le latin doit-il beaucoup à la vigoureuse action culturelle de Charlemagne, mais plus encore aux écrivains grâce auxquels la langue de Cicéron et de Virgile est devenue aussi celle de la philosophie et de la mystique.

J.-P. B.

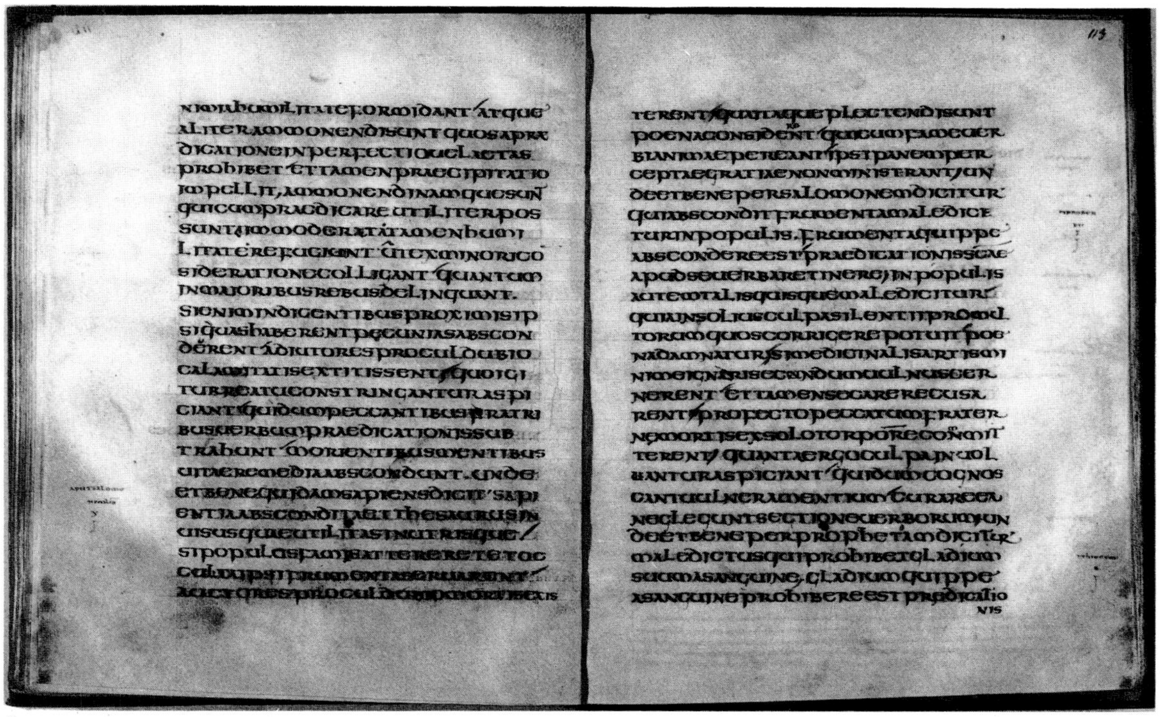

6

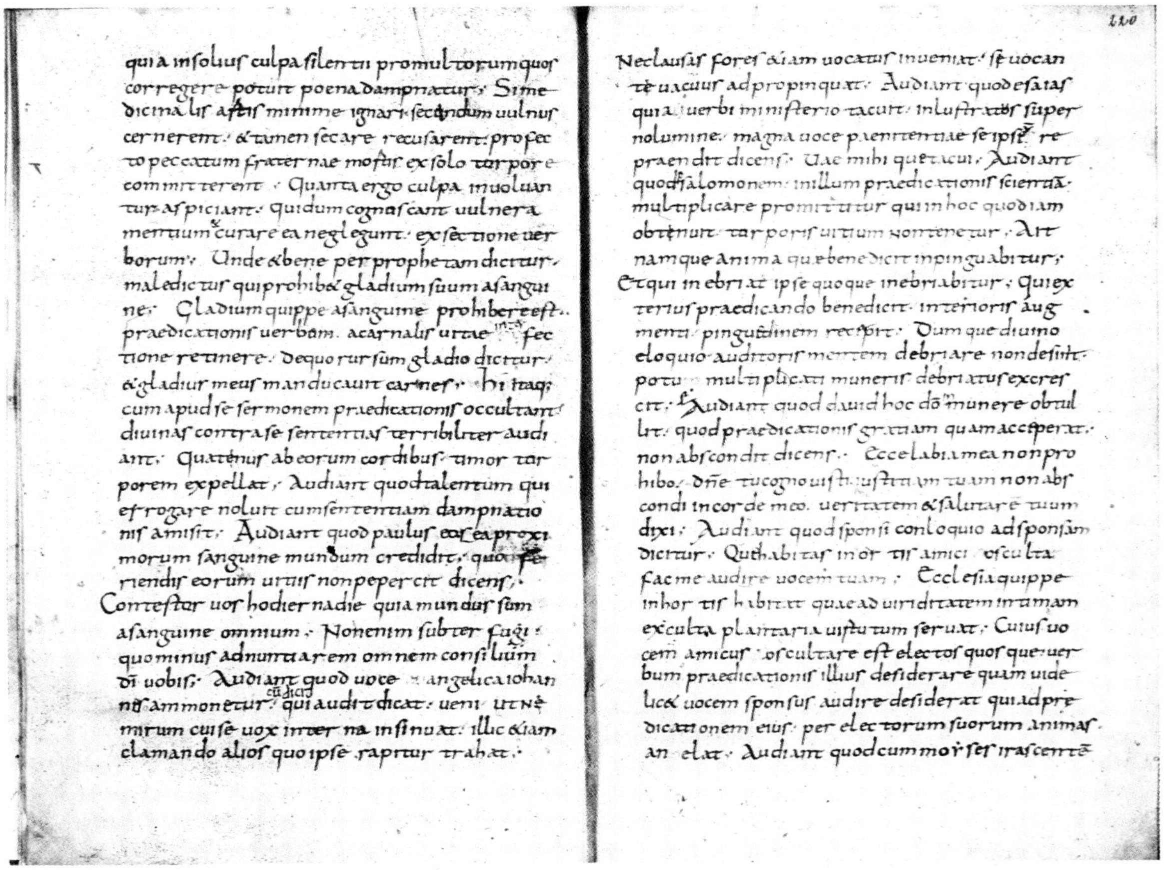

7

Les débuts de l'humanisme byzantin

Pour le lecteur curieux, et qui lit les introductions, une édition moderne d'Aristote ou de Platon peut réserver quelques surprises. Les *Catégories* d'Aristote, capitales pour l'histoire de la culture, furent écrites au IVe siècle avant notre ère : elles nous sont aujourd'hui conservées par des manuscrits médiévaux dont, vers l'an 900, le plus ancien fut copié pour un Byzantin, Aréthas, dans l'écriture qu'on appelle la minuscule. Ouvrons Platon : même expérience. Les plus précieux témoins, les plus anciens, sont des manuscrits du IXe siècle, écrits plus d'un millénaire après la mort du philosophe. Nous pourrions, pour d'autres auteurs, multiplier les exemples et montrer à quel point nous sommes, pour notre connaissance de l'antiquité grecque, tributaires des premiers humanistes byzantins et des manuscrits qu'ils firent copier.

Ces manuscrits, dont l'importance est si grande, témoignent tout d'abord d'un puissant mouvement culturel. Ils sont aussi les monuments d'un progrès dans la technique du livre : l'invention de la minuscule. Les deux phénomènes ont pour cadre Constantinople aux VIIIe et IXe siècles.

Siècles obscurs et Querelle des images

Pour mesurer le chemin parcouru et comprendre pourquoi, au IXe siècle, il convient de parler d'une renaissance, il faut prendre quelque recul et décrire l'époque sombre que traverse Byzance aux siècles précédents.

L'Empire byzantin, au VIIe siècle, est pris dans la tourmente. Les armées de l'islam avancent et conquièrent : avant 650, Syrie, Palestine, Égypte sont perdues. En Europe, les Slaves pénètrent dans les Balkans. L'Empire, pratiquement réduit à l'Asie mineure, centré sur Constantinople, lutte pour son existence. Les Arabes, par deux fois, assiègent la capitale : en 674-678 et en 717-718. Tout le VIIIe siècle et le début du IXe sont marqués par la guerre contre le Califat, et ce sera l'œuvre des empereurs iconoclastes que d'assurer la victoire de l'Empire.

A l'intérieur aussi, Byzance est agitée de soubresauts. Les vingt premières années du VIIIe siècle sont une période d'anarchie et la population de la capitale décline de façon brutale : quarante mille habitants, dix fois moins qu'à l'époque précédente. Il s'agit là d'un ordre de grandeur, mais tout concorde. La capacité portuaire de la ville a diminué, le système d'adduction d'eau est désorganisé. D'un approvisionnement en blé tel que l'aurait nécessité une agglomération importante, nulle trace. Constantinople, au début du VIIIe siècle, est vide, et sa maigre population flotte entre des murailles trop grandes. En 747, à la suite d'une peste, la ville, dit un chroniqueur, était « presque déserte » et il fallut, pour la repeupler, faire venir des habitants des îles. Constantinople, par la suite, revit ; mais la cité antique a disparu, faisant place à la ville médiévale.

De telles circonstances étaient peu propices à la culture. De façon significative, dans la liste qu'il dresse des manuscrits grecs datés, R. Devreesse ne signale rien pour le VIIe siècle ni pour le VIIIe. Au VIIe siècle, le dernier historien est Théophylacte Simokattès, qui écrit vers 625. Il faut attendre la fin du VIIIe siècle pour trouver un continuateur : Nicéphore, haut fonctionnaire, puis patriarche de Constantinople. A ces signes, il faut ajouter le jugement des Byzantins eux-mêmes. Nicéphore, décrivant la période d'anarchie qui ouvre le VIIIe siècle, dit ceci : « Comme les révoltes contre les empereurs étaient fréquentes et que la tyrannie l'emportait, les affaires de l'Empire et de la Ville, négligées, tombaient en décadence, et la culture aussi allait disparaissant. » Pour les chroniqueurs orthodoxes, la décadence est mise au compte des iconoclastes, qui auraient persécuté l'aristocratie de naissance et de science, de sorte qu'écoles et culture se seraient éteintes.

La fin du VIIIe siècle montre un autre spectacle. La première restauration des images (785-813) voit un renouveau de la production littéraire. Nicéphore, le futur patriarche, fait revivre l'histoire tandis que Georges le Syncelle, puis Théophane, actifs au début du IXe siècle, écrivent une importante chronographie, de la création du monde à leur époque. Nicéphore encore, Théodore Studite surtout, ou Méthode, s'illustrent dans les écrits religieux, et le second iconoclasme (815-843) est marqué par des œuvres importantes et savantes.

Nul doute : aux alentours de 800, l'époque la plus sombre de la culture byzantine est terminée. Les auteurs ecclésiastiques, à nouveau actifs, savent écrire et raisonner.

Ce renouveau si notable n'est pas dû aux seules circonstances politiques. Il faut, pour le comprendre, s'intéresser à la tradition scolaire qui, pour la fin du VIIIe siècle, nous est connue par plusieurs documents. Le diacre Ignace, dans la *Vie du patriarche Nicéphore* qu'il écrivit peu après la mort de celui-ci (829), nous parle par deux fois des études de son héros et détaille ce que pouvait être, peu avant l'an 800, à Constantinople, le programme scolaire dont bénéficiaient les jeunes gens privilégiés : grammaire, métrique, rhétorique ; ensuite, la « tétrade mathématique », avec astronomie, arithmétique, musique, géométrie ; enfin, la philosophie aristotélicienne. La base de l'enseignement restait, comme avant les siècles obscurs, un corpus restreint de textes antiques : extraits d'Homère bien sûr, d'Aratos, d'Hésiode, sans doute, et peut-être d'autres poètes ; certains orateurs, classiques ou tardifs ; Aristote ; des traités techniques. C'est une éducation toute semblable que dut recevoir, à la même époque, saint Théodore Studite. Elle montre que, de part et d'autre de l'époque obscure, les programmes scolaires n'ont pas changé et que jamais sans doute Byzance n'oublia totalement la culture antique. Il y avait là un terrain favorable pour une redécouverte des textes anciens, et la renaissance byzan-

8. Mosaïque du narthex de Sainte-Sophie, à Constantinople : Léon VI le Sage, empereur d'Orient (886-911), élève de Photius, en prosternation devant le Christ.

8

tine ne doit pas être considérée comme un début absolu, mais comme l'approfondissement et l'enrichissement d'une tradition.

La renaissance byzantine est donc un phénomène complexe : politique d'abord, avec la lente amélioration de la situation de l'Empire ; culturel ensuite, avec le renouveau d'une culture ecclésiastique appuyée sur une tradition scolaire que nourrit la lecture de certains textes anciens. La définition du premier humanisme byzantin est tributaire de cette situation. Ceux-là seuls méritent le nom d'humanistes qui étudient à nouveau des textes profanes étrangers au corpus scolaire. Avant de nous intéresser à eux et à leurs livres, il nous faut parler d'une nouveauté dont bénéficie, à l'époque, la production des manuscrits.

La naissance de la minuscule

La librairie à Byzance, dans la seconde moitié du VIIIe siècle, est marquée par une nouveauté technique : l'apparition de la minuscule livresque. Ce phénomène important, de mieux en mieux étudié, reste encore enveloppé, du fait de la rareté des documents, d'une certaine obscurité.

Jusqu'au VIIIe siècle, pour la copie des livres, les Byzantins utilisent exclusivement une écriture qu'on appelle l'onciale (doc. 10). Il s'agit d'une majuscule dont les lettres ont même hauteur : point ou peu de hampes vers le haut ou vers le bas. Bien que l'onciale puisse être de petit module, par souci de lisibilité, les lettres employées dans la copie des livres sont de dimensions importantes. Enfin, les lettres majuscules sont séparées les unes des autres : après chacune, le copiste doit lever la main avant de tracer la suivante. On remarquera aussi que les aides à la lecture

9. Évangile Uspenskij (Léningrad, Bibl. publ., gr. 219, fol. 100) : le plus ancien manuscrit grec daté en minuscule.

10. Exemple d'écriture onciale du IXe siècle : Dioscoride, *De materia medica*, avec deux illustrations ; notes postérieures en arabe et en latin (Paris, Bibl. nat., gr. 2179, fol. 15).

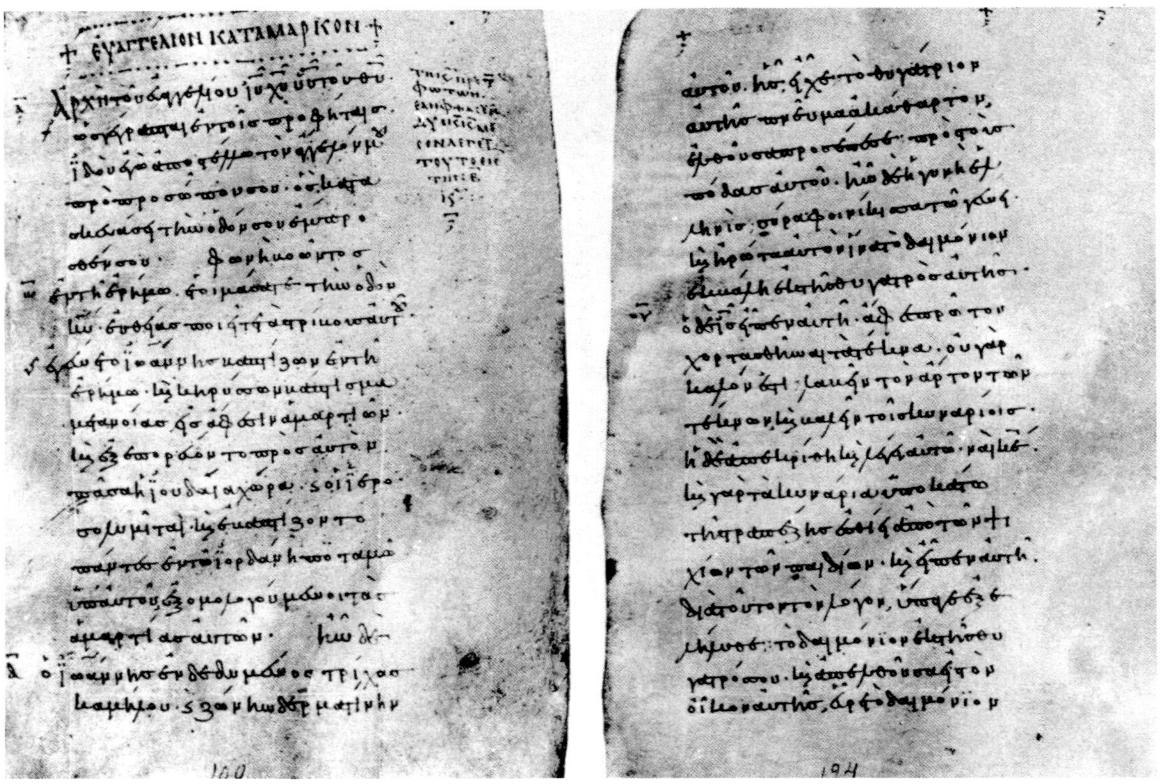

9

sont minimes et que les mots ne sont ni accentués (ou alors rarement), ni séparés les uns des autres. C'est cette écriture qui va être concurrencée puis, au terme d'un long processus, supplantée par la minuscule.

La minuscule ne naît pas de l'onciale. Elle est la descendante d'une autre écriture, employée non pour les livres, mais pour les documents officiels ou privés. C'est cette cursive documentaire qu'on trouve massivement dans les papyrus. La minuscule byzantine en est une forme normalisée, adaptée à la copie des livres.

Par opposition à l'onciale, la minuscule (doc. 9) a largement recours à des hampes qui dépassent, tant vers le haut que vers le bas, les noyaux des lettres. Surtout, elle utilise des caractères de dimensions plus faibles que l'onciale, et il s'agit d'une écriture liée, où la main du copiste peut tracer d'un seul jet tout un groupe de lettres. Quant aux signes aidant la lecture, ils se généralisent avec la minuscule, sans que le lien qui existe entre ces deux phénomènes soit encore établi.

La minuscule est une écriture économique : parce qu'elle est de faibles dimensions, elle épargne le matériau sur lequel on écrit ; parce qu'elle est aussi une écriture liée, elle diminue le temps de la copie. Il s'agit d'un progrès rendant plus facile et moins onéreuse la production des livres. Il est probable, toutefois, que l'usage de cette écriture, qui bouleversait les habitudes, fut limité, à ses débuts, à un cercle restreint : en particulier, celui des gens qui, par leur formation, étaient habitués à employer la cursive documentaire.

Les circonstances précises de l'apparition de la minuscule restent mal connues. Le premier manuscrit daté ainsi écrit est l'*Évangile Uspenskij* (doc. 9) exécuté par le copiste Nicolas, en 835. Il ne fait pas de doute que la minuscule que nous trouvons dans ce livre est déjà parvenue à maturité. Il faut donc supposer un long développement antérieur, et l'on date ordinairement la naissance de la minuscule du milieu du VIIIe siècle.

L'emploi de la minuscule est peut-être lié aux difficultés qu'il y avait à se procurer, à Byzance, la matière première nécessaire à la confection d'un livre.

Trois matériaux étaient, en principe, à la disposition des copistes : le papyrus, le papier, le parchemin. Pour le papyrus, on sait qu'il semble s'être raréfié aux VIIe et VIIIe siècles et que, après la perte de l'Égypte, il devint difficile de s'en procurer à Constantinople. Quant au papier, apparu en terre d'Islam vers le milieu du VIIIe siècle, il ne pénétra que lentement dans l'Empire. Pour trouver, à Byzance, des manuscrits de papier, il faut attendre le XIe siècle. On voit qu'il ne restait à la disposition du copiste que le parchemin, si onéreux qu'il était naturel de vouloir l'épargner.

Le besoin d'une nouvelle écriture dut être ressenti généralement, et des tentatives semblent avoir été faites çà et là, toujours au VIIIe siècle, dont témoigne, par exemple, le Vatican grec 2200, si difficile à lire (doc. 11). Ces essais furent sans lendemain. Un seul réussit, qui s'imposa progressivement. Il semble être lié à la région de Constantinople et, plus douteusement, au monastère de Stoudios.

Ce monastère, fondé au Ve siècle, ne commença à jouer un rôle important qu'avec la fin du VIIIe siècle. Entre les deux phases de la crise iconoclaste, l'impératrice Irène (780-802) fait venir saint Théodore, supérieur du monastère bithynien de Sakkoudion, et l'installe avec une partie de ses moines au Stoudios, alors faiblement peuplé. Sous l'énergique direction de Théodore Studite, la communauté connut une prospérité sans précédent. Les moines studites et leur chef, fervents orthodoxes pour la plupart, furent persécutés et dispersés lors du second iconoclasme. Pour le lien qui rattache l'histoire de la minuscule à celle de ces moines, deux pistes peuvent être suivies : l'étude des manuscrits studites ; l'examen de l'origine sociale

de saint Théodore. Les deux démarches sont intéressantes mais aucune ne conduit à un résultat assuré.

Le plus ancien témoin daté de la minuscule, l'*Évangile Uspenskij,* porte sur son dernier folio un obituaire enregistrant le décès de saint Théodore et d'autres grands personnages du monastère de Stoudios. Ce manuscrit fut donc certainement à l'époque ancienne, détenu par des moines studites. Le copiste qui l'exécuta, le moine Nicolas, pourrait être le personnage de ce nom qui, en 847, devint higoumène du Stoudios. Ce livre n'est pas isolé : d'autres manuscrits paraissent pouvoir être attribués à la plume de Nicolas ou au monastère de Stoudios. Nous possédons par ailleurs, chose unique, le règlement de l'atelier de copie de ce monastère, qui est attribué à saint Théodore : mais il n'est pas certain que, dans l'état où il nous est parvenu, ce règlement remonte au début du IXe siècle. En résumé, il est clair que le monastère de Stoudios fut, pour les textes religieux, un centre de copie actif : il est raisonnable d'attribuer à un moine studite le *Tétraévangile Uspenskij* et d'en déduire que la minuscule fut utilisée très tôt dans le grand monastère constantinopolitain. Mais de tels éléments ne suffisent pas à faire penser que la minuscule soit née justement là.

Quant à saint Théodore, le grand abbé studite (759-826), son oncle maternel, Platon, avant de se faire moine en 759 et de fonder, sur une propriété familiale, le monastère de Sakkoudion, avait été actif à Constantinople aux côtés de son oncle comme fonctionnaire du Trésor impérial. Les parents de Platon, fort riches, étaient morts durant la peste de 747. Le père de Théodore, beau-frère de Platon, lui aussi fonctionnaire du Trésor avant d'être moine avec Platon, avait reçu l'éducation convenant à un futur fonctionnaire.

On voit quel est le milieu de ces moines, qui ne sont pas des moines de formation : une riche famille de fonctionnaires constantinopolitains.

Platon, suivant une tradition en honneur dans les monastères byzantins, en guise de travail manuel s'adonnait à la copie des manuscrits. C'est à lui que les monastères studites devaient de posséder une telle abondance de livres et, pour désigner l'activité de son oncle, Théodore emploie un mot (*surmaiographein*) qui pourrait indiquer une écriture liée, peut-être la minuscule.

Le cas de Platon et de Théodore n'est pas isolé. C. Mango a fait remarquer que les écrivains de la même génération que saint Théodore semblent appartenir au même milieu. L'historien Nicéphore, avant d'entrer dans l'Église, était chef de la chancellerie impériale ; le chroniqueur Théophane, qui se fit moine, était le fils d'un gouverneur des îles de l'Égée et porta lui-même le titre aulique de spathaire. Nous voyons ainsi se dessiner dans la capitale, à la fin du VIIIe siècle, une petite intelligentsia : c'est l'époque à laquelle apparaît la minuscule.

Cette nouvelle piste ne nous éloigne guère de la précédente, qu'elle précise simplement, en faisant remarquer que le milieu des moines iconophiles de la région de Constantinople entretenait des rapports étroits avec les hauts fonctionnaires de la cour et les dignitaires du patriarcat.

Tout comme le lieu et la date de naissance de la minuscule, le terrain d'application originaire de cette écriture nous échappe quelque peu. Nous avons dit qu'il s'agissait d'une écriture économique et que ce fait favorisa sans doute son succès. Mais la minuscule est aussi une écriture nouvelle, qui dut poser des problèmes aux lecteurs, et l'on peut supposer qu'elle servit à la lecture de cabinet plutôt qu'à la lecture publique : les livres de chœur furent longtemps encore copiés en onciale. Peut-être les circonstances de la querelle iconoclaste, la nécessité dans laquelle on se trouva, pour la polémique, de recopier les anciens Pères ou de produire des textes nouveaux contribuèrent-elles à faire utiliser cette écriture. Il ne semble pas, en tout cas, que celle-ci fût à son origine particulièrement liée aux textes profanes. Les premiers témoins datés de la minuscule sont des ouvrages religieux ; inversement, on continua à copier en onciale des traités techniques : ainsi le *Dioscoride* illustré de Paris (doc. 10).

Si la minuscule ne fut pas inventée pour la copie des textes profanes, elle joua un rôle de première importance dans la transmission de ceux-ci. Comme le remarque en effet N. Wilson, « à partir de 850, quand on décidait d'exécuter une nouvelle copie d'un texte, le plus probable était que le copiste allait utiliser la nouvelle écriture ; après 950 environ, il était presque inconcevable qu'il fît autrement ». Minuscule et textes antiques se trouvent ainsi, à partir du IXe siècle, liés de fait : à de rares exceptions près, les plus anciens témoins complets qui nous soient parvenus de la littérature antique sont des manuscrits en minuscule. Le passage d'une écriture à l'autre, la translittération, joua un double rôle : elle sauva les textes qui en bénéficièrent ; elle accéléra la disparition des manuscrits en onciale.

La relation entre l'invention de la minuscule et la redécouverte des textes anciens ne doit pas être surestimée. Les deux phénomènes sont à peu près contemporains et interfèrent. Il y eut, d'un côté, un changement dans la technique de la librairie ; de l'autre, une évolution de la curiosité scientifique bénéficiant du progrès qui venait de s'accomplir. C'est à ce renouveau de la culture profane à Byzance et à ses artisans que nous allons, pour finir, nous intéresser.

Le renouveau

Avec la minuscule, les Byzantins du IXe siècle disposent pour la production du livre d'un outil efficace. Les circonstances politiques, de leur côté, s'améliorent. Le péril bulgare, si pressant au début du IXe siècle, s'estompe avec la mort de Kroum, le terrible khān des Bulgares (13 avril 814). Quant au long conflit contre le califat, il n'est certes

11. Une autre minuscule (Vatican, Bibl. Vat., Vat. gr. 2200, p. 99) : florilège dogmatique, écrit sur papier vers 800, en Palestine.

pas terminé. Malgré des revers, sous les empereurs iconoclastes l'Empire résiste, et la restauration de l'État, de l'armée, prépare la glorieuse période qui va s'ouvrir. En 863, Pétronas, un oncle de l'empereur, anéantit une armée arabe et l'on peut voir là une date marquante : désormais, Byzance passe à l'offensive. Enfin, la crise iconoclaste, dangereuse pour l'unité de l'État, s'achève en 843. C'est donc dans une situation plus favorable que prend place le renouveau de la culture antique. Encore faut-il noter qu'il n'y a pas coïncidence stricte entre la chronologie de l'histoire politique et celle de l'histoire culturelle. S'il est vrai que l'époque la plus brillante du premier humanisme byzantin est à situer après le rétablissement des images, les premiers frémissements sont perceptibles avant celui-ci, avec des personnages comme Jean le Grammairien, patriarche iconoclaste, ou son cousin Léon le Mathématicien, actif avant comme après 843.

Jean le Grammairien, que ses adversaires appelaient le Magicien (doc. 12), appartenait à une bonne famille de Constantinople et reçut une éducation soignée. Il devint par la suite *grammatikos* (professeur) et sa réputation de science est bien attestée. Sous le règne de Léon V (813-820), Jean, qui était homme d'Église, se rallie à l'iconoclasme et fait partie de la commission chargée de réunir au palais des livres religieux afin de préparer le concile hérétique de 815. Cette recherche de manuscrits a fait rêver : mais il est clair que la commission ne s'occupa pas de livres profanes. Jean se vit confier par l'empereur Michel II l'éducation de son fils, Théophile (829-842), le dernier empereur iconoclaste. L'habileté de Jean et sa science lui valurent aussi d'être envoyé comme ambassadeur à la cour de Bagdad. La civilisation islamique paraît l'avoir impressionné, et il fit partager son enthousiasme à son disciple Théophile : c'est alors que le palais impérial changea d'aspect pour tenter de rivaliser avec la splendeur des califes. La carrière de Jean se poursuivit lentement et il devient patriarche de Constantinople vers 832.

De son activité, nous ne savons que peu de choses. Mais il est intéressant de noter ce que disent de lui ses détracteurs. D'après ceux-ci, Jean s'adonnait à la magie : dans les souterrains du palais de son frère, le patrice Arsaber, il se serait livré à la sorcellerie et à l'art diabolique de la divination. Plus intéressant encore, un poème iconophile dit ceci de Jean : « Il se montra l'égal des Grecs païens, s'enorgueillissant de lire leurs œuvres, que la voix des justes a justement vannées. » Si l'on essaie de percer cet écran polémique, que reste-t-il ? Un homme instruit, tout d'abord dans la grammaire, attiré par les sciences, même occultes, adonné à l'étude de textes anciens. Un homme cultivé, qui suffit à montrer que les orthodoxes n'eurent pas l'apanage de la science.

Avec Léon le Mathématicien, nous faisons un pas en avant. Léon, né à Constantinople (vers 800 ?), cousin de Jean le Grammairien, se forma non dans la capitale, mais dans l'île d'Andros, auprès d'un érudit. Puis, désirant approfondir ses connaissances, il parcourut les monastères du continent, « scrutant les livres qui s'y trouvaient déposés, les achetant et les méditant sur les sommets des montagnes ». L'éducation de Léon, premier grand acteur de la renaissance byzantine, apparaît ainsi comme une aventure personnelle. Ensuite, « après avoir étudié tout son soûl, il retourna dans la ville impériale ». Là, il donne des cours privés, et l'un de ses élèves, prisonnier des Arabes, fait sensation à la cour du calife par ses connaissances en géométrie. On lui demande d'où vient sa science : il parle de Léon, que le calife, aussitôt, cherche à faire venir. Léon, avant de quitter l'Empire pour Bagdad, demande l'autorisation au puissant ministre de l'empereur Théophile, Théoctiste. Celui-ci s'émeut et retient le savant qui, désormais, enseignera à Constantinople, aux frais de l'État, dans l'église des Quaran-

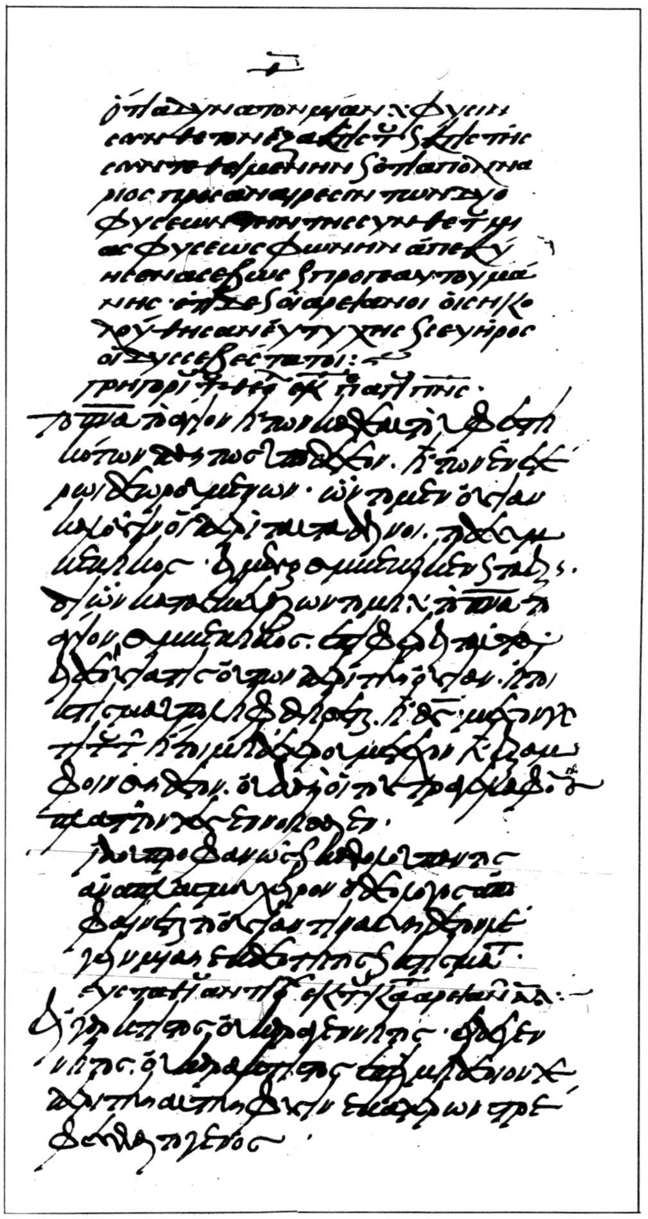

11

12. Psautier Chloudov, seconde moitié du IXᵉ siècle (l'écriture primitive, effacée, a été remplacée par une écriture postérieure). En marge : saint Pierre foulant aux pieds Simon le Mage ; le patriarche Nicéphore, tenant l'image du Christ, piétine l'iconoclaste Jean le Grammairien (Moscou, musée Historique, Bibl. Synodale, Add. gr. 129 D, fol. 51 v°).

te-Martyrs. C'est alors qu'il s'illustra par des inventions intéressantes. Il mit au point le télégraphe optique qui reliait Tarse, en Cilicie, à la capitale, signalant les attaques arabes, et participa peut-être aussi à la fabrication des automates qui, dans la salle où l'empereur recevait les ambassadeurs, étaient destinés à impressionner les visiteurs : deux lions se levant en rugissant, deux griffons, des oiseaux battant des ailes et chantant dans un arbre.

Voilà quelle fut, jusqu'en 840, la carrière de Léon. A cette date, le Mathématicien fut choisi comme archevêque de Thessalonique, un siège qu'il occupa jusqu'en 843. Lorsque l'orthodoxie eut été rétablie, Léon, compromis avec les iconoclastes, fut déposé et revint à Constantinople. Sa disgrâce ne dura guère. Le ministre de Michel III, Bardas, prend la décision de fonder une école dans le palais de la Magnaure, et « Léon, nous dit un chroniqueur, dirigea l'école philosophique de la Magnaure ; son disciple Théodose était à la tête du département de géométrie, Théodègios de celui d'astronomie et Komètas de la grammaire... Bardas pourvoyait généreusement à leurs besoins et, dans son amour de la connaissance, il les visitait souvent, affermissant les dispositions des étudiants : en peu de temps, il donna des ailes à la science et lui fit faire un bond en avant ». Nous ne savons si Bardas agissait comme ministre, ou s'il faisait acte de mécénat privé : mais il n'y a pas lieu de douter que son initiative améliora l'enseignement à Byzance.

Nous avons quelques renseignements sur la bibliothèque de Léon le Mathématicien. On ne s'étonnera guère d'y trouver des ouvrages scientifiques et techniques : Archimède et Euclide, Apollonios de Pergè ; des œuvres de mécanique, d'astronomie, d'astrologie aussi. Peut-être possédons-nous encore un volume qui lui appartint : le beau Ptolémée du Vatican (doc. 13), où une main postérieure a tracé dans la marge le nom de « Léon, le très savant astronome ». Plus important encore : Léon s'intéressa à Platon. Les plus anciens témoins du texte de ce philosophe portent en effet, en marge du texte des *Lois,* la note suivante : « ici s'arrêtent les corrections de Léon le Grand ». Léon, donc, non seulement connaissait Platon, mais avait amendé son texte.

Avec Léon, nous sommes tout près du but. La dominante reste pourtant technique et scientifique. Pour voir avec éclat revivre les lettres anciennes, il faut attendre l'œuvre d'un contemporain de Léon, plus jeune que lui, grand érudit, grand politique, grand patriarche : Photius.

Photius, né vers 810 dans une riche famille de Constantinople, neveu du patriarche Taraise, fit après 843 une brillante carrière dans les bureaux impériaux et devint chef de la chancellerie. C'était encore un laïc quand, en 858, il fut choisi comme patriarche de Constantinople. Déposé une première fois en 867, il rentra en faveur et l'empereur Basile Iᵉʳ lui confia l'éducation de son fils, le futur empereur Léon VI le Sage (doc. 8). Photius fut de nouveau patriarche de 878 à 886, puis destitué une seconde fois. Son nom, dans l'histoire de l'Église, est lié à deux événements importants : une crise ouverte avec Rome, qui présage le grand schisme à venir ; une importante activité missionnaire. C'est alors que saint Cyrille, qui aurait été, nous dit-on, un élève de Photius avant d'être à son tour professeur dans la capitale, partit évangéliser les Slaves et leur apporter un alphabet qui dérive de l'onciale grecque. Photius mourut vers 893.

Photius recevait chez lui un cercle nombreux de disciples attirés par sa science extraordinaire. Un adversaire du patriarche nous en a laissé l'éloge involontaire : « Ce Photius n'était pas de basse extraction, mais au contraire de famille noble et illustre, et on le jugeait le plus digne de considération pour la connaissance et l'intelligence des choses de ce monde. Grammaire et poésie, rhétorique et philosophie, voire la médecine, et peu s'en faut toutes les sciences profanes, il en était si pénétré que non seulement on considérait qu'il surpassait tous les gens de son temps, mais encore qu'il pouvait rivaliser avec les Anciens. Tout était réuni en lui, les dons naturels, l'ardeur, et la richesse grâce à laquelle tous les livres accouraient vers lui ; par-dessus tout, l'amour de la gloire, qui lui faisait consacrer à la lecture des nuits sans sommeil. Et comme il devait, hélas ! accéder aussi à l'Église, il s'adonna avec application à l'étude des ouvrages appropriés. Pour parler comme le Théologien, il ignorait l'ignorance. »

Les œuvres de Photius reflètent cette science impressionnante. Il faut ici mentionner un *Lexique,* dont le seul manuscrit complet fut découvert voici moins de trente ans, où Photius réunit des termes utiles à qui veut lire ou imiter les prosateurs anciens. Il faut surtout parler de la *Bibliothèque,* l'une des œuvres les plus importantes de la littérature byzantine. Il s'agit d'une série de 279 notices, chacune consacrée à un codex*, livre ou œuvre : l'ouvrage est décrit, cité, et son style jugé. Nous savons ainsi ce que lisait le plus grand des lettrés byzantins, ou du moins quelles lectures il jugeait les plus rares. J. Irigoin en a dressé le bilan : la part de la théologie est la plus importante, mais « 122 notices représentent les œuvres de 99 auteurs profanes ». Les historiens viennent au premier rang, avec 39 notices : beaucoup d'entre eux ne nous sont plus connus que par la *Bibliothèque.* Le groupe le plus nombreux, ensuite, est celui des orateurs attiques et des rhéteurs tardifs ; puis nous trouvons 16 lexiques, 6 médecins. La philosophie est moins bien représentée : Platon et Aristote, aux yeux de Photius, étaient sans doute lectures trop banales pour être mentionnées. Quant à la poésie, la *Bibliothèque* n'en parle guère : là encore, plus qu'à une ignorance, il faut conclure à une exclusion délibérée. Avec Photius et la *Bibliothèque* qu'il compose sans doute vers 855, la littérature antique fait son

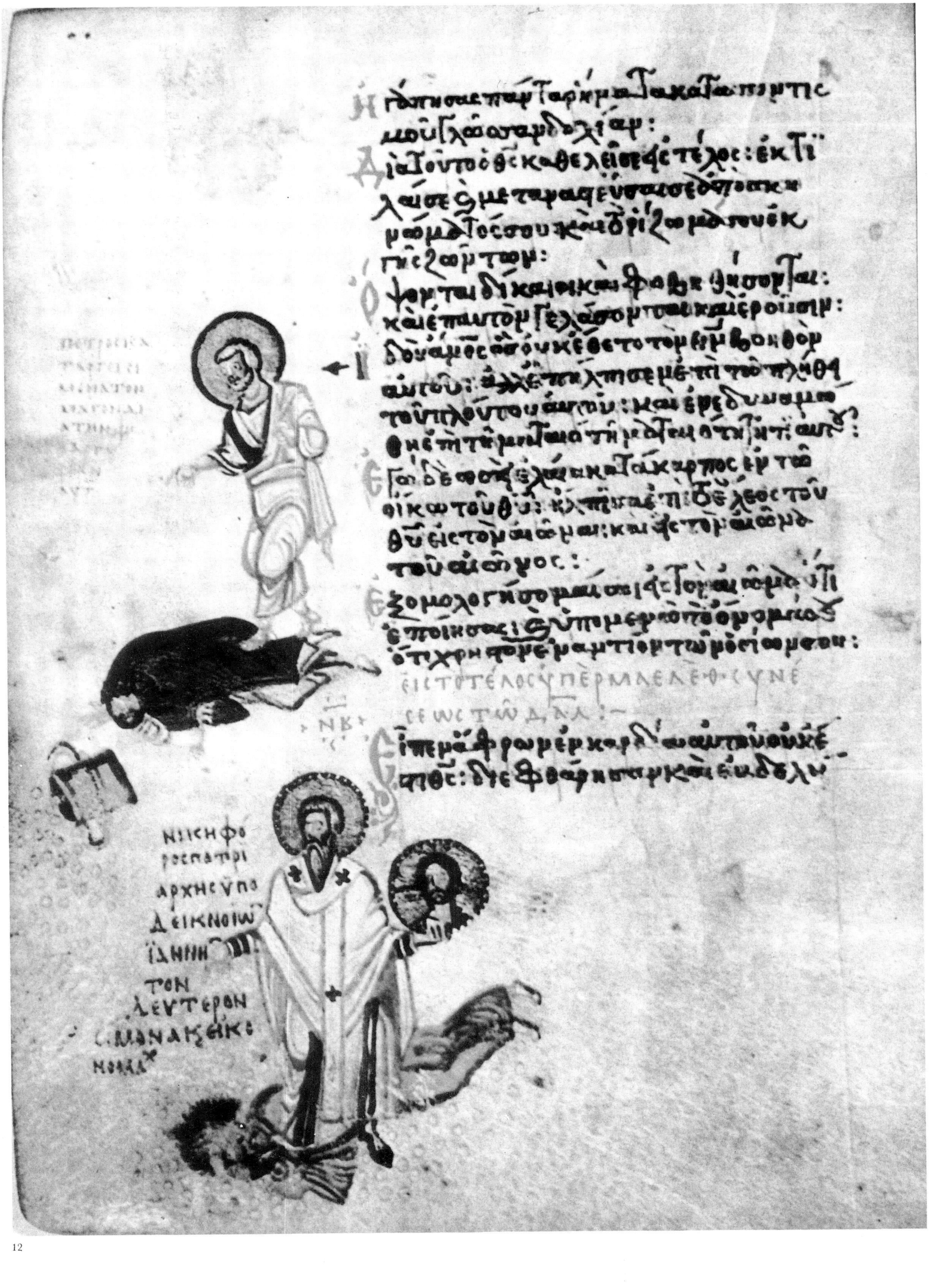
ΕΙϹ ΤΟ ΤΕΛΟϹ ΥΠΕΡ ΜΑΕΛΕΘ ϹΥΝΕ
ϹΕΩϹ ΤΩ ΔΑΔ
ΝΒ
ΝΙΚΗΦΟ
ΡΟϹ ΠΑΤΡΙ
ΑΡΧΗϹ ΥΠΟ
ΔΕΙΚΝΥΩ
ΙΑΝΝΗΝ
ΤΟΝ
ΔΕΥΤΕΡΟΝ
ϹΙΜΩΝΑ ΚΑΙ ΕΙΚΟ

13. Tables de Ptolémée ; texte en minuscule ; tables, scholies et titre final en onciale. Dans la marge inférieure gauche, d'une main postérieure : « De Léon, le grand astronome. » (Vatican, Bibl. Vat., Vat. gr. 1594, fol. 263 v°).

14. Colophon d'un manuscrit de la collection d'Aréthas (Paris, Bibl. nat., gr. 451, fol. 401 v° ; Apologistes chrétiens) : « Copié par le notaire Baanès, pour Aréthas, archevêque de Césarée de Cappadoce, en l'an du monde 6422. » La date correspond à 914 de notre ère. Puis note sur le prix du manuscrit : « 20 nomismata, et 6 nomismata pour le parchemin. »

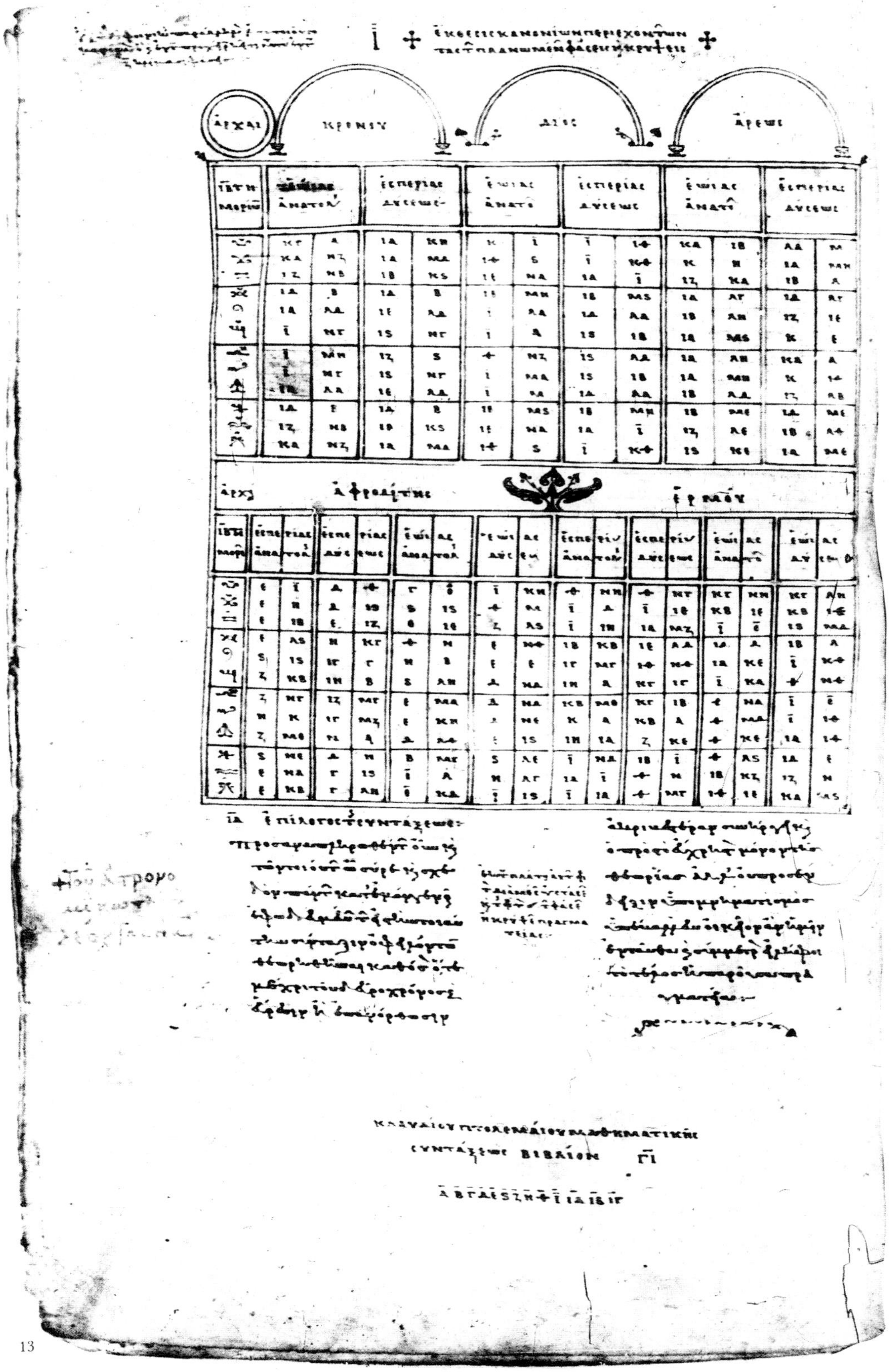

13

irruption à Byzance et, si Photius fut un être d'exception, il faut supposer autour de lui d'assez nombreux disciples, qui partagèrent une partie au moins de ses curiosités.

La science de Léon le Mathématicien et l'érudition de Photius dessinent un ordre dans la renaissance de la culture profane à Byzance : l'accent fut d'abord mis sur les œuvres scientifiques et techniques, puis philosophiques ; la redécouverte des prosateurs, historiens ou rhéteurs, semble avoir marqué une étape ultérieure. L'analyse des manuscrits du IXe siècle qui nous sont conservés montrerait une évolution semblable. Nous ne parlerons ici que du groupe le plus important : la collection philosophique.

La collection philosophique comprend une dizaine de manuscrits, tous en minuscule, datables des environs de 850, et dont T.W. Allen, en 1893, a montré qu'ils étaient le produit d'un seul atelier de copie. Peut-être appartinrent-ils tous à un même érudit, dont l'identité nous échappe. Ces dix ou onze volumes constituent un ensemble considérable si on le compare au petit nombre de manuscrits du IXe siècle qui nous sont parvenus : à peine quelques dizaines. On peut, pour comprendre la valeur marchande qu'ils avaient, prendre pour terme de comparaison une collection plus tardive, celle d'Aréthas, constituée à la fin du IXe siècle et au début du Xe. Aréthas avait l'habitude, à la fin des volumes qui lui appartenaient, et dont certains sont conservés, de noter le prix qu'il avait payé chaque livre. Ainsi, pour un beau Platon daté de 895 (doc. 15), la copie lui avait coûté 13 *nomismata*, et 8 le parchemin. Ces vingt et une pièces d'or, comparées au salaire d'un fonctionnaire impérial à ses débuts (72 *nomismata* par an), sont révélatrices : le livre est une denrée chère, réservée à des gens fortunés, et sa circulation, malgré la minuscule, dut être très restreinte.

L'originalité de la collection philosophique vient de la place qu'y tiennent platonisme et néoplatonisme : Platon

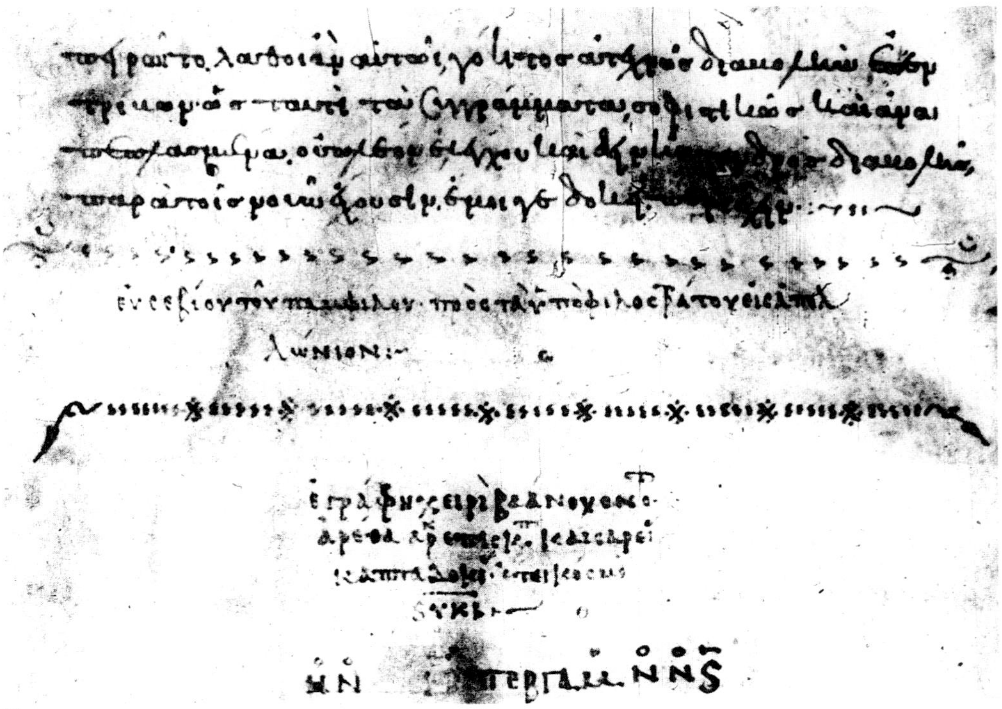

14

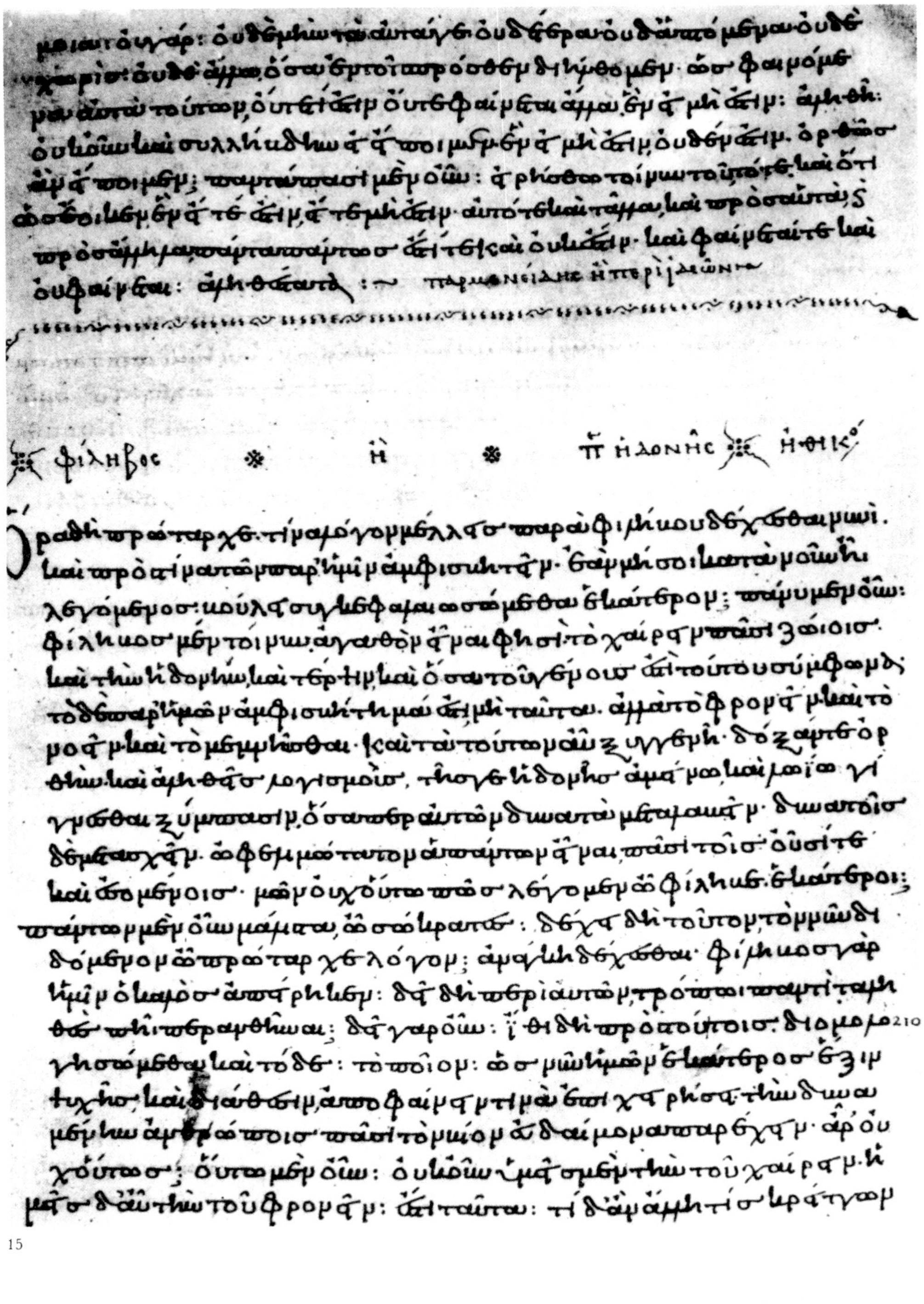

15

15. Manuscrit copié en 895 par Jean pour Aréthas de Césarée (Oxford, Bibl. Bodl., Clarke 39).

lui-même, avec un manuscrit conservé à Paris, le plus ancien témoin de *la République,* des *Lois,* du *Timée,* du *Critias,* entre autres ; des commentaires des œuvres de Platon par Proclus, Damascius, Olympiodore ; des œuvres des néoplatoniciens Albinos et Maxime de Tyr. Un tel groupement ne laisse pas de place au doute : Platon est étudié pour sa doctrine, pourtant si étrangère au christianisme, et non plus pour son style. D'autres manuscrits de la collection sont moins originaux, mais il faut signaler un intéressant recueil conservé à Heidelberg (géographes mineurs, extraits de Strabon, mythographes...) qui peut rappeler certains intérêts de Photius. Plusieurs indices font du reste penser que le ou les érudits qui firent exécuter ces copies n'étaient guère éloignés du cercle de Photius.

Le témoignage des manuscrits de la collection philosophique confirme ce que montrait l'analyse de l'œuvre de Photius : vers 850, les centres d'intérêt des savants byzantins ont changé. Comme le note J. Irigoin, « le début de la renaissance byzantine s'achève avec la copie de la collection platonicienne : la variété des œuvres qui y sont groupées montre combien la curiosité des érudits s'est développée, leur horizon intellectuel élargi depuis les premières années du IXe siècle ». Avec Photius, avec la collection philosophique, l'approfondissement par les Byzantins de leur tradition culturelle, la redécouverte des textes anciens s'affirment donc avec vigueur.

Le mouvement sera durable. Jamais les Byzantins ne cesseront de s'intéresser à la littérature antique, pour l'étudier et la copier dans une écriture dont les traits fondamentaux sont désormais fixés. C'est eux qui transmettent aux Occidentaux leur savoir, avec les livres qu'ils leur apprennent à lire.

Les humanistes de la Renaissance italienne ont été précédés d'autres humanistes, certes tout différents, auxquels ils doivent cependant beaucoup : les savants byzantins.

B.F.

Les premiers témoins du français

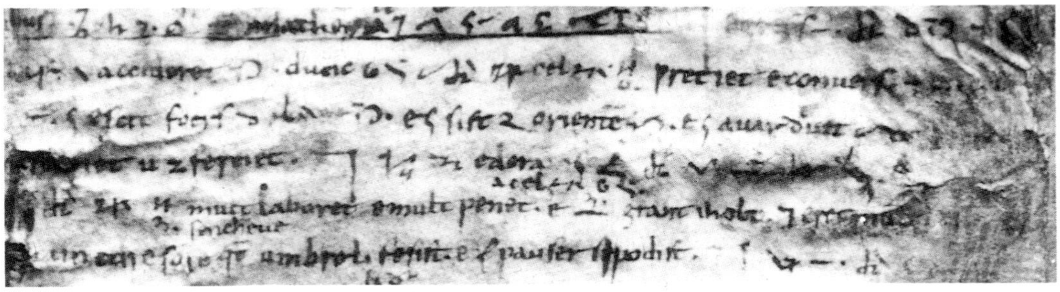

16.17. *Sermon sur Jonas* (Valenciennes, Bibl. mun. 521, feuillet de garde. Xe s.).

6. …]*ibus* ***Paulus· apostolus· et-iam opta-bat*** //// *anathema* {*e(ss)e*} ***pro fratri-bus su-is qui s-unt Israeli-te***¶ « ***ET*** *egress(us)* ***est Ion-as de civita-te et sed-it***

7. …] ***vide-ret quid*** *accideret* ***civita-ti*** » dunč **co** ***dic-it*** **cum** ***Ion-as propheta*** cel ***popul-um hab-u-it*** pretiet e converset en cele

8. …]et **si** escit foers **de** ila ///// ***civita-te*** ◆ e **si** fist ***contra*** *oriente(m)* ***civitatis*** ◆ e **si** avard{e}uet **cum** ***de-us*** p(er)stre…

9. …]streiet u **ne** fereiet ◆ ¶ « ***ET praepara-vit Dominus·*** *edera(m)* ***super caput· Ion-e ut face-ret ei umbr-am laborav-er-at enim*** »

10. …] ***Ion-as prophe-ta habe-bat*** mult laboret e mult penet {a cel ***popul-um co dic-it*** } e ***facie-bat*** grant iholt ***et*** eret mult las.

11. …] un edre sore {sen cheve} q(ue)t umbre li fesist e **re**-pauser [se, *corr.*] si podist. ¶ « ***ET lae-tatus est Ion-as super*** *edera(m)* »

12. … m]ult ***laeta-tus*** **co** ***dic-it*** ◆ porq(ue) ***de-us*** cel edre {li ***don-at***} a sun soveir ***et*** a sun **re**-paus-**se-me-ent** li ***don-at*** ¶ « ***ET*** *p(re)cep(it)* ***Dominus·***

(Transcription D. Muzerelle. Les notes tachygraphiques sont transcrites en gras).

17

Les premières manifestations écrites en langue vulgaire sont apparues en France à la fin du IXe siècle, en pleine période carolingienne. Ce n'étaient pour lors que petites étincelles d'un foyer naissant dont le feu et la lumière allaient se propager rapidement. Jusque-là, et pour quelque temps encore, la langue latine possédait l'exclusivité de l'écriture : administrative, juridique, religieuse, historique, littéraire. Écriture de fixité, même si elle reflétait dans une certaine mesure l'évolution qui s'était produite au cours du temps.

Ces petites traces n'ont pas surgi de rien. Des signes annonciateurs étaient apparus : déjà à l'époque mérovingienne, le latin avait été influencé par nombre de traits de l'usage parlé ; en 813, une résolution du concile de Tours recommandait officiellement au clergé de prêcher dans la langue parlée romane (*in rusticam romanam linguam*). Une cinquantaine d'années plus tard, le roi Charles le Chauve prescrivait aux évêques de faire connaître les ordonnances royales au peuple dans sa langue.

On constate effectivement dans la France du IXe siècle l'existence de deux registres linguistiques : d'une part, le latin restait une langue pleine de vitalité, sans appartenir pour autant à une communauté ethnique particulière, et il sera encore très longtemps la langue de communication d'une élite, l'idiome employé oralement par les clercs, homme d'église et intellectuels ; d'autre part, une langue « vulgaire » distincte, parlée par la plus grande masse de la population qui n'était que simple « auditrice » (devrait-on dire spectatrice ?) du latin, en particulier dans la liturgie. C'est par les clercs qui manient les deux langues que se fera la mise en écrit vulgaire.

Les premières traces écrites de cette *rustica romana lingua*, que l'arbitraire de la documentation nous a conservées, apparaissent dans ce contexte bien particulier — coexistence et liaison de deux registres linguistiques — qui semble bien répondre à une réalité sociale. Témoin le très ancien *Glossaire de Reichenau*, copie, composée en Gaule du Nord vers la fin du VIIIe siècle, d'un original des alentours de 750 et conservée actuellement à Karlsruhe. Il s'agit d'un glossaire latin-roman, contenant des gloses* bibliques, qui prouve que le texte de la Vulgate* était devenu illisible pour certains.

Les vestiges écrits de cette conscience romane naissante émergent çà et là de l'obscurité de la façon la plus humble, d'autant plus émouvante pour nous. Au moment où, avec les enluminures de la Bible latine de Charles le Chauve et du Psautier d'Utrecht, l'art de la miniature carolingienne atteint son apogée, les débuts du « français » se cachent dans les marges de manuscrits latins, en appendices étrangement incongrus qui s'offrent à nous sous le double signe de l'isolement et de l'humilité : s'introduisant clandestinement dans l'exiguïté d'un espace resté vierge, ils ne participent ni à la calligraphie, ni à la mise en page, ni à l'ornementation des manuscrits qui les accueillent. N'ayant pas reçu le privilège et l'honneur d'un support matériel spécialement conçu pour eux, ces documents archaïques ne sont pas en eux-mêmes des livres. Ils sont restés totalement extérieurs à un circuit de diffusion ou de production quelconque. Nous avons, face à eux, le troublant sentiment d'un « instantané » provisoire, d'un désir ébauché de conserver et de fixer une langue dont l'oralité reste l'une des caractéristiques essentielles.

L'histoire de ces documents est difficile à établir. Ils sont anonymes et gardent leur secret : nous ne savons ni par qui, ni pour qui, ni où, ni quand ils ont été écrits. Le travail prioritaire est donc d'essayer de déterminer les différentes conditions de leur insertion dans les manuscrits de langue latine.

« Nos manuscrits sont des documents qui attestent les œuvres, non les œuvres elles-mêmes » (J. Rychner). Ils ne renferment, en effet, que la copie d'un original perdu, souvent bien plus ancien. Entre l'œuvre primitive et cette copie s'étend le vaste espace des dégradations de la mémoire, de l'inconnu. La distinction entre œuvre (original disparu) et manuscrit (témoin de cette œuvre, unique encore à l'époque qui nous intéresse) doit être toujours présente à l'esprit.

Prenons comme exemple le célèbre texte des *Serments de Strasbourg*, au folio 13 (recto et verso) du manuscrit latin 9768 de la Bibliothèque nationale à Paris, qui représente un double événement, politique et linguistique. Cet échange de fidélité réciproque qui consacre l'alliance des deux plus jeunes fils de Louis le Pieux contre leur frère Lothaire, prononcé respectivement en langue romane et en langue germanique, et suivi par le serment des deux armées, a été inséré par Nithard, petit-fils de Charlemagne, dans son histoire latine des fils de Louis le Pieux. L'extrême précision de la date (842) et du lieu ne doit pas faire illusion : cet échange ne nous apprend pas grand-chose sur le caractère de la langue employée ; il s'agit d'une transposition fidèle en langue vulgaire de formules latines en usage dans les chancelleries du temps. De plus, Nithard raconte des événements qui lui sont contemporains, mais les *Serments* s'insèrent dans le cadre de son histoire, et le manuscrit qui les conserve date du début du XIe siècle. Cent cinquante ans séparent donc la réalité historique de la copie témoin qui nous en reste !

C'est par le biais, entre autres, de la prédication, de l'enseignement de la parole de Dieu à l'extérieur des cloîtres, que la question de la langue s'est posée. Il en subsiste un exemple, le *Sermon bilingue sur Jonas*, du Xe siècle. Sermon éloigné des critères littéraires, document très particulier puisqu'il s'agit de notes autographes « jetées » sur le parchemin, devenues périmées une fois le sermon prononcé. Ici, le sentiment d'« instantané » évoqué plus haut est particulièrement intense. Il nous reste, en quelque sorte, le brouillon d'un sermon à prononcer en langue vulgaire, avec des citations latines empruntées au commentaire *In Jonam* de saint Jérôme. On sent une familiarité dans le passage d'une langue à l'autre que connaissent bien certains bilingues.

Nous touchons là à la précarité de la conservation des textes et à l'étrangeté de leur destin. Il est presque miraculeux de posséder encore ce sermon, contenu dans un morceau de parchemin qui a servi autrefois de couverture au manuscrit 521 de la Bibliothèque municipale de Valenciennes regroupant diverses œuvres latines. G. De Poerck a bien décrit sa curieuse histoire : « Il doit sa conservation au fait qu'un relieur ancien se servit de lui pour consolider un des ais* du codex* en tête duquel il se trouve aujourd'hui monté sur onglet. Le relieur ancien l'a amputé d'une bande horizontale en tête et d'une bande verticale à gauche du recto, si bien que le texte nous est parvenu en discontinu dans toute sa longueur et qu'il présente en son début et en son milieu une lacune de quelques lignes. A quoi il faut ajouter les blancs dus au décollement du recto. » Cette description codicologique un peu longue permet de saisir mieux l'usage qu'on pouvait faire de certains supports écrits, quelquefois bien malmenés...

Examinons maintenant quelques-unes des toutes premières manifestations écrites de nature véritablement littéraire (les *Serments* font partie du domaine juridique et le *Sermon* est trop particulier dans sa forme). Ce sont, là aussi, de touchantes épaves, qui ont échoué sur les feuillets restés blancs de manuscrits latins antérieurs. Ne le regrettons pas, car cet hébergement de fortune leur a permis d'être sauvées du naufrage. Le problème majeur est d'évaluer l'importance qu'il faut attribuer à l'ensemble de ce qui nous reste, car la production a dû être beaucoup plus abondante.

Avant d'entrer dans le détail, retenons deux faits essentiels concernant ces textes littéraires archaïques : ils baignaient eux aussi dans le bilinguisme de l'époque mais, surtout, ils étaient écrits pour être chantés. « C'est sur la base des rares poèmes religieux antérieurs à 1100 connus par des manuscrits latins et sur la base des caractères traditionnels attestés par des remaniements du XIIe siècle, ou encore, dans une certaine mesure, à partir de la poésie latine chantée des IXe, X[e] et XIe siècles, qu'il nous faut deviner ce que peuvent avoir été, en ce temps, les débuts de la littérature profane d'oïl (et d'oc), la plus ancienne des littératures que l'on connaisse » (M. Delbouille).

Passons rapidement sur la *Séquence de sainte Eulalie*, citée comme le premier monument littéraire français, composée vers 880 et conservée au folio 141 verso du manuscrit 150 de la Bibliothèque municipale de Valenciennes (IXe siècle). Ce texte encore un peu en marge, qu'on a du mal à situer entre enseignement et littérature, raconte le martyre de la sainte et son envol au ciel sous la forme d'une colombe. Il présente la curiosité d'être précédé d'une pièce latine sur le même sujet et de même schéma, au recto du folio (quatorze distiques, plus un heptasyllabe pour la suite française) et d'être suivi de la première partie du texte germanique du *Ludwigslied*. Les deux pièces, latine et romane, ont été composées sur la même mélodie, aujourd'hui perdue, et c'est la même main qui a copié la suite française et le texte germanique. Ces trois œuvres, liées deux à deux, montrent de toute évidence l'existence d'un milieu trilingue.

Un petit poème bilingue, une « aube »

18. *Séquence de sainte Eulalie* : « Buona pulcella fut Eulalia. Bel avret corps bellezour anima... » On remarque le texte germanique du *Ludwigslied* à la suite, de la même main (Valenciennes, Bibl. mun. 150, fol. 141 v°. IXe s.).

dans le genre des hymnes matinaux, se trouve au folio 50 verso du manuscrit latin Regina 1462 de la Bibliothèque vaticane, qui provient de l'abbaye de Saint-Benoît-sur-Loire. La copie peut être datée de l'an mil et la composition pourrait remonter à la seconde moitié du Xe siècle. Curieuse petite pièce, surmontée de neumes* — donc destinée elle aussi au chant —, dont les strophes en vers latins sont suivies d'un refrain fort obscur ! Jusqu'à maintenant, pas moins de dix-neuf lectures en ont été proposées : occitan archaïque, rhéto-roman, latin corrompu, latin travesti en occitan... On y a même vu une « fiction de langue », un « trompe-l'œil linguistique » (P. Zumthor). Le propos n'est pas ici de résoudre l'énigme. Mais au-delà d'un effet de bilinguisme recherché, on ne peut qu'être frappé par l'étrange pouvoir évocateur du texte qui décrit précisément ce qui se produit dans le firmament au moment où va se lever le premier matin du printemps, et dans lequel il n'est pas impossible d'entendre une résonance mystique.

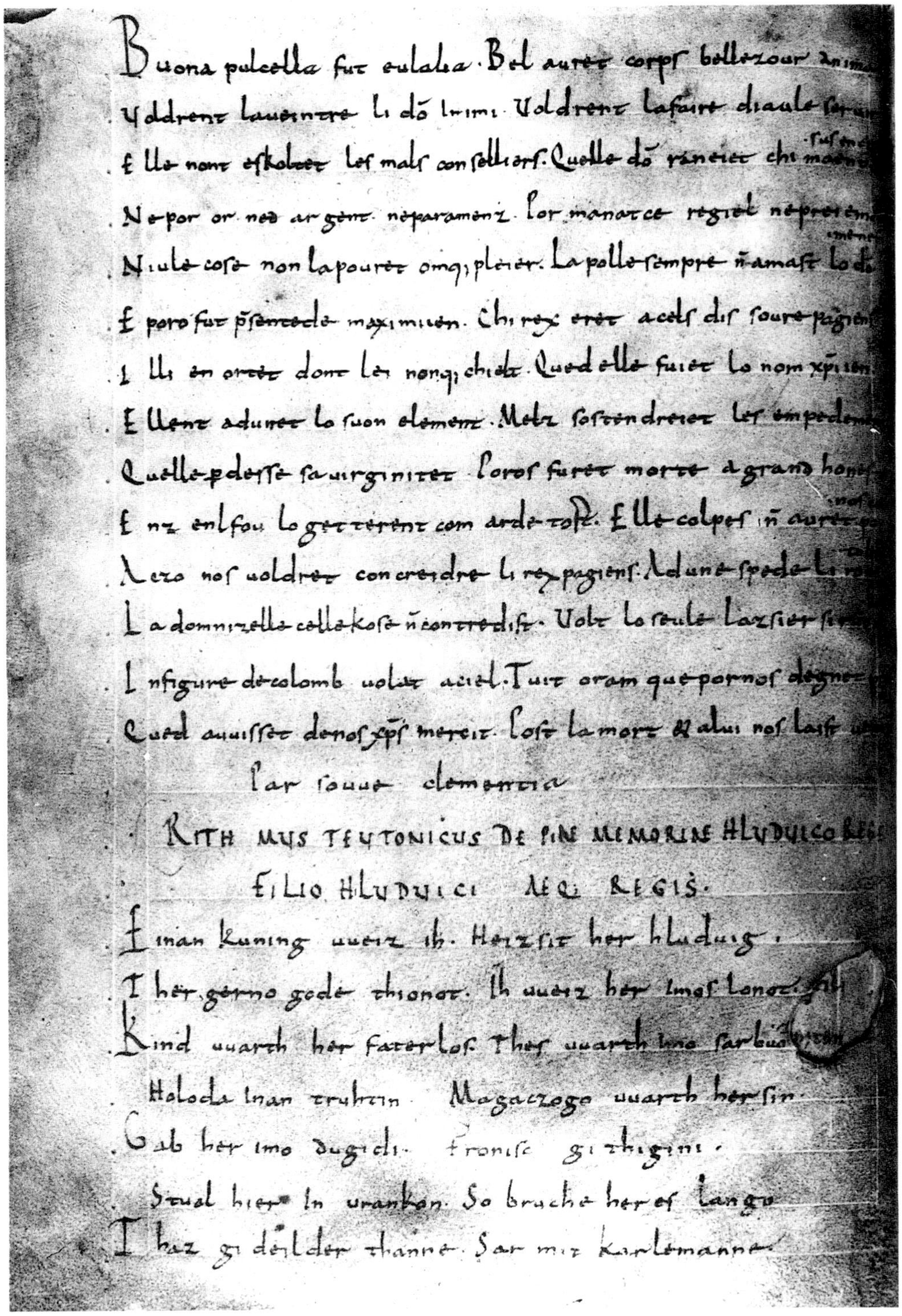
Buona pulcella fut eulalia. Bel auret corps bellezour anim[a]
Voldrent la ueintre li d[e]o inimi. Voldrent la faire diaule ser[uir]
Elle nont eskoltet les mals conselliers. Quelle d[e]o raneiet chi maent sus en ciel
Ne por or ned argent ne paramenz. Por manatce regiel ne preiement
Niule cose non la pouret omq[ue] pleier. La polle sempre n[on] amast lo d[eo]
E poro fut presentede maximiien. Chi rex eret a cels dis soure pagiens
Il li enortet dont lei nonq[ue] chielt. Quelle fuiet lo nom xp[ist]ien
Ellent adunet lo suon element. Melz sostendreiet les empedem[ents]
Quelle perdesse sa uirginitet. Poros furet morte a grand hon[estet]
Enz enl fou lo getterent com arde tost. Elle colpes n[on] auret...
Aczo nos uoldret concreidre li rex pagiens. Ad une spede li ro[uret]...
La domnizelle celle kose n[on] contredist. Volt lo seule lazsier si...
In figure de colomb uolat a ciel. Tuit oram que por nos degne...
Qued auuisset de nos xp[ist]s mercit. Post la mort & a lui nos laist...
Par souue clementia
RITHMUS TEUTONICUS DE PIAE MEMORIAE HLUDUICO REG[E]
FILIO HLUDUICI AEQ[UE] REGIS.
Einan kuning uueiz ih. Heizsit her hluduig.
Ther gerno gode thionot. Ih uueiz her imos lonot.
Kind uuarth her faterlos. Thes uuarth imo sar buoz.
Holoda inan truhtin. Magaczogo uuarth her sin.
Gab her imo dugidi. Fronisc githigini.
Stual hier in urankon. So bruche her es lango.
Thaz gideilder thanne. Sar mit karlemanne.

18

Avec la chanson de *Saint Léger*, du XIe siècle, nous entrons sans aucun doute dans une narration, c'est-à-dire un exposé détaillé d'une suite de faits mis en forme, texte « assis », soutenu déjà par une structure et une tradition plus anciennes. On aborde véritablement aux rives de la littérature : la langue y atteint sa cohérence et sa dignité, et les différents critères de littérarité commencent à être plus fermes et mieux dessinés.

L'auteur a utilisé la *Vita* latine du moine Ursinus dans une version secondaire que l'on a repérée. En quarante strophes de six octosyllabes assonancés, dont la mélodie s'est perdue, le poème raconte la vie et le martyre de saint Léger, homme politique important à la cour des rois mérovingiens dans la seconde moitié du VIIe siècle. Le style en est extrêmement concis, à la limite du dépouillement. « L'auteur ne s'est attaché qu'aux faits principaux de la carrière du saint, dans un récit si bref qu'il frise parfois l'incohérence... » (J. Rychner).

Du XIe siècle également, une *Passion* du Christ, dont les sources sont évidemment les Évangiles combinés en un seul récit fondé surtout sur saint Matthieu, est au contraire une relation pénétrée d'affectivité et d'expressivité. « La tonalité affective et morale dans laquelle l'auteur transpose le récit extraordinairement dépouillé des Évangiles est particulièrement sensible dans certaines adjonctions qu'on dirait appelées dans la mise en forme... Plus ornée, plus pieusement colorée de couleurs émues, elle retentit du lyrisme des hymnes et des psaumes » (Jean Rychner).

19. Aube bilingue, en haut à droite. On distingue le refrain romain au milieu des strophes latines, par exemple au milieu de la deuxième ligne : « Lalba par umet mar atra sol / Poypas abigil minaclar tenebras. » (Vatican, Bibl. Vat., Regina lat. 1462, fol. 50 v°. An mil environ).
20. Chapelle de la crypte de Saint-Aignan-sur-Cher. « Perfection et stabilité de l'écriture minuscule caroline », qui reflète, comme l'architecture romane, cette « tendance à l'unité. [...] Les lettres sont traitées comme des individualités séparées que l'on insère dans un ensemble statique, traduisant le repos des lignes pures. » (J. Stiennon, *Paléographie du Moyen Age*, 1973).
21. La mort de Roland, folio 42 v°, dernière ligne : « Ço sent Rollant que la mort le tresprent, Devers la teste sur le quer li descent... » (Oxford, Bodl. Libr., Digby 23, fol. 42 v° - 43. XIIe siècle).
22. En haut : Roland, avant de mourir, essaie de briser son épée et remet son gant à saint Michel. En bas : remise de l'épée Durandal à Charlemagne par la main de Roland mort et apparition d'un ange (Saint-Gall, Stiftsbibliothek 302, fol. 52 v°, vers 1300, contenant *Karl der Grosse*, remaniement du *Ruolantes Lied* allemand du prêtre Conrad).
23. Luxueux manuscrit contenant les *Grandes Chroniques de France*. Miniature de Jean Fouquet représentant, à gauche, la bataille de Roncevaux et, à droite, la mort de Roland assisté par son demi-frère, Baudoin (Paris, Bibl. nat., fr. 6465, fol. 113. Vers 1460).

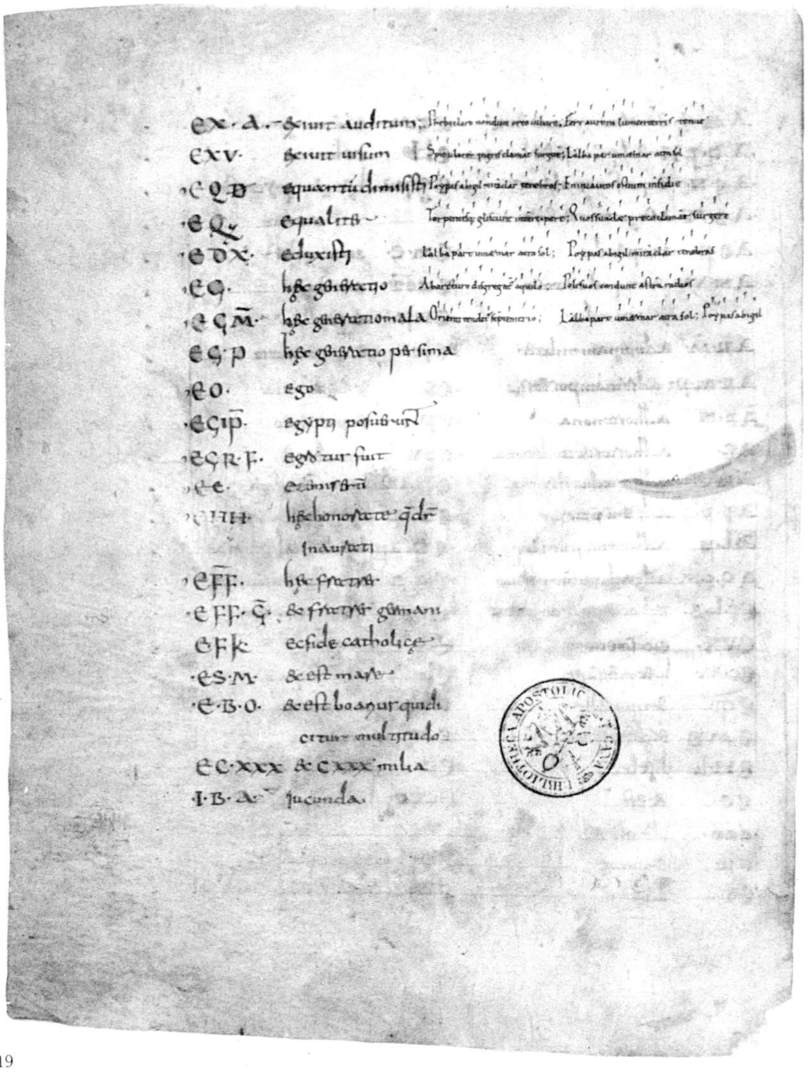

19

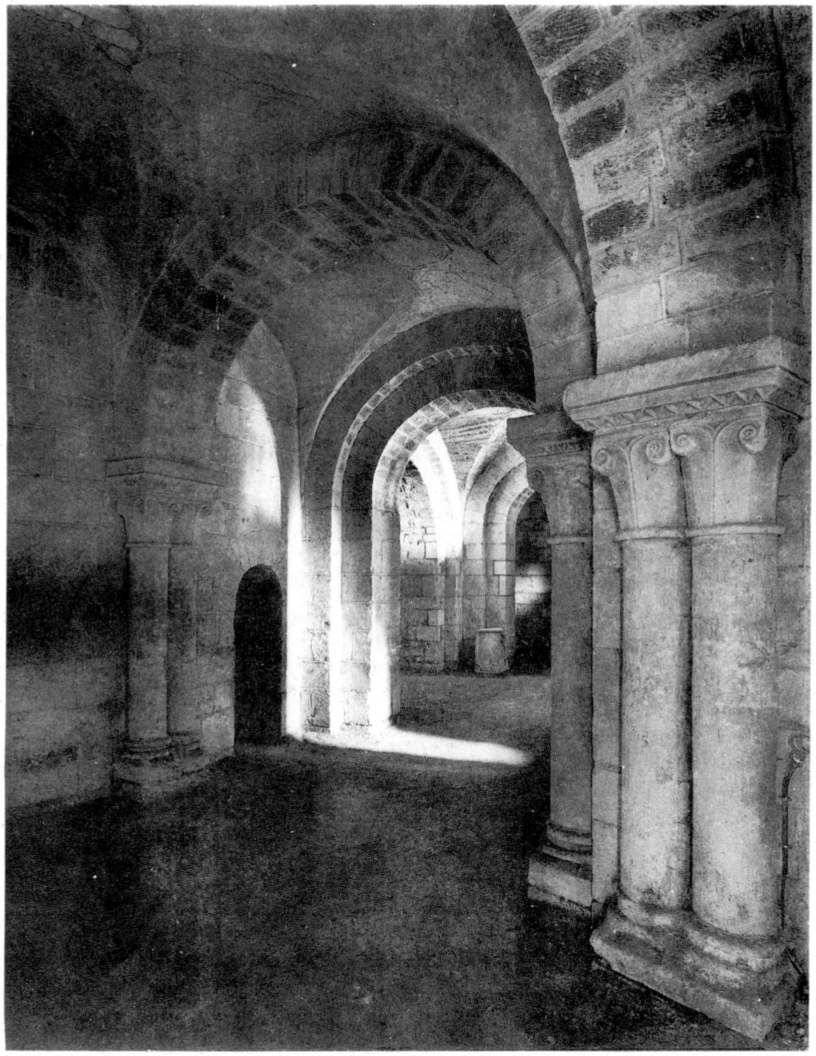

20

Ces deux récits, la chanson de *Saint Léger* et la *Passion*, si différents par leur sujet et leur style, sont pourtant contenus tous deux dans le manuscrit 240 de la Bibliothèque municipale de Clermont-Ferrand, du Xe siècle, qui renferme dans sa majeure partie un *Liber glossarum*, (c'est-à-dire un dictionnaire de termes rares). Le *Saint Léger* a été copié par deux mains, la *Passion* par quatre. Les deux récits ont pris possession d'espaces demeurés blancs à la fin de certains cahiers. Bien différents sont les chemins qu'ils ont parcouru pour se rejoindre et se fixer là : la *Passion* serait partie du Sud-Ouest du domaine d'oïl tandis que le *Saint Léger* viendrait de la plus lointaine Wallonie. Ils ont été réunis, malgré leurs profondes dissemblances, pour un même public de fidèles et pour un usage vraisemblablement semi-liturgique.

Les premiers documents écrits en langue vulgaire sont donc rares, brefs et pauvres. Ils vivent encore en symbiose avec leur langue mère, le latin. Mais grâce à un dépouillement systématique des manuscrits, on exhume encore, de temps en temps, quelques-unes de ces traces si lointaines : témoin, il y a quelques années, ce fragment de six vers d'une Passion, surmontée de neumes, sur un feuillet isolé de parchemin de la bibliothèque d'Augsbourg, qui daterait du Xe siècle.

A partir du XIIe siècle, la littérature française connaît un prodigieux déploiement. Son support matériel, le manuscrit, acquiert enfin le statut véritable de livre avec la mise en place d'un réseau scriptorial spécifique. Et pourtant, nombre d'œuvres de cette époque ne sont accessibles pour le lecteur actuel qu'à travers des recueils beaucoup plus tardifs, ou bien en de très rares copies souvent fragmentaires. Il ne subsiste, par exemple, qu'une seule copie témoin anglo-normande du XIIe siècle de *la Chanson de Roland*. C.R.

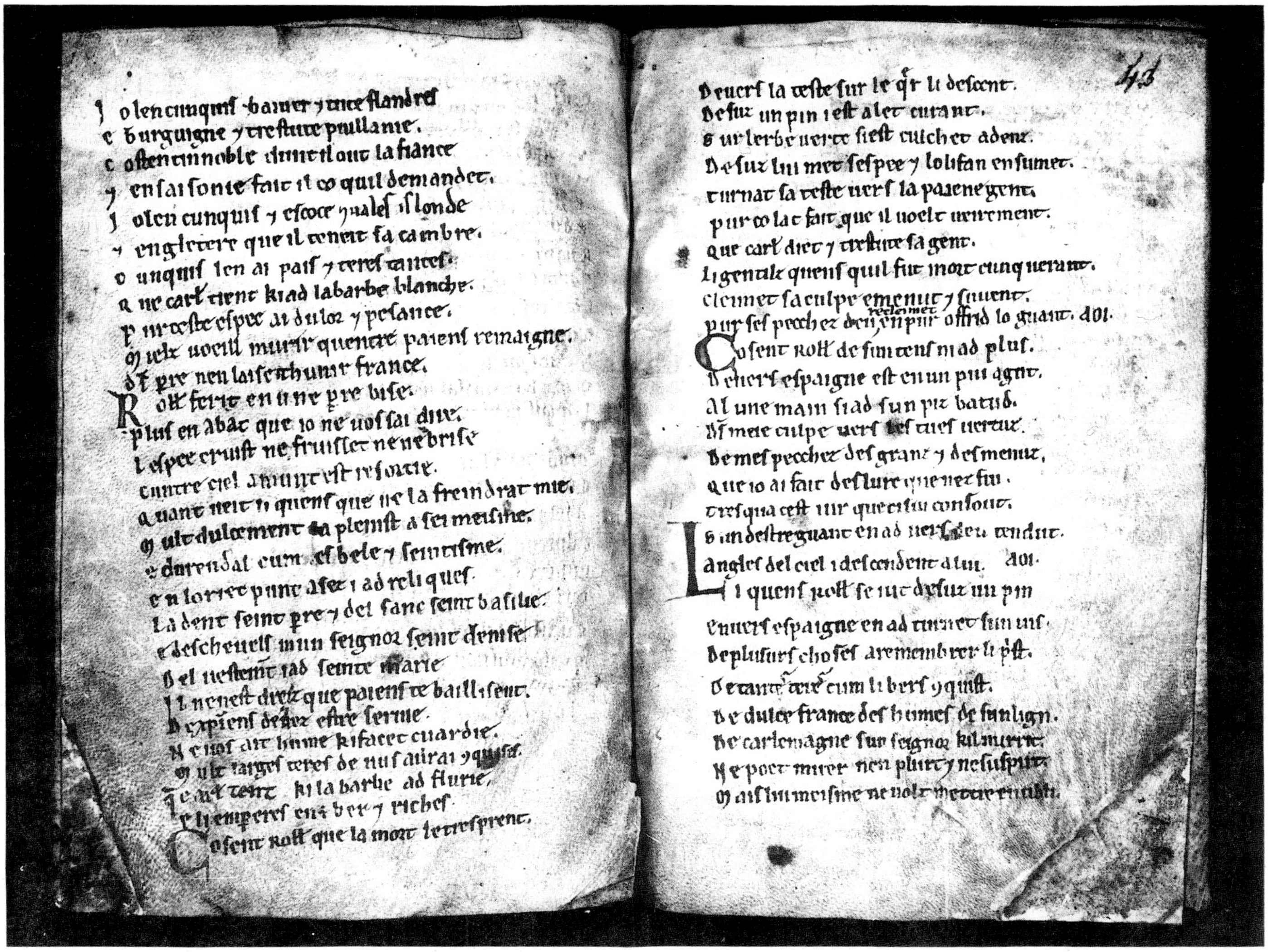

21

22

23

Le manuscrit dans les communautés hébraïques

« Lorsqu'on veut faire quelque chose sans qu'on vous voie, il ne faut pas mettre un livre devant soi... » : ainsi *le Livre des pieux* met-il en garde contre l'utilisation des livres à des fins, sinon immorales, du moins inconvenantes. *Le Livre des pieux,* rédigé aux XIIe-XIIIe siècles dans les pays rhénans, est une collection d'histoires édifiantes et de conseils au fidèle exposé au laxisme. Les livres font partie de la vie de tous les jours. Il faut les traiter avec respect : « on ne doit pas utiliser un livre pour se protéger du soleil » ; « on ne doit pas ranger sa plume, ni autre chose dans les livres ». Il faut les prêter : « si un homme ne prête pas ses livres à ceux qui en sont dignes, il lui arrivera malheur », reconnaître leur très grande valeur, plus grande que celle d'un chien (de race ?) : « Un père est mort et a laissé en héritage des livres et un chien. Il a deux fils. L'un ne doit pas dire à l'autre : prends les livres, je prends le chien. »

Quels étaient ces livres ? D'abord des copies de la Loi écrite, la Bible, et de la Loi dite orale (parce qu'elle ne fut mise par écrit que durant le deuxième siècle de notre ère) : la Mishna et son commentaire la Guemara, dont l'ensemble forme le Talmud. « On ne doit pas ranger des cahiers vierges dans un livre déjà écrit, ni des cahiers de la Bible dans des cahiers du Talmud, ni des cahiers du Talmud dans des cahiers de la Bible. »

Les juifs de France, d'Angleterre et d'Allemagne écrivirent des commentaires de la Bible et du Talmud, complétant ceux du célèbre Rashi (Rabbi Isaac de Troyes, 1040-1105). La langue hébraïque, langue vivante, était commune aux juifs de toutes les nations. Le français et l'allemand étaient parlé dans la vie quotidienne et écrits, comme ce fut souvent le cas, en caractères hébraïques. A l'instar de l'hébreu, c'est en caractères hébraïques que nous a été conservé un large vocabulaire champenois du Xe siècle, utilisé par Rashi pour préciser des termes de son commentaire biblique et talmudique.

Les prières et les poèmes liturgiques figuraient aussi parmi les textes les plus copiés, comme les recueils de « commandements » religieux qui réglaient la vie quotidienne et le calendrier des fêtes. Certains de ces livres, de très grand format dépassent 475 centimètres de haut pour 335 centimètres de large : exemplaires de luxe ou de lutrin, ils étaient utilisés à la synagogue.

Les livres courants étaient plus petits : ainsi, un livre de prières, accompagné de commentaires réunis à Vitry, daté d'avant 1300 ; il a été copié en France et mesure 220 cm de haut pour 140 cm de large. Le texte central est celui du Psaume CXLV faisant partie de la prière du matin : entourant le texte, le commentaire, écrit en caractères plus petits, est disposé sous forme de dessins fantastiques et charmants qui n'ont aucun rapport avec le sens des textes mais démontrent l'imagination graphique du scribe (les manuscrits hébreux écrits en Europe au Moyen Age sont souvent illustrés de figures animales et humaines, sans égard pour les injonctions bibliques, constamment et vainement — rappelées par les rabbins).

Certains manuscrits sont vraiment des livres de poche : ainsi le manuscrit hébraïque 633 de la Bibliothèque nationale à Paris mesure 9 centimètres de haut et 7,2 centimètres de large. A la Révolution française, ce livret fut trouvé parmi d'autres dans les rayonnages du Trésor royal ; il semble que ces manuscrits aient été confisqués par Philippe le Bel à l'occasion de l'expulsion des juifs de France et qu'ils y furent oubliés pendant quatre cent quatre-vingt-quatre ans.

Ce petit livre fut le « vade-mecum » d'un juif français qui s'appelait sans doute Jacob et vécut entre 1200 et 1250 ; il a copié, sur onze cahiers* de parchemin, les prières quotidiennes et un choix de versets : pour tout juif, l'étude de la Bible et du Talmud était en principe obligatoire tous les jours, mais les simples fidèles n'avaient pas le temps nécessaire et remplaçaient cette étude par la lecture de versets bibliques et talmudiques. Ces cahiers furent ensuite la propriété d'Isaac, fils d'Isaac. Un rabbin de ce nom vécut à Chinon vers 1250 et il se peut qu'il s'agisse du même personnage. Aux cahiers primitifs, il ajouta vingt-quatre autres cahiers sur lesquels il copia de très nombreux textes : commentaires bibliques et mystiques, prières particulières, bénédictions, prédictions astrologiques, listes de jours fastes et néfastes, poèmes pour diverses circonstances, dates des saisons pour les années 1260-1262, un calendrier pour les années 1263 à 1274, les jours propices à l'interprétation des rêves, un problème arithmétique... En fait, au fil des jours, Isaac, fils d'Isaac a recopié tout ce qui lui était utile pour sa survie corporelle dans ce monde comme pour celle de son âme dans le monde futur.

Signalons une recette de médecine au folio 149 v° : elle est partie en français, partie en hébreu, et le tout en caractères hébraïques : « Pour une guérison complète [en hébreu]... du bon melon rafraischiras [en français] »... Un autre manuscrit, toujours de la France du XIIIe siècle (Paris, Bibliothèque nationale, hébr. 326, fol. 143) nous donne, une recette en latin (toujours en caractères hébreux) permettant d'identifier un voleur.

Les juifs du sud de la France, d'Italie et d'Espagne étaient moins superstitieux, ou du moins l'étaient de manière plus savante. Les textes qu'ils copièrent sont, comme dans le Nord, la Bible, le Talmud et leurs commentaires, les prières, mais aussi des ouvrages scientifiques : grammaire, mathématique et astronomie, médecine, philosophie, Kabbale.

Ils avaient reçu des juifs vivant en pays d'islam toute la tradition scientifique grecque augmentée de l'apport des philosophes arabes. C'est en pays d'islam, entre le IXe siècle et le XIIIe siècle, que s'élabora la philosophie juive ; elle était écrite en langue arabe et en caractères hébreux. A partir du XIIe siècle, la plus grande partie de ces textes de la science et de la philosophie grecque, arabe et juive, fut traduite en hébreu et devint un fonds culturel commun.

Juda b. Saül Ibn Tibbon, chassé de Grenade par les Almohades, s'installa à Lunel vers 1150 et fonda une véritable dynastie de traducteurs. En 1200, son fils Samuel traduisit de l'arabe en hébreu le *Guide des égarés* de Maimonide (Espagne-Égypte, 1138-1204). Dans sa jeunesse, Samuel ne donnait guère satisfaction à son père et Juda nous a laissé un testament moral où il reproche à son fils de n'être pas bon calligraphe, malgré les leçons payées à prix d'or ; et, pourtant, ajoute-t-il : « Je t'ai fait honneur en multipliant tes livres ; tu n'as pas besoin d'emprunter des livres alors que la plupart des étudiants courent de tous côtés pour trouver un livre et ne le trouvent pas. Toi, grâce à Dieu, tu prêtes et n'empruntes pas ; et la plupart des livres, tu les as en deux ou trois exemplaires. » Et il ajoute les conseils classiques : « Veiller à ce que les armoires et les caisses de livres soient à l'abri de l'eau et des rongeurs, les vérifier régulièrement, tenir à jour le catalogue, apposer sur chaque armoire ou caisse une liste des livres qui y sont rangés, afin de ne pas avoir à les déranger tous lorsqu'on cherche un volume... » Les livres de Juda Ibn Tibbon étaient en langues arabe et hébraïque, et probablement en avait-il apporté un grand nombre lorsqu'il s'installa en Languedoc.

Une partie des livres venant d'Espagne étaient écrits sur papier. Le papier, connu en Orient dès le IXe siècle, permettait de « multiplier les livres », ce qui explique la richesse des bibliothèques arabes et juives en pays d'islam ; de même, en Occident, dès qu'on commença à y fabriquer le papier, les livres devinrent bien plus nombreux. Les livres scientifiques furent copiés sur papier ; pour les livres religieux, Bible, livres de prière, ou pour les livres de luxe, on continua en Occident à préférer le parchemin.

Dans les grandes bibles orientales des Ve-XIIe siècles, où l'on suivait le texte

24

24. Livre de prières, France, fin du XIIIe siècle (Paris, bibl. de l'Alliance israélite universelle 133, fol. 68).

25. Le *Petit Livre des Commandements (Sefer mitzvot qatan)* compilé par Isaac de Corbeil (Vienne, Bibl. nat., cod. hebr. 75, fol. 256 v°. Rhin supérieur, vers 1320).
26. Rituel pour toute l'année (*mahzor*). Rhin supérieur, vers 1320 (Leipzig, Bibl. univ., cod. V 1102, t. II, fol. 26 v°).

25

26

27. Rituel pour la Pâque (haggada), manuscrit ashkenaze du XVe siècle (Darmstadt, Hochschulbibliothek, cod. orient. 8, fol. 25 v°).

28. Bible avec ses commentaires, Italie, 1447 (Paris, Séminaire israélite de France II, fol. 104 v°).

27

à plusieurs personnes, le format est imposant et très grand le module de l'écriture. Les livres écrits en Europe méditerranéenne à partir de 1200 ont un format plus modeste, l'écriture y est plus petite ; tout montre que chacun, à la synagogue comme à la maison, lisait dans son propre livre : Bible, prière ou traité scientifique. Les livres les plus nombreux, bien que copiés à la main, ressemblent en tous points à nos livres actuels ; ils sont écrits à longues lignes* et, peu à peu, apparaissent tables des matières et index. Ces livres étaient, comme de nos jours, lus ou parcourus.

Dès le XIIIe siècle, les livres à méditer, les livres « glosés », se présentent autrement, comme dans le manuscrit copié en 1447, probablement dans le Nord de l'Italie. Le texte de base se trouve en milieu de page : ici, le début du deuxième livre du Pentateuque, l'Exode, et, sur une colonne plus étroite, la paraphrase araméenne. Dans la marge supérieure, le commentaire d'Abraham Ibn Ezra (Espagne, XIIe siècle) et, dans les marges extérieures et inférieures, un commentaire sur ce commentaire par Samuel Ibn Motot, philosophe espagnol du XIVe siècle. Chacun des textes commence par un mot en grands caractères. Le cartouche* à fond d'or avec un oiseau noir surmonté de deux mains a été ajouté par un possesseur dont c'étaient sans doute les armes.

Cette mise en page d'un texte entouré de plusieurs commentaires est l'image d'une lecture bien différente de celle que nous pratiquons généralement : nous lisons un texte, le comprenons puis l'écartons pour un texte nouveau qui est censé être plus vrai ou plus utile. Les quotidiens sont jetés le lendemain du jour où ils ont paru et, dans les livres scientiques, la bibliographie ne remonte pas à plus de deux ou trois ans.

Les livres « glosés » mettent au contraire en évidence la valeur immuable de certains textes ; ils montrent visuellement l'approfondissement graduel de la compréhension des textes sacrés ; comment, au fil des siècles, on a compris et expliqué un texte divinement inspiré : cette mise en page est encore celle des bibles rabbiniques imprimées et aussi celle du Talmud ; elle concrétise la recherche non point de l'information, mais de la sagesse ; elle révèle au lecteur sa place dans la chaîne qui prend sa source dans le monde divin, chaîne dont tous les maillons sont aussi essentiels les uns que les autres, quels que soient l'époque ou l'auteur des commentaires, car « la Loi a soixante-dix visages ».

Dans la tradition juive mystique et quelquefois philosophique, non seulement les textes mais les lettres de l'alphabet qui les composent sont saints, et leur étude permet de s'approcher du monde divin. Comme l'écrit Juda b. Salomon ha-Cohen (Espagne - Italie, vers 1245) : « L'explication des lettres hébraïques est le mystère des mystères et celui qui le connaîtra d'une connaissance juste et parfaite connaîtra tout ce qui existe, du début jusqu'à la fin... Nous apprenons ces lettres dans notre enfance, nous les prononçons constamment, sans nous donner la peine de savoir ce qu'elles sont et ce qu'indiquent leurs formes, leur nombre, leurs noms et leur disposition ; nous nous imaginons qu'elles sont comme des signes qui font reconnaître les mots et permettent de former le discours. Mais comment serait-il possible que les fondements du discours n'aient pas de sens et que n'aient pas de sens les formes qui ont été tracées par le doigt de Dieu sur les Tables de la Loi ? »

C.S.

ואלה
שמות בני ישראל הבאים מצרימה
את יעקב איש וביתו באו ראובן
שמעון לוי ויהודה יששכר וזבלן
ובנימן דן ונפתלי גד ואשר ויהי
כל נפש יצאי ירך יעקב שבעים
נפש ויוסף היה במצרים וימת יוסף
וכל אחיו וכל הדור ההוא ובני
ישראל פרו וישרצו וירבו ויעצמו
במאד מאד ותמלא הארץ אתם
ויקם מלך חדש על מצרים
אשר לא ידע את יוסף ויאמר
אל עמו הנה עם
ואלין
שמהת בני ישראל דעלו
למצרים עם יעקב גבר
ואנש ביתיה עלו

« Le Livre de Kalila et Dimna »

29 et 30. Chapitre de *Le Lion et le bœuf*, ou l'amitié et ses risques. « Lorsque les hypocrites et les oppresseurs s'unissent contre le juste, qu'ils soient faibles et lui robuste, ils sont capables de le faire mourir comme le loup, le corbeau et le chacal ont tué le chameau quand ils se sont unis pour l'anéantir malgré la protection que lui avait promise le lion. »
29. (Paris, Bibl. nat., lat. 8504, fol. 40). 30. (Paris, Bibl. nat., arabe 3465, fol. 66).

Le roi sassanide de Perse Khusraw Anushirwan (531-579) apprit un jour l'existence d'un livre qui avait la réputation d'être à l'origine de toute formation intellectuelle et qui recelait la clé de toute science. Ce livre si précieux se trouvait en Inde. Désireux de se procurer ce trésor, le roi chargea le médecin Burzoe de se rendre dans ce pays et de rapporter le livre afin que ses savants l'étudient, le commentent et en tirent leur profit.

Ce livre sanskrit tant convoité est un ensemble de fables indiennes destinées à l'éducation morale des princes et mettant en scène des personnages, le plus souvent des animaux, agissant et s'exprimant comme des hommes. Le titre du livre provient du nom des deux principaux héros, deux chacals : Karataka (Kalila) et Damanaka (Dimna), habiles courtisans du roi, le lion.

Composé par un brahmane mythique, Bidpay ou Pilpay, vers le IIIe siècle de notre ère dans la région du Cachemire, cet ouvrage remonterait, d'après la légende, à l'époque d'Alexandre le Grand. L'ouvrage originel en sanskrit comporte une introduction et cinq livres dont chacun porte le nom de tantra (précepte de sagesse). Il a donc pour but d'enseigner la sagesse aux princes dans une langue sanskrite parfaite. Il existe deux versions de ce texte ; la plus récente et la plus connue est le *Pantchatantra,* recueil populaire réunissant soixante-dix contes et répandu dans toute l'Inde.

C'est sur cette recension que le médecin désigné par Khusraw, Burzoe établit sa traduction pehlevie qu'il augmenta d'apologues* provenant d'autres sources indiennes. Cette traduction pehlevie a été perdue. En 570, une version syriaque en a été faite par le périodeute* Boud. Mais la traduction charnière, ou le maillon capital, pour la diffusion de ce texte, est l'adaptation arabe du texte pehlevi par Abdallah Ibn al-Muqaffa. Maîtrisant aussi bien l'arabe que le persan, sa langue maternelle, Ibn al-Muqaffa va inaugurer au VIIIe siècle, avec le *Livre de Kalila et Dimna,* le cycle de la grande prose littéraire arabe qui s'épanouira aux siècles suivants. Sa traduction remonte au *Pantchatantra* et se fonde sur la traduction pehlevie de Burzoe ; les apologues se suivent de façon à former un récit continu. Malheureusement, il n'existe pas de texte authentique de cette version qui apparaît presque impossible à reconstituer, bien souvent interpolée par des copistes ou des lettrés soucieux de l'embellir. Ibn al-Muqaffa lui-même a apporté des modifications au corps du texte pehlevi.

En fait, qu'Ibn al-Muqaffa ait traduit littéralement ou donné un interprétation personnelle (marquée par sa double culture arabo-persane) du matériau indien, l'objectif est le même : l'éducation morale et politique des gouvernants.

Parmi les nombreuses traductions de *Kalila et Dimna* en d'autres langues que l'arabe — persane, turque, la deuxième version syriaque, malaises et éthiopiennes... —, il est indispensable de distinguer celles qui, à notre connaissance, ont permis à l'Occident médiéval de prendre contact avec l'œuvre d'origine indienne par le « truchement » d'Ibn al-Muqaffa. Il s'agit des traductions hébraïques, castillane, latines et grecques.

Les traductions hébraïques

C'est au début du XIIe siècle qu'un certain Rabbi Joël traduisit d'arabe en hébreu l'ouvrage d'Ibn al-Muqaffa ; Joseph Derenbourg a édité cette traduction en 1889, en même temps que celle de Jacob Ben Eléazar, qui date du XIIIe siècle, en prose rimée, mais qui n'a jamais été traduite en langues européennes. La version hébraïque de Rabbi Joël est le support de l'une des traductions latines les plus connues du *Livre de Kalila et Dimna,* celle de Jean de Capoue.

La traduction castillane

Faite directement vers 1251, sur un original arabe, à Tolède, pour l'infant Alphonse le Sage (qui en serait peut-être lui-même le traducteur), cette traduction a été publiée pour la première fois par Don Pascual Gayangos en 1860 et utilisée par Joseph Derenbourg pour l'édition de la traduction latine de Jean de Capoue.

La traduction latine de Jean de Capoue

Juif converti au christianisme, Jean de Capoue exécuta en 1263 une traduction latine de la version hébraïque de *Kalila et Dimna,* destinée au cardinal Orsini, neveu du pape Nicolas III, et intitulée *Directorium humanae vitae, alias Parabole antiquorum sapientum.* Cette traduction a joué un rôle capital dans la diffusion de l'ouvrage en Occident : toutes les traductions médiévales ultérieures en langues européennes (espagnol, italien, allemand, à l'exception d'un texte en haut espagnol basé sur la traduction hébraïque de Rabbi Joël) en dérivent.

La traduction latine de Raymond de Béziers

C'est dans son introduction que le médecin Raymond de Béziers nous apprend que la reine Jeanne de Navarre,

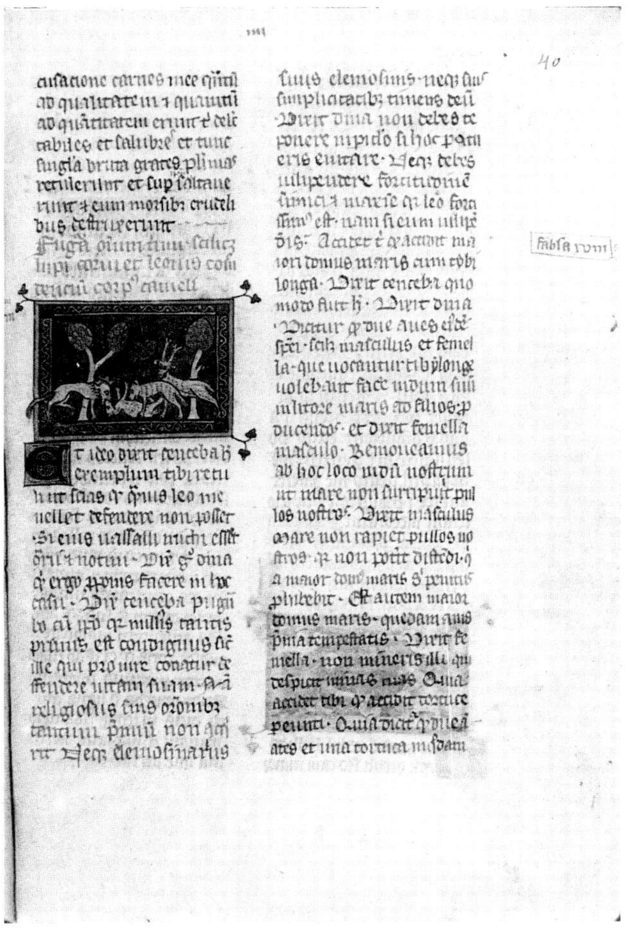

29

30

31 et 32. Chapitre de *Les Corbeaux et les hiboux*, « où il suffit de peu, pour que quiconque montre de la sympathie à son ennemi [...] ce qui est le cas de la jeune et belle épouse mariée à un vieux marchand auquel elle refuse sa tendresse et qui se précipite dans les bras de celui-ci à la vue d'un voleur entrant de nuit dans sa chambre ; trop heureux de ce qui lui arrive, le vieux marchand laisse partir le voleur avec son butin... » 31. (Paris, Bibl. nat., latin 8565, fol. 102 v°). 32. (Paris, Bibl. nat., arabe 3465, fol. 102 v°).

femme de Philippe le Bel, l'a chargé de traduire d'espagnol en latin le *Livre de Kalila et Dimna,* qui lui avait été offert, et que cette traduction a été interrompue par la mort de la reine, en 1305. Par la suite, Raymond de Béziers, désirant obtenir les faveurs royales, n'eut d'autre moyen que de terminer la traduction commencée du vivant de la reine. Son travail achevé (*Liber de Calila et Dimna*), il eut l'honneur de l'offrir au roi en 1313, à l'occasion des fêtes de la Pentecôte. Raymond de Béziers nous apprend aussi qu'il a orné sa traduction de vers, de proverbes et de citations qui ne se trouvaient pas dans l'édition espagnole, et qu'il a eu soin d'écrire ces additions à l'encre rouge pour qu'elles ne soient pas confondues avec le texte original. Il rappelle aussi qu'il a travaillé à partir d'une version espagnole faite sur l'arabe, à Tolède. Il est fort probable qu'il s'agit de celle réalisée à la demande d'Alphonse X le Sage.

La traduction grecque de Siméon Seth

C'est vers l'année 1080 que le médecin d'Antioche, Siméon Seth, traducteur de l'empereur Alexis Comnène (1048-1118) donna en grec la traduction arabe d'Ibn al-Muqaffa. Cette version fut aussi traduite en latin, en allemand, en italien et dans des langues slaves. Un manuscrit de cette traduction fut remis par le Grec Léon Allatius (1586-1669), bibliothécaire de la bibliothèque Vaticane à Rome, au père Pierre Poussines (1606-1686), théologien et historien français, qui en publia une traduction latine en 1666.

La traduction du père Poussines et un ouvrage publié à Paris en 1644, sous le titre : *le Livre des Lumières, ou la Conduite des rois, composé par le sage Pilpay, indien,* seront la principale source d'inspiration du deuxième recueil de fables de Jean de La Fontaine, publié en 1678. Citons, pour l'exemple, quelques fables parmi les plus connues qui s'inspirent directement de la version d'Ibn al-Muqaffa : *Le chien qui lâche la proie pour l'ombre ; la Laitière et le Pot au lait ; les Poissons et le Cormoran ; la Tortue et les Deux Canards ; le Chat, la Belette et le Petit Lapin ; le Loup et le Chasseur,* etc.

Ainsi, l'évocation du *Livre de Kalila et Dimna* et de l'histoire de ses principales traductions permet de constater que, grâce à l'influence de la culture indienne sur la Perse de Khusraw, un texte venu d'Orient a pu influencer, par le cheminement de ses diverses versions, l'éthique de civilisations fort différentes.

N.C.

Fabula

eius. Dixit rex quomodo
fuit. Inquid corvus: dicitur
fuisse mercator dives se
nex valde, qui habebat pul
cram mulierem in uxorem
non tamen ab ipsa pulcher
rima amabatur, nec vo
lebat uxor sua quod in lecto
proprio adhereret ei, quamvis ip
sam se ad se ipsam attra
heret, ipsa tamen ab eo se fortiter
elongabat. Quadam tamen no
cte dum iacerent simul in
lecto eius fur suaviter superve
nit & excitata mulier ad fu
ris strepitum perterrita est et ex
pavit & accedens ad suum
virum adhesit ei ample
xando eum fortiter pre timore
donec excitatus est illa hora.
Et ait vir uxori sue ista
verba: unde hoc novum quod
adhesisti michi nunc ma
gis quam umquam me fortiter am
plexando. Et attendens
vir in domo furis strepi
tum audivit. Tunc percepit
quod ex timore furis ad
hesit sibi dicta uxor sua
& ait furi pater famili
as: deputo te in hac noc
te magnam michi graciam im
tulisse te quod teneor tibi
diebus omnibus vite mee. Post
quam fuisti causa ut amplexa
retur me fortiter uxor me
a, nunc autem accipe tibi que
nis & omnia domus mee que sunt
[illegible] & tunc propter nolui [illegible]

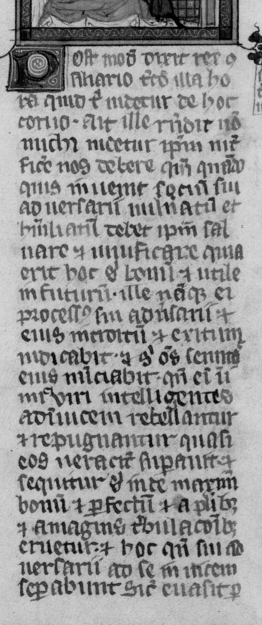

Figura mulieris amplexan
tis virum suum & furis capien
tis bona domus

Post modum dixit rex con
siliario tercio: illa ho
ra quid est videtur de hoc
corvo. At ille respondit: non
michi videtur ipsum inter
ficere nos debere quia quando
quis invenit socium sui
adversarii humiliatum et
humiliatum debet ipsum sal
vare & magnificare quia
erit hoc sibi bonum & utile
in futurum. Ille namque ei
processus sui adversarii &
eius [illegible] & exitum
indicabit & quod omnes sermones
eius nunciabit. Quando enim in
imicis viri intelligentes
adinvicem rebellantur
& repugnantur quasi
eos veraciter superantur &
sequitur quod inde maximum
bonum & perfectum & a pluribus
& magnis tribulacionibus
eruetur & hoc quando sui ad
versarii ad se invicem
separabunt. Sic evasit p

nota consilium tercii [illegible]

قلت روحني على معانقتي قال ملك البوم لوزير اخر من وزرائه ما تقول
الحرامي
زوجها
المره
في الغراب قال الذي ارى ان تستبقيه وتحسن اليه فانه خليق ان ينصحك والعاقل
يرى معاداة بعض اعدايه بعضا ظفرا حسنا واشتغال بعض العدو ببعض
ظفرا حسنا وخلاصا ونجاة كنجاة الناسك من اللص والشيطان حين اختلفا

Une bible
à la rencontre des cultures

« Cette bible a été traduite en castillan et commentée afin de servir le Seigneur notre Dieu, père véritable, cause sans cause, commencement sans commencement, fin sans fin, et le très haut et très noble Seigneur, le très catholique Don Luys de Guzman, maître de chevalerie de l'Ordre de Calatrava. C'est dans sa ville de Maqueda que cette tâche prit fin le vendredi 2 juin de l'an 1430 après la naissance de Jésus-Christ, en 1468 de l'ère de César, en 5190 après la Création du monde, et en 833 selon le calendrier de Mahomet. [...] Ledit seigneur maître, le très noble chevalier Don [...] de Guzman, grand commandeur de l'Ordre de Calatrava, se trouvait dans sa ville de Pastrana afin de lever des troupes contre le roi d'Aragon et son frère le roi de Navarre. Qu'il plaise à notre Seigneur Dieu que ledit seigneur maître accomplisse tous ses bons désirs tant spirituels [...] que temporels, en remportant toujours la victoire sur ses ennemis pour rehausser la couronne de Castille [...]. Amen, amen, amen. »

Ce texte est le colophon* (f. 515v) du manuscrit connu sous le nom de *Biblia de Alba*.

En 1624, l'inquisiteur Don Andres Pancheco remit cette bible, disparue depuis près de deux siècles, sans expliquer sa provenance, au comte duc d'Olivares, descendant du maître de Calatrava. Aujourd'hui propriété des ducs d'Albe, elle est conservée à la Casa de Alba, à Madrid.

La Bible d'Albe est une traduction de l'Ancien Testament d'hébreu en castillan, accompagnée de commentaires dans lesquels l'abondance des références aux sources juives est exceptionnelle. Ce manuscrit de grand format est composé de 515 feuillets de parchemin. Il compte environ 300 miniatures, dont 4 en pleine page, de styles différents et de qualité très inégale. C'est le travail d'un atelier ou d'un groupe de peintres. Les lettres initiales décorées, les bordures florales et les drôleries sont, en revanche, d'une constante qualité technique et artistique, influencée par le style français.

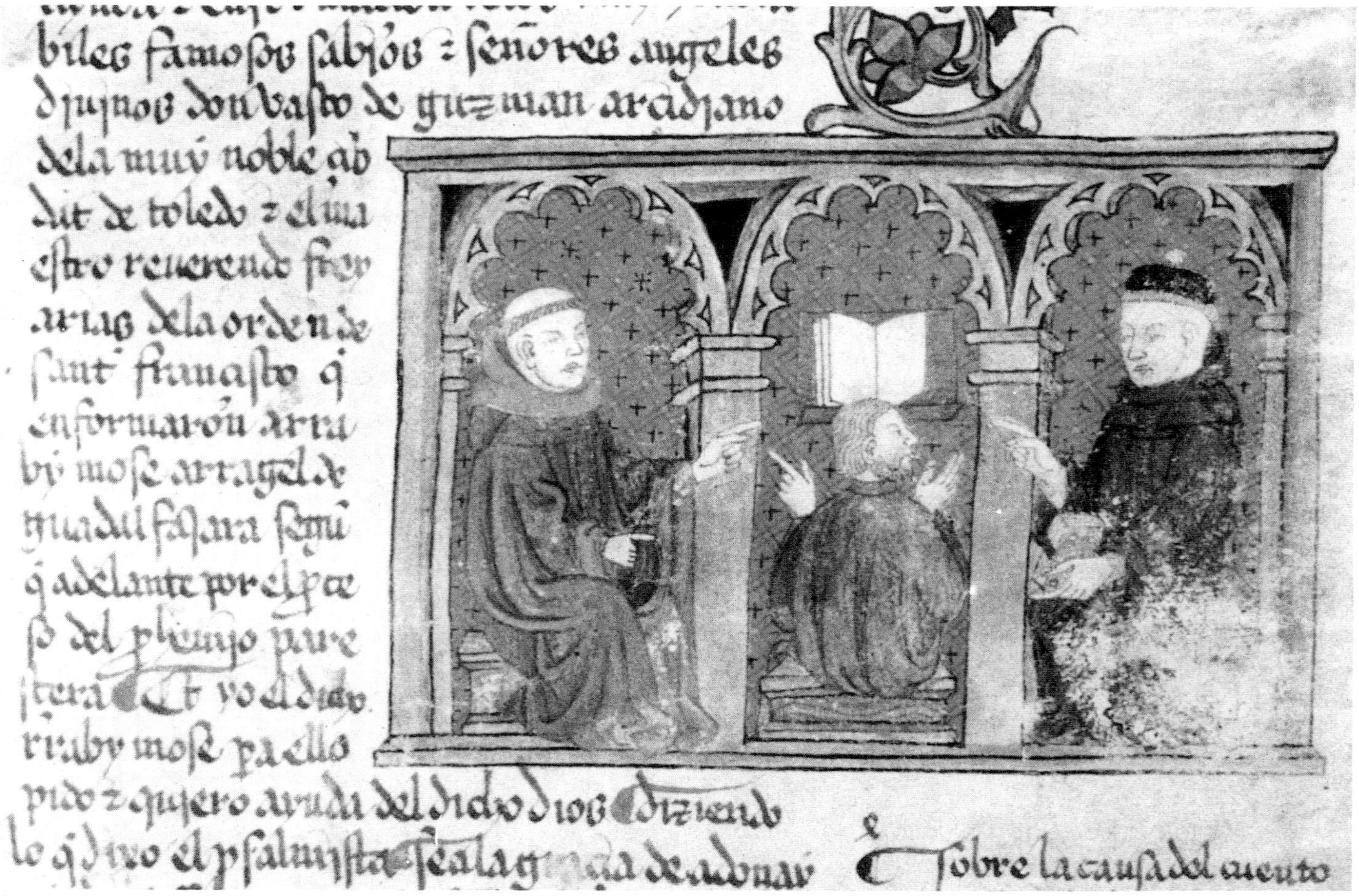

33

33. Rabbi Mose Arragel, assis au centre, discutant avec frère Arias de Ençinas et Don Vasco de Guzman, archidiacre de Tolède (Bible d'Albe (1422-1430), Madrid, Casa de Alba, Palacio de Liria, fol. 1 v°).
34. Rabbi Mose Arragel rend hommage à Juan II de Castille, souverain du grand maître de l'Ordre de Calatrava et partisan d'une politique favorable aux juifs (Bible d'Albe, fol. 12).

35. Cérémonie (fictive) de remise du manuscrit au grand maître de Calatrava, Don Luis de Guzman, devant les pairs de l'ordre. A gauche, un dominicain, à droite un franciscain, probablement ceux qui ont contribué à l'œuvre, encadrent les sept œuvres de miséricorde figurant les activités de l'ordre. En bas, au centre, le rabbin Mose Arragel, à genoux, présente au seigneur le manuscrit ouvert. Il arbore à l'épaule la rouelle, obligatoire pour les juifs depuis le statut de Valladolid en 1412 (Bible d'Albe, fol. 25 v°).

Le colophon* ne dit rien des exécutants, mais donne des informations sur le commanditaire et le contexte politique et social. L'Ordre de Calatrava, religieux et militaire, a joué un rôle très important dans la reconquête de l'Espagne sur l'islam. Son grand maître, Don Luys de Guzman, vassal de Juan II de Castille, est membre d'une des deux plus illustres familles andalouses dont les terres se trouvent en vieille Castille. Les incessantes luttes dynastiques, dont les protagonistes sont les rois et les seigneurs de haute noblesse, reflètent les graves problèmes dont souffrent la société castillane et l'Espagne dans son ensemble depuis le XIVe siècle. La présence séculaire de religions différentes, soulignée dans ce manuscrit par la datation selon quatre calendriers, provoque des conflits idéologiques exacerbés par une évidente mutation sociale : la complexité de la vie économique dresse les paysans contre les seigneurs qui possèdent les terres et le pouvoir politico-militaire ; le développement constant des villes oppose la masse des travailleurs à l'oligarchie urbaine. Ces conflits ont conduit le pouvoir à désigner des responsables, et la communauté juive d'Espagne fut persécutée pendant tout le XIVe siècle. Les violences de 1391 l'ont irrémédiablement affectée. Au XVe siècle, la situation des juifs espagnols est à ce point incertaine qu'elle débouchera sur l'expulsion de 1492.

C'est dans ce climat que Don Luys de Guzman écrit de Tolède, le dimanche 5 avril 1422, à l'illustre rabbin Mose Arragel de Guadalajarra, qui vient de s'installer dans sa ville de Maqueda. Il lui commande une traduction de l'Ancien Testament en castillan, historiée et enrichie de gloses rabbiniques, contre bonne rémunération (une lettre beaucoup plus tardive du rabbin révèle qu'il ne reçut pas le salaire promis). Dans un tel contexte, la production de cette œuvre témoigne d'une collaboration unique en son genre. L'importance de l'événement n'échappa pas à Mose Arragel : « A partir d'ici et plus avant il sera relaté comment cette bible fut produite » (f. 1v°).

En effet, les vingt-cinq premiers feuillets relatent en détail les tractations entre les deux parties et rendent le manuscrit particulièrement intéressant. Cette introduction est le témoignage d'un érudit juif sur les problèmes socioculturels de son époque. Dans la première partie de la réponse qu'il adresse au grand maître (f. 1-12), le rabbin expose la situation délicate dans laquelle cette commande le place en développant les difficultés, voire les impossibilités, que rencontre un juif convaincu de sa foi dans l'élaboration d'une œuvre sacrée à l'usage d'un ardent défenseur de la chrétienté. Il décrit aussi la grandeur passée et la décadence actuelle de la nation juive.

34

35

36

37

36. Caïn et Abel. Offrande à Dieu de Caïn et d'Abel. Meurtre d'Abel selon *Zohar* I 54 b : « Et il le mordit avec ses dents comme un serpent. » Réprimande de Dieu (Bible d'Albe, fol. 29 v°).
37. Judah remet en gage à Tamar son manteau, son sceau et son bâton, symboles de la future royauté d'Israël et de l'avènement messianique (Bible d'Albe, fol. 50).

38. Abraham et le roi Abimelekh se jurent mutuellement fidélité sur le livre de la Loi (Bible d'Albe, fol. 39 v°).

Dans les feuillets 12v° à 20, il souligne la difficulté de faire correspondre hébreu et castillan, et celle de l'interprétation du texte. Il établit même un glossaire incluant des mots nouveaux ou empruntés à d'autres langues. Les derniers feuillets (20-25) sont réservés aux discussions et discours qui eurent lieu lors de la présentation du manuscrit au couvent franciscain de Tolède.

Le prologue s'achève par une peinture en pleine page (f. 25v°, doc. 35) représentant la cérémonie de remise du codex* au grand maître de Calatrava ; cette scène n'eut probablement jamais lieu.

D'emblée, l'auteur introduit tous les personnages concernés et les situe : « Ici commence la copie de la lettre que le très haut seigneur Don Luys de Guzman, maître de l'Ordre de Calatrava, envoya en sa ville de Maqueda à celui qui fit cette bible ; celle-ci fut composée et ordonnée grâce aux conseils avisés et à l'aide, après celle de Dieu, des très honorables, révérends et savants seigneurs Don Vasco de Guzman, cousin dudit seigneur maître, de l'Ordre de Saint-François, et du maître frère Johan de Camora, de l'Ordre des Prêcheurs » (f. 2). En fait, le rabbin travailla principalement avec frère Arias de Ençinas, supérieur du couvent de Tolède (doc. 33), dont la correspondance figure dans le prologue (f. 11v°-12).

Le grand maître expose dans sa lettre les raisons de sa commande : les bibles espagnoles sont rédigées dans une langue incorrecte et certains passages obscurs réclament des gloses. De plus, il souhaite que les commentaires soient augmentés de ceux des rabbins « modernes » (f. 12). La renommée du rabbin en matière de Loi juive justifie la lettre du grand maître ; nous savons, en outre, que les juifs étaient maîtres dans l'art de traduire l'arabe et l'hébreu en langage vernaculaire.

La réponse du rabbin, quant à elle, est une longue argumentation où il explique ses craintes et sa détermination à ne pas trahir ou corrompre sa foi. Dans le deuxième chapitre, il rappelle le temps où, sous la domination éclairée des rois et seigneurs de Castille, la science des savants juifs était connue et respectée. Après avoir énuméré les domaines dans lesquels les juifs excellaient alors, il dit qu'aujourd'hui on lui fait trop d'honneur en lui confiant ce travail. Le troisième chapitre traite des activités des seigneurs. Il dépeint leurs mœurs, leur ardeur à la guerre, le faste de leur vie, souvent au détriment des intérêts de leurs vassaux, et rappelle les conditions de vie précaires des paysans. Il semblerait que certains mots soient employés à double sens et que des personnages bibliques cités en exemple évoquent des figures qui font l'actualité. Le chapitre est très imagé et critique les coutumes de la noblesse.

Les chapitres IV, V et VI sont consacrés aux *Treize Principes* de Maimonide, fondement de la foi hébraïque. L'auteur revient sur ses devoirs envers la Loi : « Très haut seigneur, il est évident que toutes ces gloses judaïques ont pris pour fondement ces treize principes [...], et moi, je dois faire de même car je crois fermement en ces treize principes de la Loi mosaïque comme y ont cru mes progéniteurs et mes pères spirituels depuis le mont Sinaï. Et si je faisais ce commentaire que vous m'avez demandé [...], vous n'en profiteriez pas, car vous êtes très vertueux, magnanime, catholique et chrétien fidèle ; je le ferais donc en vain. » Il étaie son argumentation en décrivant les principes de la foi chrétienne (f. 6-8) et montre combien ils diffèrent de ceux du judaïsme. Pour renforcer son discours, Rabbi Mose ajoute que, pour les juifs, la traduction latine de Jérôme n'est pas fidèle à la Bible hébraïque. Il ne peut donc pas faire une version castillane conforme à la Vulgate*, qui pourrait se retourner contre lui.

Le rabbin expose ainsi clairement ses raisons : il n'écrira rien qui le ferait passer pour hérétique devant l'Église ou la Synagogue. Il soulève une objection supplémentaire dans le chapitre XI : il ne peut en aucun cas historier* le texte, car sa religion le lui interdit. Contrairement aux chrétiens, les juifs croient que la glorification de Dieu n'admet pas de représentation humaine. Le rabbin ne peut donc pas diriger le travail des peintres sans pécher lui-même. Il ajoute à sa décharge qu'il ignore tout de l'enluminure.

En conclusion, l'auteur revient sur la grandeur passée de son peuple et sur sa détresse actuelle : « [...] Aujourd'hui [...], nous sommes en grande misère et pauvreté ; les meilleurs, les plus savants et les fils de haut rang nous ont quittés ; ils sont partis ou sont morts [...] ; notre science est bien perdue [...] (f. 11). Mose Arragel ne dit pas dans quelles circonstances les « fils de haut rang » perdirent la vie, mais le ton est nettement accusateur. Cette lettre, par laquelle il refuse la tâche, est datée du 14 avril 1422.

Le grand maître lui répond de manière incisive, le 18 avril 1422, en lui recommandant de revenir à des propos moins prétentieux et moins fantaisistes. De plus, frère Arias de Ençinas, son cousin et conseiller, lui a confirmé d'après la science déployée dans sa lettre que le rabbin est celui qui doit accomplir ce travail. Il lui demande donc de ne plus tergiverser et d'accepter son offre, en venant à Tolède régler les modalités de sa collaboration avec frère Arias. Le 25 avril 1422, ce

dernier écrit à Rabbi Mose pour tenter de modérer ses craintes : il lui suffira de résumer les exposés rabbiniques ; frère Arias se chargera d'intégrer les vues chrétiennes, ce dont il n'avait pas été question auparavant. Il souhaiterait discuter de tout cela avec le rabbin « face à face » (f. 12, doc. 1, p. 1). Pour l'enluminure, il lui suffira de réserver un espace blanc à la fin des chapitres afin que les peintres tolédans puissent exécuter les miniatures dont les modèles seront celles de la Bible de la cathédrale de Tolède (f. 12).

Les modèles ont joué une part importante dans l'illustration des bibles ; la Bible d'Albe ne fait pas exception. Il est clair que les artistes tolédans étaient chrétiens. L'iconographie s'en ressent particulièrement dans la représentation de Dieu figuré comme le Christ, avec un nimbe crucifère (doc. 36). Il n'est toutefois pas exclu que Rabbi Mose, malgré ses déclarations initiales, soit intervenu dans l'illustration. Il a pu fournir des modèles provenant de manuscrits hébreux ou donner certaines indications aux peintres, afin qu'ils intègrent des éléments rabbiniques aux modèles dont ils diposaient. Les exemples susceptibles d'étayer cette hypothèse sont nombreux dans le manuscrit ; nous en citerons deux.

L'illustration de la Genèse IV, 3-8 (f. 29v°) dépeint le sacrifice de Caïn et d'Abel, puis le meurtre d'Abel et la réprimande de Dieu. Elle est un cas typique de l'insertion d'un élément rabbinique dans le modèle chrétien (doc. 36). Dieu est en effet représenté selon l'optique chrétienne, alors que le meurtre d'Abel est imagé selon le commentaire du Zohar* (I, 54b) : « Quand Caïn tua Abel, il ne savait pas d'où faire sortir son âme, il le mordit donc avec ses dents comme un serpent. » La miniature montre bien Caïn sur Abel, les dents plantées dans sa gorge ensanglantée ; or, ce texte du Zohar n'est pas rapporté dans la glose, alors que, de toute évidence, il a influencé l'iconographie. Le modèle provenait-il d'un manuscrit hébreu ? Pouvait-il figurer dans un manuscrit chrétien copié antérieurement sur un modèle juif ? Les manuscrits hébreux à peintures n'ayant été préservés qu'en partie, il est difficile d'apporter un argument décisif.

Dans l'illustration du serment d'Abraham et d'Abimelekh (Genèse XXI, 22-23, f. 39v°, doc. 38), les deux personnages sont assis et se serrent la main au-dessus d'un livre ouvert sur lequel le troisième commandement (Exode XX, 7) est écrit en castillan : « Tu n'invoqueras point le nom de l'Éternel ton Dieu... » Le commentaire ne cite pas l'extrait du Talmud* de Babylone (*Shebuot* 38b-39a) dans lequel il est spécifié que l'homme sage peut jurer sur une copie de la Torah*, en position assise. Cette miniature d'une technique très rudimentaire se rapproche, entre autres, de l'illustration relative à Judah et Tamar (Genèse XXXVIII, 14-18), liée elle aussi à un commentaire rabbinique (doc. 37).

Un tel syncrétisme rend la Bible d'Albe rare entre toutes. Les enluminures de ce type contenues dans l'ouvrage donnent un éclairage nouveau sur l'art juif en Espagne médiévale et offrent un exemple unique de coexistence culturelle dans le domaine iconographique.

Au niveau du commentaire, il y a plutôt compilation que synthèse : « Ainsi pense le chrétien, mais, Seigneur, les juifs ne croient rien de cela », ou encore, à propos de la traduction d'un mot : « Il y a ici un profond désaccord entre les commentateurs hébreux et latins, dans le texte comme dans le commentaire », puis l'auteur cite les opinions des deux parties. A propos du Messie, dans le commentaire sur Genèse XXXVIII, 18 (Judah et Tamar), Rabbi Mose écrit : « Il existe une profonde divergence d'idée entre juifs et chrétiens, car les chrétiens croient que le Messie doit être Dieu et homme, et les juifs disent qu'il ne peut être qu'homme et qu'ils l'attendent encore. » Cette phrase résonne comme une réponse directement adressée à Josué de Lorca qui, lors de la Disputation de Tortose, en 1412, tenta d'obliger les rabbins d'Aragon à reconnaître que le Talmud, interprété correctement, confirmait explicitement l'apparition du Messie en la personne de Jésus-Christ.

La détermination de Rabbi Mose Arragel à ne faire aucune concession sur les principes fondamentaux de la Loi ne semble pas avoir subi la censure de frère Arias de Ençinas. La somme des commentaires juifs rapportés constitue une source unique de connaissance des idées qui circulaient dans les milieux juifs espagnols du début du XVe siècle. De plus, la liberté d'expression dont jouit Rabbi Mose est tout à fait remarquable dans le contexte social de l'époque. Il est vrai que cette bible fut commandée par une personne privée pour son propre usage. Elle ne pouvait avoir d'influence sur l'extérieur et son contenu n'était pas destiné à être propagé. Cependant, Don Luys de Guzman était un homme politique très en vue, grand ami d'Alvaro de Luna, véritable chef du pouvoir en Castille. Un tel projet pouvait s'intégrer dans le processus de réhabilitation des communautés juives, qui fut engagé en 1419 et confirmé en 1422 par les rois d'Espagne et le pape Martin V, afin de faciliter le redressement économique du pays ravagé par les guerres (doc. 34). La Bible d'Albe fut l'une des dernières tentatives de communication entre juifs et chrétiens cultivés.

S.F.

Traduire au Moyen Age

39. Traduction du grec, par Jean Scot, des *Ambigua* de Maxime le Confesseur. A la ligne 2, en révisant la traduction, on a corrigé *corripiens* en *congregans* (marge de droite). *Phantasia* (l.7), mot grec latinisé, est expliqué à gauche. 5 lignes avant la fin, *anerkhon* est conservé en grec et glosé dans le texte (Paris, bibl. Mazarine, 561, fol. 138 v°. IXe s.).

Quoi de commun entre un consul romain du début du VIe siècle, un nestorien de Bagdad maniant le syriaque, l'arabe et le persan trois cents ans plus tard, un mathématicien anglais du XIIe siècle et, à la même époque, un étudiant venu des Carpathes en France puis en Espagne, un médecin juif à Montpellier en 1270 et un chanoine novarais, son contemporain ? Rien, en apparence ; pourtant, chacun d'eux a traduit les *Éléments* de géométrie d'Euclide, qui du grec en latin, qui du syriaque en arabe, qui d'arabe en latin ou en hébreu !

Imaginons un gouvernement engageant des spécialistes et consacrant des sommes importantes à la prospection de manuscrits enfouis dans des bibliothèques du bout du monde : tels les Abbassides dans ce qui n'est pas encore l'Iraq au VIIIe siècle. Figurons-nous encore le Quartier latin en effervescence, les intellectuels troublés et divisés, les programmes de l'enseignement supérieur bouleversés, lorsque l'évêque (pas encore archevêque) de Paris, Étienne Tempier, par un mandement long et solennel, donne un coup d'arrêt à cinquante ans d'aventure intellectuelle dans la première université du monde en condamnant, en 1277, deux cent dix-neuf propositions tirées d'Aristote et de ses commentateurs arabes.

Telles sont, au Moyen Age, réputé obscurantiste et cloisonné, l'importance de la circulation des textes d'une langue à l'autre et les situations étonnantes qu'elle suscite.

Si nous centrons notre étude sur la chrétienté latine, le mouvement général qui se dessine est celui de la traduction de pans successifs de la littérature grecque en latin. Ce mouvement répond à une double aspiration : tentative, *catholique* au sens propre du terme, d'unifier la chrétienté par une solution des conflits doctrinaux et la diffusion des textes spirituellement féconds ; et souci, si l'on ose dire, préclassique, de restaurer la filiation intellectuelle et esthétique avec l'Antiquité.

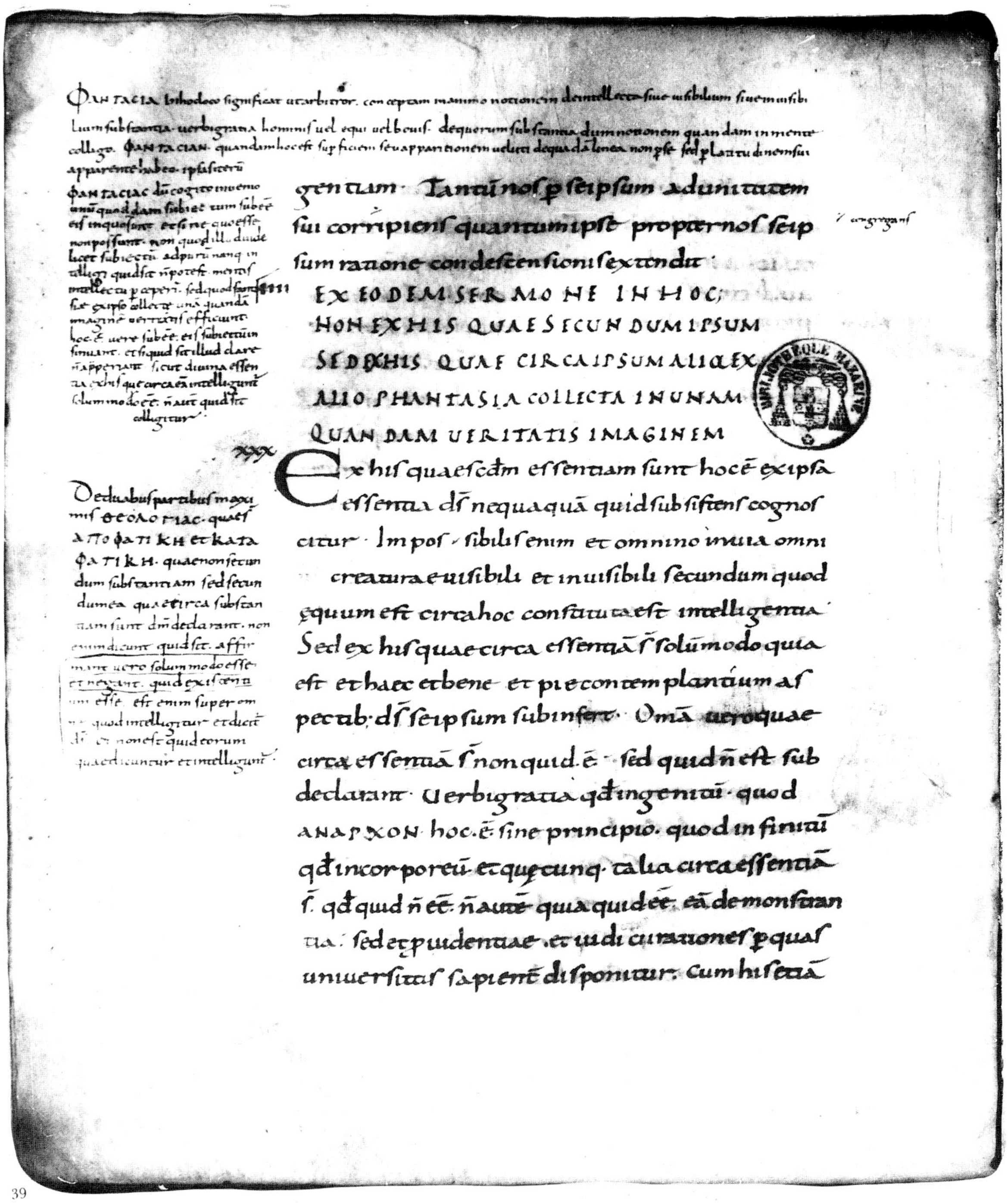

39

La circulation des textes : du grec au latin (IVe-XVe siècle)

« Religion du Livre », le christianisme a cette particularité de grande conséquence d'être la religion d'un livre traduit. Les Grecs lisent l'Ancien Testament dans la traduction faite d'hébreu en grec, au IIIe siècle avant Jésus-Christ, par les Septante ; on discute pour savoir si certains évangiles eurent un original araméen ou furent directement écrits en grec. Les Latins lisent des Écritures entièrement traduites, et même, pour l'Ancien Testament, des traductions de traductions, puisque les versions antérieures à saint Jérôme, faites sur le grec (*Vetus Itala, Africa*, etc.), furent révisées par lui, au IVe siècle, à partir du grec, et que sa traduction de l'hébreu ne fut imposée que par le concile de Trente (1545-1563).

Seconde remarque : depuis que, au IIe siècle avant Jésus-Christ, selon le mot d'Horace, « la Grèce subjuguée subjugua son farouche vainqueur et porta les arts au sein du Latium sauvage », les Romains pratiquèrent la traduction littéraire ; Cicéron (106-43) traduit des textes de Platon, d'Eschine et de Démosthène en vers latins, des poèmes d'Aratos et, à l'occasion, maints passages d'autres poètes épiques et tragiques. Horace et Quintilien ont formulé des règles de l'art de traduire. Il y a continuité entre Rome païenne et Rome chrétienne quant à l'emprunt aux sources grecques, mais avec trois différences majeures : d'une part, on recourra plus fréquemment à la traduction ; d'autre part, alors que la traduction cicéronienne était un exercice d'*imitatio* destiné à des lettrés à même de comparer les textes, la traduction médiévale, utilitaire, vise un public qui ignore le grec ; enfin, on ne traduit plus les mêmes textes. De ce point de vue, très grossièrement, on pourrait distinguer trois périodes :

• Les IVe-IXe siècles, où la culture antique finissante produit, en Italie, les deux grands rivaux, Rufin d'Aquilée et Jérôme, traducteurs des Pères grecs. Italie du Sud et Sicile sont le point de contact permanent des mondes grec et latin, même aux « siècles obscurs » ; le monastère de Vivarium, en Calabre, est ainsi, au VIe siècle, sous la direction de Cassiodore, un grand centre de traductions patristiques. Pour la plupart, les traductions se limitent, à cette époque, à la transmission de textes hagiographiques et à des tentatives pour comprendre les textes patristiques ou conciliaires grecs, aux fins de permettre au Saint-Siège de prendre position dans les débats subtils de la théologie orientale.

• Aux XIIe-XIIIe siècles, ces traductions sont relayées par une vague philosophique, scientifique et logique. Burgundio, de Pise traduit l'œuvre du Grec Jean Damascène, décisive pour la formation de la théologie occidentale au XIIe siècle. Par l'Espagne, traduit de l'arabe, arrive le corpus aristotélicien (logique, physique, métaphysique) avec les commentateurs grecs, musulmans et juifs qui s'y réfèrent. Les traducteurs se multiplient en Espagne, en Languedoc et en Provence (traductions d'arabe en hébreu effectuées par la famille des Tibbonides), en Italie et à Constantinople ; on peut citer les noms de Marc de Tolède, Adelard de Bath, Abraham Ibn Daud, Jean de Séville, Gérard de Crémone, Michel Scot ; pour l'hébreu, outre quatre générations de Tibbonides, le philosophe itinérant Abraham Ibn Ezra ; pour le XIIIe siècle encore, Robert Grosseteste, Guillaume de Moerbeke.

• Hasard de la diffusion des manuscrits, refus, trop grande difficulté ? Reste que les Arabes n'avaient rien connu de l'éloquence, du théâtre, de la poésie ni de l'histoire des Grecs. A partir du milieu du XVe siècle, le retour humaniste aux belles-lettres après la technicité scolastique va être l'occasion, avec l'afflux des lettrés grecs en Occident consécutif à la prise de Constantinople, de découvrir et de traduire des œuvres littéraires. On n'en traduira (ou retraduira) pas moins du grec en latin, avec une ardeur renouvelée, d'autres textes, en particulier platoniciens ou néoplatoniciens ; ainsi, par exemple, le *De mundo* pseudo-aristotélicien, deux fois traduit au XIIe siècle, le sera sept fois entre 1449 et 1538, sans compter l'impression, en 1496, de la traduction plus ancienne de Nicolas de Sicile ; ou encore, la liste des traductions d'un Marsile Ficin (1433-1499) comporte des œuvres d'Alcinoüs, Athénagoras, Denys, Hermès Trismégiste, Jamblique, Platon (en entier !), Plotin (en entier !), Porphyre, Proclus, Psellus, Synésius, Xénocrate, Speusippe.

Les passages se sont schématiquement effectués, dans les première et troisième périodes distinguées ci-dessus, par contacts directs entre Grecs et Latins en Italie du Sud, à Constantinople ou, en Occident, au hasard des itinéraires des ambassadeurs ou des réfugiés byzantins. Les textes de la deuxième période ont suivi un chemin bien plus long. L'école d'Édesse, au nord de la Mésopotamie, fut fondée par des Syriens chrétiens lorsque l'empereur Jovien céda Nisibe aux Perses ; en 489, l'empereur Zénon la ferma pour ses tendances nestoriennes et elles se transporta à Nisibe ; au sud de l'Iran, le souverain Khusraw (Chosroès) Anushirwan (531-579) fonda l'école de Gondeshahpur, dont la plupart des maîtres étaient syriens ; à la même époque, la fermeture de l'école de philosophie païenne d'Athènes par l'empereur chrétien Justinien (529) provoqua l'exil de sept néoplatoniciens à Ctésiphon : ils apportaient en Perse des manuscrits d'Euclide, Archimède, Ptolémée, Porphyre, Plotin, Hippocrate, Dioscoride. A Gondeshahpur coexistaient Grecs, Syriens, juifs, hindous et Persans zoroastriens.

Si la conquête arabe fut désastreuse pour l'hellénisme en Égypte (mille ans de culture anéantis dans l'incendie, en 645, de la bibliothèque d'Alexandrie, l'une des sept merveilles du monde antique), les écoles subsistent en Perse et les rudes Abbassides se laissent bientôt séduire par une civilisation raffinée et savante. Les califes, par une véritable politique de traductions, font rechercher systématiquement les manuscrits. En 832, le calife Ma'mun fonde dans la jeune Bagdad le *bayt al-hikhma*, Maison de la Sagesse, où s'illustrent traducteurs et savants nestoriens : Yuhanna ibn Masawayh (le Mésué des Latins) ; son élève Hunayn ibn Ishaq, le plus célèbre, et le fils de celui-ci, traducteur des philosophes, Ishaq ibn Hunayn, ou encore Qosta ibn Luka. On traduit en arabe, souvent à partir du syriaque, rarement sur le grec. On traduit Aristote avec ses principaux commentateurs (Thémistius, Alexandre d'Aphrodise, Jean Philopon), une partie de Platon, des textes pseudo-aristotéliciens (en réalité néoplatoniciens) destinés à une influence considérable : *Théologie d'Aristote, Livre de la pomme, Livre des causes,* nombre de pseudépigraphes alchimiques et astrologiques, et d'ouvrages médicaux (Alexandre de Tralles, Paul d'Égine). Certains textes, astronomiques et astrologiques notamment, sont passés non par les Syriens mais par les Perses, qui les avaient traduits en pehlevi.

Mais les traductions suscitent à leur tour l'effervescence intellectuelle et des œuvres nouvelles : à Kairouan, au IXe siècle, Galien inspire le travail du médecin et philosophe juif Isaac Israéli et de ses élèves ; le damascène Al-Farabi concilie monothéisme musulman et métaphysique grecque ; à la fin du Xe siècle, l'enfance d'Avicenne, né près de Boukhara, est nourrie de l'*Isagoge* de Porphyre, de la *Géométrie* d'Euclide, de l'*Almageste* de Ptolémée. L'œuvre écrite à l'autre bout du bassin méditerranéen par le Cordouan Averroès, traduite, sans doute à Palerme, par Michel Scot entre 1228 et 1235, soulèvera en Occident des difficultés théologiques considérables ; cependant, l'« averroïsme », qui troubla l'Occident, passa inaperçu en Islam où il était né !

Voilà achevé ce tour de la Méditerranée : l'Espagne de la Reconquête permet à la curiosité des clercs pour les textes arabes de s'exercer ; des juifs

40

40. Traduction française des *Lettres à Lucilius* de Sénèque (comparer avec celle de F. Noblot, t. I, Paris, Les Belles Lettres, 1945, p. 39. Au début de la lettre XII, résumé (l.8-10), début du texte latin (l.11), puis traduction (Paris, Bibl. nat., fr. 12235, fol. 8. XIVe s.).

41. Reconnaissable au lion qui l'accompagne, ce saint Jérôme en cardinal est peut-être en train de mettre en œuvre ses théories sur l'art de traduire (Dijon, Bibl. mun. 8, fol. VI v°. XVe s.).

fuient la persécution antiphilosophique des Almohades : dans le Languedoc et en Provence, ils traduisent en hébreu, à l'usage de leurs coreligionnaires des pays chrétiens, les ouvrages arabes des philosophes musulmans ou juifs (Maimonide). Les souverains lettrés du sud de l'Italie (Robert d'Anjou, roi de Naples, l'empereur Frédéric II Hohenstaufen), parmi leurs traducteurs, font aussi appel à des juifs.

Il faut aussi mentionner (trop brièvement) les traductions des langues savantes en langues vulgaires : irlandais (dès le VIIe siècle), langues romanes (on traduit, par exemple, de nombreux textes savants, techniques et littéraires du latin en français aux XIVe-XVe siècles) ; langues germaniques ; en Orient, traductions du grec en arménien, en géorgien, en slavon. A signaler aussi des traductions plus inhabituelles de l'arabe en grec (vie de saint Jean Damascène, au XIe siècle), du latin en hébreu (*Consolation de la philosophie* de Boèce, *Livre des causes* ou même *Livre des Macchabées*), des langues vernaculaires en latin (textes historiques, juridiques, littéraires), ou encore du latin en grec (dues à Maxime Planude, XIIIe-XIVe siècle). Quel est l'effet, sur les textes eux-mêmes et sur la vie intellectuelle, de ce mouvement d'échanges incessants ?

Nature et portée des traductions médiévales

Qui sont les traducteurs ? Et pourquoi travaillent-ils ? Qu'il traduise pour son usage personnel (et c'est souvent le cas pour les textes scientifiques) ou sur commande, le traducteur antique et médiéval est un savant. Au Moyen Age, on attend d'un traducteur qu'il soit versé non seulement dans les deux langues, mais encore dans la matière en question et c'est, *a contrario*, un lieu commun de la fausse modestie des traducteurs en leurs préfaces que de proclamer leur triple incompétence. Toujours savant, le traducteur peut être un haut personnage : l'abbé de Saint-Denis, Hilduin, est, au IXe siècle, un puissant seigneur du royaume de France ; Burgundio de Pise (1110-1193), l'*optimus interpres*, connu dès sa jeunesse pour sa science du grec, est juge et ambassadeur ; sa traduction des sermons de Jean Chrysostome sur l'évangile de Jean sera, en 1179, l'« événement littéraire » du concile de Latran. Né vers 1175 de parents très pauvres, Robert Grosseteste dut à ses dons exceptionnels d'étudier à Oxford la théologie, le droit et la médecine, et d'apprendre, outre le latin, le grec et l'hébreu. Chancelier de l'université d'Oxford, évêque de Lincoln (le plus vaste diocèse anglais de l'époque), en dépit de luttes continuelles dans son diocèse et de démêlés fameux avec la papauté, il n'estima pas indigne de son rang et de ses multiples occupations d'écrire une œuvre considérable, en particulier comme traducteur et commentateur de Denys et d'Aristote : une preuve encore de l'importance au plus haut niveau, dans ces « siècles barbares », de la vie de l'esprit et, pour celle-ci, de la mise à profit, à la fois respectueuse et critique, de ce que les autres hommes ont pensé avant soi : les intellectuels médiévaux se comparent volontiers à « des nains montés sur les épaules des géants ».

Chacun connaît le dilemme du traducteur : fidélité ou élégance. Au Moyen Age, le problème est plutôt : rendre les mots ou saisir l'idée ? *Ad verbum* ou *ad sensum* ?

Saint Jérôme (*Lettre LVII, De la meilleure façon de traduire*) pose le problème et opte résolument, en s'appuyant sur les auteurs classiques, pour la traduction *ad sensum*. Augustin, au Ve siècle, prend le parti contraire ; mais helléniste tardif, ne fait-il pas de nécessité vertu ? On observe en effet que la traduction *ad verbum* l'emporte dans les époques et les lieux où la connaissance de la langue de départ est le moins assurée, avec toutefois l'exception de la scolastique latine (XIIe-XIIIe siècles), soucieuse d'exactitude et indifférente à l'esthétique, mais qui cherche en tâtonnant à se constituer une langue philosophique. Les humanistes, au contraire, pratiqueront la traduction libre, souvent inexacte et inutilement prolixe.

La problématique est présentée dans les mêmes termes par les traducteurs arabes ou hébreux ; chez ces derniers, elle est ancienne : un enseignement rabbinique du Ier siècle de notre ère énonce : « Celui qui traduit un verset littéralement est un menteur. »

Le grand défaut des traductions calques est de conserver l'ordre des mots de la langue de départ, d'où des traductions incompréhensibles dans la langue « cible ».

De plus, la traduction des mots, servile, sacrifie le sens à une analyse étymologique d'ailleurs souvent erronée, crée des néologismes bizarres ou multiplie les périphrases.

Dans tous les cas, savant, le traducteur ne se borne pas à traduire : il adapte, critique, choisit, compile, glose, abrège ou amplifie, « rewrite ». Étrange cas d'appropriation doctrinale : le *Livre des causes*, traité strictement monothéiste auquel se réfèrent théologiens musulmans, chrétiens et juifs, a été composé sans doute à Bagdad au IXe siècle, à partir d'extraits des *Éléments de théologie* de Proclus, un néoplatonicien polythéiste du Ve siècle, par un véritable bernard-l'ermite de la métaphysique ! Ailleurs, on a compris le texte à contresens : Ghāzāli expose les thèses d'Avicenne avant de les réfuter ; la préface qui l'explique étant omise par les copistes, on attribue à Ghāzāli les doctrines qu'il combat !

Un texte a, d'autres fois, besoin d'être « naturalisé » : traduisant en hébreu (vers 1235-1240) la *Logique* de Ghāzāli, Abraham Ibn Ḥasdaï remplace les références islamiques par d'autres, bibliques. Judah Romano, traduisant au XIVe siècle des textes de Thomas d'Aquin ou d'Albert le Grand, en supprime les développements sur la théologie trinitaire.

Un traducteur peut gloser son texte pour discuter le sens des mots, faire des

41

observations de grammaire, justifier ou préciser sa traduction, discuter le fond : ainsi Robert Grosseteste, traduisant du grec les commentaires de l'*Éthique* d'Aristote dans les années 1240.

Deux mots pour en traduire un seul, une périphrase pour rendre un terme difficile, une image audacieuse atténuée par un « si l'on peut dire », c'est déjà l'embryon du commentaire. Quoi de plus aisé alors que d'ajouter, chemin faisant, entre les lignes, dans les marges ou dans le texte, quelques mots qui sont un premier commentaire ? Les *notulae* de Grosseteste concernent la langue du passage traduit, les variantes dans les manuscrits grecs et des considérations sur le fond : du même mouvement qu'il justifie d'un mot sa traduction, tout naturellement, il en vient à justifier, c'est-à-dire, à expliquer, le texte même et à en développer un nouveau commentaire. S'il est vrai que le traducteur est toujours un premier commentateur, cela vaut à plus forte raison au Moyen Age : traducteur et commentateur sont des érudits de même formation ; et rares sont les livres de science ou de doctrine dont le texte n'est pas enserré ou farci de commentaires marginaux et interlinéaires. Cas particulier enfin du traducteur érudit : la traduction tacite, ou plagiat : saint Jérôme, hélas ! en est un exemple dans son utilisation de Porphyre.

Il n'est pas rare qu'une œuvre ait été traduite plusieurs fois : le *De mundo* du Pseudo-Aristote l'a été (à notre connaissance) neuf fois en latin ; le *De natura hominis* de Némésius d'Émèse, huit fois en tout (du grec en arménien, en arabe, en géorgien ; cinq fois en latin du XIe au XVIe siècle).

Certaines traductions sont fort répandues : c'est par centaines (malgré tout ce qui s'est perdu et ce que nous ignorons) que se comptent les manuscrits de la vie de sainte Pélagie ; on recense (provisoirement) plus de deux cent vingt manuscrits du *Livre des causes* latin.

L'influence de ces traductions est considérable car ces textes, une fois traduits, en suscitent d'autres et, en Islam, Alfarabi, Avicenne, Algazel, Averroès, puis toute la scolastique latine, sont comme un vaste commentaire des philosophes grecs ; les conceptions clés de la philosophie médiévale, émanation, distinction de l'être et de l'essence, cosmologie et, bien plus, les règles logiques de la pensée, procèdent de textes traduits.

L'influence est aussi linguistique : à concepts nouveaux, mots nouveaux : ainsi, en latin, le vocabulaire de l'être et de l'essence : *esse* et *ens* (substantifs), *essentialiter, quidditas, quodditas* ; de même, en hébreu, *yeshut, metsi'ut, mahut*, etc. Tout un vocabulaire philosophique, développé en arabe, en latin et en hébreu par les traducteurs, se répand par le relais des commentaires. En revanche, l'embarras des traducteurs inexpérimentés, surtout devant les mots composés du grec, se traduit, un peu comme chez les écrivains français de la Pléiade au XVIe siècle, par des créations audacieuses mais sans lendemain : *deiprincipalis, inplasmatio*.

Il s'agit là de la langue écrite et savante. Mais, dès le haut Moyen Age, les traductions de la Bible ont aussi modifié en profondeur la couleur et l'esprit du latin écrit ou parlé. Peu d'hébraïsmes : *amen, allelluia*, génitifs du type *saecula saeculorum*, futur jussif (« Tu ne tueras point »). Mais beaucoup de mots nouveaux (*carnalis, saluator, regeneratio*, etc.), de mots anciens pris dans un sens spécifique (*fides, caro*), de termes chargés d'une valeur affective qui les fait préférer aux mots profanes : *beare* s'efface devant *beatificare, illustrare* devant *clarificare* ; c'est une christianisation de toute la langue latine qui s'opère de proche en proche.

Ainsi, l'importance des traductions est énorme, tant pour la vie des textes mêmes que pour les milieux qu'ils traversent. Car, de même que change le texte pour s'adapter au lit de Procuste de la langue et du système d'idées qui accueillent ce corps étranger, de même son entrée modifie le paysage intellectuel et même linguistique où il apparaît.

Voyons à présent les conditions spéciales liées au fait qu'on traduit sur manuscrits.

Les conditions techniques

Les manuscrits font l'objet de difficiles recherches. Rappelons que la pénétration de la pensée de Denys en Occident, dont les conséquences furent immenses, est due au hasard d'une ambassade de l'empereur byzantin Michel le Bègue auprès de Louis le Pieux en 827, apportant en cadeau un manuscrit. Au XIIe siècle, Samuel Ibn Tibon, juif provençal, fait chercher en Égypte un bon manuscrit de Maimonide ; déjà le nestorien Hunayn avait quitté l'Iran en quête de manuscrits en Syrie, en Palestine et en Égypte.

Du fait de la rareté, on doit souvent se contenter d'un exemplaire fautif ou incomplet. Mais là se rencontre une doléance fort commune chez les traducteurs, où il est difficile de faire la part de la vérité et celle de la précaution : Guillaume de Moerbeke, à la fin de sa traduction du commentaire de Philopon au *De intellectu* (1267-1268), en impute les lacunes au manuscrit mouillé, peu lisible, sur lequel il a travaillé. Plus heureux, Hunayn expose qu'il avait l'habitude de rassembler le plus grand nombre possible de manuscrits grecs de l'œuvre à traduire et de les confronter pour s'assurer du meilleur texte, en précurseur des philologues modernes.

Comme les copistes, les traducteurs sont exposés aux mélectures de lettres semblables : en grec, *nu* et *upsilon*, etc. Si le manuscrit est écrit sans séparation des mots — en *scriptio continua* —, le traducteur est exposé aux mécoupures : *sun thuei*, « il sacrifie un porc », lu *sunthuei*, « il sacrifie avec ». Autre écueil, les abréviations : *anthrôpous*, « hommes », pris pour *ouranous*, « cieux ».

Il arrive aussi, surtout dans les traductions de traductions, que d'imprécision en imprécision le sens soit gravement altéré, porte ouverte aux corrections arbitraires ou aux commentaires laborieux pour justifier l'absurde.

Certaines traductions s'expliquent par des confusions de sons : en grec, la psilose (perte de l'aspiration initiale) permet la confusion de *oros* et de *horos*, « montagne » et « limite » ; l'iotacisme (prononciation identique, *i*, du *iôta*, de la diphtongue *ei* et du *êta*) explique que *ei dei*, « s'il faut », soit traduit comme *êdê*, « maintenant ». On a voulu voir dans ces erreurs la preuve que le traducteur se faisait lire le texte, mais il peut aussi s'agir de fautes de « dictée mentale », commises sur l'« image sonore » du mot que le traducteur, ayant lu, garde en tête avant d'écrire. De même, les doubles traductions d'un seul mot (*kata* rendu par *secundum erga*) n'impliquent pas forcément qu'un secrétaire, notant la traduction orale, ait enregistré une traduction suivie d'un repentir, oubliant de supprimer le premier mot. Car certains traducteurs hésitants proposent fréquemment deux termes, reliés par « ou » (*siue, seu, uel*), pour traduire un même mot.

Enfin, certains traducteurs disent expressément, dans leurs préfaces, qu'ils ont travaillé avec un interprète. Le collaborateur, dans ce cas, lit le texte et le traduit (à voix haute ou sur un brouillon) en langue vulgaire, et le traducteur retraduit en latin (ou en arabe, si cette pratique a existé en Orient). D'où des erreurs spécifiques qui peuvent aussi se produire lors de la consultation occasionnelle d'un usager de la langue de départ (dont font état certains traducteurs). Ainsi, dans la traduction arabe d'Aetius, on relève par rapport à l'original grec classique des écarts qui supposent que celui-ci a été interprété comme du grec tardif ou populaire, comme si un contemporain avait mal renseigné le traducteur, ou comme si celui-ci avait lui-même parlé le grec vulgaire.

Plus fréquemment, le traducteur recourt à des glossaires : d'où la constance (jamais absolue) du vocabulaire de ses traductions. Chacun a ses habitudes, car le traducteur compose ou aménage lui-même son glossaire, si bien qu'on a parfois pu dresser comme une « fiche signalétique » de tel traducteur aux particularités très marquées et ainsi lui restituer la paternité de traductions anonymes. Cependant, et surtout, ces glossaires sont presque toujours le fruit du travail et de l'expérience d'un seul homme : ils ne lui permettent pas toujours de comprendre le mot nouveau, jamais rencontré et pas consigné dans le glossaire. Pour éviter cet écueil, il n'est que deux moyens, bien hasardeux : deviner en s'aidant du contexte (c'est évidemment plus sûr si le terme se présente à plusieurs reprises), ou faire une analyse étymologique qui donne lieu bien souvent à des contresens : ainsi le grec *anaidên*, « simplement », rapproché à tort de *aidôs*, est traduit par « sans pudeur ». Le traducteur peut aussi être égaré par une fausse similitude d'une langue à l'autre : le grec *algein*, « avoir mal », est traduit en latin par *frigore affici*, « avoir froid », qui se dit aussi en latin *algere* !

Ces quelques exemples font voir la difficulté du travail du traducteur médiéval et donnent une idée de l'inévitable déperdition ou altération du sens par rapport à l'original. Il est vrai que toute traduction est forcément approximative et infidèle ; mais les conditions matérielles faisaient alors obstacle, bien plus qu'aujourd'hui, à la bonne intelligence des textes.

Au terme de ce survol, trois enseignements. D'abord, la similitude des méthodes et l'interaction des littératures sont telles qu'on peut parler, en dépit de la diversité des doctrines, des langues et des mœurs, d'une unité culturelle du monde méditerranéen au Moyen Age. Mais, en deuxième lieu, cette unité ne serait-elle qu'une confusion ? Le texte, couramment opposé à la parole pour sa fixité, son objectivité, nous est apparu au contraire incroyablement mobile et malléable. De traduction en traduction, d'erreurs en approximations, on assiste à une longue suite de malentendus corrigés par des falsifications, à une dérive continue et quelque peu vertigineuse de tous les textes, y compris de ceux qui fondent la foi et la raison. Or, paradoxalement, c'est là le puissant ressort de la pensée médiévale : traducteurs et commentateurs (dont les travaux, on l'a vu, ne se séparent pas aisément) ont cherché à faire correspondre terme à terme une langue avec une autre, un système de pensée avec un autre. Dans ce but impossible à atteindre, ils découvraient et devaient donc résoudre sans cesse de nouvelles inadéquations ; à la recherche du Même, ils rencontraient l'Autre et engendraient, malgré eux, mots, concepts et systèmes inédits qui ne reproduisaient pas simplement, comme ils l'auraient voulu, leurs modèles. En ces siècles réputés à tort intellectuellement immobiles, leur effort, parce qu'il n'aboutissait jamais, a constitué un véritable mouvement perpétuel de la pensée. La raison de cette dynamique — et c'est notre troisième point —, c'est l'intention qui poussait à traduire : d'autres époques (la nôtre) connaissent la confrontation des textes, des esthétiques et des systèmes ; mais ce peut être par goût romantique du bizarre, désir de se fuir, dilettantisme de collectionneur. Toute contraire la démarche du traducteur savant du Moyen Age ou de son commanditaire : tel Salomon bâtissant son Temple, il va chercher aussi loin qu'il le faut dans le temps ou dans l'espace les meilleurs matériaux, non pour les juxtaposer comme des curiosités, mais pour les façonner et les disposer avec ordre dans son propre édifice, selon son projet (sans cesse, il est vrai, modifié pour tenir compte de la nature de ces matériaux) : non point collectionneur frivole d'impressions neuves qui se neutralisent, mais studieux bâtisseur de systèmes, c'est-à-dire d'appareils à capter la vérité.

J.-P. R.

Au nom du benoist pere du glorieux filz et du st esperit. troys personnes en une substace. Moy Jehan de courcy chlr normant. plain de jours et vuide de jennesce. desirant lestat de paix et de repos. Ostent adieu des biens de sa grace. de ceulx de nature et des dons de fortune. En lui rendant graces. loenges et mercis. Et pour eschiuer a vie oyseuse et moy occuper en aucun labour me suis remembre des anciens faiz. en estudiant les vieilz histores. Jay comencie compilacons primes sur le recto des contrees de grece. en lan de la benoiste incarnacon mil CCCC et seize. Et depuis celui temps me suis entendu a traitter ces matieres selon lintencon que jay entreprise. pource q mon pouoir na pas este si fort que je aye peu mon corps exposer ou fait

de la guerre. Come de tous estas et en toutes manieres se doit on occuper en ce mondain labour. chun selon ce quil est ordonne. Ainsi que dit saint augustin. Les chlrs pour gouverner la guerre. Les clercs pour lettre. Les lays pour le labour. Et donques pour la cause que necessite ma done si grant charge que je ne puis pl9 pour la guerre servir. Jay mise ma plaisance a traitter ces maties tout au mieux que jay peu. Et supplie a chun que ce vueillent en gre recevoir. Et la ou il y aura faulte. mettre correction. car se la matie est adroit traittee. adieu en soient les graces. Et ou il y aura faulte. cest en la charge de mon entendemt. Ces copilacons de quoy je vueil parler ont substance de fait de haulte memore coulorees de couleur historial. et ont odeur de moralite. compilees de plusieurs volumes tendans a une fin en lassemblemt dune concordance ainsi que plusieurs membres sont en ung corps humain. et tout ensemble

4

AUTOUR DU TEXTE : ILLUSTRER ET CHANTER

Chronique de la Bouquechardière (Paris, Bibl. nat., fr. 2685, fol. 1. Vers 1457).

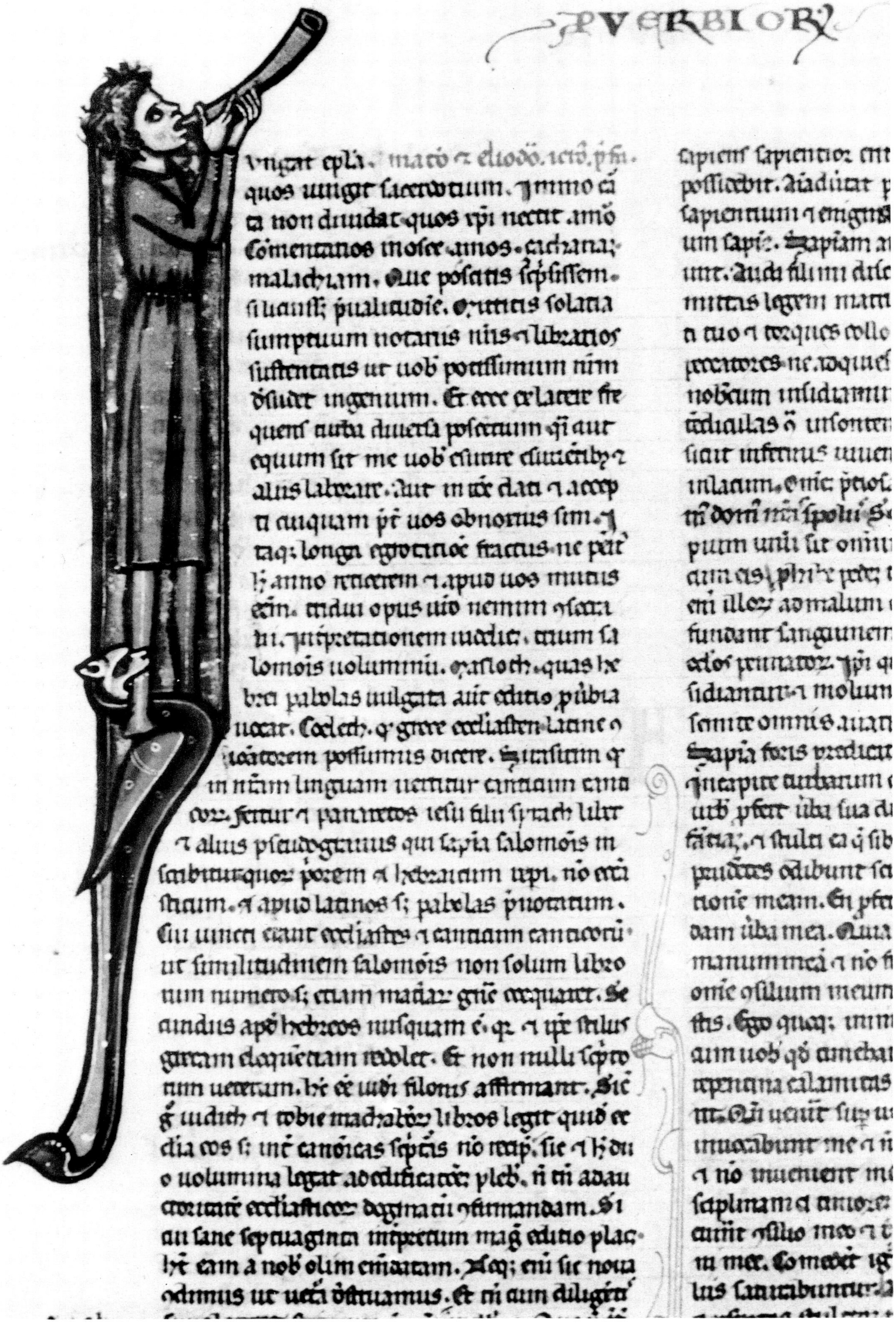

PVERBIOR

Iungat epistola quos iungit sacerdotium, immo carta non dividat quos Christi nectit amor. Commentarios in Osee, Amos, Zachariam, Malachiam, quos poscitis, scripsissem, si licuisset prae valitudine. Mittitis solatia sumptuum, notarios nostros et librarios sustentantes, ut vobis potissimum nostrum desudet ingenium. Et ecce ex latere frequens turba diversa poscentium, quasi aut aequum sit me vobis esurientibus aliis laborare, aut in ratione dati et accepti cuiquam praeter vos obnoxius sim. Itaque longa egrotatione fractus, ne penitus hoc anno reticerem et apud vos mutus essem, tridui opus nomini vestro consecravi, interpretationem videlicet trium Salomonis voluminum: masloth, quas Hebraei parabolas, vulgata autem editio proverbia vocat; coeleth, quem graece ecclesiasten, latine contionatorem possumus dicere; sirassirim, quod in nostram linguam vertitur Canticum canticorum. Fertur et panaretos Iesu filii Sirach liber, et alius pseudepigraphus qui Sapientia Salomonis inscribitur. Quorum priorem hebraicum repperi, non ecclesiasticum ut apud latinos, sed parabolas praenotatum, cui iuncti erant Ecclesiastes et Canticum canticorum, ut similitudinem Salomonis non solum librorum numero, sed etiam materiarum genere coaequaret. Secundus apud Hebraeos nusquam est, quia et ipse stilus graecam eloquentiam redolet; et nonnulli scriptorum veterum hunc esse Iudaei Filonis affirmant. Sicut ergo Iudith et Tobie et Machabeorum libros legit quidem ecclesia, sed inter canonicas scripturas non recipit, sic et haec duo volumina legat ad aedificationem plebis, non ad auctoritatem ecclesiasticorum dogmatum confirmandam. Si cui sane Septuaginta interpretum magis editio placet, habet eam a nobis olim emendatam. Neque enim sic nova cudimus ut vetera destruamus. Et tamen cum diligentissime…

1

Des sons et des couleurs

1. Bible du Maître de Manfred (Paris, Bibl. nat., lat. 10428, fol. 182. XIIIe s.).

Le texte écrit a reçu, dans un certain nombre de cas, des compléments — images et notations musicales — qui s'adressent à l'œil et à l'oreille du lecteur. Ces compléments apportent souvent une dimension esthétique qui exalte le texte et embellit le manuscrit. Leur effet, cependant, n'est pas seulement ornemental. Outre un enrichissement visuel et affectif, ces additions peuvent aussi jouer sur le sens même de l'écrit. Quelques œuvres d'ailleurs, d'ordre scientifique comme les herbiers ou les traités de médecine, ont besoin pour être compréhensibles d'illustrations qui font corps avec le texte.

Indépendamment de ces cas particuliers, images et musique brodent autour du texte et agissent sur sa lecture. Que le psaume 3,6 « *Ego dormivi et soporatus sum et exurrexi...* » (Moi, je me couche et m'endors, je m'éveille...) soit illustré par le psalmiste endormi ou par la scène de la Résurrection du Christ influe sur la compréhension et l'interprétation du verset par le lecteur. De même, un passage donné peut être chanté suivant des mélodies différentes qui, chacune, lui apportent une coloration et une émotion propres. Ces additions, on s'en doute, s'expliquent, dans le détail de leurs formes, par des circonstances particulières que les études iconographiques et musicologiques s'efforcent de mettre en évidence. A les considérer dans leur ensemble, intégrées dans la masse des manuscrits, on y reconnaît, déposées par strates à différents niveaux de profondeur historique, quelques assises fondamentales de notre culture.

Si l'on prend un seul critère, celui du mode d'inscription, la différence de nature des illustrations par rapport aux notations musicales se manifeste certes, aussitôt, mais aussi l'écart chronologique considérable qui sépare l'insertion des unes et des autres. Il est révélateur que, dès le début de la fabrication d'un manuscrit, l'emplacement des illustrations ait été prévu et programmé, mais non celui de la notation musicale. On sait que le copiste, en écrivant d'abord le texte, laissait en blanc les places destinées à recevoir les images. Il agissait ainsi en fonction d'une longue tradition, déjà attestée dans les rouleaux de papyrus puis très tôt enrichie et diversifiée grâce à l'élaboration de tous les types de mise en page que le livre imprimé devait hériter à l'époque moderne. L'image, graphique par nature et dont l'œil explore toutes les données suivant un code de lecture convenu, exigeait une surface définie sur la page et bénéficiait d'un ensemble de pratiques mises au point à cet effet.

En revanche, pour l'écriture de la musique, qui fait intervenir l'oreille et ne peut être qu'imparfaitement captée par quelques signes graphiques, rien n'était prévu dans les manuscrits médiévaux, exception faite d'un système alphabétique hérité ou imité de l'Antiquité et réservé à des traités théoriques ou aux essais des compositeurs. Les exemples où le copiste, sautant une ligne d'écriture sur deux, laissait ainsi la place à l'inscription des neumes, sont exceptionnels. Dans la plupart des manuscrits, les neumes doivent se glisser « entre les lignes ». Tout se passe donc comme si la musique n'avait pas sa place, au sens propre, dans les livres médiévaux. Outre la difficulté de mettre au point un système de transcription, cette situation tenait d'abord au fait fondamental qu'un tel effort ne parut pas nécessaire tant que la tradition orale suffit à assurer l'existence et la transmission de la musique vocale. Cela fut valable pour le chant grégorien comme pour les œuvres lyriques classiques. Aussi l'introduction de la notation neumatique, vers le deuxième tiers du IXe siècle, fait-elle figure d'innovation absolue à partir de laquelle purent se développer, se diversifier, se diffuser des œuvres nouvelles et anciennes, et, enfin, à la fin de Moyen Age, s'écrire la musique instrumentale.

Les manuscrits médiévaux furent donc le lieu où émergea, « entre les lignes », le système de notation qui permit l'essor de la musique occidentale. Ils furent aussi celui où, intégrant et dépassant les traditions héritées de l'Antiquité, se multiplièrent les expériences plastiques. Que celles-ci aient touché le langage iconographique — adaptation de l'imagerie antique à l'imagerie chrétienne, élaboration de l'expression symbolique et allégorique — ou l'écriture ornementale et stylistique, ces expériences furent fondamentales, non seulement pour l'histoire du livre, mais aussi pour celle de toutes les disciplines artistiques.

Vecteurs des idées et des formes d'une technique à une autre, et notamment vers la peinture murale et la mosaïque comme on le vit à Venise, les manuscrits illustrés jouèrent aussi le rôle d'instruments de transfert entre groupes culturels et religieux différents, comme en témoigne la pratique de l'enluminure hébraïque à Paris et dans la France du Nord à la fin du XIIIe siècle. Ils furent surtout, dans un monde fondé sur l'autorité de la tradition, les garants de celles-ci. Ainsi s'explique l'impact des manuscrits importés périodiquement de Byzance, gardienne privilégiée des traditions antiques, grâce auxquels les Occidentaux, après les formes abstraites et stylisées des artistes irlandais et romans, purent retrouver le sens des proportions harmonieuses du corps humain et celui de la cadence classique des draperies. C'est ainsi que les manuscrits furent les meilleurs agents des renaissances successives qui jalonnèrent l'histoire artistique du Moyen Age, plus vives selon les moments en des points différents de l'Occident, avant la floraison de la Renaissance italienne où, là encore, ils jouèrent un rôle capital.

H.T.

Les manuscrits enluminés, miroirs de la société

La création du codex* constitue dans l'histoire de la culture une révolution peut-être plus importante que celle de l'imprimerie. Elle a donné, entre autres, le départ à l'essor* d'une technique artistique nouvelle, celle de l'enluminure. Les codex offrirent désormais aux peintres la disposition d'une surface autonome, la page, composée d'une matière, le parchemin, sur laquelle pouvaient se poser et se conserver des couches de peinture épaisse et même de l'or en feuille, alors que seuls des dessins aquarellés résistaient à l'enroulement et au déroulement répétés des rouleaux de papyrus. Sans doute ceux-ci portaient-ils déjà des illustrations, comme en témoigne un fragment de roman grec (IIe siècle de notre ère) sur lequel on peut voir quelques scènes insérées dans les colonnes de l'écrit (doc. 2).

Les codex, cependant, purent être illustrés non seulement d'images intégrées dans les colonnes, à l'imitation des rouleaux, mais très vite aussi de peintures en pleine page. Le *Calendrier de Filocalus,* écrit à Rome en 354 et qui, hélas ! ne nous est plus connu que par des dessins faits au XVIIe siècle d'après une copie du IXe siècle, contenait les plus anciennes peintures de ce type dont nous ayons gardé un souvenir. Nous avons la chance de conserver encore quelques feuillets illustrés de *l'Iliade* (Milan, bibliothèque Ambrosienne, Ve siècle) et de deux manuscrits de Virgile (Vatican latin 3225, v. 400, et Vatican latin 3867) dont la diversité de style laisse supposer une production beaucoup plus abondante (doc. 7). Si l'usage d'illustrer les textes se transmit des *rotuli* aux codex, celui de les décorer de lettres ornées puis, vers le milieu du VIIIe siècle, de lettres historiées, fut une innovation proprement médiévale.

Cette introduction de l'ornement est à mettre en rapport avec l'évolution de la pratique de la lecture. Alors que, dans l'Antiquité, celle-ci était faite à haute voix par des esclaves formés à cet exercice, dans les premiers siècles du Moyen Age, le possesseur du livre devint aussi son propre lecteur. Dès lors, le manuscrit se mua en objet qu'on se plut à enjoliver : les premières initiales ornées, datées du VIe siècle (?), placées en tête de page, quel que soit le mot qui bénéficiait de leur décor, étaient là pour enrichir l'aspect du livre. Disposées par la suite en tête des chapitres et des paragraphes, elles eurent pour objet de souligner l'articulation des textes et d'en guider la lecture. Toujours propres à flatter l'œil du lecteur, elles assumaient la fonction supplémentaire de servir de points de repère.

L'élaboration progressive de cet objet précieux que devint le manuscrit se fit à la faveur d'un moment historique marqué de contradictions : d'une part, la création du codex facilitait la fabrication et la consultation des textes. D'autre part, les conditions économiques et sociales entraînaient leur raréfaction, donc un usage réservé à une élite et, par voie de conséquence, un traitement soigné et même luxueux de leur présentation. Produits complexes, nés de la coordination de techniques matérielles, intellectuelles et artistiques, les manuscrits enluminés, d'abord étudiés à travers leurs plus beaux représentants par les historiens d'art, sont aujourd'hui l'objet d'interrogations multiples posées par tous les spécialistes de la civilisation médiévale. Si l'on grossit un peu le trait, on peut dire que ces recherches s'orientent en fonction de deux personnages fondamentaux : le premier est l'éxécutant, l'enlumineur, le second le destinataire, le lecteur.

De ces deux voies de recherches, c'est la première qui a été d'abord et surtout explorée. Portant sur les méthodes de fabrication et sur l'organisation des scriptoria*, l'enquête repose sur quelques textes et l'examen d'œuvres dont l'inachèvement inégal révèle les différentes phases du travail. Depuis peu, elle

2

2. Paris, Bibl. nat., supplément grec 1294, IIe siècle de notre ère. Roman.

3. Comédies de Térence ; *Andria* (Paris, Bibl. nat., lat. 7899, fol. 24 v°, IXe s.).

tire aussi parti des analyses physico-chimiques et de l'apport des sciences naturelles. S'appuyant sur les progrès récents de la codicologie, éclairée par l'histoire des bibliothèques, l'étude des scriptoria jouit d'un regain d'intérêt et d'une efficacité nouvelle. Localiser et dater les documents demeure, en effet, toujours la première exigence à remplir.

On sait que l'enlumineur intervenait après le scribe qui, en recopiant le texte, avait reçu mission de laisser en blanc les espaces réservés à l'ornement et à l'illustration. La tâche du peintre lui était précisée par le chef d'atelier, au moyen de notes ou d'esquisses. Cette division du travail s'est compliquée à la fin du Moyen Age, lorsque le raffinement technique et le souci de rationaliser la production, en vue d'une rapidité d'exécution plus grande et d'un calcul plus aisé des rétributions dues aux artistes, aboutit à distinguer entre les spécialistes de la pose de l'or, du traitement des fonds, des « histoires », des filigranes, etc. L'analyse stylistique en tient compte lorsqu'il s'agit de déceler la participation éventuelle de plusieurs mains à la décoration d'un manuscrit ou à une série de productions. Ces études se fondent, à l'égal de la paléographie pour les écritures, sur l'examen minutieux des formes et débouchent sur des conclusions portant sur la qualification et la formation des peintres, sur la restitution des courants de leurs migrations — ainsi la descente vers Paris d'enlumineurs venus du Nord à partir de la fin du XIIe siècle —, la constitution des équipes, les prix et les coûts atteints... De telles enquêtes forment l'une des voies de passage de l'histoire de l'art à l'histoire économique et sociale. Citons en exemple le cas de la *Bible moralisée* (Bibl. nat. Français 167), justement reconnue par François Avril comme celle de Jean le Bon et qui, telle une coupe géologique, offre dans ses 5 212 images l'empreinte laissée par le travail de divers groupes d'artistes présents à Paris au milieu du XIVe siècle.

Pour convertir notes et esquisses en

3

4. *Phénomènes* d'Aratus, les Gémeaux (Leyde, Bibliothek der Rijksuniversiteit Voss. lat. Q.79, fol. 16 v°. IXe s.).
4 bis. *Phénomènes* d'Aratus, les Gémeaux (Boulogne, Bibl. mun. 188, fol. 22. Vers 1000).

5. *Annales de Saint-Germain-des-Prés*, traité d'astrologie, les Gémeaux (Paris, Bibl. nat., lat. 12117, fol. 132 v°. Milieu du XIe s.).

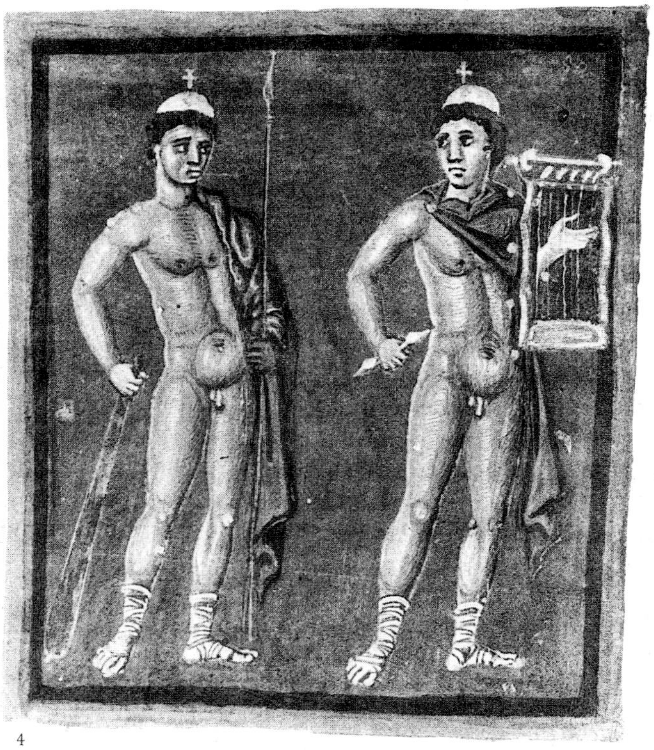

4

4 bis

5

images achevées, l'enlumineur disposait d'un répertoire de formes qu'il avait en mémoire, mais aussi et surtout de modèles. Ces derniers pouvaient provenir soit de carnets de modèles — dont nous avons gardé peu d'exemples mais dont les recherches actuelles démontrent l'usage fréquent —, soit de manuscrits déjà illustrés et plus ou moins anciens. La pratique de la copie ou l'adaptation d'un modèle ouvre, en ce qui concerne l'étude de l'enluminure, plusieurs voies d'investigation. Elle permet d'abord le regroupement de manuscrits en familles et l'établissement de généalogies (stemmas) pour des cycles d'illustration. Ces stemmas ne recoupent pas forcément ceux qui sont établis à partir de la critique textuelle. La transmission du programme d'illustration pouvait être indépendante de celle du texte. C'est une des raisons pour lesquelles l'étude iconographique d'une image ou d'un cycle d'images ne peut se borner à l'étude de la relation entre cette image et le texte qu'elle accompagne. Elle implique aussi la nécessité d'étudier la tradition de l'image elle-même.

Ce type de recherche qu'on peut qualifier d'« archéologie de l'image », s'est imposé notamment grâce aux travaux de Kurt Weitzman consacrés à l'étude de l'illustration antique. Une des fonctions essentielles de l'enluminure médiévale fut, en effet, de nous transmettre des éléments du savoir antique. Alors que les œuvres littéraires furent considérées avec méfiance par les chrétiens, à l'exception de Térence dont nous possédons une série de manuscrits médiévaux (doc. 3), des copies de textes scientifiques et techniques nous ont été conservées. Ainsi, l'un des ouvrages le plus souvent recopié fut celui des *Phénomènes,* dit *Aratea,* du nom du poète Aratus (IVe-IIIe siècle avant Jésus-Christ) qui versifia le traité d'astronomie d'Eudoxos de Cnide (Ve-IVe siècle avant Jésus-Christ). Il fut sans doute illustré pour la première fois par Eratosthène de Cyrène, à la fin du IIIe siècle avant Jésus-Christ. Une copie carolingienne témoigne de l'utilisation d'un exemplaire réalisé au IVe ou au Ve siècle après Jésus-Christ (doc. 4). Elle fut à son tour recopiée à Saint-Omer par l'abbé Odbert (986-1007) (doc. 4 bis). Ce programme fut adapté ensuite à l'illustration de textes dérivés. Le scribe Ingelard, au milieu du XIe siècle, à la suite des *Annales de Saint-Germain-des-Prés,* recopia un traité astrologique, l'*Excerptum de astrologia,* attribué à Hygin, et l'illustra en empruntant les figures correspondantes à un manuscrit carolingien provenant de Saint-Denis (doc. 5). Plus tard, des représentations analogues se trouvent dans un manuscrit de très haute qualité, un *Traité des constellations,* écrit en Italie du Nord vers 1450.

D'autres traités — d'arpentage, de poliorcétique, de sciences naturelles... —, dont l'illustration était nécessaire à la compréhension du texte, nous furent transmis grâce à des copies médiévales. Dans certains cas favorables, on peut vérifier la fidélité de ces reproductions : on dispose, avec le *Dioscoride* de Vienne (VIe siècle), du modèle imité par des manuscrits du VIIe puis du Xe siècle, avec une application qui durcit l'original sans le trahir.

Nous pouvons ainsi postuler l'existence de textes illustrés antiques disparus. Quelques branches de la science médicale et de l'obstétrique ne nous sont plus connues que par des manuscrits carolingiens dont le style et l'iconographie gardent suffisamment l'empreinte de l'original pour que nous puissions conclure à l'existence d'un exemplaire antique illustré.

Ce qui est valable pour quelques textes scientifiques l'est aussi pour la Bible. Par une démarche archéologique, Kurt Weitzmann a fait émerger tout un « continent disparu » de l'enluminure paléochrétienne dont nous ne possédons plus que de rares œuvres. C'est grâce aussi à cette recherche régressive des modèles qu'on peut reconstituer l'existence d'une enluminure hébraïque ancienne, antérieure aux premiers manuscrits chrétiens de la Bible, qui

6. Bible, *II Rois*, mort de Saül (Paris, Bibl. nat., lat. 11 930, fol. 136. Vers 1220).

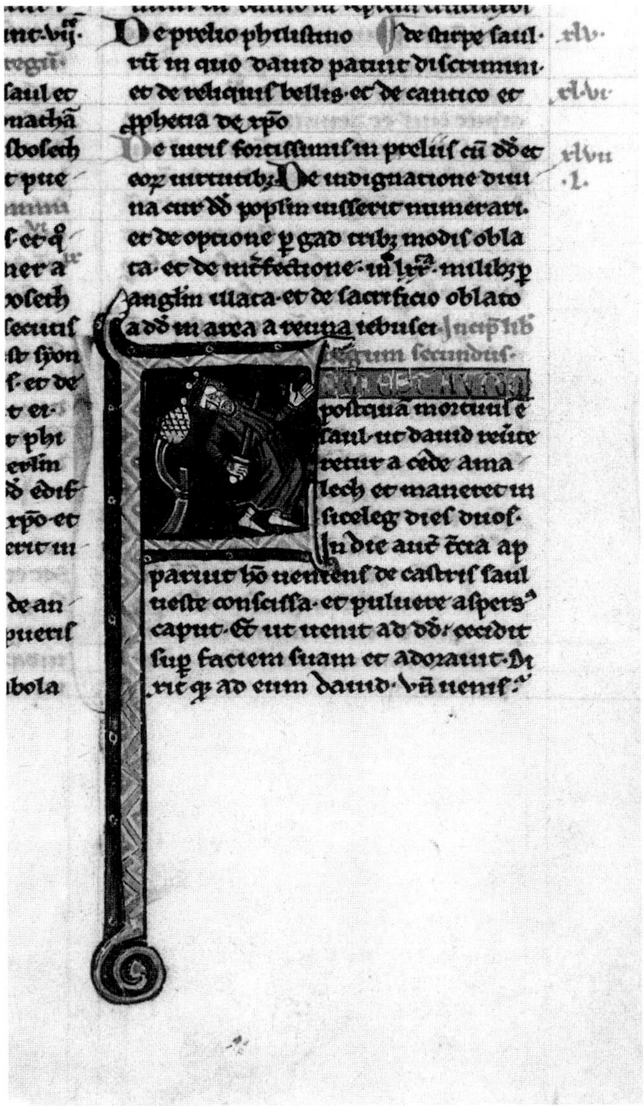

6

en auraient ainsi recueilli des schémas d'illustration.

L'étude de la copie permet aussi de cerner la personnalité du lecteur final. Le choix des textes à illustrer et celui des modèles à reproduire révèlent à toutes époques la culture du commanditaire, que ce dernier ait été abbé, prince ou plus modeste laïc.

On ne sera pas étonné que la Bible et les ouvrages liturgiques constituent la plus grande part de nos textes enluminés. Fondements de la foi, guides de la piété collective et individuelle, instrument d'exégèse et de culture, ces livres

7. Virgile Vatican, suicide de Didon (Vatican, Vat. lat. 3225, fol. 40. Vers 400).
8. Évangiles de Lothaire (Paris, Bibl. nat., lat. 266, fol. 1 v°, IXe s.).

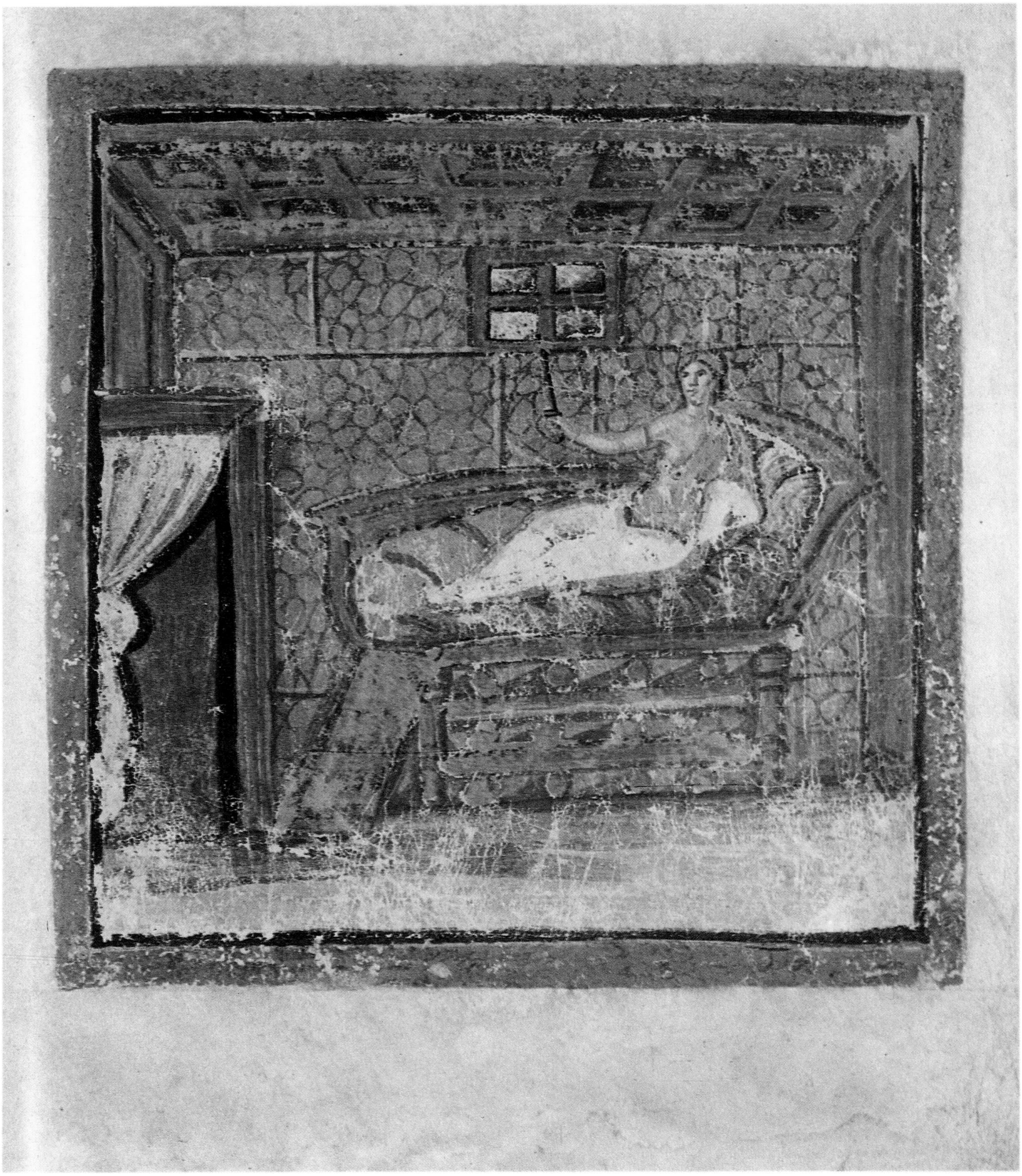

7

indispensables au culte furent toujours produits, même dans les époques troublées. A côté des copies d'antiques, ce sont les bibles qui, dans les scriptoria carolingiens, ont fait l'objet d'un effort iconographique et d'un déploiement ornemental fastueux. A l'époque romane, elles furent ornées et illustrées pour glorifier Dieu et manifester le rayonnement de l'abbaye dès que s'installait une période de calme et de prospérité. Le moment où le scriptorium d'un monastère se montre capable d'assurer, outre l'écriture, l'illustration des textes, coïncide souvent avec celui d'un essor général, avec la présence, à sa tête, d'un abbé de grande valeur. Ce n'est pas un hasard si, dans la scène de dédicace du *Lectionnaire* qu'il offre à saint Benoît, Didier du Mont-Cassin (mort en 1087) a fait figurer, entassés à ses pieds, des *castra,* des églises et des livres de prix — la terre, la pierre, les livres —, offerts en gage de piété et pour le salut de son âme (doc. 9).

A partir du XIIIe siècle, la masse des bibles médiocrement illustrées, ornées d'un décor simplifié et conventionnel, reflète la mise en place d'une organisation rationnelle du travail dans les ateliers urbains. Cette modification des formes et des procédés témoigne de la pression d'une demande accrue (doc. 6). Avec le développement des villes, l'installation des universités, surtout à Paris, une clientèle nouvelle d'universitaires, d'étudiants et de bourgeois fut soucieuse de posséder un manuscrit enluminé, fût-ce avec modestie. Le livre devint un objet de fierté bourgeoise en même temps qu'il se répandait comme instrument de la piété individuelle.

Ces deux causes produisirent, à partir du XIVe siècle, ce qu'on a justement appelé le « best-seller » du Moyen Age, le livre d'heures. Dès que la fortune et la notoriété leur souriaient, ces nouveaux amateurs s'ingéniaient à posséder des « heures » peintes par un artiste de renom. Avec un château, des terres et une maison à la ville, il semble qu'un tel livre richement illustré ait été la marque de la réussite sociale. C'est ce que montre l'étude d'un manuscrit peint par Jean Fouquet pour Simon de Varie, récemment sorti de l'anonymat grâce à une enquête exemplaire. Comment un jeune négociant de Bourges put-il s'offrir les service du peintre du roi ? Grâce à l'analyse du livre et de son décor, c'est tout un milieu — et les forces économiques et politiques qui le soutiennent — qui peut s'incarner dans un lecteur et se concrétiser dans un manuscrit. Cependant, bien que la Bible soit restée l'ouvrage le plus souvent illustré, la production se diversifia avec l'illustration des livres de droit, des œuvres historiques, des traités de chasse et de fauconnerie, des romans, etc. Ce phénomène reflète, à l'évidence, l'élargissement des intérêts et des goûts des milieux cultivés de l'époque.

Au cours de cette évolution, l'in-

9

9. Lectionnaire du Mont-Cassin, scène de dédicace (Vatican, Vat. lat. 1202, fol. 17 v°. Seconde moitié du XIe s.).

10. *Grandes Chroniques de France* (Paris, Bibl. nat., français 2813, fol. 470 v°. XIVᵉ s.).

11. *Vie de saint Aubin d'Angers* (Paris, Bibl. nat., nouv. acquis. lat. 1390, fol. 1 v°. Fin XIᵉ s.).

12. *Vie de saint Aubin d'Angers* (Paris, Bibl. nat., nouv. acquis. lat. 1390, fol.2. Fin XIᵉ s.).

13. *Vie de saint Aubin d'Angers* (Paris, Bibl. nat., nouv. acquis. lat. 1390, fol. 2 v°. Fin XIᵉ s.).

14. *Vie de saint Aubin d'Angers* (Paris, Bibl. nat., nouv. acquis. lat. 1390, fol. 3, fin du XIᵉ s.).

fluence des souverains et de leur entourage, ou des milieux dirigeants qui, à certains moments, ont pris leur relais en tant que mécènes, apparaît toujours fondamentale. Qu'il s'agisse de l'illustration de textes antiques ou de l'élaboration de programmes nouveaux adaptés à des textes contemporains, c'est toujours l'impulsion d'une élite que l'on retrouve à la base. On sait le rôle capital de Charlemagne et, surtout, de Louis le Pieux et de sa femme Judith, puis de leurs successeurs, dans la recherche de manuscrits antiques.

Le livre illustré fut un instrument de savoir et donc de pouvoir. Instruments de thésaurisation et de circulation du savoir, ils faisaient l'objet d'échanges — la pratique de la copie est essentielle — et, par conséquent, supposaient l'établissement de réseaux de relations. Se procurer les modèles adéquats : là commençait le défi. Un souverain, un abbé, assuraient leur entente avec un autre personnage d'importance en permettant l'emprunt d'un texte illustré ou, mieux, en offrant sa copie. Le prêt d'un ouvrage rare était une manifestation de bon vouloir, de même que la possibilité de commander un manuscrit dans un scriptorium de grand renom : Charles le Chauve permit ainsi à son demi-frère Lothaire, après leur réconciliation, de commander des évangiles au scriptorium de Tours, sans aucun doute le plus apte à l'époque à produire ces manuscrits auliques raidis d'or et de pourpre (doc. 8). Se procurer des modèles fut, par la suite, l'une des passions de bibliophiles comme Jean de Berry, et les satisfaire l'une des tâches des libraires.

L'exercice de la copie, toutefois, sauf lorsqu'elle s'appliquait à des œuvres techniques où la fidélité était exigée, et en tout cas recherchée sinon toujours atteinte, fut marqué d'une certaine dérive par rapport au modèle. Ce décalage pouvait être d'ordre stylistique ou iconographique, traduit, par exemple, par la modernisation des vêtements et des objets (doc. 5). C'est par là que ces manuscrits portent témoignage de leur temps. Ils deviennent alors pour nous des documents dont l'actualité peut être exploitée au même titre que celle des ouvrages décorés d'images nouvellement conçues.

Les manuscrits illustrés sont, c'est l'évidence même, une mine de renseignements de tous ordres sur la vie quotidienne, les pratiques et les techniques — par exemple, le *Traité d'agriculture* de Pierre de Crescenzi —, les cérémonies liturgiques et autres... L'illustration, toutefois, n'est pas toujours à prendre au pied de la lettre. Ainsi les *Grandes Chroniques de France* sont-elles illustrées d'images créées pour transmettre, tel un reportage, le souvenir d'un événement contemporain de l'enlumineur, la visite de l'empereur Charles IV à Paris. L'une d'elles représente Charles V, roi de France, couronne en tête, alors que — le texte le précise et d'autres témoignages le confirment — il portait ce jour-là, comme à l'accoutumée, un grand chapeau (doc. 10). Cette erreur volontaire, introduite sans doute par un clerc de l'entourage royal, signifie que le souverain ne veut pas apparaître sous un jour défavorable par rapport à l'empereur : caracolant, couronné, devant les princes germaniques, il affirme la primauté du roi capétien. Défaillante sur le plan de la vérité de l'anecdote, l'image est significative sur un autre plan, celui de l'idéologie du pouvoir royal.

Autre exemple : les miniatures de la *Vie de saint Aubin*, peintes à Angers à la fin du XIᵉ siècle. Beaucoup représentent des miracles. Quatre d'entre elles sont consacrées à un seul épisode, celui où le saint, en pleine célébration des noces, condamna un couple incestueux (doc. 11) puis fut sommé par ses pairs indignes de bénir des eulogies destinées à ce même couple (doc. 12). Le châtiment ne se fit pas attendre : dès l'arrivée des eulogies, le marié tomba raide mort ! (doc. 13-14). Le texte date du VIᵉ siècle. Mais l'importance donnée par l'illustrateur roman à cet événement trahit deux préoccupations des prélats de l'époque. La première tient au souci manifesté par l'Eglise réformatrice de faire respecter les interdits canoniques en matière de consanguinité pour la conclusion des mariages. On sait le poids grandissant de ces contraintes sur la classe seigneuriale dès l'époque carolingienne. L'autre a trait au dogme. Elle s'exprime à travers la représentation ambiguë des eulogies, qui n'étaient pas des hosties consacrées — elles sont d'ailleurs tenues à mains nues par un messager laïc — mais qui sont pourtant figurées comme telles et marquées du monogramme du Christ ; elles font ainsi allusion à la présence réelle du Christ dans l'hostie, à une époque et dans une région où celle-ci était mise en doute par l'enseignement de Bérenger de Tours (mort en 1088), qui fut aussi archidiacre à Angers. Cette illustration est donc à classer parmi les témoins — sermons, pamphlets, images — de la réaction de l'Église face à l'hérésie menaçante. Elle témoigne de ce que l'illustration d'un manuscrit ne dépend pas seulement du texte concerné. Elle reflète aussi les problèmes sociaux et religieux de son temps, et, comme telle, ne saurait être comprise sans le recours à des sources d'information extérieures au texte lui-même.

Les voies de la recherche fondée sur l'illustration des manuscrits sont donc multiples. L'intérêt de cette documentation est d'autant plus grand qu'elle est le fruit d'une technique qui s'est poursuivie sans interruption pendant plusieurs siècles et que les œuvres, lorsqu'elles nous sont parvenues, se trouvent dans un état de conservation relativement bon. Alors que les monuments sont malmenés, que les peintures murales s'effacent, que les vitraux se corrodent, que les orfèvreries, menacées par leur valeur même, ont été fondues et réemployées, les manuscrits enluminés, passés des trésors des grands aux réserves des bibliothèques, constituent un domaine sauvegardé.

H.T.

Incestos thalamos dampnat castissimus auctor.
Ex quo quanta tulit non est facile memorari.
11

12

Ante sacros panes quam qui portabat adesset
Interit indignus tanta pietate prophanus.
13

14

La lecture de l'image médiévale

Les enluminures qui décorent et illustrent les manuscrits du Moyen Age ne se regardent pas et ne se lisent pas comme les tableaux des Temps modernes ou les photographies contemporaines. Les imagiers, peintres, sculpteurs, maîtres verriers, racontent les événements et développent les idées à l'aide de signes plus ou moins arbitraires.

Il les relient entre eux par des rapports codés qui constituent une véritable syntaxe de la figuration médiévale. Certains éléments, certaines relations, constitutifs de ce code des images, sont connus depuis longtemps. D'autres, en revanche, n'ont jamais été découverts et étudiés.

Cette recherche originale sur la « grammaire » des représentations médiévales est rendue possible par le développement des techniques de reproduction et d'exploitation scientifique. Il faut, en effet, disposer de dizaines de milliers de représentations pour entreprendre une étude valable du langage iconographique. Dans cette gamme très variée, les peintures des manuscrits tiennent une place essentielle. Il n'y a pratiquement pas de faux ou de documents altérés par des restaurations abusives. Les enluminures ont été conservées en très grand nombre ; elles illustrent toutes les disciplines du savoir : philosophie, religion, sciences, histoire, littérature, droit, etc. Elles présentent enfin l'avantage immense d'être en rapport avec des textes qui en éclairent souvent la signification, une fois prises les précautions scientifiques fondamentales.

Dans cette brève présentation, un seul exemple permettra d'entrevoir la nature des problèmes qui se posent au chercheur, les méthodes qu'il utilise, la fécondité de sa démarche, dont l'aboutissement est de faciliter le bon emploi de l'image médiévale comme source documentaire. Les résultats sont au service des historiens d'art, des historiens, des anthropologues, en même temps que des enseignants et du grand public cultivé.

Une méprise typique sur la signification d'une scène conduira à deux séries de réflexions. La première sera d'ordre méthodologique, la seconde mettra en évidence la facilité avec laquelle une mauvaise compréhension de l'image conduit à des exploitations et à des théories erronées. Des affirmations aberrantes peuvent être ainsi rapidement transformées en postulats, puis en dogmes, par une tradition tenace.

Il s'agit d'une scène simple. Un personnage, souvent assis, tient un livre dans une main et dans l'autre une verge. Devant lui, un ou plusieurs autres personnages, généralement plus petits, tiennent un livre ouvert. Le plus souvent, ils sont nus jusqu'à la ceinture. On en a quelquefois conclu que les enseignants du Moyen Age utilisaient systématiquement les châtiments corporels. Laissons de côté le problème des procédés pédagogiques du temps. Considérons uniquement les images en tant que sources documentaires.

On les trouve dans des contextes différents, où la relation maître-disciple n'implique pas que celui qui détient le savoir s'adresse à des enfants. On ne saurait établir une correspondance entre les dimensions des êtres représentés et leur âge. Dans les représentations médiévales, les différences de taille des personnages dépendent de leur rang dans un ordre hiérarchique donné. Le cas de l'enseignant plus grand que ses élèves n'est qu'une application de cette règle fondamentale.

Dans l'initiale du livre des Proverbes, par exemple, le maître de sagesse est traditionnellement le roi Salomon. Celui ou ceux auxquels il s'adresse ont quelquefois un âge avancé. Dans une bible du XIIIe siècle (doc. 18), le roi imberbe a même l'air plus jeune que certains clercs alignés devant lui, un livre dans les mains — en particulier que le deuxième et le troisième. Dans une autre initiale de la même époque (doc. 19), le roi s'adresse à un homme non tonsuré. Le doigt pointé

15

15. Dessin d'après l'*Hortus deliciarum* de Herrade de Landsberg, milieu du XIIe siècle, fol. 32).

16. Représentation du *Trivium,* grammaire, dialectique, rhétorique, vers 1200 (Paris, Bibl. Sainte-Geneviève 1041, fol. 1).

17. Leçon de grammaire. Gossuin de Metz, *Image du monde,* 1277 (Paris, Bibl. Sainte-Geneviève 2200, fol. 57 v°).

18. Bible latine. Initiale du *Livre des Proverbes* XIIIe siècle (Paris, Bibl. Sainte-Geneviève 1185, fol. 171).

19. Bible latine. Initiale du *Livre des Proverbes,* XIIIe siècle (Paris, Bibl. Sainte-Geneviève 15, fol. 253 v°).

20. Psautier. Initiale du psaume *Cantate Domino,* XIIIe siècle (Paris, Bibl. Sainte-Geneviève 1273, fol. 112).

horizontalement signifie qu'il parle en énonçant avec autorité des vérités inscrites sur le livre.

Dans une autre illustration de livre religieux, un psautier du XIIIe siècle, la figuration est différente (doc. 20). Le clerc tonsuré reçoit l'enseignement d'un laïc. Le maître tient les verges, non comme s'il s'apprêtait à frapper, mais comme s'il les présentait symboliquement. Cet instrument, ce geste et la nudité partielle sont des signes de pénitence et d'ascèse. Le fait d'apprendre à lire, d'accéder simultanément à la connaissance de la vérité et à la vertu, voilà ce que figurent ces représentations. La main divine sortant de la nuée, juste au-dessus de la tête du clerc, montre bien qu'il ne s'agit pas d'un mauvais élève dont il faudrait corriger les fautes, mais d'un homme sur le chemin de la sainteté, par l'acquisition de la connaissance et la pratique de l'ascèse.

Ce caractère sacré de l'acquisition du savoir est mis en évidence dans des représentations qui, pour nous, sont d'ordre purement profane. Une allégorie de la Grammaire, illustrant un manuscrit du *Satyricon* de Martianus Capella (fig. 16), représente la femme beaucoup plus grande que le disciple. Elle fait le geste de l'enseignement, index pointé horizontalement, et présente une férule. La sainteté, indissociablement liée au cheminement de l'esprit vers la vérité et le bien, est manifestée par une auréole, attribut également de la Dialectique et de la Rhétorique. Lorsque la Grammaire est représentée seule, sous forme d'allégorie, la femme tient dans une main des verges et, dans l'autre, un livre ouvert. Elle est figurée ainsi par l'illustrateur de l'*Hortus deliciarum* (doc. 15).

Dans les séries de scènes, plus ou moins réalistes ou symboliques, représentant l'ensemble des Arts libéraux, grammaire, rhétorique, dialectique, arithmétique, géométrie, astronomie et musique, seuls les étudiants apprenant la grammaire sont à moitié nus (doc. 17). Les autres sont complètempent vêtus et leurs professeurs ne tiennent pas de verges. On ne saurait en conclure que les professeurs de grammaire avaient le monopole de la violence ! Ce symbolisme particulier témoigne simplement de la prééminence de la grammaire dans la hiérarchie des arts permettant d'accéder à la vérité.

Un rapide examen d'une série d'images présentant des caractères communs, mais avec des corrélations variables et dans des contextes différents, conduit à cette évidence : l'image médiévale est codée. Il est impossible de l'utiliser comme source documentaire, de la lire et de l'interpréter correctement sans apprendre sa morphologie et sa syntaxe.

F.G.

16

17

18

19

ficationis eius.
nouum
Notum
gentium reuelauit
Recordatus est

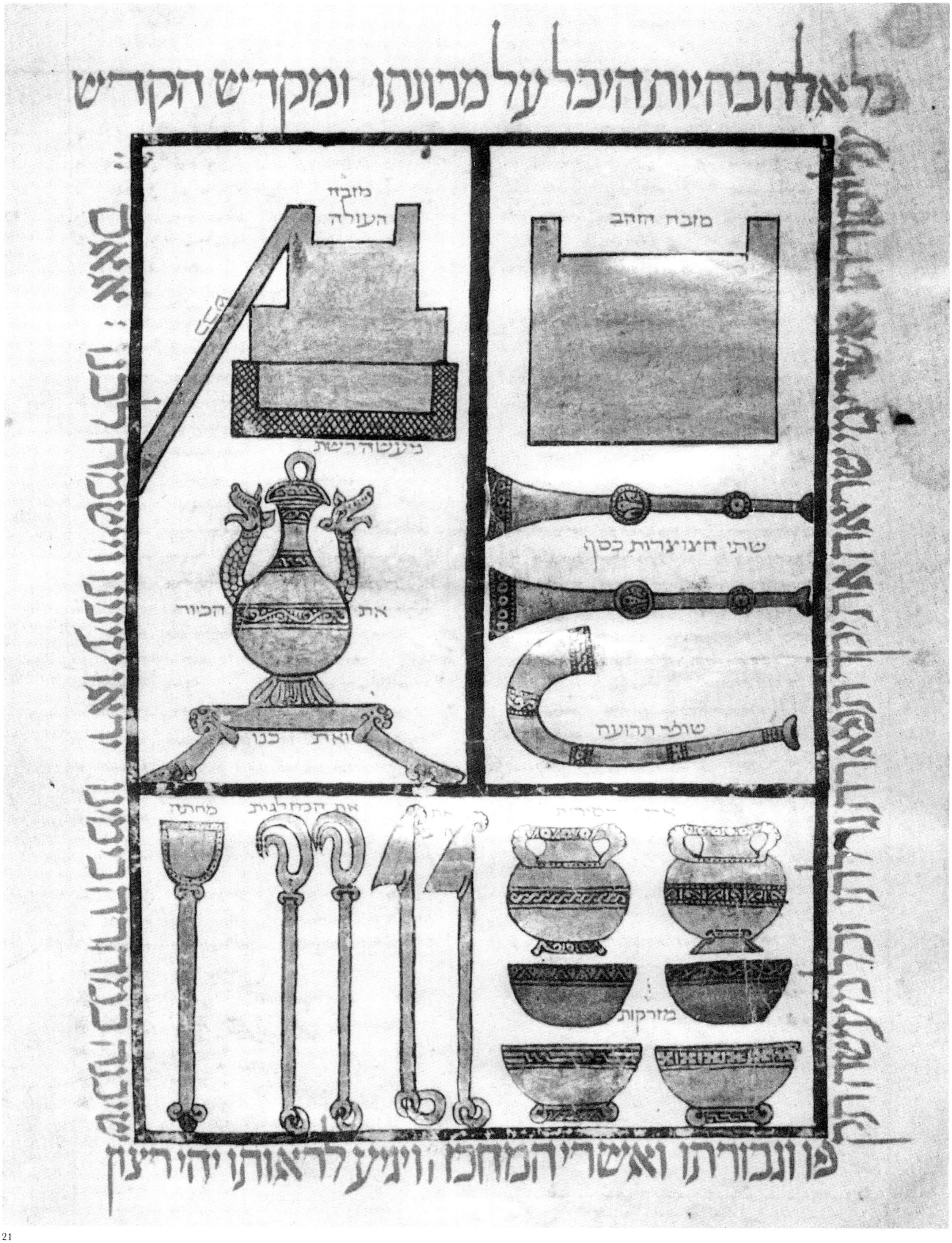
כלאלה כהיות היכל על מכונתו ומקדש הקדש
מזבח העולה
מזבח הזהב
מעשה רשת
את הכיור
ואת כנו
שתי חצוצרות כסף
שופר תרועה
מחתה
את המזלגות
מזרקות
פו וגבורתו ואשרי המחכה ויגיע לראותו יהי רצון

Le manuscrit enluminé, témoin de l'histoire

21. Représentation du mobilier du Temple. La pureté des lignes et l'emploi de l'or sans autres couleurs reflètent un modèle oriental ancien auquel l'artiste du XIIIe siècle a prêté la finesse de sa technique (Paris, Bibl. nat., hébr. 7, bible hébraïque. Perpignan, 1299).

22. Psautier grec. Constantinople, Xe siècle. David jouant de la harpe. Le paysage illusionniste est celui d'une peinture hellénistique du IVe siècle dont la copie du Xe siècle conserve l'empreinte (Paris, Bibl. nat., grec 139).

L'enluminure peut nous renseigner sur notre passé culturel de bien des manières. Son étude révèle souvent les origines de nos traditions artistiques, l'itinéraire de migration des courants culturels. Elle permet parfois de déceler les raisons qui ont déterminé le choix de tel programme iconographique. Elle peut encore éclairer quelques aspects de notre histoire, laissés dans l'ombre par les annales.

Héritière des acquis techniques de la peinture murale de l'époque hellénistique, l'enluminure des manuscrits a atteint un haut degré de perfection dès les premiers siècles de notre ère. La richesse et la délicatesse des illustrations accompagnant le texte, écrit sur parchemin de pourpre, de la Genèse de Vienne (Vienne, Bibl. nat., cod. theol. grec 31), des Évangiles de Sinope (Paris, Bibl. nat., suppl. grec 1286) et de Rossano (trésor de la cathédrale), trois codex* de luxe du VIe siècle, en conservent le témoignage.

Ces rares œuvres rescapées de l'Antiquité tardive ne sont cependant pas seules à transmettre le souvenir de cet art. Les peintures de manuscrits aujourd'hui disparus sont plus d'une fois connues par des copies fidèles, insérées dans des codex exécutés plusieurs siècles après l'original. Le Psautier grec de Paris (Paris, Bibl. nat., grec 139, doc. 22) exécuté au Xe siècle, époque où la peinture du livre renaissait d'un siècle de silence imposé par l'iconoclasme, est orné de peintures dont les particularités stylistiques permettent de reconnaître un modèle sous-jacent, du IVe siècle environ. Toutefois, malgré l'écart chronologique, l'ensemble des critères qui caractérisent le psautier reste homogène du fait que le modèle et la copie appartenaient tous deux à l'aire culturelle byzantine.

Une telle continuité ne se vérifiait pas toujours. Le texte d'un pentateuque latin copié au VIIe siècle en Espagne ou en Afrique du Nord, le *Pentateuque d'Ashburnham* (Paris, Bibl. nat., nouvelle acquisition latine 2334), est accompagné de peintures à pleines pages meublées

22

זה הכרובים פורשים כנפים מעל הכפורת׳ ושולחן הזהב׳

23. L'arche d'alliance et les chérubins visualisés selon les normes de l'art gothique (Londres, British Library, Add. 11639, fol. 522. Recueil de textes bibliques et liturgiques. Nord de la France, vers 1280).

24. Le XIVe siècle marque l'éveil de l'intérêt pour l'expression individuelle : traits, mouvements, couleurs tendent à évoquer l'ardeur de Moïse frappant le rocher pour faire jaillir l'eau (*Nombres*, XX, 11). (Londres, British Library, Add. 11639, fol. 743. Recueil de textes bibliques et liturgiques. Nord de la France, vers 1280).

25. L'artiste médiéval évoque Judah Maccabée sous les traits d'un héros de son temps (Budapest, bibl. de l'Académie des sciences, A 77/I, fol. 2, Moïse Maimonide, *Mishneh Torah*. Nord-Est de la France, 1296).

de faune et de flore orientales, de personnages vêtus selon la mode vestimentaire syro-palestinienne du IIIe siècle, et agencées suivant des procédés de composition qui se démarquent radicalement de ceux attestés au VIIe siècle en Occident. Autant d'arguments qui ont amené l'historien de l'art Joseph Strzygowsky à reconnaître dans les peintures du manuscrit du VIIe siècle la copie d'un modèle du IIIe siècle produit en Orient. La disparité des traits de civilisation accentue, ici, celle due au décalage chronologique.

Semblables transferts sont également connus dans le domaine des manuscrits hébreux. Une composition iconographique à teneur symbolique — l'évocation des objets ayant meublé le sanctuaire de Jérusalem selon l'Exode, chapitres XXV à XXX —, est attestée pour la première fois en 1277, dans un manuscrit hébreu fait à Tolède. Cette composition, recopiée avec précision vingt ans plus tard à Perpignan (Paris, Bibl. nat., ms. hébreu 7, doc. 21), indique clairement qu'il s'agit d'une tradition importée d'Orient. Le style abstrait et dépouillé de la peinture, l'absence de volume réduisant les objets à des surfaces bidimensionnelles plaquées contre un fond laissé nu, l'emploi exclusif de l'or et d'une seule couleur pour indiquer le changement de matière — la pierre, en l'occurrence —, le jeu des zones de lumière et d'ombre cher à l'art islamique, révèlent un modèle importé des confins orientaux du bassin méditerranéen. Le transfert se situe par ailleurs dans un contexte historique cohérent : le XIIIe siècle est l'époque où la diaspora occidentale, l'Espagne en particulier, relayant les grands centres culturels de l'Orient, devient le centre intellectuel du judaïsme. Ce déplacement des forces vives de la civilisation juive vers l'Occident s'accompagnait de l'arrivée de nombre d'œuvres littéraires — philosophiques, mystiques, scientifiques — et, partant, de manuscrits dont certains, selon toute vraisemblance, étaient pourvus de peintures.

La reprise d'une œuvre d'art ancienne ne répondait pas toujours à des motivations purement intellectuelles ou esthétiques. Les mosaïques des coupoles du narthex de la basilique de Saint-Marc, à Venise, fournissent un exemple célèbre d'une copie entreprise comme partie intégrante d'un véritable programme politique. Les mosaïques, qui exposent un vaste ensemble de scènes de la Genèse, ont été copiées sur un manuscrit du Ve siècle (Londres, Brit. Libr., codex Cotton Otho B VI), produit probablement à Alexandrie. La copie est en tous points fidèle : sélection des scènes, style antiquisant des personnages et de leurs vêtements, agencement des compositions. Cette fidélité n'est pas imputable à un manque d'originalité de la part des artistes du XIIIe siècle : elle répond au souhait des commanditaires de prêter aux mosaïques une apparence antique.

Hugo Buchthal a reconstitué le contexte historique de l'entreprise : l'imitation d'une œuvre antique réputée, au cœur du monument majeur de Venise, était la clé de voûte d'une vaste mystification politique ayant pour but de doter la jeune république d'un passé noble, comparable à celui de son illustre rivale, Constantinople. Les œuvres d'art, importées d'Orient grâce à l'infatigable activité des consuls de Venise, partout présents, ou comme butin de la IVe croisade, furent réutilisées ou recopiées pour être insérées au décor de

25

la basilique, afin de fournir la preuve irréfutable de l'antiquité vénérable des traditions artistiques de la cité. C'est dans ce contexte que le manuscrit de la Genèse a été retenu comme modèle pour les mosaïques. Par un hasard de l'histoire, grâce à leur fidélité au modèle, les mosaïques sont devenues des témoins précieux pour la reconstitution des quelque trois cents peintures du codex original, lorsque celui-ci fut gravement endommagé dans l'incendie de le bibliothèque de Sir Robert Cotton, en 1731.

La copie intégrale n'était pas l'unique circonstance de la survie des œuvres antiques. La Genèse de Cotton a été utilisée aussi nombre de fois comme source où puiser les éléments nécessaires à l'élaboration d'illustrations médiévales. Les travaux de Kurt Weitzmann, d'Herbert L. Kessler et de Joachim Gaehde ont permis d'identifier ces éléments dans les frontispices des bibles carolingiennes de Tours du IXe siècle, dans les illustrations des commentaires bibliques de Herrade de Hohenburg intitulés *Hortus deliciarum*, du XIIe siècle, et jusque dans des œuvres de facture populaire, tels les dessins au trait accompagnant une paraphrase biblique du XIIIe siècle fait en Carinthie, la Genèse de Millstatt.

Grâce à ces recherches, on peut aujourd'hui mesurer l'impact considérable de la recension iconographique de la Genèse de Cotton sur l'imagerie biblique de l'Occident médiéval. Les voies de transmission restent encore, le plus souvent, inconnues. Mais grâce au témoignage des peintures — effet visible de courants disparus —, la carte géographique des grands itinéraires de migration de nos traditions artistiques peut, partiellement tout au moins, être reconstituée.

L'enluminure peut encore conserver le souvenir de contacts culturels et sociaux entre artisans appartenant à des communautés voisines, contacts dont les chronique historiques ont seulement retenu les aspects négatifs et antagonis-

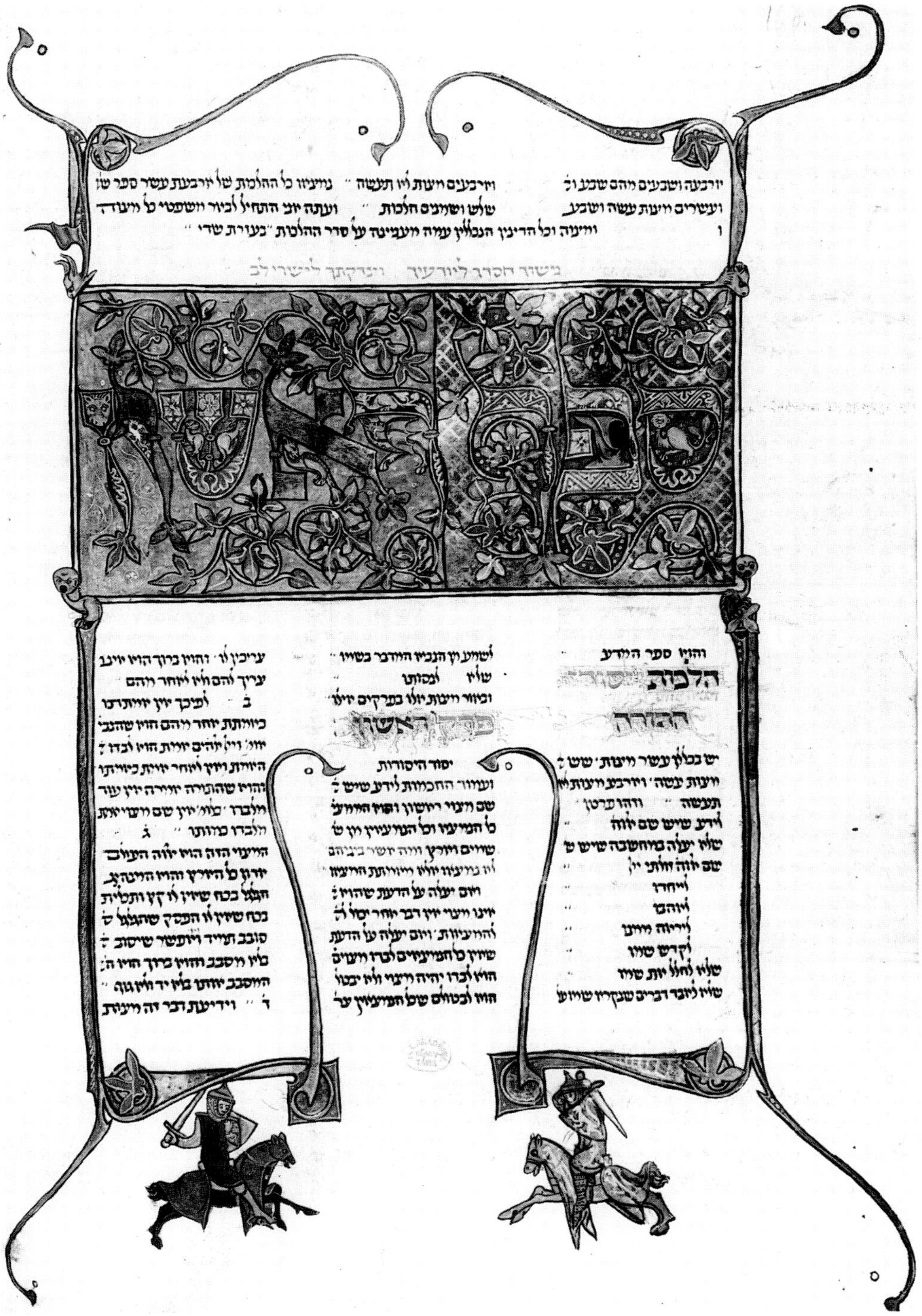

26

26. Thème fréquent de l'imagerie médiévale, la joute de chevaliers transpose dans un langage contemporain de l'artiste celui de la lutte du Bien et du Mal (Budapest, bibl. de l'Académie des sciences, A 77/I, fol. 16 v°, Moïse Maïmonide, *Mishneh Torah.* Nord-Est de la France, 1296).

tes. Les manuscrits hébreux à peintures, produits en France durant les dernières décennies du XIIIe siècle, fournissent à cet égard des témoignages significatifs. Un recueil de textes divers, daté grâce aux critères internes des années 1280 (Londres, Brit. Libr., Add. ms. 11639), contient une série de peintures qui illustrent les hauts lieux de la théologie juive. Le style et la technique apparentent de manière directe ces enluminures aux ateliers de manuscrits latins du Nord de la France (doc. 23-24). Aucune signature ne nous informe sur l'identité de l'artiste. S'il était juif, son art permet de confirmer qu'il avait été formé dans un atelier chrétien. Si l'artiste était, au contraire, chrétien, le fait d'avoir reçu une telle commande serait un indice de la confiance dont il jouissait auprès des commanditaires juifs. Quelle que soit l'alternative retenue, elle est en contradiction flagrante avec les faits consignés dans les annales.

D'autres manuscrits confirment ce témoignage. Une copie du *Mishneh Torah* — compendium des lois religieuses rédigé par Moïse Maimonide —, faite en 1296 dans le Nord-Est de la France, a pu être localisée grâce aux illustrations introduites dans les marges. Celles-ci représentent divers personnages bibliques : Judah Maccabée (doc. 25), Samson et des scènes de genre typiquement médiévales, telle deux chevaliers en joute (doc. 26). Ces illustrations n'ont aucun rapport apparent avec le texte. Le peintre chargé de la décoration du codex les a empruntées à un carnet de modèles ayant servi à la décoration des psautiers et bréviaires latins. Par leur style, ces peintures sont apparentées aux manuscrits exécutés pour deux membres de la famille de Bar : le bréviaire de Marguerite de Bar (Verdun, bibl. municipale, ms. 107) et le pontifical de Renaud de Bar, évêque de Metz (Cambridge, Fitzwilliam Museum, ms. 298). Le rapprochement est d'ailleurs confirmé par des éléments de décor imitant les armoiries de la famille de Bar, répétées à plusieurs reprises dans le manuscrit hébreu. L'affinité stylistique est telle que l'hypothèse de la contribution du même artiste de part et d'autre ne peut pas être exclue.

Quelques autres faits, semblables, renforcent la supposition. Certes, aucun document historique ne peut être cité pour ériger en certitude l'hypothèse d'une collaboration très suivie entre artistes de communautés voisines. Tout porte à croire cependant que, en toile de fond à l'histoire officielle, une autre histoire, parallèle, fut celle des contacts professionnels, des échanges culturels dont l'écho nous parvient par la voie de témoins directs : les œuvres d'art qui leur doivent l'existence.

G. S.-R.

27. Bible. Initiale historiée représentant trois chantres laïcs, à la chevelure bouclée, interprétant une polyphonie (Autun, Bibl. mun. 146 A (S. 169) fol. 245 v°. XIVᵉ s.).

27

Poésie latine profane et musique dans le haut Moyen Age

28. Horace, *Odes*, IV, 11. Notation aquitaine prévue par le copiste qui a écrit le texte une ligne sur deux (Montpellier, Bibl. interuniv., Médecine 425, fol. 50 v°. XIᵉ s.).

L'unité primordiale de la musique et du langage dans la poésie apparaît aujourd'hui comme un paradoxe. Tout se passe comme si la poésie se réduisait à son étymologie : fabrication, soit essentiellement art de dire ou d'écrire (*dictare*). Notre pratique des langues modernes européennes ne nous prépare guère à découvrir d'autres oppositions sonores que syntaxiques. Si l'on admet volontiers que l'intonation d'un mot puisse être emphatique, inachevée et s'opposer même, parfois, à l'accent grammatical (quand celui-ci est encore perceptible), on ne saurait cependant confondre ce phénomène avec le mélisme proprement dit, c'est-à-dire avec une formule mélodique chantée sur une syllabe qui ne devrait supporter normalement qu'une seule note.

Il en va autrement avec les langues de l'Antiquité. Dans le latin, la nature sonore du verbe s'articule autour de deux éléments dont notre langue française n'a plus que des souvenirs :

- L'accent du mot, qui est son unité, et que le locuteur interprète en terme de hauteur, variable selon son intelligence du texte et le point d'émotion où ce dernier le porte. Sa succession structurée constitue une mélodie dans laquelle le mélisme aura pour rôle de mettre en relief soit une syllabe, soit un mot, ou la cadence médiane, ou encore la formule conclusive.
- Les syllabes qui, sur la donnée simple de longues et de brèves, se monnaient en oppositions contrastées dont la durée génère une autre valeur, propre à la musique, le rythme*.

Il n'est pas de notre propos d'entrer dans la description d'une élaboration extrêmement complexe où l'on verrait rythme et mélodie s'accommoder ou se raidir en des formules proprement mathématiques qui ne seraient pas immédiatement perceptibles à l'oreille. Les rythmiciens utilisent plus simplement comme unité rythmique le pied, le regroupement des pieds donnant le mètre*. Il est à craindre qu'une telle

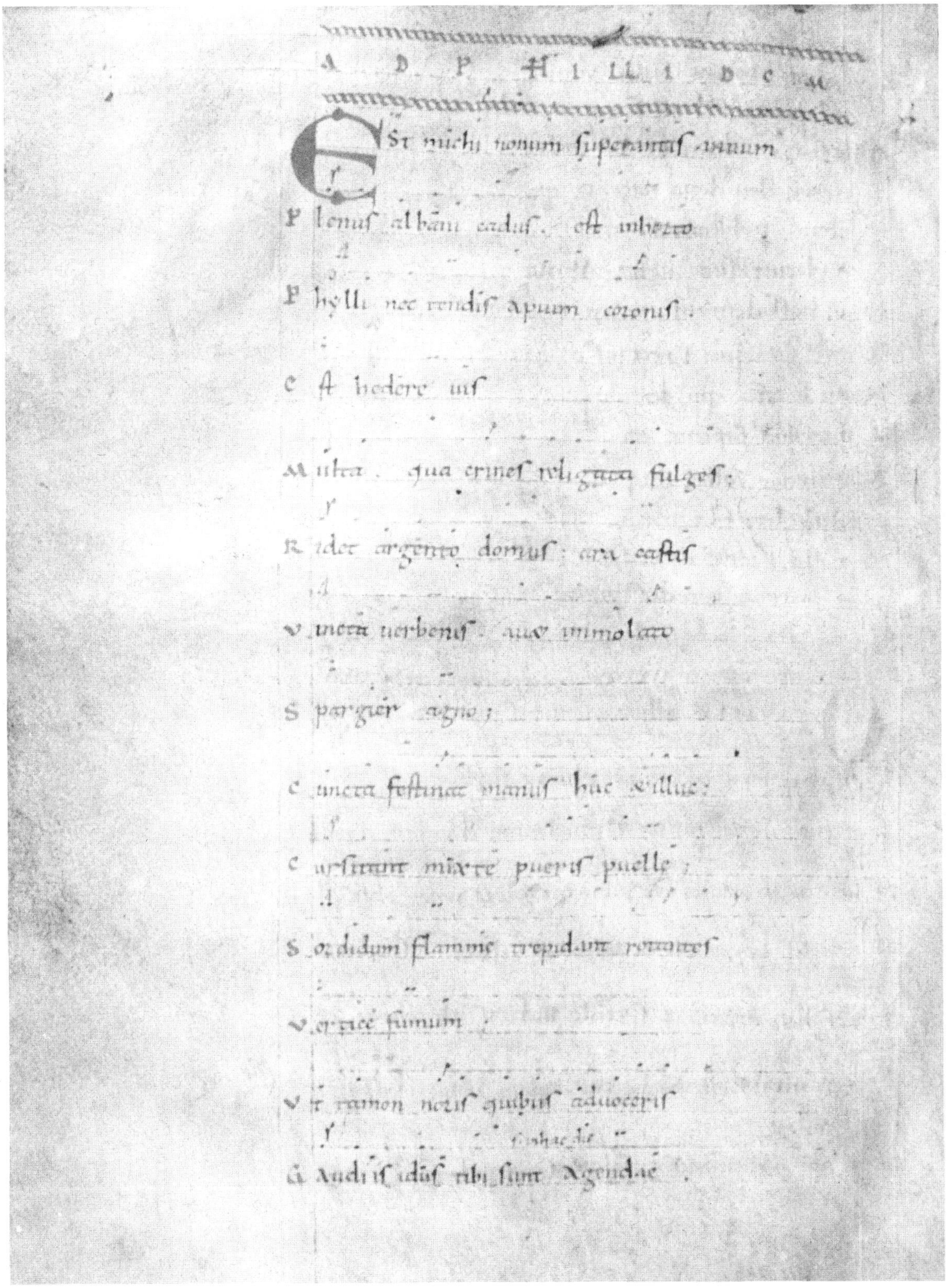

28

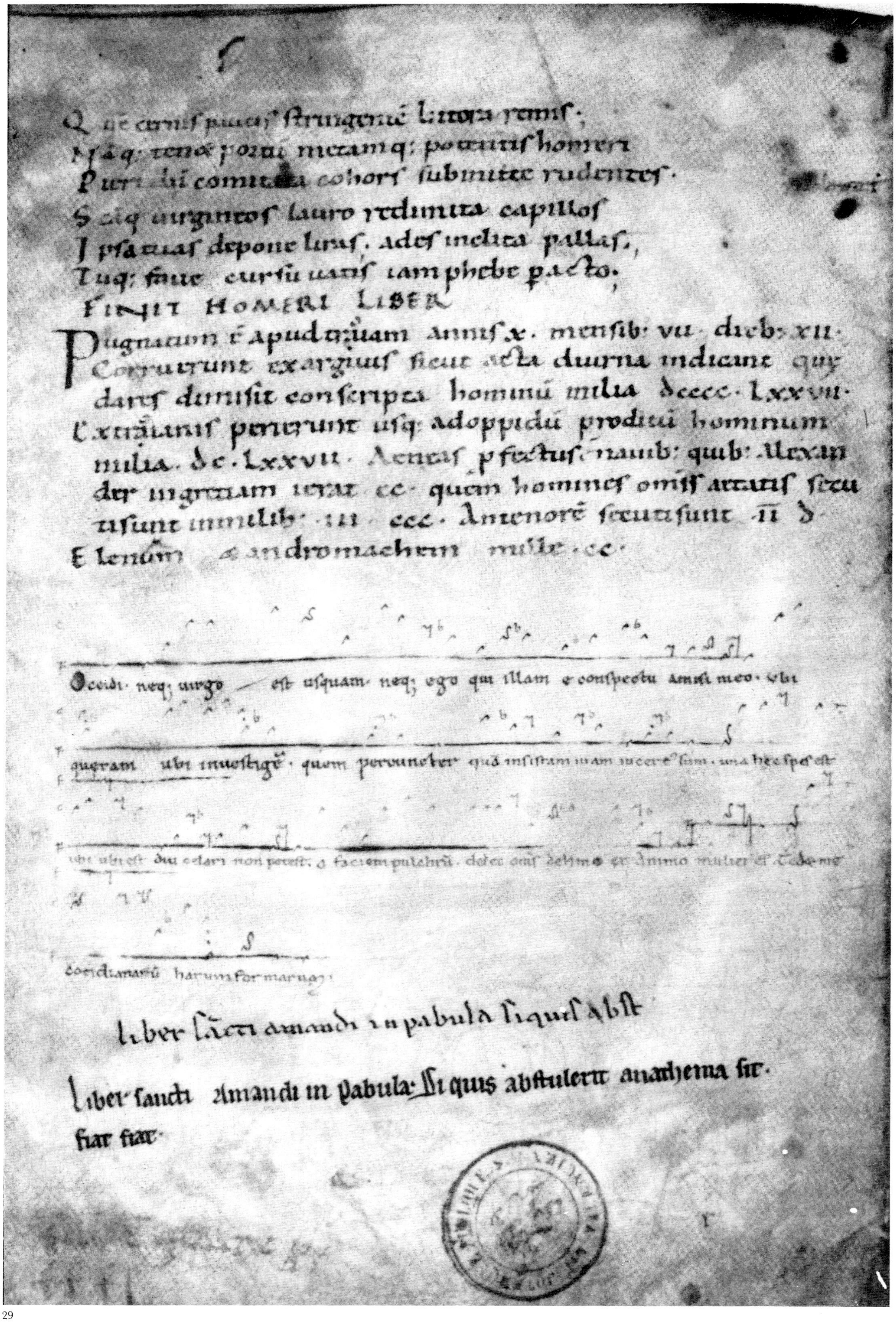
Que curuis puppes stringentem litora remis ;
Ma q; tenet portu metamq; potentis homeri
Puri ... comitata cohors submitte rudentes.
Scieq uirgineos lauro redimita capillos
Ipsa tuas depone liras. ades inclita pallas,
Tuq; faue cursu uatis iam phebe peracto;
FINIT HOMERI LIBER
Pugnatum e apud troiam annis x. mensib; vi. dieb; xii.
Corruerunt ex argiuis sicut acta diurna indicant quę dares descripsit conscripta hominum milia dcccc. lxxvi.
Ex troianis perierunt usq; ad oppidum proditum hominum milia dc. lxxvi. Aeneas p fectus e nauib; quib; Alexander in greciam ierat cc. quem homines omnis aetatis secuti sunt in milib; iii. ccc. Antenorem secuti sunt ii d.
Elenum et andromachen mille cc.

Occidi. neq; uirgo est usquam. neq; ego qui illam e conspectu amisi meo. ubi quęram ubi inuestigem. quem percunctar. qua insistam uiam incertus sum. una hec spes est ubi ubi est diu celari non potest. o faciem pulchram. deleo omnes dehinc ex animo mulieres. Tedet me cotidianarum harum formarum;

liber sancti amandi in pabula siquis abst

Liber sancti amandi in pabula. Si quis abstulerit anathema sit.
fiat fiat.

29. Térence, *l'Eunuque* (292-297). Addition contemporaine d'une notation lorraine sur lignes à la pointe sèche. L'une de celles-ci, variable, avec clef de fa, était primitivement tracée à l'encre rouge avant d'être partiellement recouverte d'encre noire (Valenciennes, Bibl. mun. 448 (420), fol. 116 v°. XIe s.).

construction, satisfaisante pour l'esprit, n'en soit que plus irréelle car cet ordre apparent semble aussi étranger à l'essence même de la structure poétique que la mesure, dans son principe même, est extérieure à la structure rythmique de la phrase musicale.

L'accent, indépendant du mètre, développe une mélodie qui combat la monotonie constitutive de la prosodie. Mais avouons que nous ne savons pas grand-chose de son intensité et que ses composantes nous apparaissent d'une telle complexité qu'elles échapperont encore longtemps à toute volonté de réduction à des normes générales.

Les grammairiens s'y sont pourtant employés. Leurs règles nous entraînent en des détails presque infinis sur les déplacements d'accents, sur la constitution d'accents secondaires..., au point de fonder notre sentiment, *a contrario*, que la seule réalité de l'accent réside dans sa diversité, qui découle de la nature même du débit. Cette combinaison du rythme* et d'une ligne mélodique offre des ressources d'une variété pratiquement inépuisable dont la richesse expressive était bien connue des clercs médiévaux. Cette structure accentuelle de la phrase fournissait déjà à l'interprète le canevas de sa mélodie. En dépit du schéma métrique, cette dernière n'est en rien contrainte car la distribution des accents du mot est à chaque fois différente : c'était la musique du verbe.

Mais qu'en est-il de la musique du son ? Par-delà, en effet, cette succession ordonnée de syllabes toniques et atones qui fonde le « *cantus obscurior* » dont parle Cicéron (l'*Orateur*, 57), les manuscrits médiévaux témoignent d'un fait bien particulier, proprement musical dans les œuvres des lyriques classiques : la présence de neumes.

Il s'agit là du signe de la notation musicale primitive. Avant de s'appliquer, au début du XIe siècle, au symbole graphique d'où découle notre notation moderne, le mot « neume » avait le sens premier d'une mélodie courte, d'une mélodie type. C'est une notion bien familière au monde médiéval que celle du *nomos*, de la loi, du canon, puis d'un mode qui, par sélection des intervalles, permet d'étudier les mélodies, les tons, en les classant dans des recueils didactiques et théoriques, les tonaires.

Jusqu'à la fin du Xe siècle, avant l'utilisation du mot « neume » pour la notation musicale, on parlait simplement de « *figura notarum* » puisque, pour le grammairien, tous les symboles graphiques qui échappaient à l'alphabet — tels l'astérisque, la parenthèse... — étaient des « *notae* » (Isidore de Séville, les *Etymologies*, I, 21). La thèse qui voit l'origine des neumes dans les accents grammaticaux latins est généralement bien admise. Il importe de souligner qu'il n'est pas indifférent pour les choix de son application que la notation musicale neumatique soit née dans la mouvance du maître (*grammaticus**) ; *a fortiori*, quand on peut déceler dans certains manuscrits de haute époque une identité probable de mains entre le *grammaticus* et le chantre (*cantor**).

En effet, les premiers neumes qui apparaissent sous la forme de points et de courts traits obliques insérés entre les lignes du texte ne se trouvent pas exclusivement dans des livres liturgiques mais aussi dans des florilèges poétiques, dans les manuscrits de quelques grands lyriques classiques (Horace, Lucain, Stace, Virgile...) ou d'auteurs « classiques » médiévaux (Boèce, Eugène de Tolède, Prudence, Sedulius...) et, plus tard, sur les compositions de circonstance, épigrammatiques, des goliards*. La poésie latine médiévale ne sort pas uniquement de la poésie liturgique et on sait que le trope* n'en est pas l'unique source. Aux yeux du liturgiste, le trope et la séquence* apparaîtraient plutôt comme des incidents locaux ; ils n'occupent, tout compte fait, qu'une place modeste dans les innombrables livres liturgiques. Proliférant ici alors qu'ils sont inconnus là, ils sont loin d'être la tradition unique de l'Occident médiéval. Ce dernier puise aussi aux sources d'une poésie profane, légère, magnifiée par Martial, dont la veine sera exploitée au XIIe siècle par les goliards, héritiers de ces clercs vagabonds contre lesquels s'élèvent déjà les conciles de Chalon-sur-Saône (813) et de Paris (825), au motif qu'ils font de la poésie aux dépens de la religion.

Comme il s'agit d'une sténographie assez rudimentaire qui, à ses débuts, précise non pas une note ou un intervalle déterminé mais un mouvement de la voix, la situation sonore d'une syllabe relativement aux précédentes, les premiers essais neumatiques ne se rencontrent généralement pas dans le répertoire grégorien proprement dit. Ce dernier, théoriquement clos avant le IXe siècle (ce qui exclut les hymnes, séquences, etc.), est bien classé dans la mémoire du chantre, dont notre esprit moderne a peine à imaginer la capacité prodigieuse.

Mais cette mémoire a aussi ses limites. Et tout semble indiquer qu'elles sont atteintes par l'application des neumes, en priorité, à des pièces de tradition récente. Liturgiques, para-liturgiques ou profanes, elles posent des problèmes formels et musicaux à l'interprète confronté à une augmentation considérable du répertoire au milieu du IXe siècle. Cet aide-mémoire semble surgir d'un même mouvement partout en Europe au point que, la notation paléofranque mise à part, il est difficile d'établir avec quelque certitude une antériorité de l'une des deux grandes familles d'écriture : l'écriture en accents — comportant peu de points —, telles les notations neumatiques paléofranque, française, sangallienne, tolédane, wisigothique ; l'écriture en points — avec quelques accents —, telles les notations neumatiques aquitaine, bretonne, catalane, lorraine... Les musicologues qui ont classé les différents témoins au sein de « domaines » propres à chaque notation ont observé qu'ils se cantonnaient en général dans les limites géographiques des

30. Bréviaire à l'usage de Verdun dont les pièces de chant sont notées sur quatre lignes rouges. Petite initiale historiée sur fond d'or se prolongeant en marge en filets d'or et de couleurs représentant un chantre soliste, un rouleau en mains (Verdun, Bibl. mun. 107 fol. 122. XIVe s.).

31. Virgile, *Énéide,* II, 274-286. Notation française du récit d'Énée (Berne, Burgerbibliothek 239, fol. 12. IXe s., 2e tiers).

anciennes provinces ecclésiastiques. Or, cette grande diversité de graphie n'a jamais altéré le contenu du neume dont la forme mélodique est toujours identique.

Une deuxième constatation est aussi d'importance. Chaque fois qu'une pièce de création récente est neumée, les copies d'origine géographique diverse présentent de notables différences dans le schéma mélodique. Ce sont là des preuves de la nouveauté d'une composition dont l'interprétation n'a pas encore eu le temps de recevoir la consécration du canon que procure la tradition orale. Or, c'est l'inverse qui s'observe dans l'application de la notation neumatique aux lyriques : quelles que soient l'origine géographique et la date des manuscrits, l'identité des témoignages à propos des passages considérés est constante. Il

30

faut donc en conclure que le phénomène qu'ils manifestent se transmet, au même titre qu'une grande part de tout enseignement, par le canal de la tradition orale et que, en tout état de cause, cette tradition est bien antérieure au moment historique où elle se laisse saisir dans sa première manifestation graphique. Aide-mémoire d'un interprète qui utilise une mnémotechnique afin de réveiller d'anciennes connaissances et d'en acquérir de nouvelles, le procédé ne présente d'intérêt que pour celui qui en possède la clé, pour le chantre dont la mémoire peut seule restituer la vérité de ce qui n'est, en l'absence d'une transcription plus tardive sur ligne (doc. 29), qu'un schéma. Lequel ne permet pas de distinguer avec sûreté une tierce d'une quarte même si, très tôt, surtout dans sa version sangallienne, il donne de minutieuses indications sur les nuances du rythme.

Enfin, une troisième constatation s'impose à la lecture des manuscrits. La notation neumatique y apparaît toujours isolée et, sauf cas exceptionnel où le copiste écrit une ligne sur deux (doc. 28), sa place n'est jamais prévue. Elle doit donc s'inscrire entre les lignes du texte, où elle s'accommode tant bien que mal, parfois, de gloses interlinéaires (doc. 31). Cette tradition d'une poésie musicale s'observe dans des manuscrits datables entre le deuxième tiers du IXe siècle et la fin du XIIe siècle. Elle disparaît ensuite et revit partiellement dans la musique mesurée à l'antique de la Renaissance qui, faisant un choix des auteurs, l'envisage sur un autre plan esthétique.

Quels sont les textes neumés ? Mis à part le seul manuscrit connu du *Chant séculaire*, v. 1-4, du XIe siècle, originaire d'Allemagne du Sud, et deux autres manuscrits des *Epodes*, 1, v. 1-7 et 2, v. 2-3, une vingtaine d'*Odes* d'Horace sont attestées par de nombreuses copies. Il en est de même pour de multiples passages de *la Guerre civile* de Lucain qui, sauf pour le premier livre, proposent une tradition manuscrite bien fournie. Les témoignages sont tout aussi nourris chez Stace, *Thébaïde*, sauf pour les livres II, VI et XI, dont nous ne connaissons qu'un seul manuscrit. Il arrive, quoique rarement, que les *Bucoliques* soient neumées alors que l'*Énéide* présente une vingtaine d'exemples. En revanche, Virgile est le seul auteur pour lequel deux manuscrits (Naples, Bibl. nat., Neap. Vindob. lat. 5 et 6, du début du Xe siècle) offrent la rare particularité d'une notation neumatique appliquée aux citations poétiques du commentaire du texte, en l'occurrence celui de Servius. A ces auteurs qui donnent une masse assez impressionnante d'exemples, on pourrait ajouter d'autres textes, dont le témoignage étudié isolément semble à bon droit curieux, mais qui, lus à la lumière de cette tradition, la renforcent. Il s'agit de Térence, l'*Andrienne*, 694-697 et l'*Eunuque*, 291-297 ; de Juvénal, *Satires*, VIII, 74-84 et 88-89 ; d'Ennius, *Annales*, X, 385 ; de Martianus Capella, *De nuptiis Philologiae et Mercurii* et de Boèce, *Consolatio Philosophiae*, dont les passages versifiés sont parfois neumés ; d'Eugène de Tolède, *Carmina*, de très nombreux poèmes de l'*Anthologia latina* et des compositions poétiques des clercs vagabonds évoqués plus haut.

Comment peut-on évaluer le rapport contradictoire qui s'établit ainsi entre le verbe et le son ? Rappelons que le schéma neumatique est destiné à un interprète dont l'exécution s'appuie sur une science acquise par transmission orale. Puisque cette dernière est à tout jamais perdue, il reste à raisonner par analogie avec des faits similaires, dont le plus proche est la notation neumatique grégorienne. Malgré la rigueur de plus en plus grande de son évolution, qui conduit celle-ci à l'abandon de signes tel l'*oriscus**, sa démarche essentiellement unificatrice ne peut réduire la formidable liberté du chantre. Celle-ci s'accompagne aussi de perplexité. Aucune notation, en effet, même dans sa maturité, comme celle qui se déploie de nos jours et *a fortiori*, donc, dans les balbutiements

Extulerat fatisq: deum defensus iniquis — uoluntate numinu
Inclusos utero danaos & pinea furtim
Laxat claustra sinon. illos patefactus ad auras
Reddit equus. laetiq: cauo se robore promunt
Thessandrus. stenelusq: duces & dirus ulixes.
Demissum lapsi per funem; achamasq: thoasq:
Pelidesq: neoptolemus. primusq: machaon.
Et menelaus. & ipse doli fabricator epeus.
Inuadunt urbem somno uinoq: sepultam;
Caeduntur uigiles. portisq: patentibus omnes
Accipiunt socios atque agmina conscia iungunt;
Tempus erat quo prima quies mortalibus aegris
Incipit & dono diuum gratissima serpit.
In somnis ecce ante oculos mestissimus hector
Uisus adesse mihi. largosq: effundere fletus.
Raptatus bigis ut quondam aterq: cruento
Puluere. perq: pedes traiectus lora tumentis.
Ei mihi qualis erat. quantum mutatus ab illo
Hectore qui redit exuuias indutus achillis.
Uel danaum phrygios iaculatus puppibus ignes.
Squalentem barbam & concretos sanguine crines
Uulneraq: illa gerens. quae circum plurima muros
Accepit patrios. ultro flens ipse uidebar
Compellare uirum & maestas expromere uoces.
O lux dardaniae. spes o fidissima teucrum
Quae tantae tenuere morae. quibus hector ab oris
Expectate uenis. ut te post multa tuorum
Funera post uarios hominumq: urbisq: labores
Defessi aspicimus. quae causa indigna serenos
Foedauit uultus. aut cur haec uulnera cerno.
Ille nihil. nec me quaerentem uana moratur.
Sed grauiter gemitus imo de pectore ducens

de sa naissance, ne porte témoignage de tous les faits musicaux qu'elle englobe. L'histoire de la musique nous en fournit des exemples par brassées. Forçons un peu le trait. L'encre est-elle à peine sèche que l'exécutant d'une partition, qu'il s'agisse d'un alléluia grégorien, d'un lied de Schumann ou d'une de ces pièces trouées de silence de Webern, se trouve comme dans la position d'un peintre, souhaitons-le de talent, dont on attendrait désespérément qu'au vu des esquisses tracées par Michel-Ange il nous refasse la chapelle Sixtine ! C'est dire la part immense de toute interprétation dont la vérité même ne peut tendre que vers la récréation de l'œuvre.

Or, comment ne pas replacer une lecture purement paléographique de cette poésie musicale dans la perspective d'un monde oral où chacun ne peut enregistrer que certaines séries de connaissances. Que le poème soit moral, historique ou d'une tout autre nature qu'épique, il est débité sur un mode convenu qui passe de la cantillation* la plus simple au chant le plus complexe. C'est là la base de la transmission orale dans le monde hellénistique, juif et dans le monde celtique, comme cela peut encore se vérifier dans certaines régions du pays de Galles. La cantillation* est instinctive. De ce fait, elle ne se remarque pas car elle ne constitue pas une vraie musique, comparable à celle qui répond aux faits savants du solfège et des traités dont s'occupe le théoricien. Elle s'applique d'ailleurs plus volontiers à la prose, que la musique vient ainsi réguler. Son ambition est modeste car son ambitus* est d'une quarte, la quinte n'y apparaissant qu'à titre de broderie. Et l'on sait que la quarte est l'intervalle fondamental qu'émet sans difficulté et sans préparation toute voix. C'est ainsi qu'ont été portés les grands enseignements du monde.

Mais, à mi-chemin entre cette teneur* récitative, obligatoirement simplifiée car les ornements vocaux entravent le discours, et le chant proprement dit, se tient une troisième forme « ... que nous prenons lorsque nous lisons les faits poétiques des héros, non pas d'une voix continue comme la prose ni d'une voix lente et qui se pose exactement sur les degrés comme dans les chants véritables » (Boèce, *Institutio musica*, I, 12). Si, donc, la rapidité du langage parlé entraîne pour l'auditeur le risque de perdre quelque parole et si, par ailleurs, la conséquence de l'accentuation du mot par le chant est la lenteur de son débit, il reste que le genre intermédiaire de la récitation des poèmes historiques permet seul d'accentuer justement le mot sans ralentir son écoulement. C'est une autre forme de la cantillation, non sans analogie avec la cantillation sacrée évoquée plus haut.

Elle en diffère cependant par bien des aspects dont nous retiendrons un seul : le poème n'est pas neumé à ligne continue mais il s'articule par hémistiches, ce qui n'est pas sans intérêt pour la théorie de la nature musicale de la césure dans l'hexamètre. On connaît la plasticité de la musique. Si, parfois, en l'absence d'identité strophique, on a le sentiment que la mélodie du langage conduit la mélodie du son, il arrive que le monnayage des valeurs sonores ou accents décalés apparaisse comme autant d'abandons au son pur qui nous assurent d'une antériorité à l'avantage du musical. Mais il serait vain de chercher à dominer cet éternel mouvement de diastole et de systole, attraction et répulsion de la poésie et de la musique dans leur commun effort de retrouver, ne serait-ce qu'un instant, l'unité perdue. On sait seulement ce qu'il en advient lorsque l'une confisque à son profit tous les pouvoirs de l'union : le divorce du couple n'est, en général, qu'un conflit d'autorité !

Cependant, ce débat a-t-il lieu d'être à propos d'une société dont la hantise est la transmission d'un patrimoine commun ? La forme mélodique aide la mémoire. Elle isole certains mots. Elle soutient l'attention de l'assistance. La voix de l'interprète peut emprunter tous les degrés de tension, forcer la paresse naturelle de l'auditeur et le contraindre à partager son émotion. Le poème neumé nous rappelle donc opportunément que, à travers cette introduction dans un schéma musical doté de ses propres lois et de sa tradition, toute poésie, par-delà la conception des égalités de longueur, est avant tout bâtie sur des appuis sonores qui relèvent de cet art du temps et de la durée qu'est la musique. Si l'on considère que l'irruption soudaine de neumes au cours du poème vient au secours de la mémoire du chantre, on affirme aussi que sont pris en charge par la musique, non seulement les passages concernés, mais bien tout le poème qui se déroule selon le temps de la musique. La notation neumatique ayant d'abord été un aide-mémoire, il est aisé de comprendre que son utilisation n'a pas été jugée nécessaire dans bien des livres qui avaient pourtant vocation à la recevoir. A-t-on besoin d'un aide-mémoire pour réaliser ses tâches quotidiennes, c'est-à-dire chanter l'ordinaire* de la messe et le commun de l'office* monastique ? Comme, de surcroît, cette notation neumatique évolue très vite en une technique perfectionnée, ce qui en réserve le maniement à quelques personnes, on la juge souvent superflue et seulement utile sur certaines pièces du grégorien chantées une seule fois dans l'année, ou sur des pièces d'acquisition récente.

L'introduction du poème dans le temps de la musique identifie la parole poétique à la fonction prophétique, la parole chantée ayant une valeur mystique universelle. L'introduction dans le « tempo » musical légitime une reconnaissance de la parole dans son acception la plus élevée du terme, délivrée de la sécheresse et de la platitude prosaïques, libérée à son plus haut point d'émotion de cette précaution de l'intelligence qu'est le sens. Or, opposez le sens à l'émotion et le mot n'aura plus que sa nature signifiante ; il sera vidé de son « orphisme sonore », ce qui est strictement la mort de toute poésie.

Y.-F. R.

L'œuvre entre les lignes d'Orderic Vital

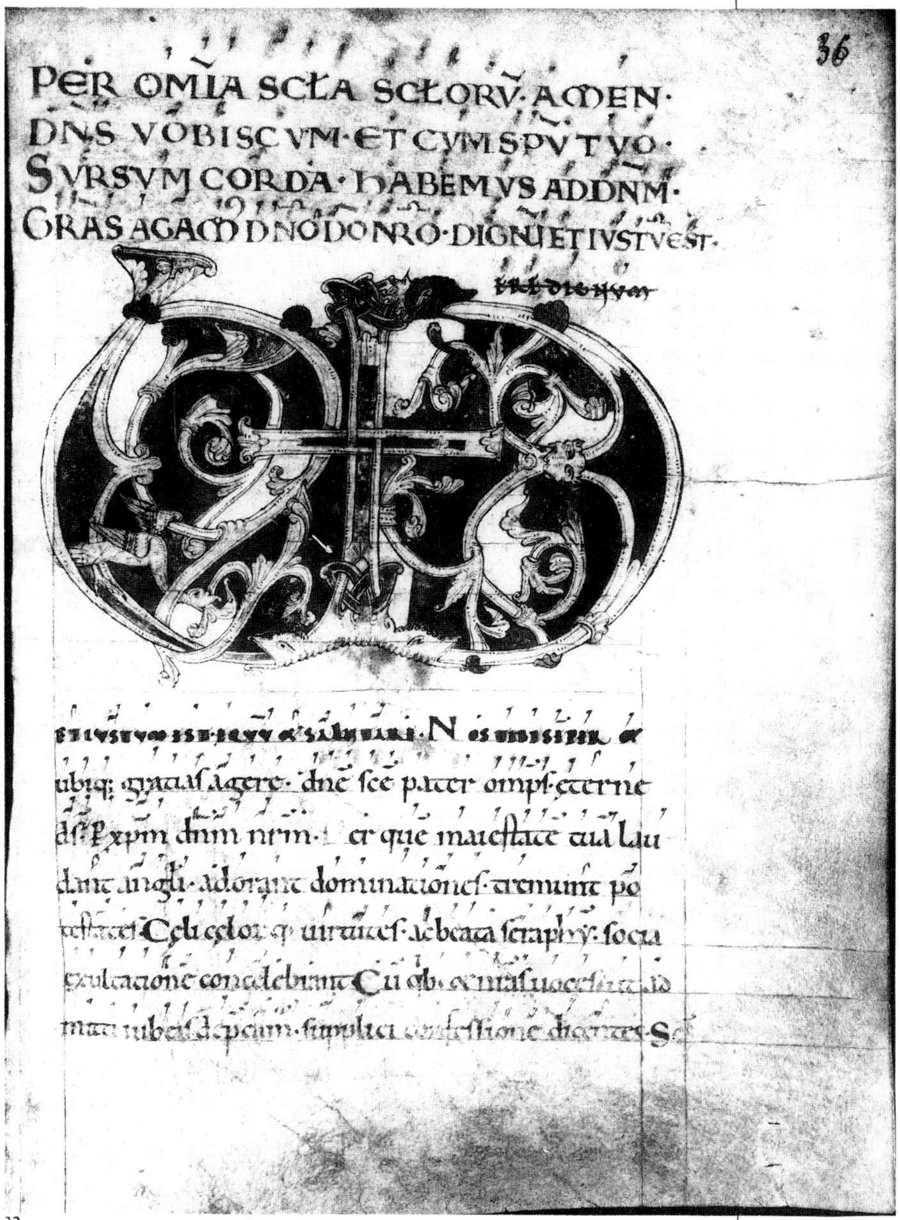
32

32. Sacramentaire à l'usage de Saint-Evroul, fin du XIe-début du XIIe siècle. Préface de la messe notée de neumes à l'encre rouge, peut-être de la main d'Orderic Vital (Rouen, Bibl. mun. 273, fol. 36).

Tandis que mourait le roi de France Henri Ier, la Normandie, en 1060, était déchirée par de graves dissensions : le duc Guillaume devait affronter la fureur de la noblesse, et les premiers à en souffrir étaient les petites gens. L'abbaye de Saint-Evroul d'Ouche, restaurée depuis une dizaine d'années à peine, et dont l'abbé, Robert de Grentemesnil, était le frère de l'un des barons révoltés, ne pouvait échapper à la tourmente. Ainsi, « Robert fut convoqué à la cour ducale et, au jour qui lui était assigné, fut sommé de répondre à certaines fausses accusations. [...] Mais, comme il sentit que le duc s'en prenait violemment à lui-même et à toute sa parentèle dans l'intention de lui faire du mal [...], il préféra esquiver le coup de folie imminent, avant d'en subir une atteinte irrémédiable. Alors, la troisième année de son abbatiat, au 6 des calendes de février [27 janvier 1061], après avoir prononcé aux vêpres du samedi l'antienne *Peccata mea, Domine*, il s'éloigna : il monta à cheval avec les deux moines Foulque et Ursus, et gagna la France ; et, de là, il fit route vers Rome pour révéler ses malheurs au pape Nicolas... »

L'auteur de ces lignes, Orderic Vital, est l'un des grands historiens du Moyen Age. Il était, selon ses propres mots, né « aux confins extrêmes du pays des Merciens » (les Midlands, au centre de l'Angleterre), le 15 février 1075, et c'est à l'âge de dix ans qu'il fut, par la volonté de son père, séparé de sa famille, et qu'il traversa la Manche pour entamer un exil définitif en Normandie. Il fut reçu par l'abbé Mainier comme oblat dans l'abbaye d'Ouche, puis « revêtu de la robe monacale et associé par un pacte sincère et indissoluble à la communauté des moines ». En fait, il devait passer parmi eux le reste de sa longue existence. La postérité n'a pas retenu la date de sa mort, survenue après 1041.

L'estime de ses frères, Orderic Vital la devait d'abord, sans doute, à son *Histoire ecclésiastique*, dont la rédaction s'est étalée sur près de vingt ans depuis 1123. Mais d'autres aspects de son œuvre et de ses activités, moins connus ou ignorés, méritent aussi l'attention.

Par chance, plusieurs manuscrits ou parties de manuscrits de la main d'Orderic Vital nous sont parvenus, parmi lesquels trois des quatre volumes autographes de l'*Histoire ecclésiastique*, contenant les livres I à VI et IX à XIII ; ils sont aujourd'hui conservés à la Bibliothèque nationale (ms latins 5506 [1], 5506 [2] et 10913). L'épisode cité ci-dessus se trouve au folio 26 recto du latin 5506 [2], et relate donc le départ précipité pour Rome de Robert de Grentemesnil, abbé de Saint-Evroul d'Ouche, pour fuir la colère de Guillaume, duc de Normandie. A le lire entre les lignes, on y découvrira un élément tout à fait insolite, peut-être unique dans la littérature historique : les premiers mots de l'antienne* « prononcée » par l'abbé, « *Peccata mea, Domine* », sont surmontés de neumes*, ils sont notés comme pour être chantés. Ce soin, de la part du copiste, paraît ici plutôt incongru, même si l'on admet que le livre était destiné à une lecture à voix haute et s'adressait d'abord à une communauté monastique soumise à l'exercice quotidien du chant choral. Il est permis de penser que cette notation est de la main qui a écrit le texte, donc de la main

33. Traités patristiques, début du XIIe siècle (Alençon, Bibl. mun. 26, fol. 78, détail de la lettre ornée). Représentation d'un copiste au travail. L'écriture est de la main d'Orderic Vital, de même, peut-être, que la décoration.

34-36. Tropaire-prosaire-cantorium de Saint-Evroul suivi de traités musicaux, début du XIIe siècle (Paris, Bibl. nat., lat. 10508). 34. Fol. 6 : début du tropaire. 36. Fol. 52 : repons *Domine prevenisti eum* en l'honneur de saint Evroul.

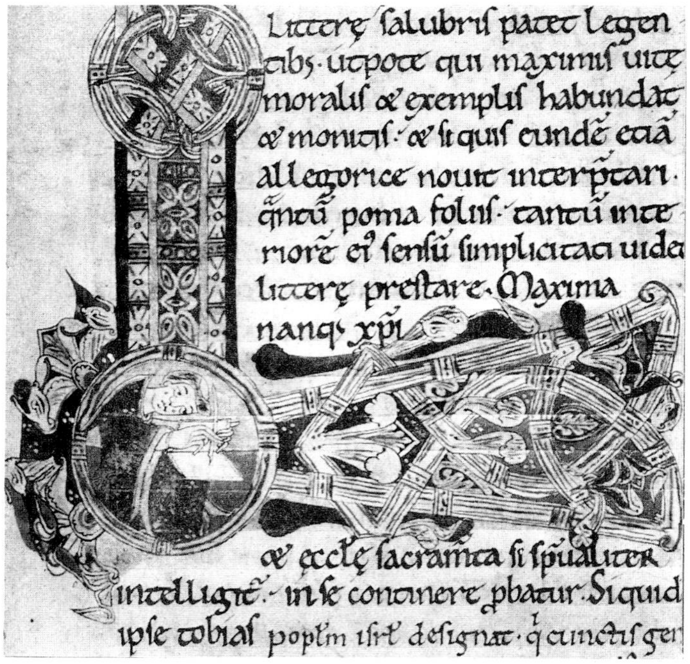
33

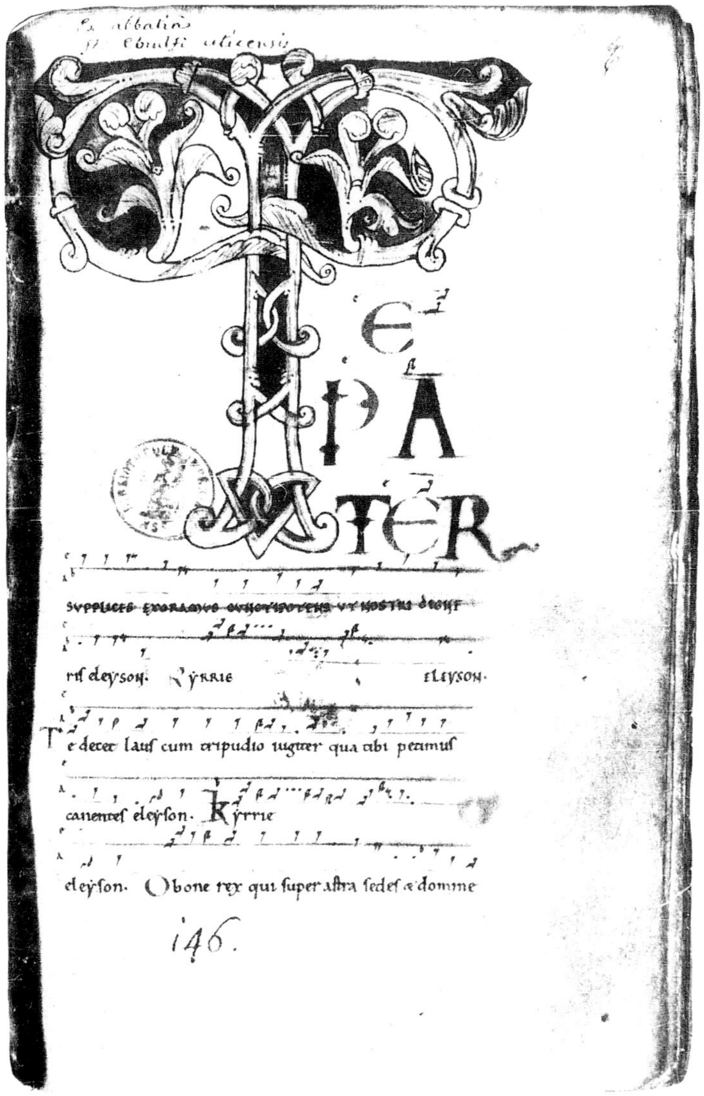
34

d'Orderic Vital. Pour le moment, ce ne peut être qu'une hypothèse, mais d'autres témoignages la confirmeront abondamment.

Le même type de notation neumatique* *in campo aperto*, au tracé ferme, quoique d'une verticalité vacillante, voire franchement penché, qui s'est développé en Normandie surtout dès la fin du XIe siècle, se retrouve dans d'autres manuscrits de Saint-Evroul portant la marque d'Orderic Vital.

C'est ainsi que des *Livres des prophètes* avec les prologues de saint Jérôme (Alençon, Bibl. mun. 1), partiellement copiés par Orderic Vital, sont complétés par trois poèmes également de sa main, dont la composition lui a d'ailleurs été attribuée avec vraisemblance. Le début du premier, *Mundi forma veterascit*..., est surmonté de neumes semblables à ceux de l'*Histoire ecclésiastique*.

La participation épisodique d'Orderic Vital au tropaire-prosaire* de Saint-Evroul (Paris, Bibl. nat., latin 10508), noté, lui, sur une portée de quatre lignes (la ligne de fa en rouge, celle de do en vert, les lignes intermédiaires tracées à la pointe sèche) ne nous paraît guère douteuse.

Sa main se retrouve, semble-t-il, dans les derniers cahiers de ce volume (ff. 136-158), et a participé à la transcription d'une suite d'opuscules musicaux. Ce qui nous intéresse ici, ce n'est pas tant de retrouver Orderic Vital que de découvrir parmi les textes une autre forme de notation, formée des lettres a-p de l'alphabet latin, une notation pratiquée à cette époque en Normandie, surtout dans les traités de théorie musicale ; elle se retrouve par exemple dans deux autres manuscrits de Saint-Evroul où, comme par hasard, s'affirme encore la présence d'Orderic Vital : d'une part, un recueil de vies et de passions de saints (Rouen, Bibl. mun. 1376), auxquelles une main désormais familière a ajouté une prose* en l'honneur de sainte Catherine d'Alexandrie (f. 43 verso : *Gloriosa Dei amica, virgo Catherina*...), portant une *double* notation en lettres et en neumes ; d'autre part, un ensemble de pièces liturgiques contenues dans un recueil complexe (Paris, Bibl. nat., latin 6503, f. 60 recto), tantôt notées en neumes seuls, tantôt en lettres ; parmi ces dernières, des antiennes en l'honneur des saints Donatien et Rogatien.

La présence d'une notation alphabétique est l'indice d'un aspect nouveau des talents et des activités d'Orderic

35

35. *Epistula Gratiani Augusti Ambrosio...* (Alençon, Bibl. mun. 11, fol. 1). Dans l'initiale ornée d'*Ambrosio*, « portrait » de l'empereur Gratien assis, en train d'écrire sur une tablette. L'écriture du texte est de la main d'Orderic Vital.

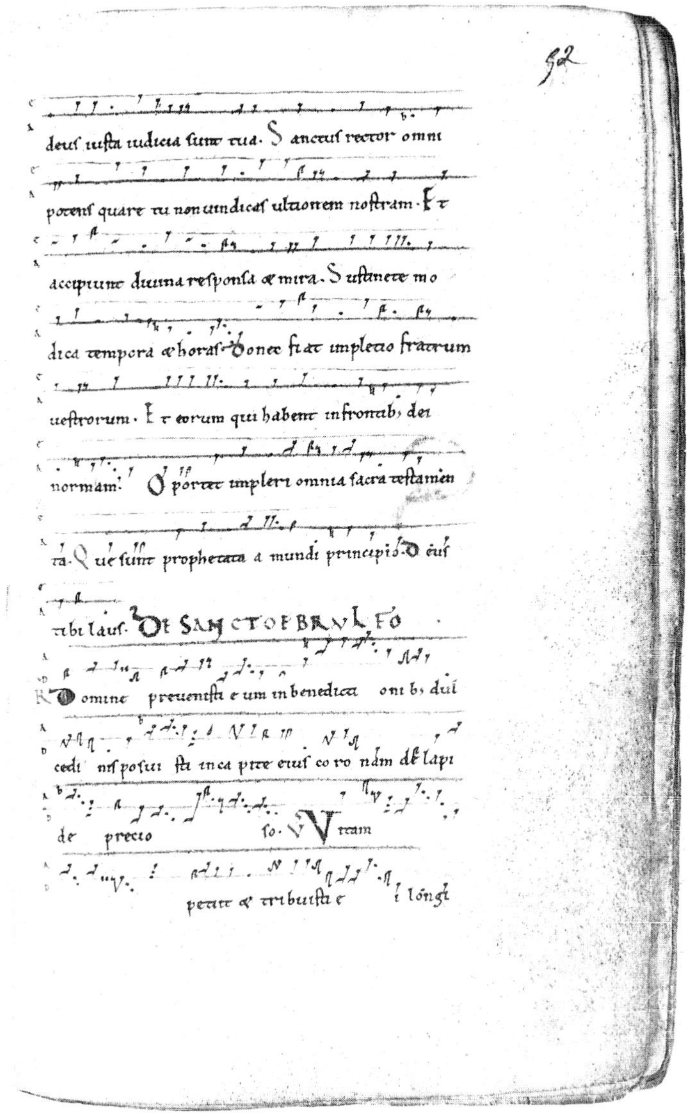

36

Vital au service de ses frères : nous l'avons reconnu comme écrivain-annaliste, comme poète, comme copiste, capable de transcrire aussi bien des textes littéraires que musicaux, et voici qu'il se révèle musicien. En effet, la notation alphabétique, peu pratique pour l'usage au chœur, présente, en revanche, l'intérêt de traduire exactement la mélodie, là où les neumes (qui ne sauraient être assimilés aux notations musicales modernes) ne fournissent qu'un support mnémotechnique. Elle est donc, par excellence, l'outil propre à fixer le chant des pièces rares, des pièces nouvelles — celles qui échappent encore à la mémoire ; elle est l'outil des compositeurs de musique. Comme, en outre, ces chants liturgiques n'ont pas de tradition antérieure à Orderic Vital, il est permis, sans trop s'aventurer, de penser que ce dernier en est le compositeur.

Le temps passé par Orderic Vital à soigner la vigne de Sorech fut aussi celui où le scriptorium* de Saint-Evroul, à considérer les restes de sa bibliothèque, produisit le plus de manuscrits, et les plus beaux. Simple coïncidence ? Après tout, comment être surpris qu'à une période d'apogée littéraire (car Orderic Vital est resté pour la postérité le plus grand écrivain de son abbaye et l'un des plus grands de son temps) corresponde une apogée de la production livresque ? Mais ce n'est pas tout : Orderic Vital, tout au long de son œuvre, n'a jamais caché son admiration pour les moines qui ont œuvré à l'excellence culturelle de leur maison, suivant l'exemple du premier abbé de la restauration, Thierry de Mathonville.

Olga Dobiache-Rojdestvensky avait raison de noter que « *l'Histoire ecclésiastique* n'est qu'un hymne incessant à la triade *legere-canere-scribere* » (lire-chanter-écrire). La pratique de cette triade, Orderic Vital ne s'est pas contenté d'en être le laudateur ou le témoin, il s'en est fait l'artisan modeste et efficace, il s'est efforcé d'imiter les *excellentes librarii* (les excellents artisans, amateurs et conservateurs de livres) qu'il admirait tant, il les a souvent dépassés. Il a lu et inventorié les livres de sa bibliothèque, dont la plupart portent encore sa marque, qu'il les ait écrits ou bien notés, rubriqués, décorés peut-être... L'œuvre d'Orderic Vital, ce n'est pas seulement une œuvre d'écrivain, c'est cela aussi : une œuvre entre les lignes.

D.E.

5

Antiquaires, philologues et informaticiens

Portrait de Nicolas-Claude Fabri de Peiresc (1580-1637) attribué à Louis Finson, qui l'aurait peint lors de son séjour à Aix en 1613 (Aix-en-Provence, musée Paul-Arbaud).

De l'antiquaire à l'informaticien

Toutes les « renaissances » de l'Occident — celle que connut l'Italie dans la première moitié du VIe siècle, celle des temps carolingiens, celle, enfin des XVe et XVIe siècles, qui est dans nos manuels et dans nos esprits, la Renaissance — ont été accompagnées d'une chasse aux manuscrits. C'est sur cette quête qu'elles reposent. Elles ne se seraient pas accomplies si, à des siècles de distance et au prix d'une démarche identique, les poètes, les écrivains, les savants qui rêverent de faire revivre la culture antique, ne s'étaient faits dénicheurs de manuscrits, copistes, critiques et philologues, éditeurs et bibliophiles. S'ils n'avaient poursuivi de la même insatiable avidité les œuvres de Virgile et de Cicéron, de Tite-Live et de Suétone, de Pline et de Juvénal, de Sophocle et de Démosthène jusque dans les bibliothèques interdites des monastères et des chapitres cathédraux, où l'assoupissement périodique de la vie intellectuelle, l'incurie des bibliothécaires, le dédain pour les vieilleries finissaient par les reléguer dans le fond, sinon sur le faîte, d'armoires vétustes.

Ainsi firent sans nul doute, au cours de la première « renaissance », Isidore de Séville (env. 570-636) et Colomban (env. 543-615). Ainsi fit, au temps de la « renaissance carolingienne », Loup de Ferrières (env. 805-852) pour lui-même et pour le monastère dont il était l'abbé, cependant que les lettrés de l'entourage impérial rassemblaient, pour le compte de Charlemagne et de Louis le Pieux, l'impressionnante bibliothèque Palatine. Au XIVe siècle, alors que s'ébauche la troisième renaissance, Pétrarque, (1304-1374) et Boccace (1313-1375) n'agirent pas autrement, précédant de quelques décennies le secrétaire pontifical Poggio Bracciolini (1380-1459), prodigieux découvreur de manuscrits, moraliste et auteur érotique, modèle accompli de ceux que nous appelons les « humanistes », d'un terme que consacra le XIXe siècle, mais qui dérive d'un « mot d'argot » *(umanista)* forgé dans les universités italiennes de la fin du XVe siècle pour désigner les professeurs enseignant les « humanités » : la grammaire, la rhétorique, l'histoire, la poésie et la morale.

Parce que le temps de l'humanisme est aussi celui de la découverte de l'imprimerie, les humanistes s'empressèrent de confier à des imprimeurs, qui souvent les égalaient en savoir, les œuvres classiques, à mesure qu'ils les retrouvaient. Durant un siècle et demi, après 1455, en Italie, en France, en Espagne, en Allemagne, aux Pays-Bas, en Angleterre, une poignée d'érudits mit au jour et publia *presque toutes* les œuvres grecques et romaines qui sont venues jusqu'à nous. La tâche était presque accomplie à la fin du XVIe siècle et, depuis lors, il n'y a été que peu ajouté.

Les éditeurs de textes du début de l'âge de l'imprimerie n'étaient pas tous des bibliophiles. Ils n'étaient pas encore des « philologues » au sens où l'entendit le XIXe siècle universitaire. S'ils étaient souvent doués d'un flair critique très affiné, s'ils connaissaient admirablement, et souvent mieux que leur propre langue, le grec et le latin, ils n'observaient pas encore — et pour cause — les règles critiques qui s'imposent aujourd'hui aux savants. Pour quelques-uns d'entre eux, seule importait la publication. Le manuscrit, une fois découvert, était remis à l'imprimeur. Il pouvait bien ensuite disparaître, puisque l'imprimé garantissait la pérennité du texte qu'il portait, en même temps qu'il faisait la gloire de l'éditeur. Ainsi s'évanouirent à jamais quelques pièces que les philologues d'aujourd'hui pleurent amèrement.

Au moins autant que les érudits, les collectionneurs assurèrent la survie des manuscrits. Dans l'Europe baroque, les rapports qui s'établirent entre ces deux groupes que l'on confondait sous le même nom — les « antiquaires » — permirent l'accumulation d'une somme immense d'expérience. La pratique se transforma peu à peu en méthode et, à la fin du XVIIe siècle, l'érudition commença à s'ériger en système. Un siècle plus tard, l'étude des textes anciens était devenue une activité scientifique autonome qui choisissait pour se désigner le mot ancien de « philologie ».

Les grands philologues, éditeurs de textes, du siècle dernier ont été soutenus par l'idée grandiose qu'ils se faisaient de la légitimité et de l'utilité de leur discipline. Fondateurs des philologies germanique, romane ou slave, ils se considéraient comme des accoucheurs de la conscience nationale dont ils mettaient au jour les plus anciennes productions littéraires.

L'enthousiasme qui les animait s'est apaisé ou évanoui avec le temps. Le XIXe siècle s'est achevé en août 1914 et l'entre-deux-guerres n'a pas beaucoup favorisé, dans le domaine des littératures et des publications érudites, une recherche déjà anémiée par les pertes humaines, victime ensuite de la crise économique et de la censure des États. Au reste, le ressort du patriotisme, si important au XIXe siècle, n'anime plus la recherche. Cependant, l'acquis méthodologique est resté, sinon immuable, au moins inattaquable dans ses principes et dans le détail de la construction de l'apparat critique.

A l'âge de la machine, il était toutefois possible d'affiner, d'élargir et de préciser les « éclairages » et les méthodes de travail. L'utilisation de la photographie (dès la seconde moitié du XIXe siècle), l'accumulation des microfilms, l'avènement récent de la « microfiche » et bientôt celui du vidéodisque imposent à l'éditeur de textes l'obligation d'avoir réellement rassemblé, lu et critiqué tous les « témoins ».

Le perfectionnement des techniques d'analyse optique et chimique a transformé le manuscrit en un véritable object archéologique et une nouvelle discipline a surgi : la codicologie*. Pour les mêmes raisons, la paléographie*, qu'on pouvait supposer parvenue à son état de perfection, progresse dans l'identification des écritures. Aussi, dès 1974, a-t-on pu organiser un colloque pour examiner « les techniques de laboratoire dans l'étude des manuscrits ».

Comme il était inévitable, l'informatique s'est introduite dans la confection des listes et des catalogues de manuscrits, dans la description de leurs particularités et, plus avant encore, dans leur comparaison et dans leur classement, exigeant parfois du philologue la compétence du mathématicien. Ainsi, dom J. Froger a-t-il eu « le mérite d'expliquer la généalogie des manuscrits en termes de la théorie des ensembles » (*la critique textuelle et son automatisation,* Paris, 1968). De son côté, J.G. Griffith a songé, le premier, à utiliser les méthodes de la taxonomie numérique pour classer les manuscrits (« Numerical Taxonomy and Some Primary Manuscripts of the Gospel », *The Journal of Theological Studies,* 1969, p. 389-406).

En dépit des raffinements techniques, au XXe siècle comme au XVIe, la vraie joie du savant — qu'on le baptise humaniste, antiquaire ou chercheur — restera de découvrir, dans la bibliothèque d'un monastère du fin fond de la Macédoine ou dans la cachette ménagée derrière une paroi de Sainte-Catherine du Sinaï, un lot de manuscrits inconnus.

J.G.

La chasse aux manuscrits (XVIIe-XVIIIe siècle)

Pendant longtemps, seuls les grandes communautés ecclésiastiques et les princes avaient engrangé, dans leur « trésor » indistinctement, les livres, les joyaux et les pièces d'orfèvrerie. A compter des années 1450, la diffusion du savoir, le goût pour l'Antiquité, l'ascension entre les grandes catégories sociales riches et instruites, l'émulation entre les grandes maisons seigneuriales conscientes du surcroît de prestige que conférait la possession de beaux livres et d'œuvres d'art, sont autant de phénomènes qui expliquent la vogue des collections et la multiplication des « cabinets de curiosités ». Dans ces musées privés, les riches amateurs rassemblent, en un somptueux bric-à-brac, les statues, les bijoux, les tableaux, les pierres précieuses, les momies et les animaux empaillés, mais aussi les manuscrits et les imprimés.

Un visiteur de la collection constituée à Vérone par Leonardo Moscardo (1611-1681) dit son émerveillement : « On trouve là une galerie de six chambres toutes remplies de ce qu'il y a de plus merveilleux dans l'art et dans la nature... Des tableaux, des livres, des anneaux, des animaux, des plantes, des fruits, des métaux, des productions monstrueuses ou extravagantes, des ouvrages de toutes façons. En un mot, tout ce qui se peut imaginer de curieux ou de recherché, soit pour la rareté, soit pour la délicatesse et l'excellence de l'ouvrage. » Dans la Rome des Barberini, les papes et les cardinaux peuplent leurs palais, édifiés sur les ruines antiques, des statues, des monnaies et des vestiges architecturaux qui surgissent des chantiers de construction de l'âge baroque. Les princes et les collectionneurs des pays moins bien pourvus puisent dans l'immense marché d'antiquités, vraies ou fausses, qui s'organise spontanément en Italie et qui porte aussi bien sur les manuscrits que sur les œuvres d'art. L'accroissement du nombre des amateurs, la concurrence et la compétition élargissent progressivement le champ de la curiosité.

La grande quête des antiquaires

Dès la fin du XVIe siècle, les collectionneurs ne se contentent plus des seuls manuscrits portant les textes de l'âge classique, ils recherchent aussi les œuvres produites au Moyen Age. La chasse aux manuscrits, confiée à des rabatteurs — missionnaires, diplomates ou marchands —, s'étend aux pays de l'Orient, proche ou lointain. Dans le premier tiers du XVIIe siècle, il n'est pas rare que les bateaux qui trafiquent avec les pays d'Islam, à travers la Méditerranée, portent dans leurs flancs, à côté des ballots d'étoffes ou d'épices, des « antiquités » soigneusement emballées et des caisses de livres ou de manuscrits venues du Caire ou d'Alexandrie, marchandises précieuses que les Barbaresques n'hésitent pas à mettre à rançon, quand ils peuvent s'en emparer.

Au début du XVIIe siècle, le manuscrit est ainsi l'objet de la quête conjointe de ceux qu'on nomme alors, indistinctement, les « antiquaires » : les collectionneurs et les érudits. Le progrès de la recherche, dans le domaine de la langue et de l'édition de textes de l'Antiquité, dépend, pour l'essentiel, des rapports qui s'établissent entre ces deux groupes dont chacun possède ses espèces, ses variétés, ses races et ses hybrides.

L'espèce étant généralement impécunieuse, l'érudit, presque toujours incapable d'acheter les manuscrits, sait bien qu'il ne peut accéder à l'objet de sa passion qu'avec la permission des riches et des puissants. Car il n'existe encore, dans les années 1650, que des bibliothèques privées.

Certes, les collections de manuscrits de l'empereur, des rois de France, d'Angleterre et d'Espagne, celles même des principicules italiens ou allemands, préfigurent déjà les institutions publiques. Elles sont assurées de la durée et elles apparaissent, de fait, davantage comme des possessions de l'État que comme la propriété personnelle du monarque. Des lettrés, assurés le plus

1. Dessin aquarellé d'une grande momie égyptienne du cabinet de Rubens. La légende, en italien, signale : la boîte en bois de cèdre avec le corps à l'intérieur ; le couvercle de la boîte (partie supérieure) ; un masque d'argent ; des idoles de bronze (Paris, Bibl. nat., Dupuy 667, f. 104).

souvent d'une totale liberté d'action, les gèrent et les enrichissent : par strates successives, les manuscrits s'y entassent. Mais parce qu'ils en sont les véritables maîtres, les bibliothécaires officiels peuvent, à leur gré, les ouvrir ou les fermer aux simples lettrés. Les bibliothèques monastiques, riches d'impressionnants fonds de manuscrits accumulés au cours des siècles, ne sont pas plus accessibles : les plus importantes et les mieux gérées réservent de préférence leurs ressources aux membres de l'ordre qui les détient. Quant aux bibliothèques privées constituées au cours d'une vie par des amateurs riches et éclairés, elles ne sont naturellement ouvertes qu'aux amis du collectionneur.

Il est vrai que les princes et les riches amateurs se font alors gloire de faciliter la tâche des lettrés. L'âge de la collection est aussi l'âge d'or du mécénat. Au XVIIe siècle, « la passion d'érudits amateurs, le désir de gloire de grands seigneurs mécènes, les traditions familiales vivaces des membres des bonnes familles de la robe [...], la volonté de tout dominer de ministres protecteurs des lettres concourent à procurer aux savants les instruments de travail indispensables à l'épanouissement de la recherche érudite ».

Les bibliothèques privées les plus accessibles sont naturellement celles dont les rassembleurs sont eux-mêmes de vrais lettrés, parfois des savants de grand mérite. Tel fut, dans le monde des « antiquaires » français de la première partie du XVIIe siècle, Nicolas-Claude Fabri de Peiresc (1580-1637) gentilhomme provençal, conseiller au parlement d'Aix : le « Prince des curieux ». Botaniste, zoologue, astronome, numismate, épigraphiste..., Peiresc a été un touche-à-tout génial. Il a découvert la grande nébuleuse d'Orion (26 novembre 1610), rectifié les cartes de la Méditerranée orientale (août 1635) et dressé la première carte de la Lune (1636). Pardessus tout, il a aimé les livres. Au milieu des jardins plantés d'arbres rares et semés de fleurs exotiques de son château de Belgentier (au nord d'Hyères), il a établi ses collections, célèbres dans toute l'Europe. Les raretés naturelles et archéologiques y voisinent avec les ouvrages précieux et les manuscrits arrachés à l'Éthiopie et à l'Égypte, d'où vient aussi l'indispensable momie, sans laquelle il n'est pas, alors, de « cabinet de curiosités » véritablement digne de considération.

Peiresc ne travaille pas seulement pour satisfaire ses goûts personnels. Il a conscience de servir la connaissance. S'il achète des manuscrits, c'est souvent dans l'intention de les mettre à la disposition de savants qui, n'ayant pas les moyens de les acquérir, seront, pense-t-il, capables de les déchiffrer, de les transcrire et d'en établir une édition critique.

Il fait davantage encore. Ami de tous ceux qui comptent dans l'Europe des sciences, des lettres et des arts de son temps, il est l'intime de Gassendi (qui a écrit sa biographie), le familier de Malherbe, le correspondant de Rubens. Sa haute réputation lui permet d'entretenir des relations confiantes avec les plus puissants cardinaux romains : il s'efforce de défendre, auprès d'eux, Galilée. Il n'est nul collectionneur, nul érudit illustre de Padoue, de Rome, de Londres ou de Louvain, nul bibliothécaire des plus grands monarque contemporains qui ne soient en correspondance régulière avec cet infatigable épistolier. Un immense réseau d'amitiés est mis, avec une générosité inépuisable, au service des savants, dévoreurs de manuscrits antiques. Au premier rang d'entre eux figure l'illustre Claude Saumaise (1588-1653), protestant de Bourgogne, familier de la reine Christine de Suède et pensionnaire de l'Académie de Leyde : le « Prince des érudits ».

« J'écrirai à mes amis, lui écrit Peiresc, pour voir s'il se trouverait aucun exemplaire manuscrit de Marcellin (Ammien Marcellin) pour vous aider. Et peut-être en aurons-nous quelqu'un ; mais pour ceux du Vatican et de Florence, il faudrait se contenter d'en faire la conférence [la comparaison du texte] sur telle édition que vous aimeriez le mieux. Faites-moi donc savoir de quelle vous voulez qu'on se serve pour votre commodité et je tâcherai de vous y faire procurer toute la satisfaction qui nous sera possible. »

Mais Peiresc compte avant tout sur Saumaise pour éclaircir les mystères du copte et, qui sait ? ceux de l'écriture hiéroglyphique. Il remue l'Europe et le Proche-Orient pour lui trouver des manuscrits. Il sait quel collectionneur jaloux garde, dans le mystère de sa galerie romaine, le texte unique dont son protégé a le plus urgent besoin. Quand les détenteurs des livres et des curiosités sont les maîtres absolus de la divulgation de leurs trésors, l'érudition calque ses démarches sur celles de la diplomatie. Non sans humour et, en tout cas, avec une grande lucidité, Peiresc dévoile à Saumaise les subtilités de la chasse aux manuscrits :

« De l'humeur dont je suis, écrit-il, il me semble que je trouve des remèdes assez facilement en des choses qui semblent très difficiles, et de l'entrée en des lieux quasi inaccessibles, quand je puis rencontrer des personnes qui se veuillent accommoder à mes sentiments et qui peuvent tenir secrètes les adresses dont je me sers, n'y ayant guère rencontré de plus grand obstacle que quand on laissait éventer la chasse, et par conséquent donner lieu aux mauvais offices de l'envie et de la jalousie de ceux qui ne cherchent que des empêchements *rerum bene agendarum,* comme on dit. Vous en verrez bientôt les effets, Dieu aidant, si vous me laissez conduire à ma mode toutes ces petites négociations, et qu'il vous plaise y contribuer sous main ce que vous pourrez, sans y paraître si tôt à découvert. Autrement, je ne vous saurais rien garantir dans les défiances que vous savez être si grandes en ce temps. »

Éminence grise de l'érudition, Peiresc ne met pas seulement ses talents de diplomate au service des lettrés. Il ne se contente pas de pourchasser les

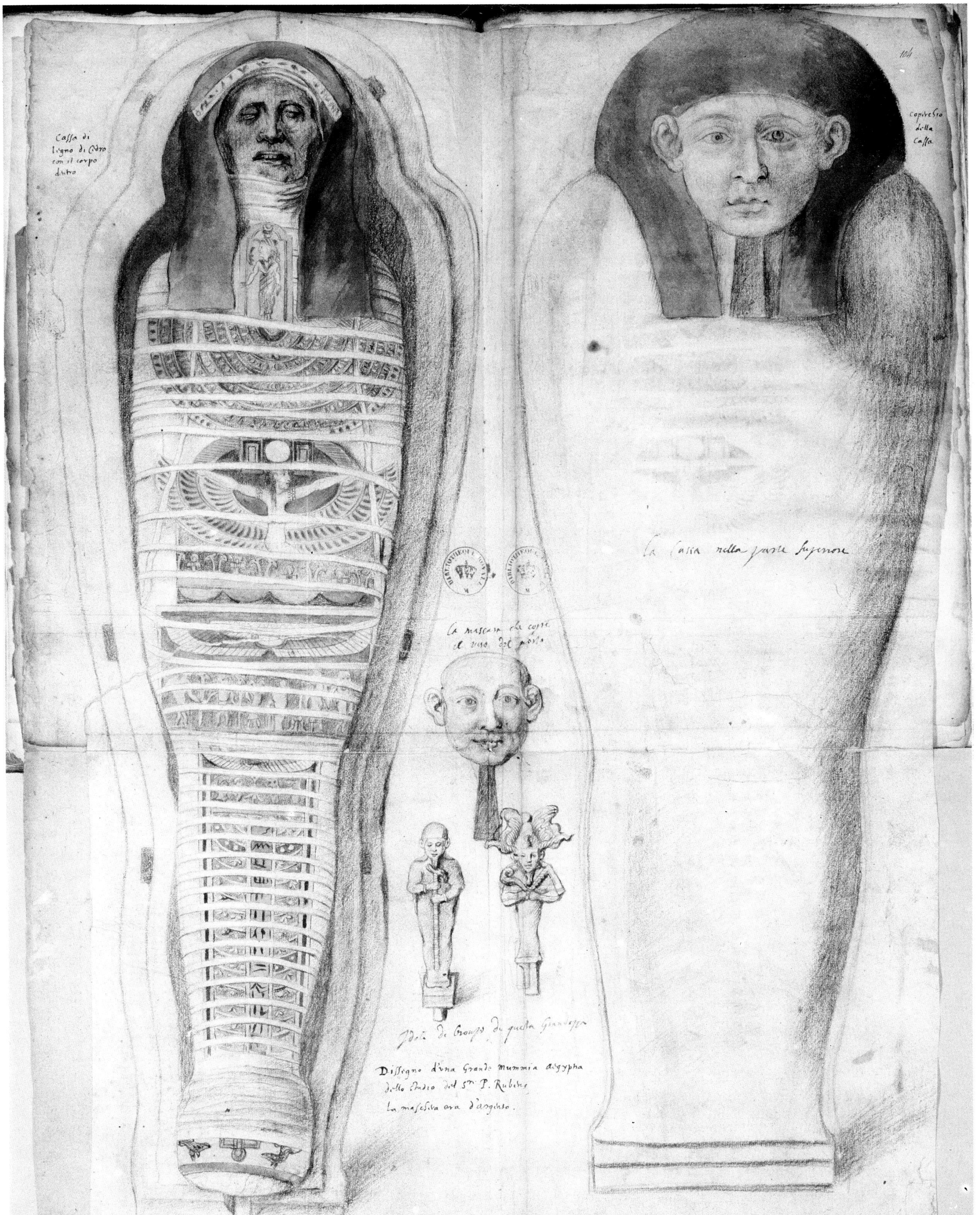
104
Cassa di
ligno di Cedro
con il corpo
dentro
Coperchio
della
Cassa
La Cassa nella parte superiore
La mascara che copre
il viso del morto
Idoli de Bronzo di quella Grandezza
Dissegno d'una Grande mummia Aegypha
dello studio del Sr. P. Rubens
La mascara era d'argento.

documents et de les acquérir de ses deniers pour les besoins des « antiquaires » démunis. Il inspire les idées, engage la recherche dans les voies nouvelles, suscite les publications, met en relation les hommes de science. Il est l'un des dirigeants occultes de cette « république des lettres » — indifférente aux frontières politiques mouvantes — qui unit, à travers l'Europe de son temps, des « curieux », des écrivains, des philosophes et des savants, disposant d'une langue commune encore bien vivante : le latin.

Chaque génération eut alors son Peiresc. Dans la seconde moitié du XVIe siècle, alors qu'il faisait son voyage d'Italie, le jeune gentilhomme provençal avait pu rencontrer un « antiquaire » italien qui fut sans doute son modèle. Napolitain d'origine, mais fixé à Padoue, afin d'y vivre auprès de l'illustre université, Gian Vincenzo Pinelli (1535-1601) avait amassé une prestigieuse collection d'instruments et de curiosités scientifiques, collectionné les estampes, les livres et les manuscrits. Pas plus que Peiresc ne le fera, Pinelli n'avait laissé d'œuvre écrite, mais d'innombrables érudits avaient profité de son savoir et des richesses de sa bibliothèque. Bien d'autres mécènes — princes ou simples bourgeois enrichis — firent preuve de la même générosité et de la même ouverture d'esprit. Il leur arrivait de devancer les demandes des érudits. Tel Émeric Bigot (1626-1689), lui-même savant « antiquaire », s'adressant à Étienne Baluze (1630-1718), bibliothécaire de Colbert, le 5 juillet 1671 :

« J'ai appris de M. d'Hérouval que vous travailliez sur les Capitulaires de nos rois, et que vous en cherchiez des manuscrits. Je vous en envoie un qui vous pourra servir [...]. Quand vous aurez quelque dessein sur quelque autre sujet, je vous supplie de m'en donner avis, et je verrai si, parmi nos manuscrits, nous n'avons rien qui vous puisse servir. »

La délicatesse du procédé peut masquer les difficultés qui découlent naturellement de la subordination obligée de l'érudit au collectionneur. Les lettrés en ont conscience. Non sans intention, ils exaltent les mérites des plus généreux. Trois quarts de siècle après sa mort, Peiresc demeure, à leurs yeux, un modèle, auquel l'illustre Montfaucon (1655-1741) se réfère lui-même en rendant hommage à Nicolas-Joseph Foucault (1643-1721), conseiller d'État et membre de l'Académie des inscriptions et belles-lettres :

« Toujours attentif a faire plaisir aux gens de lettres, il a prévenu ceux qui travaillaient sur l'Antiquité et, comme un autre Peiresc, il leur a offert avec plaisir ce qu'il n'avait ramassé que pour l'utilité publique. En quelque main que ces pièces rares et curieuses puissent passer, il aura toujours l'honneur de les avoir ramassées et d'avoir mieux connu que personne le vrai usage qu'on en doit faire. »

Les collectionneurs qui font preuve de mauvaise volonté ou de négligence sont cloués au pilori :

« Les manuscrits de Messieurs Dupuy sont chez Monsieur de Thou, enfermés, sans ordre et sans communication aux gens de lettres. J'en ai parlé à tous ceux que j'ai cru pouvoir m'en instruire, et je n'en ai tiré que des plaintes contre Monsieur de Thou, qui est souvent malade ou à la campagne. »

Ainsi que l'écrit le savant Pierre-Daniel Huet (1630-1720), évêque d'Avranches, tous ceux qui travaillent à l'édition des textes anciens ont, d'ailleurs, le sentiment de se livrer à une « étude basse et obscure, dont tout le mérite consiste à recouvrer les meilleurs manuscrits, à les conférer [collationner] et à en remarquer soigneusement les diverses leçons [variantes] ».

L'expérience leur a appris, en effet, qu'il convient de ne pas se fier au premier manuscrit venu. D'une œuvre ancienne, il existe le plus souvent plusieurs « témoins », d'âge varié, d'origine mal définie, plus ou moins déformés par les fautes des copistes successifs. Comment distinguer le plus digne de foi si on ne les a tous découverts, lus et comparés ?

Le souci de repérer les manuscrits jette dès lors les érudits sur les routes de l'Europe. C'est le « voyage littéraire ». Les bénédictins de Saint-Maur s'en font une spécialité. Ils chargent des moines d'aller de monastère en monastère pour en inspecter les bibliothèques et prendre note des manuscrits les plus intéressants. Leur moisson est envoyée à Saint-Germain-des-Prés. Dom Jean Mabillon (1632-1717), le plus illustre d'entre eux, fit lui-même sept voyages littéraires dont la plupart donnèrent lieu à la rédaction, parfois à la publication, d'une relation. Il ne s'agissait nullement de tourisme. Les lettres des bénédictins « en mission » reflètent la hâte qui les pressait :

« Nous vîmes pendant cinq heures tous les anciens titres et Dom Jean me dicta presque pendant tout ce temps les principales choses, avec toute la volubilité de son esprit tout de feu, et animé par des découvertes de son goût », écrit depuis Florence, en 1686, le compagnon de Mabillon, Dom Michel Germain.

Ainsi la difficulté de la tâche impose-t-elle la solidarité. A Florence, où il séjourne en 1659, Émeric Bigot copie pour Henri de Valois (1603-1676), historiographe du roi, un manuscrit d'Eusèbe :

« Je vous envoie une partie de ce que vous désirez, et vous enverrai l'autre au premier ordinaire. J'ai tâché de le faire le plus correct qu'il m'a été possible et représenter fidèlement l'original. Les fautes qui y sont, sont du manuscrit. Des deux volumes d'Eusèbe qui sont en cette librairie, celui qui est in-4°, où se trouve ce catalogue et tout ce que je vous envoie, me semble le plus ancien et, je crois, de six cents ans. L'autre, qui est in-folio, paraît être un peu plus récent et, à mon jugement, n'est pas si à estimer que l'un in-4°. »

Mais les copies ont leur aléas. Bigot en fait l'expérience et rapporte ses difficultés à Nicolas Heinsius (1620-1682) :

2. Liste de livres manuscrits et imprimés envoyés de Saint-Remi de Reims à Saint-Germain-des-Prés à Paris, en juillet 1642, à la demande de Dom Hugues Ménard, auteur d'un *Martyrologe* des saints bénédictins paru en 1629 et éditeur d'une *Épître* catholique attribuée à saint Barnabé, parue en 1645. L'un des volumes, des *Sermons* de saint Augustin, ajouté ultérieurement à la liste, est noté comme « renvoyé ». (Paris, Bibl. nat., lat. 13070, fol. 31. XVIIe s.).

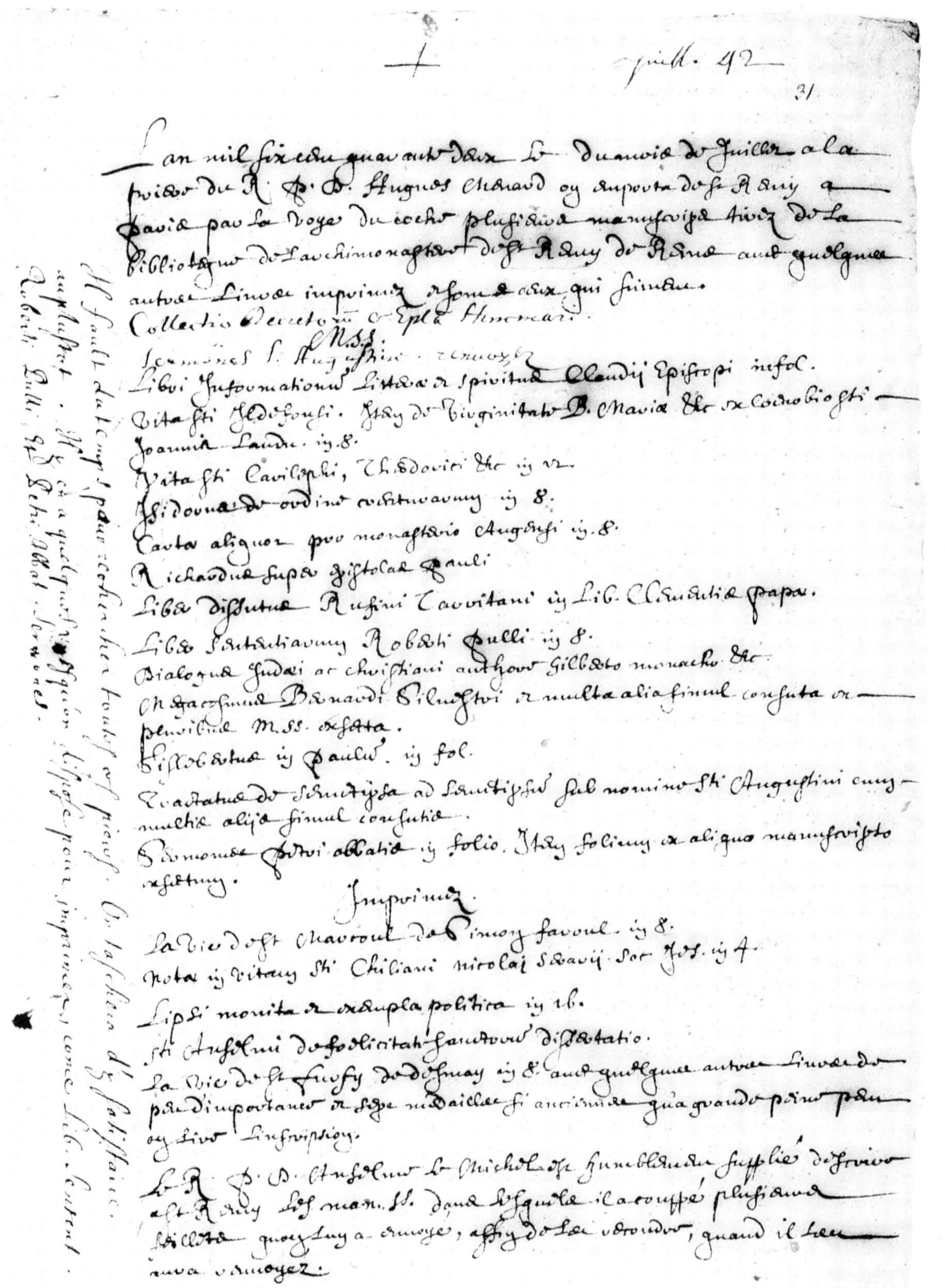

« Je ne vous ai jamais mandé comme a été faite la copie des *Tactiques* d'Arrian qu'on a envoyée à Monsieur Schefferus. Ayant copié ce livre à Florence, je l'ai prêté à Paris à Monsieur de Valois qui le fit copier par son valet, qui ne savait point le grec et qui fit plusieurs fautes en le copiant. Ensuite je prêtai encore ma copie à un autre ami qui l'apporta aux champs, lequel l'y laissa ; et étant de retour à Paris, tomba malade. Tellement que la copie qu'on a envoyée à Monsieur Schefferus a été faite sur celle du valet de Monsieur de Valois, qui est pleine de fautes. Présentement que j'ai la mienne, je tâcherai de suppléer aux défauts de celle qu'on a envoyée à Monsieur Schefferus. »

Au-delà des amitiés et des relations personnelles, une véritable solidarité s'organise au profit commun d'un monde savant, cependant agité d'inexpiables querelles fondées surtout sur les dissensions inévitables entre exégètes catholiques et protestants. Une immense correspondance répand en tout lieu les informations. Elle fourmille de renseignements sur les livres, manuscrits ou imprimés, parus ou à paraître, cherchés, trouvés, copiés, prêtés, reçus. Elle est animée de controverses et de discussions sur des points d'histoire ou de philologie. Elle tient lieu de nos actuelles revues d'érudition. Révélatrice à cet égard est, entre beaucoup d'autres, la lettre écrite, le 4 janvier 1673, par Émeric Bigot à d'Achery :

« J'ai lu avec grande satisfaction ce que vous avez imprimé du *Pénitential* de Théodore ; en le lisant j'ai cru que si on l'avait tout entier, on verrait beaucoup de choses qui regardent l'Église grecque, cet auteur faisant souvent comparaison des usages des deux Églises. Vous remarquez que Spelman en a vu un manuscrit et qu'il en a fait imprimer quelque chose. Monsieur Pearson, docteur de Cambridge très savant, dit, page 135 de son livre, qu'il a fait imprimer depuis peu contre Monsieur Daillé, touchant la vérité des lettres de saint Ignace, qu'il se trouve manuscrit à

3. Liste des œuvres non encore imprimées signalées par le père Lelong dans sa *Bibliothèque historique de la France, contenant le catalogue de tous les ouvrages qui traitent de l'histoire de ce royaume* (1719). A côté des œuvres sont indiquées les bibliothèques où elles se trouvent et les cotes des manuscrits (Paris, Bibl. nat., coll. de Picardie, volume 63 bis, fol. 86. XVIIIe s.).

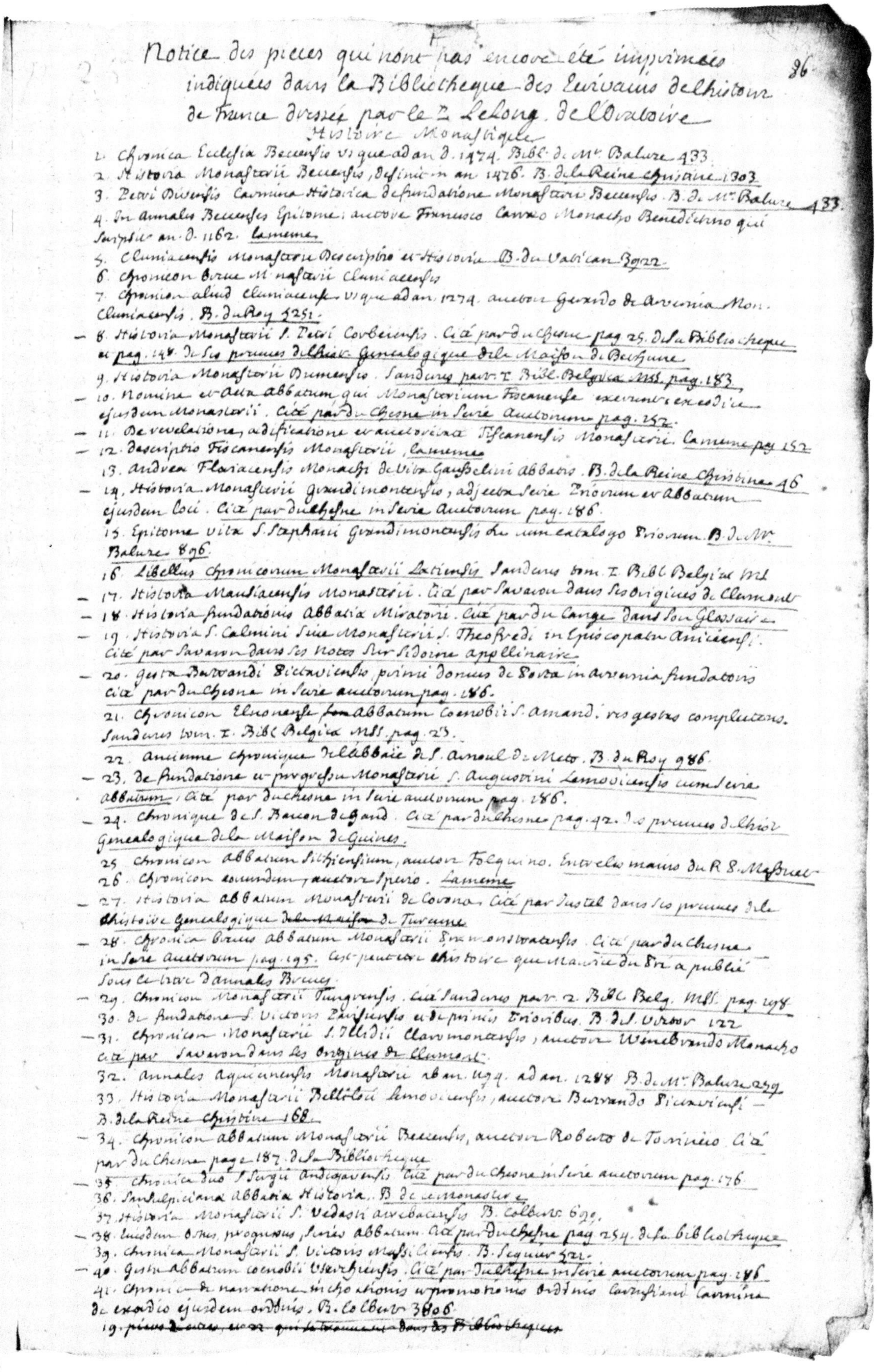
Notice des pieces qui nont pas encore été imprimées 86
indiquées dans la Bibliotheque des Ecrivains de l'histoire
de France dressée par le P. Lelong de l'Oratoire
Histoire Monastique

3

Cambridge. Ne pourriez-vous point, mon Révérend Père, [...] en avoir une copie ? Je me souviens d'avoir ouï dire à Monsieur Holstein que l'abbé Hilarion de Rome en avait aussi un manuscrit. Il faudrait savoir de Rome que sont devenus les livres de ce bon abbé. Je ne doute point que Monsieur le cardinal Bona ne le sache, parce qu'il était de sa connaissance. En tentant ainsi diverses voies, il se pourra faire que quelqu'une réussira. »

Les catalogues de manuscrits sont nés du même souci d'entraide. Le premier qui ait été publié fut, dès 1574, celui de l'université de Cambridge. Au XVIIe siècle parurent des catalogues de manuscrits de bibliothèques anglaises, allemandes, italiennes, espagnoles, belges et autrichiennes. En France, les bénédictins de Saint-Germain-des-Prés, lorsqu'ils prenaient possession d'un monastère, pour le réformer, se hâtaient de charger l'un des leurs de dresser l'inventaire des manuscrits de sa bibliothèque. Beaucoup de ces inventaires demeurent eux-mêmes manuscrits. Les érudits se les communiquent et les recopient pour leur propre usage. Émeric Bigot a dressé de sa main l'inventaire des manuscrits de l'abbaye normande de Lyre. Le catalogue de l'abbaye des prémontrés de Saint-Marien d'Auxerre, dressé par l'abbé Jean Lebeuf (1687-1760), chanoine d'Auxerre, a échoué dans les papiers de Dom Plancher, auteur d'une *Histoire de Bourgogne,* dont le premier volume parut en 1739. Le 17 novembre 1664, Dom de Lannoy, qui est à Cîteaux, communique à Dom De Visch, à l'abbaye des Dunes, en Belgique, un catalogue des manuscrits de Clairvaux que le prieur du lieu lui avait envoyé.

Les acquis scientifiques du XVIIIe siècle

Une somme immense d'expérience a été accumulée, aux XVIe et XVIIe siècles, par les chercheurs et les éditeurs de manuscrits. Grâce à quelques hommes de génie, elle s'est progressivement transmuée de pratique en méthode. Dans les préfaces et les commentaires dont ces grands « antiquaires » enrichissent leurs éditions de l'Écriture ou des œuvres classiques, des règles s'affirment et s'imposent. En publiant (1516), chez l'illustre imprimeur bâlois Jean Froben, l'édition princeps du Nouveau Testament grec, Érasme de Rotterdam (env. 1469-1536) établit qu'aucune édition ne peut se dispenser de recourir aux textes en langue originale. Les traductions ne sauraient être admises ; la logique et le bon sens doivent présider à l'interprétation des Écritures, comme à celle des œuvres profanes.

Joseph-Juste Scaliger (1540-1609), publiant Catulle, tente de prouver que les manuscrits qu'il utilise descendent d'un ancêtre commun. Il s'embrouille dans ses conjectures, mais il a établi la notion d'archétype*. Richard Bentley (1662-1742), Master de Trinity College, Cambridge, caractère exécrable, fabuleux savant — « un des cas les plus notables d'exaltation du sens critique qu'il soit donné de constater dans l'histoire de l'érudition » —, applique d'instinct des méthodes qui conduisent à des résultats d'un caractère très général et retrouve quelques-unes des lois fondamentales de la métrique ancienne, renouvelant par là la critique des œuvres poétiques (Homère, Térence, Horace...).

De 1680 à 1730 environ, l'érudition commence à s'ériger en système. Le *De re diplomatica* que Dom Jean Mabillon publie en 1681 fonde une « science auxiliaire » de l'histoire : la diplomatique*. Celle-ci intéresse surtout les documents juridiques et administratifs, mais elle fait aussi une place aux manuscrits latins. Elle paraît si cohérente que, après trois siècles « pendant lesquels l'étude et la mise en œuvre d'innombrables documents ont fait subir à la doctrine de Mabillon une épreuve décisive, on peut répéter encore ce que disaient au XVIIIe siècle les bénédictins, ses continuateurs : "Son système est le vrai ; quiconque voudra se frayer des routes contraires à celles qu'il a tracées ne peut manquer de s'égarer ; quiconque voudra bâtir sur d'autres fondements bâtira sur le sable". »

Bernard de Montfaucon, lui aussi mauriste de Saint-Germain-des-Prés, et élève de Mabillon, publie en 1708 sa *Paleographia graeca :* une autre science auxiliaire est fondée — la paléographie —, et le champ des manuscrits grecs est ouvert à une étude systématique. L'érudition est alors à son apogée. Il ne lui manque même pas le spectaculaire triomphe d'une découverte sensationnelle. Un jour de 1712, le marquis Scipione Maffei (1675-1755), aristocrate de Vérone, savant « antiquaire », se hâte, en robe de chambre, vers la cathédrale. Il vient d'être averti que les antiques manuscrits de la bibliothèque ont été retrouvés. On les croyait perdus. Ils avaient été seulement oubliés sur le haut d'une armoire, où on les avait empilés par crainte de l'inondation. Le marquis se jette sur cette proie et son étude se traduit par un très grand progrès théorique dans la compréhension des écritures latines.

Dans les années 1730, une nouvelle étape est franchie, Johannes-Albrecht Beugel (1687-1752), théologien luthérien, originaire du Wurtemberg, a, le premier, l'idée de classer par familles les manuscrits de l'Ancien Testament : il envisage le jour où ils pourront être rangés dans ce qu'il appelait une *tabula genealogica,* un tableau généalogique. Après lui, nulle édition de valeur d'un texte ancien ne peut plus se passer des longs travaux qu'exige cette généalogie préalable qui, seule, permet l'évaluation critique des variantes.

En même temps que progresse la science, les portes des bibliothèques, jusqu'alors à peine entrebâillées, commencent partout à s'ouvrir. Dès 1745, la bibliothèque de l'abbaye de Saint-Germain-des-Prés « recevait avec beaucoup d'honnêteté ceux qui avaient besoin de secours ». Celle de l'abbaye de Sainte-Geneviève, riche de soixante mille volumes imprimés et de deux mille manuscrits, est officiellement accessible au public en 1759. Des bibliothécaires italiens font paraître des catalogues décrivant les manuscrits de leurs collections. A.M. Bandini (1726-1803) s'illustre par la publication, de 1764 à 1793, d'un catalogue des manuscrits grecs, latins et italiens de la bibliothèque Laurentienne de Florence (*Catalogus codicum manuscriptorum graecorum, latinorum et italorum bibliothecae Laurentianae,* 8 vol. in-folio de 1764 à 1778 ; *Bibliotheca Leopoldina-Laurentiana, sive Catalogus manuscriptorum qui jussu Petri Leopoldi in Laurentianam translati sunt,* 3 vol. in-4°, de 1791 à 1793).

A la fin du siècle, l'existence d'une activité scientifique autonome, consacrée à l'étude des textes anciens, est un fait acquis, lorsqu'en 1777 Friedrich-August Wolf (1759-1824), que la postérité connaîtra comme l'homme qui a contesté l'existence d'Homère, réussit à se faire inscrire à l'université de Göttingen, non pas à la faculté de théologie, mais comme étudiant en philologie*, *studiosus philologiae.*

M.-L. A. et A. B.

4

4. Friedrich August Wolf (1759-1824).

Manuscrits au péril de la mer

5. Pentateuque hébreu-samaritain avec traduction arabe, acquis en 1631, à Damas, par le minime Theophile Minuti et le récollet Daniel Aymini, à l'intention de Peiresc. Celui-ci le légua, deux jours avant sa mort, au cardinal Francesco Barberini. Ce manuscrit, daté de 1226, est connu sous le nom de « Triglotte Barberini » (Vatican, Bibl. Vat., Barberini orient. 1).

A l'âge baroque, « la curiosité [des collectionneurs, des érudits] se dirige spontanément vers ce qui est le plus rare, le plus difficile, le plus étonnant, le plus énigmatique » (K. Pomian). Et il est vrai que l'attrait qu'exercent au XVIIe siècle les manuscrits orientaux s'explique par la conviction qu'on y trouvera la clé des langues disparues : le copte et l'égyptien antique, notamment.

Peiresc, savant et collectionneur, en est persuadé et, dans les années 1630, il emploie toutes les ressources que lui offrent sa fortune et son érudition sans égale à la poursuite opiniâtre des manuscrits d'Orient. Il a pris à son service des rabatteurs, qu'il recrute dans les ordres missionnaires, tels le minime Théophile Minuti et le récollet Daniel Aymini, et qui recherchent pour lui, au Levant, des manuscrits samaritains, ou bien le père Gilles de Loches, capucin, qui ouvre en 1631 la mission du Caire. La quête se poursuit jusqu'en Éthiopie grâce à un très singulier personnage, Zacharie Vermeil, natif de Montpellier, commerçant en pierreries, plus tard généralissime des armées du Négus et alors mieux connu en Europe sous le nom de « Prêtre Jean ». Enfin, Peiresc emploie à la recherche des manuscrits un certain Georges l'Arménien, qui réside à Damiette, mais ne nous est pas autrement connu.

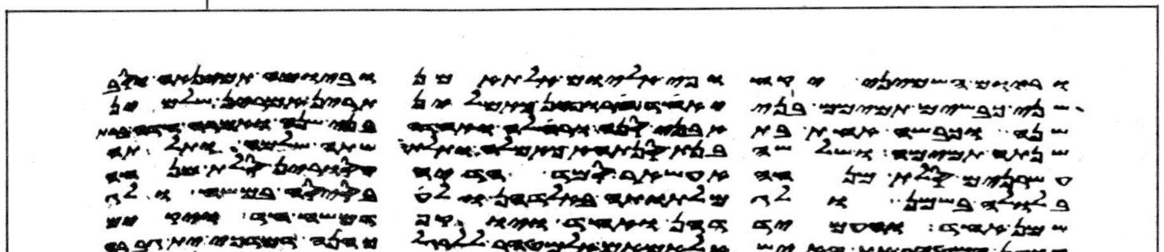

5

Peiresc guette les lettres de ses correspondants, qu'il harcèle de demandes, sans jamais se lasser. Il vit dans l'attente :

• 20 décembre 1632 : « On me fait espérer une bonne provision de manuscrits grecs et autres du Levant. »

• 31 décembre 1633 : « On a trouvé une version en l'une de ces langues orientales du livre d'Henoch que l'on dit être conçu quasi en forme de prophéties et daté avant qu'il dût être enlevé du commerce des hommes. On travaille fort pour n'en avoir une copie si l'original me peut fauter. »

• 5 août 1636 : « J'ai trouvé une entrée d'importance dans la plus célèbre et la plus riche bibliothèque de toute la Grèce, d'où l'on me promet des merveilles. »

Des mois, des années parfois, s'écoulent avant que la précieuse marchandise n'arrive à bon port. Peiresc, homme de cabinet, vit au rythme du grand souffle de la Méditerranée. Le va-et-vient des navires de commerce, les évolutions des flottes guerrières, le harcèlement des Barbaresques, les tempêtes, les naufrages ont leur répercussion dans sa bibliothèque. Quel triomphe quand les colis (Peiresc dit les « fagots ») de livres parviennent à destination !

• 3 novembre 1636 : « Enfin le livre des révélations d'Henoch en Éthiopie est arrivé à bon port et je l'attends ici demain, Dieu aidant. Ce bon père Gilles de Loches m'a promis d'en faire la traduction. » Il est aujourd'hui à la Bibliothèque nationale, ms. éthiopien 117.

Mais quiconque trafique en Méditerranée est condamné à l'angoisse. En avril 1634, la navigation est presque suspendue. Dix ou douze navires de Marseille sont retenus à Alexandrie. Il n'en est revenu qu'un seul depuis cinq mois, « ce qui tient le monde en grande alarme et appréhension des caprices auxquels sont sujets ces peuples barbares et des avanies moresques dont ils étrillent si souvent nos pauvres marchands [...]. Ce me sera une merveilleuse mortification si le commerce est interrompu tout à fait. » D'ailleurs, l'on ne saurait absolument compter sur les intermédiaires :

• 22 mai 1634 : « Il est arrivé deux navires d'Alexandrie sans m'apporter ma caisse pour l'absence de celui qui avait mené cette négociation pour moi, lequel s'était trouvé absent pour un voyage à Damiette, d'où il n'était pas de retour. « Toutefois, les plus graves inconvénients

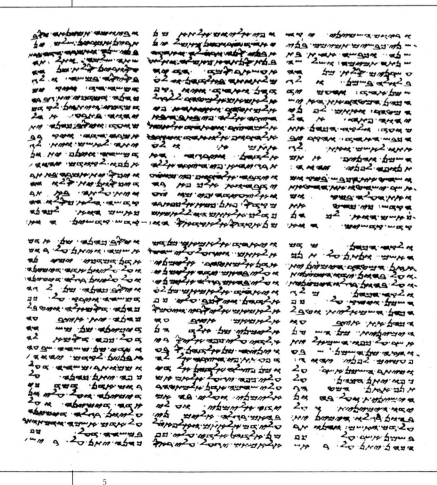

6. Psautier pentaglotte : éthiopien, syriaque, bohaïrique (copte), arabe et arménien du XIVe siècle. Le père Agathange de Vendôme l'acheta en 1635 au monastère de Saint-Macaire pour l'envoyer à Peiresc. Il fut pris à Tripoli par les Barbaresques et n'arriva jamais à destination. En 1637, Holstenius le retrouva à Malte. Il l'obtint du grand-maître de l'Ordre, Giovanni Paolo Lascaris, et l'envoya au cardinal Barberini (Vatican, Bibl. Vat., Barberini orient. 2).

7. Gallion hollandais (1629) : grand bâtiment destiné au commerce (cliché : Paris, musée de la Marine).

8. Polacre : navire de commerce de la Méditerranée, à voiles carrées (Saintes, musée Mestreau, cliché : Paris, musée de la Marine).

7

8

viennent des accidents et de la piraterie. Peiresc les déplore auprès de son correspondant Golius :

• 8 mai 1636 : « [...] par le retour du galion bleu flamand, revenu tout fraîchement du Levant, j'ai reçu une dépêche du révérend père Celestin, votre cher frère [...] étant bien marri de vous annoncer une mauvaise nouvelle concernant un paquet de lettres [...] qui s'était perdu sur le navire de Lombardon, ou polacre, nommée Saint-Nicolas, qui partit de Marseille sur la fin novembre [1635] et fut prise des corsaires turcs assez près de Malte, sur laquelle j'avais fait charger une caisse de livres pour la consolation de votre cher frère, le révérend père Celestin et ses confrères... »

Mais il est possible de racheter les livres. Les Barbaresques les mettent à rançon comme ils font des hommes :

• 11 janvier 1636 : « J'ai perdu un psautier en six langues jointes à la copte... mais il nous fallait avoir cette mortification. J'ai pourtant fait écrire de tous côtés pour tâcher de recouvrer ce volume des mains des pirates, s'il y a moyen de le faire mettre à rançon. »

De fait, ce manuscrit fut sauvé, les chevaliers de Malte l'ayant apparemment repris aux pirates. Destin singulier des manuscrits ! Un moine capucin, le père Agathange de Vendôme, avait acheté celui-là au monastère de Saint-Macaire, pour le compte de Peiresc : il l'avait payé d'une patène et d'un calice en argent. Enlevé par les Barbaresques, il ne parvint jamais à destination, mais il fut retrouvé à Malte, en 1637, par Holstenius. Ce dernier l'obtint du grand maître de l'ordre, Jean Lascaris, et il l'offrit au cardinal Barberini. Le manuscrit est aujourd'hui à la bibliothèque Vaticane (Barberini or. 2).

S'ils échappent même aux pirates, les manuscrits ne sont pas à l'abri d'autres périls. De tous, le plus redoutable est la quarantaine, avec ses conséquences sanitaires, dès que surgit la crainte de l'épidémie :

• 8 mai 1636 : « La lettre que vous a écrit à cette heure le bon père Celestin a été ouverte à Marseille par les intendants de la santé pour la purifier au vinaigre chauffé à cause de la maladie contagieuse dont étaient mortes quatre personnes de la [*sic*] *Navire bleue*, sur lequel elle est venue. Mais lesdits intendants m'ont fait assurer que personne ne l'avait lue et que, sitôt qu'elle fut sèche, et toutes les autres qui m'étaient adressées par la même voie, tout fut remis dans une autre enveloppe et cachetée... »

Il n'est pas surprenant que l'homme auquel les vicissitudes de la navigation vers le Levant causaient tant de soucis ait dressé, en 1635, la meilleure carte qui fût alors du bassin oriental de la Méditerranée.

A.B.

L'âge d'or de la philologie

9. L'ancienne université de Halle (1832-1834).

10. L'université de Berlin dans la première moitié du XIXe siècle.

Le développement des disciplines intellectuelles n'est jamais indépendant des conditions matérielles qui sont faites à la recherche. Après 1815, les bouleversements politiques, sociaux et institutionnels consécutifs à la Révolution et à l'Empire provoquent notamment, dans toute l'Europe, la fondation de nouvelles universités, accroissent l'importance et changent le statut de celles qui existaient déjà.

Les hommes de science bénéficient de cette profonde mutation. Même à l'âge des Lumières, la condition du savant était « précaire (s'il n'appartenait pas à l'Église) et dépendante. Précaire, car l'activité scientifique n'était pas un gagne-pain régulier, si ce n'est dans quelques universités de Hollande et d'Allemagne, et dans quelques charges, très rares, de bibliothécaire ou d'historiographe. Dépendante, car ceux qui travaillaient sur commande avaient à craindre de mécontenter leur patrons et, d'ailleurs, personne n'avait la liberté de tout dire sous le régime universel de la censure d'État » (Ch. V. Langlois).

Dans les années 1815-1830, les érudits, comme les autres « chercheurs », peuvent accéder à la dignité de professeur d'université et l'on sait le prestige de la fonction au temps de la science triomphante. Il leur sera désormais loisible de se livrer à leurs études et d'affiner leurs méthodes, dans la sécurité matérielle qu'assure un traitement régulier et en toute indépendance d'esprit.

Nul ne songe plus, d'ailleurs, à leur interdire, voire à leur mesurer, l'accès aux livres, aux manuscrits et aux documents historiques. En confisquant les biens ecclésiastiques dès novembre 1789, puis en mettant la main sur les propriétés des émigrés, la Révolution a, du même coup, offert à la lecture publique des millions d'imprimés et des dizaines de milliers de manuscrits dévolus aux bibliothèques créées par l'État ou par les municipalités, cependant que les masses énormes des archives privées et des papiers administratifs de l'Ancien Régime étaient dispersées dans les

9

10

11. Karl Lachmann (1793-1851).

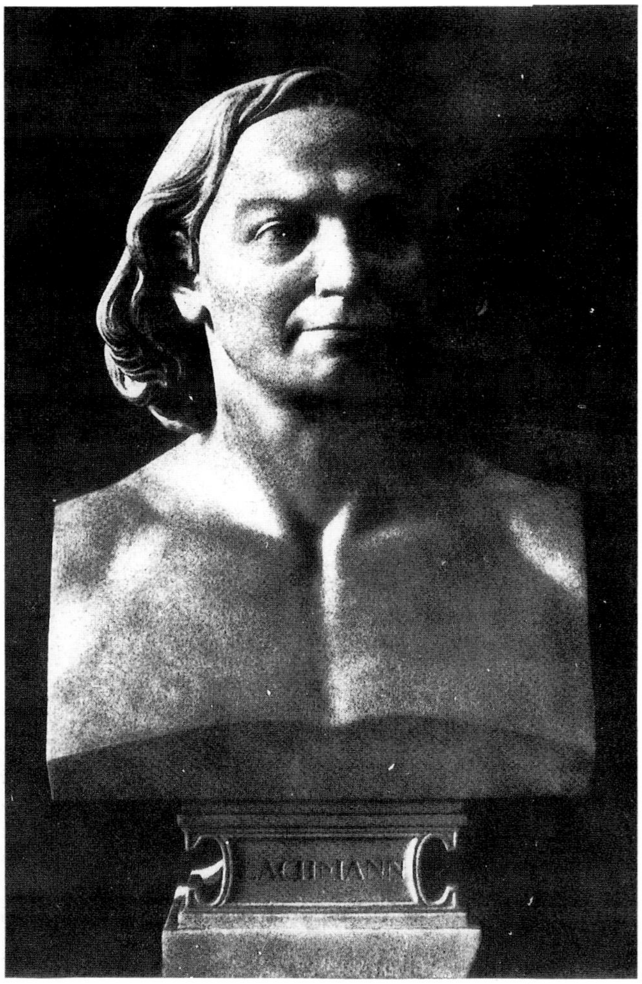

11

dépôts officiels. Progressivement, les achats et les legs font entrer dans les bibliothèques les manuscrits qui avaient échappé aux confiscations. La publication systématique de catalogues en répand la liste. Dans le courant du siècle, aucun pays d'Europe n'échappe à ce mouvement : l'Autriche de Metternich est contrainte de s'y soumettre et le jour vient où le Vatican ouvre libéralement sa bibliothèque illustre aux savants du monde entier, sans distinction de religion.

Il n'existe plus de frein à la critique des textes sacrés. Or, c'est un fait que, au XIXe siècle, les progrès dans la connaissance des œuvres classiques ont très largement reposé sur l'examen des manuscrits qui portent l'Écriture sainte. Ainsi la publication d'Homère et de Virgile bénéficie-t-elle des acquis de l'étude scientifique du Nouveau Testament, au moment même où les facilités accordées à la recherche favorisent l'épanouissement de l'érudition en une science qui se pare, dans son ambition et dans sa rigueur nouvelles, du très vieux nom de « philologie ». Le mouvement était, au reste, amorcé dès la fin du XVIIIe siècle dans la pensée de Lessing, de Herder, et Winckelmann. Mais c'est à l'ancien étudiant de Göttingen, Friedrich-August Wolf (1759-1824), qu'il revient de donner la définition de la philologie classique :

« La science de l'Antiquité comprend l'ensemble des études qui nous font connaître les actions et les destinées des Grecs et des Romains, leur état politique, intellectuel et domestique, leur civilisation, leurs langues, leurs arts et leurs sciences, leurs mœurs et leurs religions, leurs caractères nationaux et leurs idées, afin de nous mettre à même de comprendre parfaitement leurs œuvres, en évoquant la vie antique et en la comparant à celle des âges suivants et à la nôtre » (*Darstellung des Altertumswissenschaft,* 1807).

Dans la philologie, ainsi conçue comme l'explication intégrale des sociétés anciennes, la place du chasseur de manuscrits demeure éminente — la première sans doute. Wolf lui-même s'illustre par le commentaire qu'il donne à une édition récemment parue de *l'Iliade* (*Prolegomena ad Homerum,* Halle, 1795) : il y compare les poèmes homériques aux chants ossianiques et les aèdes, aux bardes de Fingal. C'est qu'alors le champ d'investigation des philologues commence à déborder l'Écriture et l'Antiquité classique. En tout lieu touché par les conquêtes françaises, l'ébranlement révolutionnaire a éveillé la conscience nationale. L'Allemagne surtout a été meurtrie. « L'Allemagne morcelée, émiettée, détruite, qui saurait la refaire ? Non pas tel prince, ni tel groupement de diplomates, non pas tel individu, ni tel groupement d'individus, mais bien la conscience du peuple » (J. Bédier). Or, chacun est convaincu que la conscience de la nation s'est exprimée, aux origines, dans l'épopée : voici les manuscrits des *Nibelungen* — et ceux des sagas islandaises, du cycle de Charlemagne et de Roland, du *Cantar de mio Cid* — haussés au niveau des manuscrits de *l'Iliade* et de *l'Odyssée* par les pionniers des nouvelles philologies germanique, scandinave, romane et celtique.

Il est significatif que, au sein de l'Université allemande — la plus brillante qui fût au monde et celle qui dicte ses lois aux savants de l'Occident —, l'un des plus illustres philologues, Karl Lachmann (1793-1851), ait, tout à la fois, donné des éditions de Lucrèce et du Nouveau Testament grec, étudié la genèse des *Nibelungen* et formulé avec une extrême rigueur le système qui, après lui, présida aux éditions critiques. Au milieu du siècle, dans sa brève préface à l'édition de Lucrèce (*In T. Lucretii libros commentarius,* Berlin, 1850), il isole et définit les étapes que doit observer la démarche du philologue dans l'établissement des textes que celui-ci entend publier. *Recensio :* « elle a pour objet de reconstituer grâce aux manuscrits qui subsistent la forme la plus ancienne du texte qu'ils sous-tendent ». Établissement du *stemma codicum,* arbre généalogique isolant le ou les manuscrits dont descendent les « témoins » qui ont été conservés. *Examinatio :* détermination du degré d'authenticité du texte choisi. *Emendatio :* élimination des parties corrompues et essai de restitution.

Peu importe que le système ne soit en définitive que la codification d'usages fondés sur l'expérience des siècles passés ; qu'il convienne surtout aux œuvres transmises par un petit nombre de manuscrits, dont la transcription presque mécanique exclut les corrections fantaisistes et les ajouts intempestifs d'un scribe indiscret ; qu'il ne paraisse guère adapté aux œuvres dont les « témoins »

12. Barthold Georg Niebuhr (1776-1831).

sont, sans exception et profondément, « contaminés ». Tel quel, il fut instantanément connu comme « le système de Lachmann », dont nul ne put dès lors vraiment s'affranchir.

Ce code vient à point pour soutenir et orienter la fiévreuse chasse aux manuscrits à laquelle se livrent, dans toutes les bibliothèques européennes, les universitaires en renom, les modestes membres des multiples « sociétés savantes » qui naissent alors en tout lieu, les bibliothécaires, rédacteurs de doctes catalogues. Des trouvailles prestigieuses encouragent la quête : « Je vous écris de la ville d'Alfred, à deux pas de la Bodléienne, où je viens de trouver... quoi ?... Devinez... *la Chanson de Roland* ! » Ainsi le jeune Francisque Michel (1809-1887) signale-t-il triomphalement, le 13 juillet 1835, à son ami Monmerqué, la découverte du fameux « manuscrit d'Oxford » (le *Digby 23,* de la bibliothèque Boldléienne) qui fournit opportunément à la France romantique son épopée nationale.

C'est le temps où d'illustres érudits rivalisent dans la poursuite des palimpsestes*. Le jésuite Angelo Mai (1782-1854), *scriptor* (bibliothécaire) de la bibliothèque Ambrosienne de Milan, puis « préfet » de la bibliothèque Vaticane, cardinal, enfin, de la Sainte-Église, se fait, dès 1814, une spécialité de la lecture et de la publication des textes grattés et surchargés par des scribes médiévaux indifférents aux grandes œuvres du paganisme. Il use sans beaucoup de discrétion de réactifs chimiques qui, à la longue, endommagent le support. Au moins peut-il retrouver, en 1819, après des dizaines d'autres découvertes surprenantes, un texte dont les plus grands humanistes avaient pleuré la perte : le *De re publica* de Cicéron. Il en donne, en 1822, l'édition princeps. Il est aidé dans cette tâche par son rival Barthold Georg Niebuhr (1776-1831). Historien illustre, champion de l'unité allemande, cet ambassadeur du roi de Prusse avait, durant son voyage vers Rome, eu le temps de lire, en passant à Vérone, un palimpseste des *Institutes* de Gaius.

Une fois passé le temps exaltant où il suffisait presque d'entrer dans une bibliothèque pour y faire une découverte, les philologues s'employèrent à organiser la discipline reine d'un siècle qu'on a nommé « le siècle de l'histoire ».

Les manuscrits des grands auteurs et des œuvres principales sont dès lors connus et répertoriés, pourvus pour ainsi dire d'un état civil. On les désigne généralement « par le nom de la bibliothèque où il se trouvent, suivi la plupart du temps d'un numéro ou d'une indication complémentaire qui permettent de les retrouver dans le dépôt dont ils font partie. Ainsi l'on dira : *Parisinus* 7900 a, *Bernensis* 363, *Laurentianus plutei* (*pluteus :* pupitre) XXXII, n° 9 ». L'éditeur, désireux de faciliter les références, désigne généralement chaque manuscrit à l'aide d'une lettre de l'alphabet. Ainsi le « témoin » oxonien de *la Chanson de Roland* est-il, à jamais, dans la liste des manuscrits qui en donnent le texte, le manuscrit O.

Le matériau de la philologie parfaitement cerné, la méthode de l'édition critique codifiée et universellement admise, de grandes entreprises de catalogage sont lancées. Le *Catalogue général des manuscrits des bibliothèques publiques de France,* inauguré en 1886, comprend déjà, en 1900, quarante-deux volumes consacrés à plus de trois cents bibliothèques de province. A l'immense correspondance qu'échangeaient jadis entre eux les « antiquaires » — et qui était comme le réseau sanguin de la république des lettres — se sont substituées des revues qui critiquent les ouvrages récemment parus, veillent à ce que la bonne méthode soit partout respectée, publient des articles, annoncent la découverte des manuscrits importants : *Philologus, Zeitschrift für das Klassische Altertum* paraît à Wiesbaden depuis 1846.

Les académies nationales mettent en chantier d'immenses corpus (Ernest Renan pourra parler du « grand art des corpus ») de textes latins et grecs, classiques et médiévaux, d'inscriptions et de chroniques.

12

Des entreprises privées rivalisent avec ces augustes institutions. L'éditeur allemand Benediktus Gotthelf Teubner (1784-1856) inaugure, en 1824, des publications de philologie classique qui asseoient vite sa renommée et confèrent d'emblée une autorité prestigieuse à la *Bibliotheca scriptorum graecorum et romanorum Teubneriana* dont les premiers volumes paraissent en 1849 et vivifient dès lors un enseignement universitaire et secondaire partout fondé sur les « humanités » : le XIXe siècle est bien l'âge d'or de la philologie.

J.G.

Interrogatoire d'un témoin

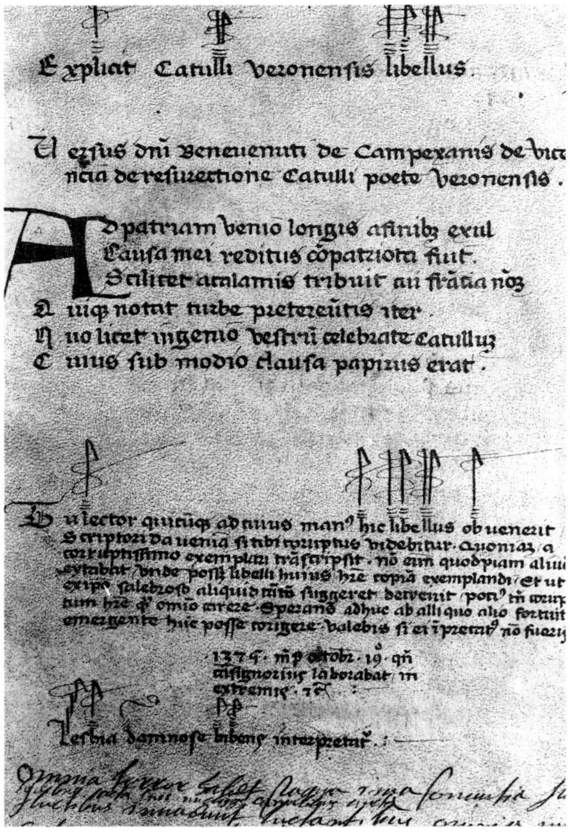
Explicit Catulli veronensis libellus.

Versus domini Benevenuti de Campexanis de vicencia de resurrectione Catulli poete veronensis.

Ad patriam venio longis a finibus exul
Causa mei reditus compatriota fuit.
Scilicet a calamis tribuit cui francia nomen
Quique notat turbe pretereuntis iter.
Quo licet ingenio vestrum celebrate Catullum
Cuius sub modio clausa papirus erat.

Excuses de copiste. « Lecteur, ... si ce petit livre te semble incorrect, pardonne au copiste car il l'a copié sur un modèle très corrompu. Il n'en existait en effet aucun autre dont il pût tirer copie de ce petit texte ; et, afin de pouvoir tirer quelque chose de ce texte rocailleux, il a jugé préférable de l'avoir avec ses fautes que de ne pas l'avoir du tout, espérant pouvoir le corriger par la suite, sur un autre surgissant par hasard... ». Les copistes sont très conscients du problème que pose la transmission de textes fautifs, et il est assez courant qu'ils s'excusent ainsi auprès des lecteurs, en rejetant la responsabilité sur leur modèle ! (Paris, Bibl. nat., lat. 14137, fol. 36. Vérone, 1375).

13

Les textes sont des êtres purement intellectuels qui, pour leur malheur, doivent se matérialiser pour se perpétuer ; et chacune de ces matérialisations successives est inévitablement l'occasion d'erreurs, de sorte que le message qui nous parvient au terme de ce processus de transmission n'a que peu de chance d'être rigoureusement identique à celui qui a été émis il y a quelques siècles (doc. 13).

Pour recouvrer la teneur originelle de celui-ci, la tâche de l'historien des textes consiste donc, très schématiquement, à parcourir le processus d'altération en sens inverse, à détecter les accidents de transmission, et surtout à les comprendre, de façon à y remédier à bon escient. Ce travail s'effectue à partir de manuscrits d'âges divers, de témoins* (c'est le terme consacré) plus ou moins nombreux et faciles à dénicher, mais qu'il faut tous présumer coupables d'avoir altéré le message initial, ou en tout cas soupçonner d'en savoir plus long qu'ils ne veulent bien dire de prime abord.

La première phase de l'opération consiste, bien évidemment, à recueillir la version de chacun d'eux en lisant le texte qu'il nous offre. Ce n'est pas toujours chose très aisée, car ils sont écrits dans des écritures très diverses, souvent déroutantes pour l'œil moderne. Tout d'abord en raison de la morphologie* des alphabets employés (doc. 4, p. 43, et 10, p. 50), avec laquelle il est toutefois assez facile de se familiariser. Plus encore, à cause des déformations que subissent ces écritures sous la plume de copistes peu soigneux ou trop pressés (ce qu'on appelle la cursivité*) (doc. 14). Mais surtout du fait des abréviations, plus ou moins codifiées en un véritable système, que les copistes multiplient pour économiser le précieux parchemin, et qui se développent au cours des siècles jusqu'à pulluler dans les livres spécialisés ou à usage personnel (doc. 15). Le déchiffrement de ces textes constitue l'aspect le plus élémentaire de la paléographie*.

La seconde étape du processus de restauration consiste à analyser la forme de ce texte pour y déceler les erreurs (doc. 13). Et lorsque ce travail critique fait apparaître la présence d'une anomalie, la paléographie se révèle souvent indispensable pour comprendre comment elle a pu se produire. En effet, la source principale d'erreurs est, bien entendu, l'inattention des copistes (doc. 16) ou leur « incompréhension » ; encore faut-il se rappeler que la calligraphie* lettre à lettre est un travail long, qui s'effectue en moyenne au rythme de deux ou trois feuillets par jour, et que tandis qu'il trace consciencieusement son mot, le copiste ne peut garder présent à l'esprit le sens général d'un texte que lui-même découvre peu à peu. Mais l'origine des cacographies* réside presque aussi souvent dans son incapacité à lire ou à interpréter correctement l'écriture du modèle, surtout si celui-ci est copié dans un style qui n'a plus cours ou s'il utilise des graphismes régionaux. L'étude paléographique de la faute (doc. 17) permet de se représenter ce qui pouvait figurer sur le modèle et parfois même, si l'on peut montrer que l'erreur remonte à une graphie très spécifique, de se faire une idée assez précise de la date ou de l'origine du modèle disparu.

Mais il reste bien des cas où l'erreur patente ne saurait se justifier ni par la distraction du copiste, ni par les problèmes de lecture, et où l'on en vient à supposer qu'il s'est produit un accident. Pour en comprendre le mécanisme et en évaluer les conséquences, il devient indispensable de connaître les détails du processus de copie, de l'organisation de l'atelier ou du scriptorium*, des étapes de la fabrication du livre, de sa structure matérielle.

Nature et disposition* du support* (parchemin ou papier), structure des cahiers*, piqûres*, réglure*, réclames*, discrètes notes d'atelier* et traces diverses témoignant de la division du travail et de la répartition des tâches : ce sont là autant d'indices qui vont permettre

14. Écriture « débridée ». Cours de droit copié par un étudiant, 1462. Totalement déformée par la rapidité du tracé, l'écriture est difficilement lisible (Carpentras, Bibl. Inguimbertine 205, fol. 243).

15. Abréviations universitaires. L'écriture de ce manuscrit, claire, régulière et parfaitement calligraphiée, ne pose par elle-même aucun problème de déchiffrement. Mais la lecture est rendue extrêmement difficile par le pullulement des abréviations : 50 % environ des lettres du texte primitif sont « escamotées » par le jeu de signes divers. Le modèle devait être tout aussi difficile à lire, et le copiste, ne pouvant déchiffrer deux mots, les a laissés en blanc (bas de la colonne de droite), (Paris, Bibl. nat., lat. 15811. Paris, 3e quart du XIIIe s.).

d'analyser la facture du livre dans ses moindres détails et d'exercer sur lui une critique plus approfondie. Il est évident, en effet, que toute altération dans la composition même du manuscrit sera lourde de conséquences dans la transmission du texte. Des feuillets ou des cahiers entiers peuvent disparaître ou bien se trouver permutés au cours d'une reliure ultérieure ; un personnage peut intervenir *a posteriori* pour corriger le texte (en bien ou en mal !), le transformer, y opérer des ajouts ou des suppressions ; des éléments adventices (feuillets ou cahiers) peuvent avoir été insérés pour introduire dans le texte des éléments étrangers.

Là où ils se sont produits, ces accidents et ces manipulations laissent des traces, sous forme d'anomalies qui frappent plus ou moins immédiatement l'œil : cahiers irréguliers, préparation différente du parchemin ou infraction à la règle de succession des faces, piqûre ou réglure changeant soudainement, modification de l'aspect de l'écriture, dont l'expertise paléographique permet-

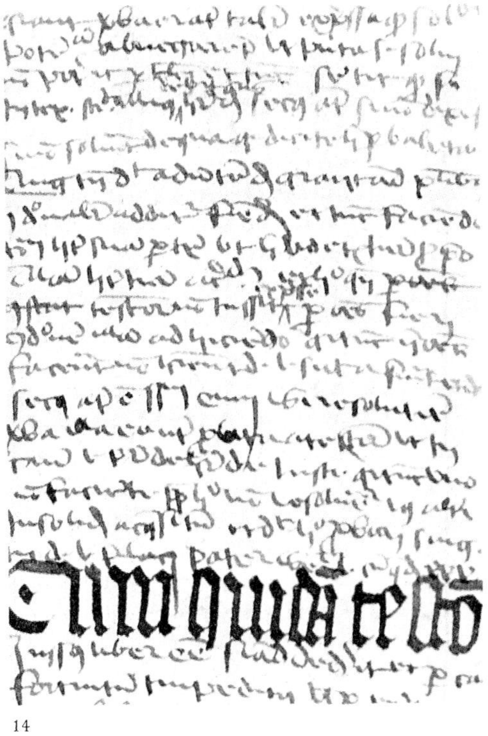

14

15

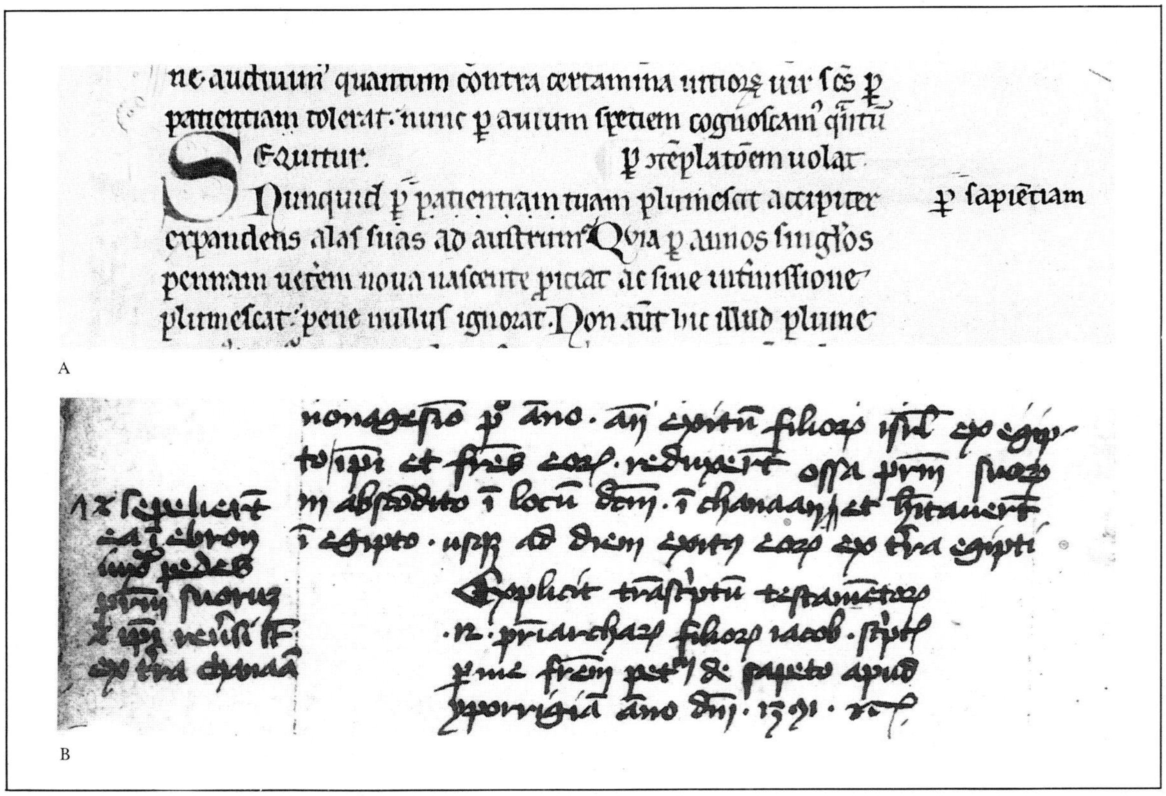

16. *Deux fautes très typiques.* A. Faute phonétique. Le copiste a inscrit *p(er)patientiam* au lieu de *p(er)sapientiam.* Un réviseur a « exponctué » l'erreur (souligné de petits points pour annuler le mot), et l'a rectifiée en marge (Rouen, Bibl. mun. 667, fol. 92. Jumièges, début du XIIIe s.). B. Saut du même au même. Trompé par la répétition du mot *Chanaan* dans le texte : « ... in locum dictum chanaan et *sepelierunt ea in Ebron iuxta pedes patrum uem suorum et ipsi reeursi sunt extra terram Chanaan* et habitauerunt in Egipto... », le copiste a directement sauté au second, et a dû ajouter le passage manquant dans la marge (Lyon, Bibl. mun. 5983, fol. 23. Ivrée, 1391).

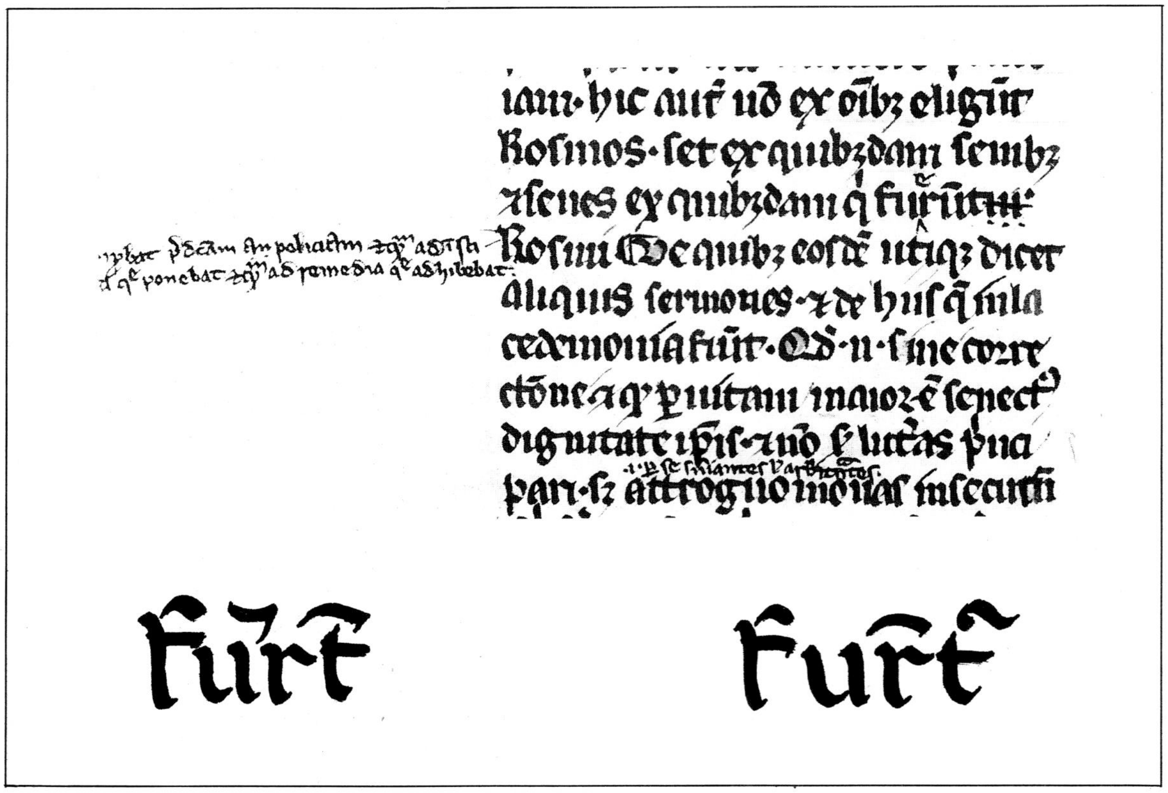

17. Faute paléographique : la faute corrigée par un réviseur (*furuntur,* mot qui n'existe pas dans la langue latine, au lieu de *fuerunt*) est une énormité qui ne peut s'expliquer que par une confusion des signes d'abréviation utilisés dans le modèle (Arras, Bibl. mun. 681 [617], fol. 54 v°).

tra de savoir s'il s'agit d'une main étrangère et peut-être de déterminer la date (ce qui suppose une excellente connaissance de l'évolution et de la chronologie des écritures médiévales, et une bonne appréciation des caractéristiques propres à chaque scripteur*).

Toutes ces mutations d'ordre matériel intervenues dans un exemplaire se répercuteront généralement dans les copies qui en dérivent. Mais elles n'y seront plus signalées à l'attention par des anomalies matérielles qui permettent de les connaître : les lacunes ou interversions ne correspondront plus avec les limites des feuillets ou des cahiers, tout le texte sera de la même main... Et c'est alors que la connaissance intime des techniques de fabrication du livre devient absolument nécessaire pour comprendre ce qui a pu se passer en amont*, dans cet hypothétique modèle que l'on n'a plus sous les yeux.

Les méthodes de critique textuelle* qui ont été évoquées plus haut supposaient en effet que le texte même restât la principale source d'information sur les accidents qu'il avait pu subir et que la méthode d'interrogatoire pût simplement consister — comme cela a été généralement le cas jusqu'au début du XXe siècle — à confronter les témoins entre eux et à interpréter leurs contradictions. Or, ces témoins sont parfois innombrables (par exemple pour saint Augustin, l'auteur le plus abondamment copié d'un bout à l'autre du Moyen Age). Aussi l'examen de tous les exemplaires du même texte est-il une besogne lourde et ingrate et, de surcroît, pas toujours aussi fructueuse qu'on pourrait l'imaginer. La tâche se trouve grandement facilitée si l'on peut s'apercevoir, grâce à ces indices matériels, qu'on est en présence de l'exemplaire dans lequel l'accident ou la mutation s'est produit, ou si l'on peut démontrer que les particularités de cet exemplaire remontent à pareil accident dans l'un de ses antécédents*. Il devient en effet superflu d'aller solliciter le témoignage de tous ceux qui en dérivent pour l'établissement du texte (du moins sur le point qui a ainsi subi une altération).

En poussant un peu plus loin l'étude, l'analyse des caractéristiques matérielles du manuscrit permet surtout de reconstituer les méthodes de travail des copistes, qui ne nous ont laissé aucun autre témoignage sur toute une série de pratiques professionnelles parfois lourdes de conséquences sur la façon dont un texte nous est parvenu. Le plus souvent, on l'a vu, le manuscrit n'est pas l'œuvre d'un individu isolé (à moins qu'il n'écrive pour son propre usage), mais d'une équipe de personnes qui se relaient ou collaborent suivant un scénario organisé. Qu'il s'agisse de la copie partagée*, fréquemment pratiquée dans les scriptoria du haut Moyen Age, de la répartition des tâches dans les ateliers, du système universitaire de copies à la pecia*, ou de la surprenante technique de l'imposition*, cette organisation du travail et ces pratiques plus ou moins complexes sont susceptibles d'engendrer des erreurs typiques, qui ne s'expliquent que lorsqu'on a pu démontrer qu'on était en présence de l'une de ces méthodes de travail.

Mais il est surtout clair que l'étude minutieuse et systématique de la facture du manuscrit invite inévitablement à élaborer une véritable archéologie du livre médiéval, la codicologie*, qui ne soit plus exclusivement au service de la reconstitution des textes, et qui connaît, depuis une trentaine d'années, un développement spectaculaire. Des études systématiques, mettant souvent en œuvre des techniques d'analyse scientifique sophistiquées (analyse microscopique des parchemins, bêtagraphie* des filigranes, chromatographie* des encres, excitation moléculaire* des composants des pigments par le laser, analyse holographique* des écritures et des mises en page, procédures statistiques diverses) permettent de décrire de plus en plus précisément l'évolution des techniques de fabrication (voir graphique) et leur différenciation régionale.

Cependant, quel que soit l'intérêt (généralement passionnant) d'étudier les techniques médiévales comme témoins de leur époque ou dans le cadre d'une archéologie du travail, ce n'est probablement pas là la fin ultime de cette nouvelle approche.

Cette discipline encore toute jeune débouche, en fait, sur des perspectives qui élargissent considérablement le propos initial de la critique textuelle, puisqu'elle permet d'aboutir à une histoire circonstanciée de la diffusion des textes et de la culture écrite (et non plus de leur simple transmission), en replaçant chacun des témoins conservés dans son contexte chronologique et géographique d'abord, technique, économique et socio-culturel ensuite.

En effet, les manuscrits ne naissent pas de façon uniforme et continue, ni n'apparaissent de manière aléatoire. Produits typiquement artisanaux (au sens économique du terme), ils n'obéissent pas à la politique éditoriale qui régit l'imprimé et consiste à produire un certain nombre d'exemplaires et à les lancer sur le marché, en espérant qu'ils trouveront preneur. Chaque manuscrit est unique, non seulement dans sa forme (textuelle ou matérielle), mais dans son ontologie même : chacun d'eux a été réalisé pour répondre à un besoin précis, dans des circonstances déterminées. Les centres de production eux-mêmes sont soumis à cette loi et ne survivent que tant qu'ils assurent cette fonction, qu'il s'agisse d'équiper en textes patristiques la bibliothèque d'un monastère nouvellement fondé ou de fournir d'urgence à de nombreux étu-

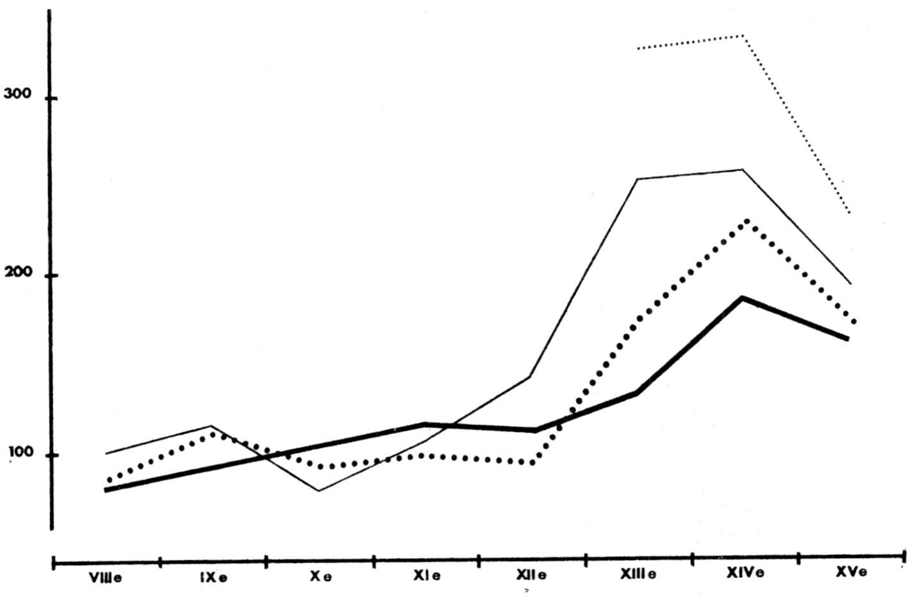

L'étude du livre médiéval. Objet archéologique conservé en très grand nombre, le livre médiéval se prête bien aux études statistiques. Ici est analysée l'évolution du taux de remplissage des pages au cours du Moyen Age (en gras, manuscrits de grand format ; en maigre, manuscrits de petit format ; en trait plein, manuscrits à longues lignes ; en pointillé, manuscrits à deux colonnes). Les courbes reflètent l'élan culturel qui s'est manifesté à partir de la fin du XIIe siècle dans le cadre des universités.

18. Colophon type. Tous les renseignements utiles à l'histoire du manuscrit se trouvent réunis dans ce colophon, formellement « parfait » (ce qui n'est que rarement le cas) : rappel du contenu : extraits de saint Jérôme ; date de copie : 1453, 27 avril ; lieu de copie : Blois ; nom et qualité du destinataire : Charles, duc d'Orléans et de Milan (il s'agit du poète, mort en 1455) ; nom et qualité du copiste : Nicolas Astesan, secrétaire du duc. Au-dessous, Charles d'Orléans a apposé sa signature (Paris, Bibl. nat., lat. 1865, fol. 35 v°).

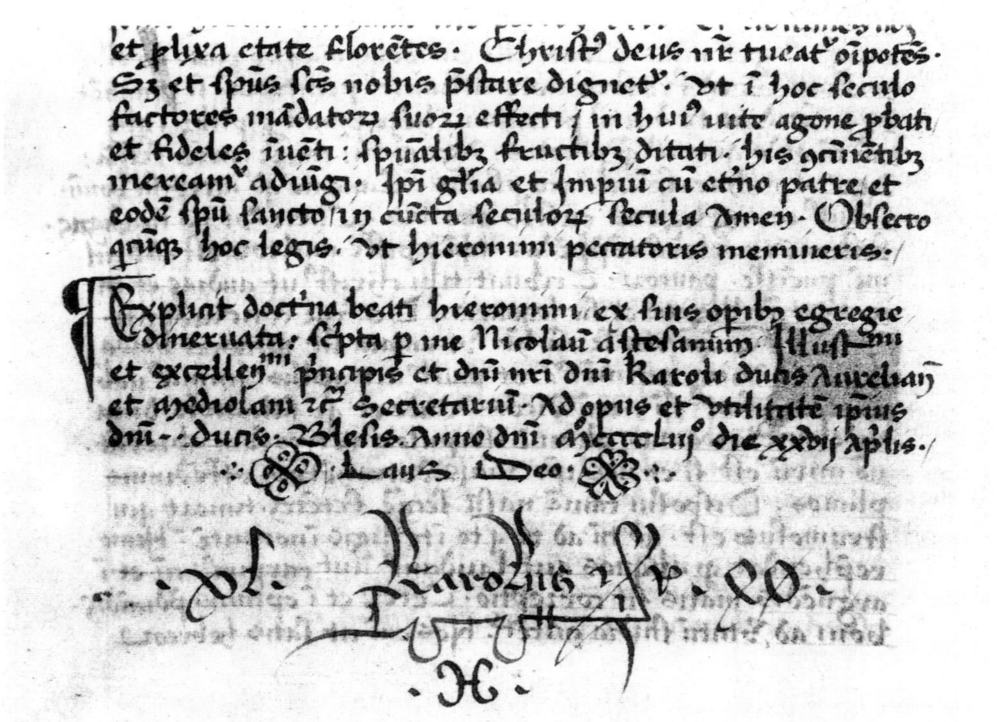

18

19. Mention du promoteur. L'habitude de dater les copies ne s'est répandue qu'assez tardivement, avec le développement des copistes laïcs salariés, dans le cadre des universités. Pour la période monastique (des origines au XIIIe siècle), on trouve plus fréquemment la mention du nom de l'abbé qui a pris l'initiative de faire copier le volume : ici, *Regimbertus,* abbé de Saint-Willibrord d'Echternach de 1051 à 1081 (Paris, Bibl. nat., lat. 8960. Echternach, 1051-1081).

19

20. Colophon autobiographique. Dans son colophon, le copiste de ce bréviaire romain, Antoine Le Droghe, précise qu'il a pris l'habit dans l'ordre de Saint-Antoine, en la commanderie de Bailleul (Nord), en 1473, et qu'il y a célébré sa première messe le 2 octobre 1478, année où les troupes françaises incendièrent l'établissement (Nancy, Bibl. mun. 27 [249, II]. Bailleul, vers 1478).

21. Datation par la critique interne. Les litanies de ce psautier contiennent des invocations en faveur d'un pape Léon *(Ut domnum apostolicum Leonem...)* et d'un roi Charles *(Ut domnum Carolum regem...)*. Il s'agit de Léon III, pape de 795 à 815, et de Charlemagne, roi des Francs en 768, puis empereur en 800, ce qui date la copie de 795-800 (Paris, Bibl. nat., lat. 13159, f. 165).

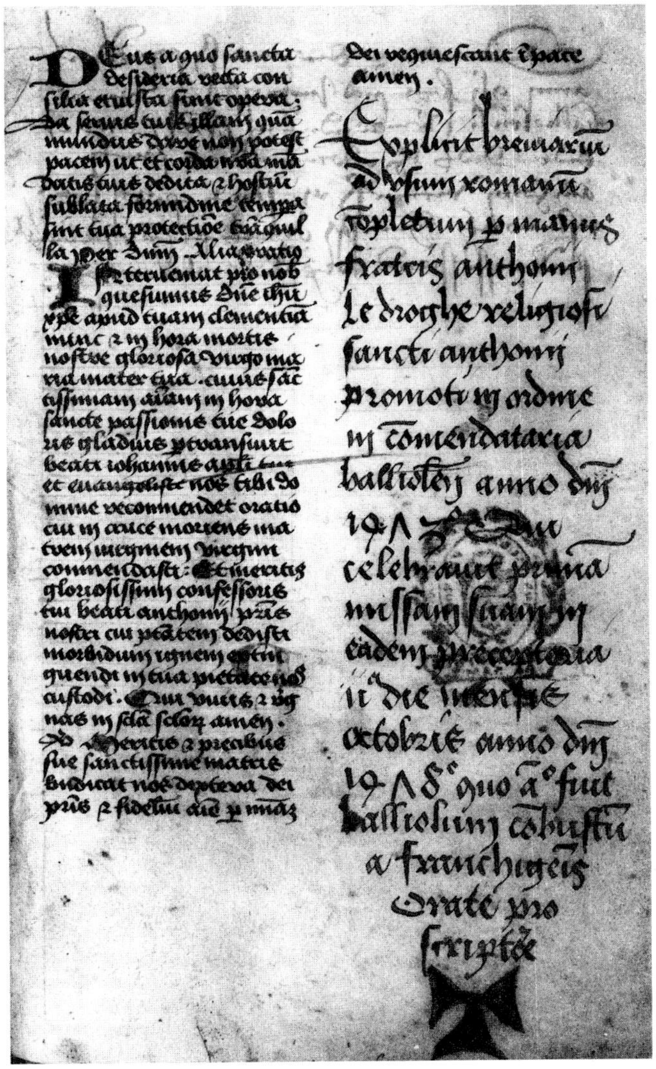

20

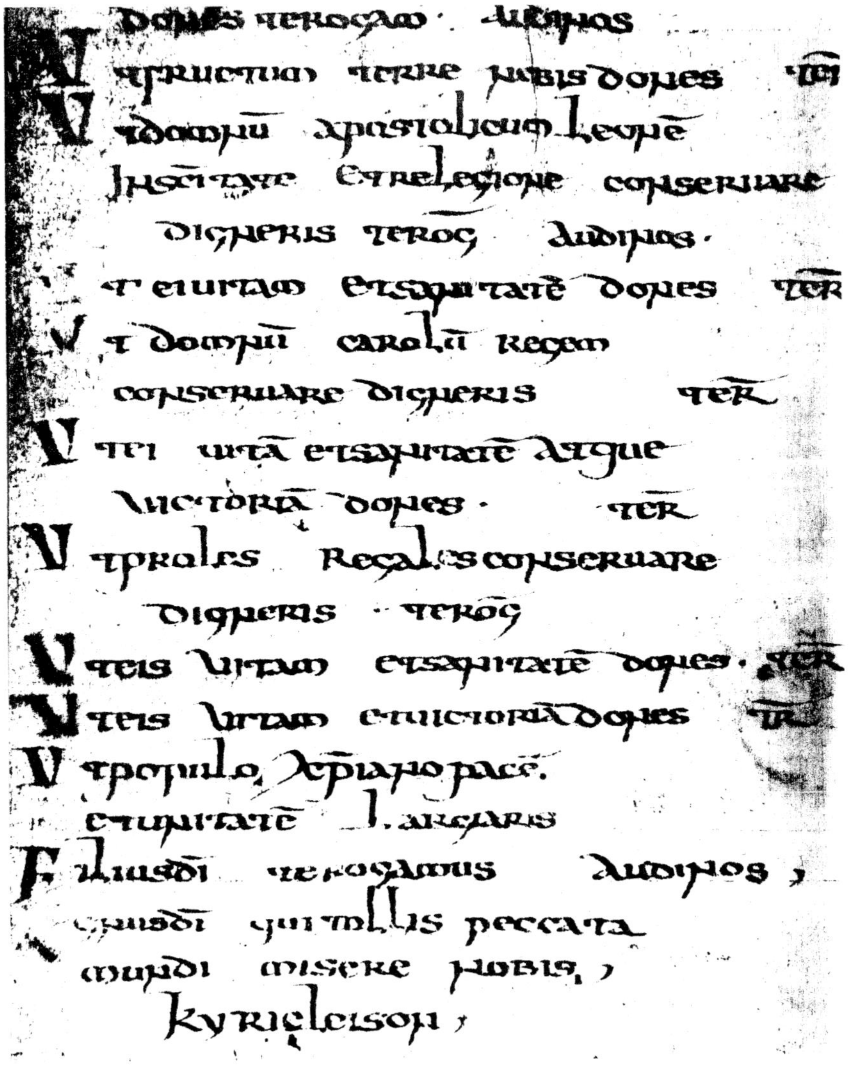

21

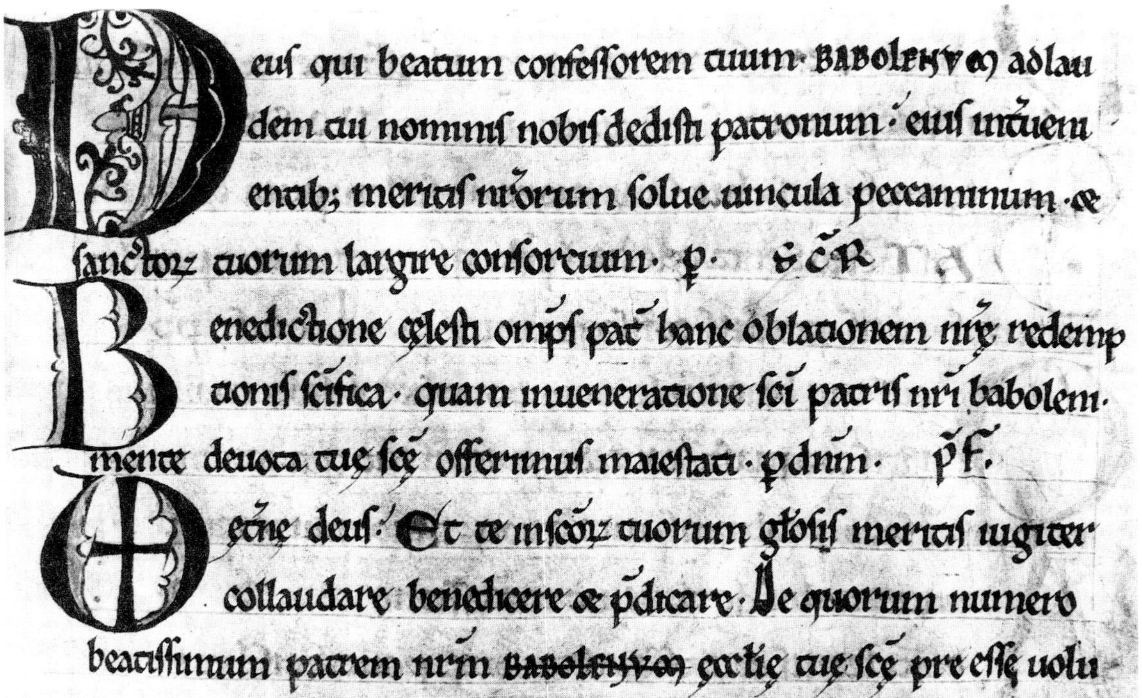

22

22. Détermination de l'origine d'après un culte spécifique. Ce sacramentaire contient un office de saint Babolein, dont le nom est mis en valeur par l'emploi de capitales et de rehauts rouges, et est accompagné du qualificatif *beatissimum patrem nostrum*. Il s'agit d'un saint très peu commun, abbé de Saint-Maur-des-Fossés au VIIe siècle, et dont le culte ne s'est pas répandu hors de cette abbaye. C'est donc pour et dans celle-ci que le manuscrit a été copié. Grâce aux particularités de leur calendrier ou de leur sanctoral, les livres liturgiques sont parmi les plus faciles à « localiser » (Paris, Bibl. nat., lat. 12072. Saint-Maur-des-Fossés, 1134-1150).

23.24. Exemplaire de travail et exemplaire de luxe. Deux exemplaires d'un texte classique (les *Tristes* d'Ovide) copiés vers la même époque (seconde moitié du XIIIe siècle) : l'un (23) par un universitaire (Paris, Bibl. nat., lat. 15143, fol. 234), l'autre (24) pour la bibliothèque du chapitre de Tours (Tours, Bibl. mun. 879, fol. 61).

diants le nouveau commentaire de leur maître. Dans tous les cas, dès que le besoin est satisfait, la production cesse ou s'assoupit : les scriptoria monastiques ne fleurissent que dans les décennies qui suivent la fondation, l'« essaimage » ou la réforme de l'établissement ; le système de la *pecia* universitaire s'éteint dans le courant du XIVe siècle, ayant rempli sa tâche.

C'est pourquoi il est particulièrement important, pour comprendre le processus de survie ou de diffusion de la culture, de dater et de localiser chacun des témoins d'un texte. Dans les cas privilégiés, qui se font plus nombreux lorsqu'on arrive aux époques les plus récentes, ces renseignements sont fournis par le copiste lui-même, qui termine son travail par un colophon* (doc. 18, 19, 20). Dans d'autres cas, c'est un travail de critique sur la teneur même du texte qui permet d'aboutir à des conclusions plus ou moins tranchées sur la date (doc. 21) ou l'origine (doc. 20) du manuscrit. L'examen des caractères matériels, et tout particulièrement celui des filigranes* du papier (doc. 29, p. 33), peut également fournir des indications précises. Mais, le plus souvent, c'est l'aspect de l'écriture, joint à celui de la mise en page et (s'il y en a) de la décoration, qui permettent d'assigner une date « au jugé ». Aussi les paléographes s'emploient-ils très activement à travers l'Europe, depuis une vingtaine d'années, à élaborer des répertoires illustrés rassemblant tous les spécimens d'écriture précisément datés par les colophons ou la critique interne. Il devient ainsi possible d'estimer, par comparaison, la date et l'origine des manuscrits non datés avec une précision et une sûreté toujours accrues.

Ensuite, puisque chaque livre est fabriqué à l'intention d'un destinataire* connu par avance et que chaque exemplaire est formellement différent de tout autre (bien que le texte demeure, théoriquement, identique), la codicologie permet d'appréhender, à travers ses caractéristiques matérielles, le lecteur auquel il

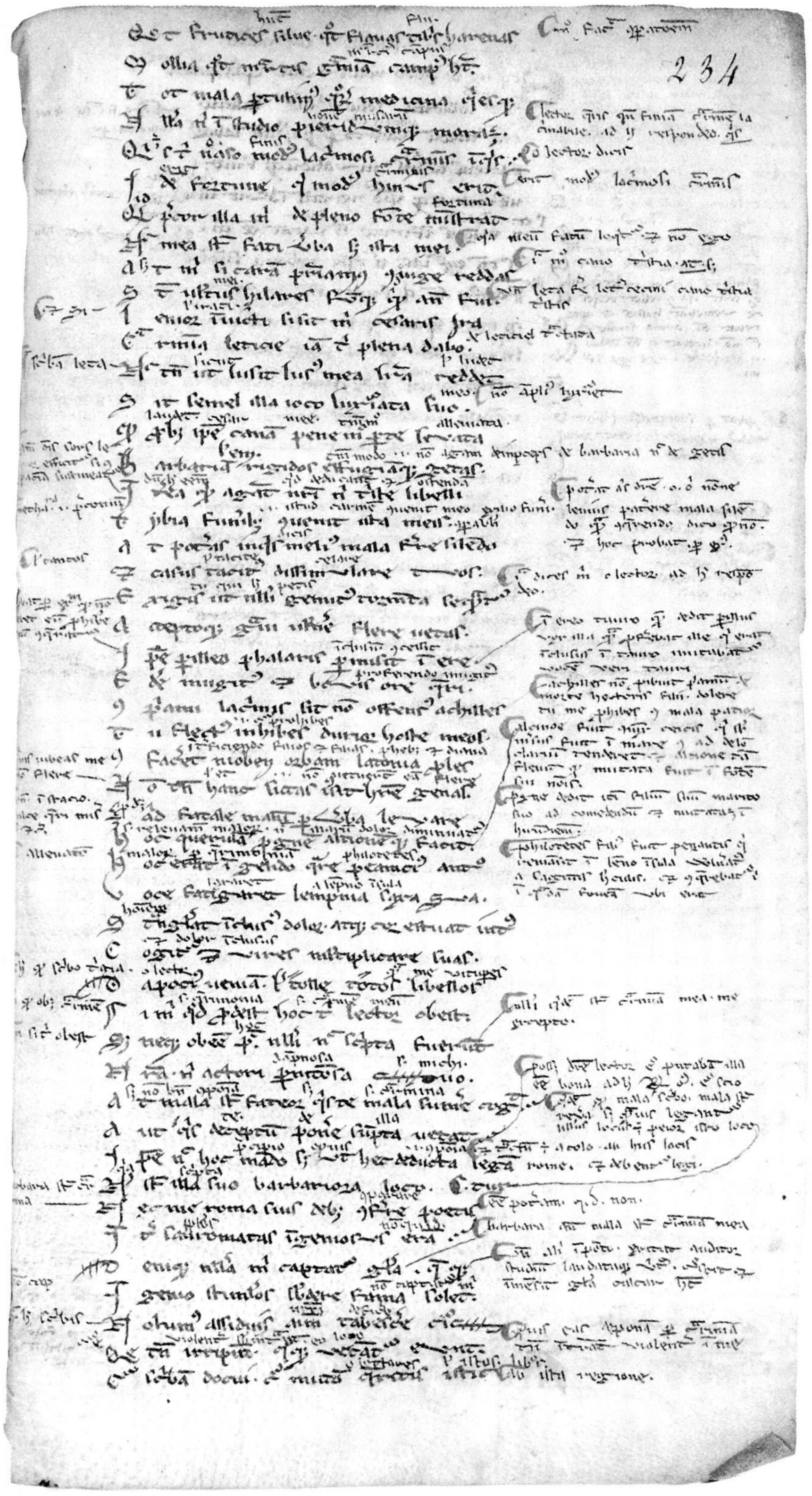

23

s'adresse. Un exemplaire princier ne ressemble pas à un exemplaire d'étudiant (doc. 23 et 24). Or, pour l'histoire de la diffusion d'un texte, les deux exemplaires ne sont évidemment pas du même poids ; et ce n'est pas nécessairement l'exemplaire le plus riche ou le plus agréable à l'œil qui pèse le plus.

Lorsque les livres ont ainsi été situés dans le temps, dans l'espace et dans leur contexte socio-culturel, il devient possible de reconstituer ce qu'a pu être la production, le rôle intellectuel et même la vie quotidienne des centres de copie, qu'il s'agisse de scriptoria monastiques, des collèges de l'Université, des boutiques d'écrivains professionnels ou de l'étude des humanistes et des savants.

Comme tout produit de l'activité humaine, le manuscrit reflète, plus ou moins explicitement, la société qui l'a sécrété. Mais il a, de surcroît, l'avantage d'être l'objet archéologique médiéval qui nous est parvenu en plus grand nombre et dans les meilleures conditions de conservation. Cette foule de livres, qu'il est possible de répartir en sous-ensembles présentant des caractéristiques communes, se prête particulièrement bien à une approche quantitative de type « sociométrique », grâce à laquelle il devient possible d'analyser le contexte culturel et économique dont ils sont issus. Ainsi, quand on a pu retracer l'évolution des techniques de fabrication, constater l'adaptation continuelle du livre à des exigences culturelles toujours plus contraignantes, détecter les innovations introduites dans sa facture et en suivre la diffusion, on se trouve amené sur le plan le plus général de l'histoire pour s'interroger sur les causes et les conséquences de ces mutations culturelles et technologiques, et découvrir les mécanismes qui lient étroitement ces deux domaines. L'histoire du livre médiéval prend alors un rang de choix par les disciplines qui concourent à nous éclairer sur le fonctionnement des sociétés humaines du passé.

D.M.

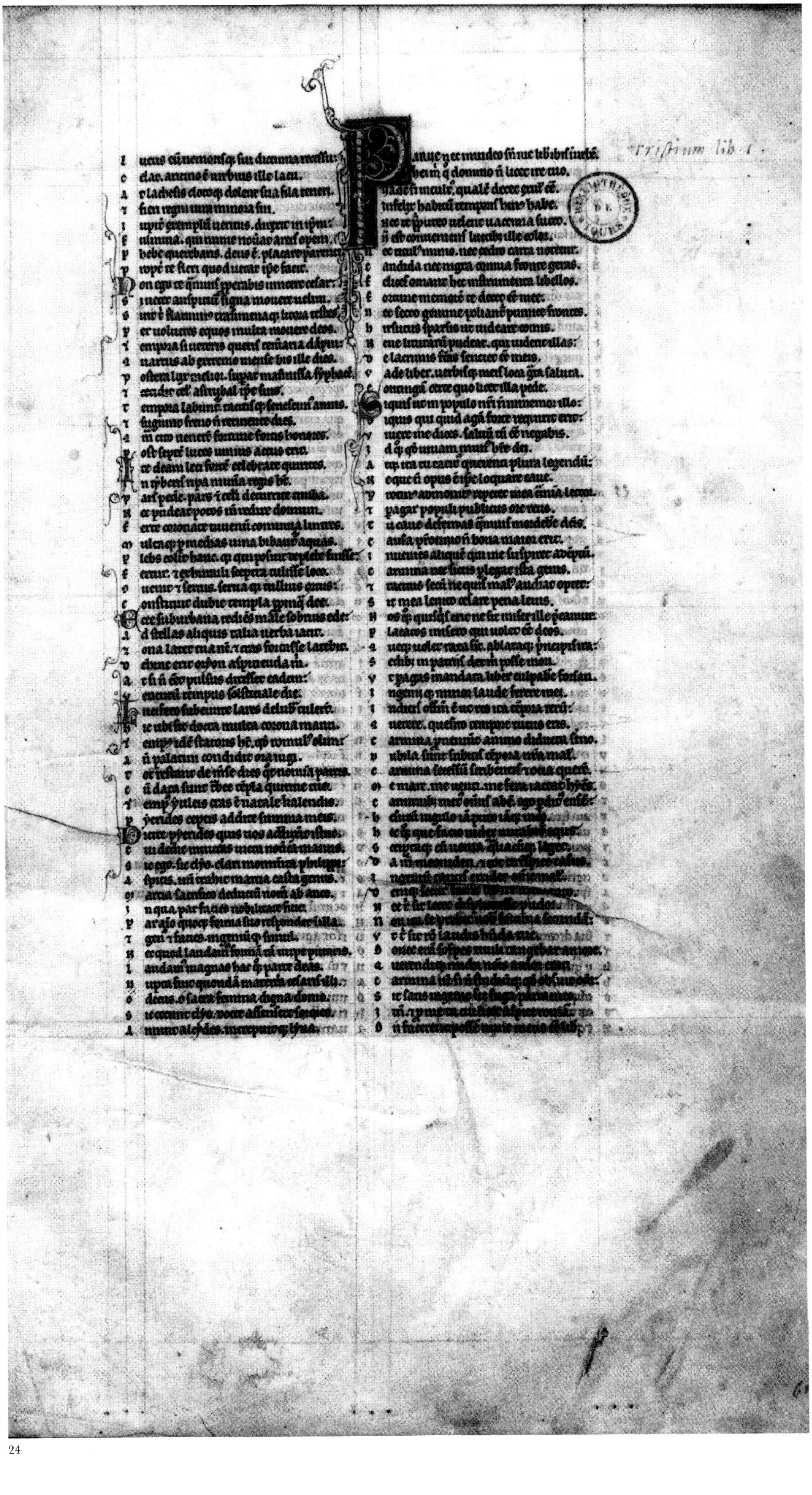

Livre médiéval et informatique

On aura compris que l'étude du livre médiéval suppose une multiplicité d'informations : certaines ont trait au texte et à ses modes de transmission, copies, traductions, commentaires... ; d'autres à l'objet livre, à sa raison d'être, à tout ce qui concerne sa fabrication (époque, lieu, scribe) et sa décoration ; d'autres, enfin, aux bibliothèques anciennes et aux possesseurs qui, au cours des siècles, assurèrent la survivance tout à la fois de l'œuvre et de son support.

Si diversifiées soient-elles, ces informations sont indissolublement liées et l'on imaginerait mal de poursuivre des recherches dans l'une des trois directions indiquées en négligeant l'éclairage que peut projeter sur elle l'examen des deux autres : bien des problèmes ont trouvé leur solution, bien des questions leur réponse dans le croisement des données, quel que soit le domaine dont elles relèvent.

Données..., le mot est lâché, qui oriente tout de suite notre pensée vers l'informatique, tant il est vrai que, bien avant l'apparition de l'ordinateur dans nos disciplines, sa place lui était réservée : emmagasiner un volume considérable d'informations, les trier, les classer puis les comparer, voilà aussi, ainsi que le dit J.-C. Gardin, ce qu'effectue l'ordinateur avec une puissance et une rapidité auxquelles, bien évidemment, nous ne pouvons prétendre.

Cet optimisme s'appuie, naturellement, sur les incessants progrès de la technique : l'amélioration de la saisie depuis le développement des supports magnétiques, l'accroissement des mémoires périphériques, bref, tout ce qui permet à présent d'« entrer en clair » encourage les plus réticents à tirer profit de l'informatique. Sur un autre plan, la compatibilité de bien des matériels, la création d'interfaces entre logiciels, le progrès de la télétransmission donnent à l'entreprise une mesure internationale. Ainsi se dessinent de nouvelles orientations qui, à leur tour, influent sur l'organisation des données et sur leur traitement. C'est de ces divers types de traitement que nous nous proposons de dire quelques mots.

Catalogage et informatique

Pour qui s'occupe de collecter les informations relatives au livre médiéval, la coutume est de procéder par unité codicologique et de réunir dans une même notice descriptive ou dans un même article de catalogue le signalement complet d'un manuscrit : support, contenu (c'est-à-dire indication des œuvres et des auteurs), histoire. C'est donc par ce canal que l'informatique s'introduit dans le travail de l'érudit.

Sans qu'il y ait eu, bien souvent, concertation préalable, la majeure partie des érudits préoccupés de l'exploitation des manuscrits médiévaux ont la même idée en tête, qu'on voit fleurir en France, en Italie, aux Pays-Bas comme outre-Atlantique : élaborer des notices de manuscrits susceptibles d'être mémorisées, ce qui suppose un plan préétabli, une sélection des informations propres à définir l'identité du livre, une uniformisation du vocabulaire, l'établissement de listes d'autorité pour les noms d'auteurs et les titres d'œuvres. A quelques variantes près, c'est le schéma qu'on retrouve partout, et pour cause, puisque l'objet et les finalités du traitement sont partout les mêmes. Ces projets ne sont pas toujours suivis d'effet. Parfois, on aboutit seulement à une « demi-informatisation » consistant à établir un catalogue traditionnel mais sur un support magnétique, qui facilite les procédures d'édition et permet, au moins, l'établissement d'index. Le catalogue informatisé va plus loin : les informations qui constituent l'article consacré à une unité codicologique sont rigoureusement paramétrées. Elles peuvent donc être triées, comparées, regroupées. Non seulement l'utilisateur aura assuré la cohérence de son information mais il sera dispensé des besognes longues et fastidieuses que sont la préparation des index multiples, des tables et des renvois.

La recherche par la base de données relationnelle

Certes, le catalogue informatisé permet également de mener certaines recherches ponctuelles : « quels sont les manuscrits du XVe siècle conservés en Italie et portant des œuvres de Cicéron ? », par exemple. Pourtant, ce type de travail qui consiste non à recenser les manuscrits avec toutes leurs caractéristiques, mais à exploiter les informations d'une base pour mener une recherche personnelle, ne peut guère se satisfaire du traitement évoqué précédemment : la forme séquentielle du système documentaire implique des interrogations longues (quand bien même l'interrogation peut être pratiquée en temps réel, ce qui n'est pas toujours le cas, loin de là) et peu complexes. On a vu que l'interaction des informations poussait le chercheur à sauter en quelque sorte d'un type à l'autre de donnée, à pratiquer au travers d'un corpus comme un cheminement de la recherche, dont la condition première de réalisation est que les temps de réponses soient d'une extrême rapidité.

Le séquentiel (et le batch) doivent donc ici laisser la place à un système de gestion de bases de données, de type relationnel, dans lequel la notice du manuscrit se trouve en quelque sorte éclatée, chacune des informations qu'elle comporte allant rejoindre dans une

« entité » les autres informations de même nature. Ajoutons deux qualités essentielles de la base relationnelle : en premier lieu, elle évite, à la saisie, les redondances, une information étant entrée une fois pour toutes dans l'entité dont elle relève, à sa première apparition ; en second lieu, une telle base peut être interrogée à distance. Tel a été notre objectif lorsque nous avons créé en 1982 la base de données sur le manuscrit médiéval, « Medium », riche de trente-sept mille manuscrits aujourd'hui, déjà interrogée avec succès depuis Pise, Rome, Oxford et Montréal, à titre expérimental, en attendant que soient résolus les problèmes administratifs, juridiques et économiques que pose la mise en place d'un tel réseau.

Le recours à l'intelligence artificielle : la base de connaissances

Dernière venue dans le monde informatique, l'intelligence artificielle peut être utile à la construction d'une base de données comme à son exploitation. Les systèmes experts, ayant recours à l'intelligence artificielle, peuvent aider à la transformation des données non homogènes, non normalisées, dont les informations sont éclatées et floues, donc d'interprétation difficile, en une représentation plus systématique et plus homogène dans la base de données. Généralement, les sources historiques, par exemple, mentionnent un même individu de manières extrêmement diverses, soit en raison de variations orthographiques d'un scribe à l'autre, soit parce que les sources n'indiquent pas toutes les mêmes informations. Désirant constituer un ensemble le plus complet possible pour chaque individu, nous avons construit un système fondé sur le raisonnement de l'historien et permettant de reconnaître un même individu à travers les différentes dénominations rencontrées. Ce même système peut, dans un second temps, servir à l'exploitation de la base.

La construction d'une base de données qui engrange la description des manuscrits médiévaux constitue l'enregistrement d'un savoir finalisé. Or, ce savoir finalisé, qui exprime en quelques lignes l'accumulation des connaissances nécessaires au traitement de données originelles, peut paradoxalement devenir un obstacle à une utilisation élargie de la base de données construite. En effet, pour retrouver une information complexe dans cette base, il faudrait pouvoir suivre le même cheminement intellectuel, le même raisonnement que celui qui a inscrit cette information. Malheureusement, la base de données ne conserve que les informations déduites du raisonnement : la conservation du raisonnement va passer par la construction d'une base de connaissances qui contiendra l'expression formalisée du savoir de celui qui a enregistré les données du manuscrit.

Consultant la base de données, le chercheur se verra ainsi proposer une aide à la consultation : un programme informatique se chargera de simuler la stratégie de recherche qu'applique l'expert du domaine concerné. Précisons que nous n'en sommes aujourd'hui qu'aux premières expériences et qu'aucun système véritablement opérationnel n'est capable de reproduire totalement le raisonnement d'un chercheur. Mais, fréquemment, il suffit d'une aide élémentaire pour déclencher la réflexion et la créativité, et permettre de cerner rapidement l'information recherchée.

Informatique et contenu

Certes, il y aurait encore beaucoup à dire sur l'ordinateur au service du livre médiéval ; parce qu'un volume manuscrit n'est pas seulement un support de textes, les travaux et les recherches qu'il suscite ne consistent pas seulement dans le relevé et l'identification des œuvres qu'il comporte et de leurs auteurs. En définitive, ce qui importe le plus, dans le livre médiéval, n'est-ce pas son contenu ? En ce domaine, l'ordinateur constitue une aide puissante : comparaison des copies d'une même œuvre, relevé des variantes, reconstitution de généalogies », établissement de concordances, analyse de vocabulaire, recherche conceptuelle... Ce n'est sans doute pas le lieu de développer cet aspect des choses car, plus on s'attache à l'étude d'un contenu, plus on a tendance à se dégager de l'étude de son support ; mais il fallait au moins l'évoquer.

Il serait aussi difficile de conclure sans mentionner au moins brièvement l'importance que revêt dans l'étude du livre médiéval l'accès au document ou à sa reproduction. Le fondateur de l'Institut de recherche et d'histoire des textes, Félix Grat, l'avait bien compris, qui eut recours, lors de la création du laboratoire, à la technique, très révolutionnaire alors, du microfilm. La microforme constitue encore à l'heure actuelle l'un des meilleurs supports de reproduction pour le manuscrit. Et les technologies nouvelles nous apporteront davantage : l'accès automatique au document, visualisé sur écran, dès la consultation de la base. Hélas ! si le vidéodisque s'adapte parfaitement au stockage et à la visualisation de l'illustration, il faut, quand il s'agit de texte et d'écriture, recourir à un procédé plus fin, celui de la numérisation. Encore hors de notre portée pour des raisons financières, il n'est déjà plus hors de notre pensée.

J.B. et L.F.

meismes Ilz occirent leur seigneur droitturier .

Avant la cite de beziers fu arse et destruitte - comme dit est les pelerins sadrecherent vers karkasonne pour ce que tous les bougres sestoient illec retraiz Leuesque de beziers entendy que les pelerins se retrairoient vers carcasonne si entra en la cite pour la deffendre alencontre des pellerins Adont les croisies assegierent la ville et y demourerent tant que ceulx de leans se rendirent par tel sy quilz sen alerent les vies sauues sans emporter riens du leur et le visconte de beziers demouroit prisonnier .

Comment le conte Simon de montferrant fu fait seigneur de la terre de karkasonne . Et de plusieurs batailles quil eut en icellui pays .

Comme dessus est dit des pelerins fu la cite de karkasonne rendue aux croisies dun

6

ANNEXES

CHRONOLOGIE
GLOSSAIRE
BIBLIOGRAPHIE

La prise de Carcassonne par Simon
de Montfort (1209). David Aubert,
Chroniques abrégées (Paris, Bibl. de l'Arsenal
5090, fol. 261 v°. XVe s.).

Repères géographiques pour une histoire du livre au Moyen Age

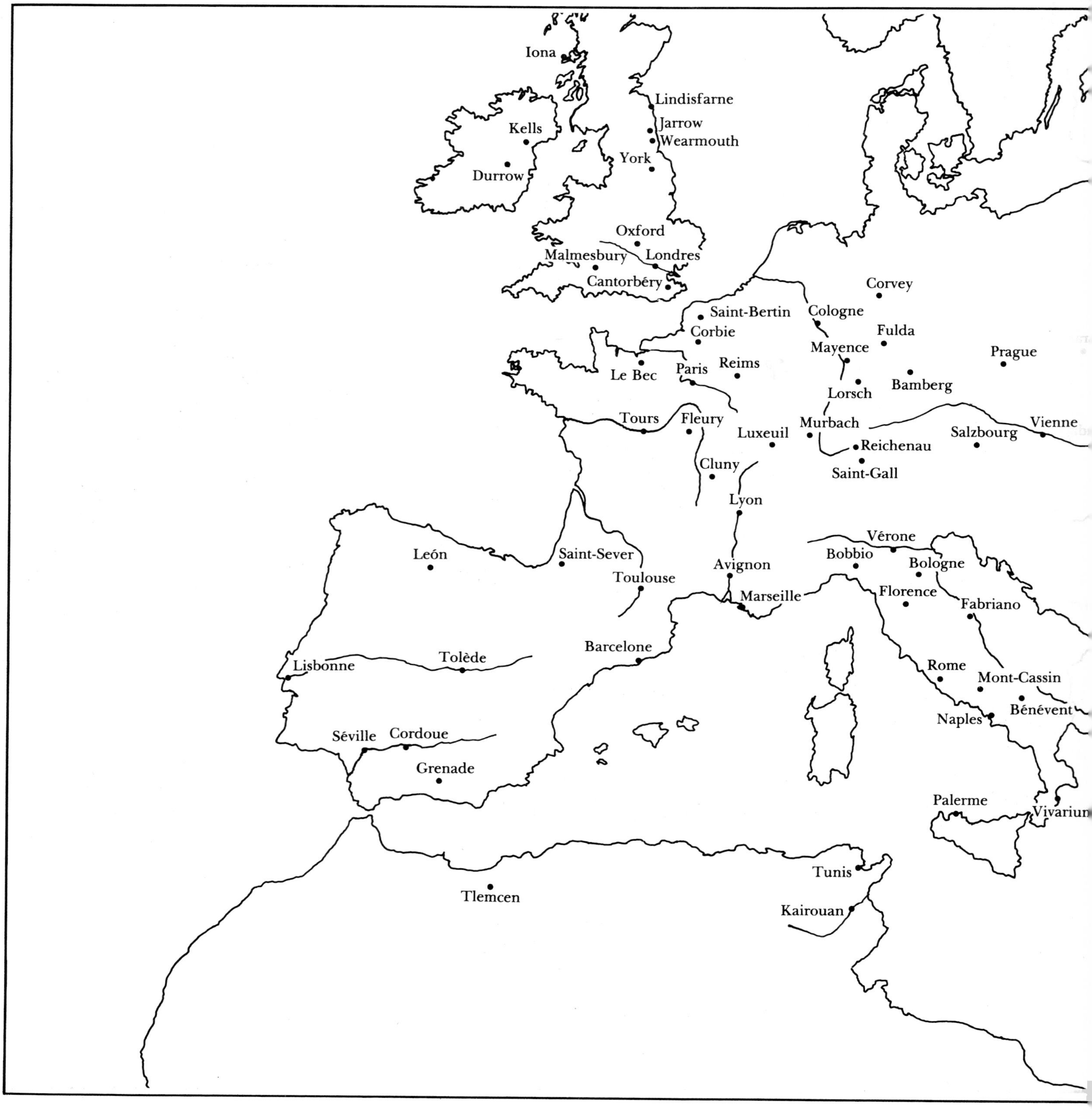

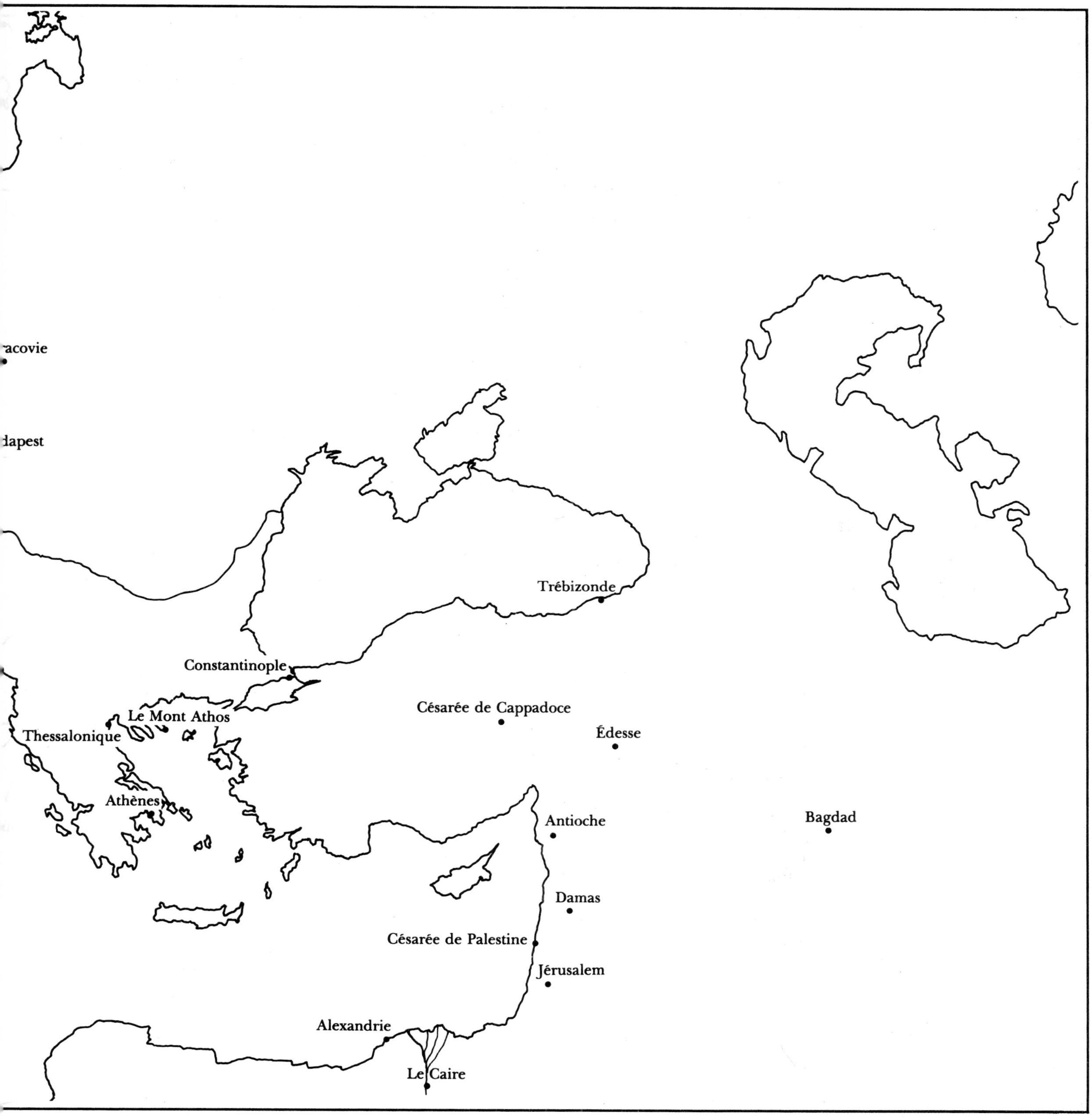

acovie
dapest
Trébizonde
Constantinople
Césarée de Cappadoce
Le Mont Athos
Thessalonique
Édesse
Athènes
Antioche
Bagdad
Damas
Césarée de Palestine
Jérusalem
Alexandrie
Le Caire

Chronologie

Dates	Histoire politique	Vie religieuse et intellectuelle	Livres et lecteurs
IVe siècle			Dans le bassin Méditerranéen, la forme nouvelle du livre (codex) l'emporte sur le rouleau, et le parchemin sur le papyrus. Grands onciaux bibliques grecs (*Vaticanus :* Vat. gr. 1209 ; *Sinaiticus :* Londres, British Library, ms. Add. 43725).
324	Constantin empereur unique.		
330	Constantinople capitale de l'Empire romain.		Vers 330 : l'empereur Constantin charge Eusèbe de Césarée de faire exécuter trente bibles.
357			Dans un éloge, Thémistios félicite l'empereur Constance d'avoir organisé un scriptorium pour faire copier les textes anciens.
370			A Rome, le nombre des bibliothèques publiques atteint vingt-huit.
372			Constitution de l'empereur Valens réorganisant la bibliothèque impériale de Constantinople (quatre calligraphes grecs, trois latins ; personnel pour le prêt et le soin des livres).
373		Saint Jérôme apprend le grec à Antioche.	
374		Saint Ambroise († 397) évêque de Milan.	
382-385		Saint Jérôme chargé par le pape Damase de réviser la Bible latine.	
386		Conversion de saint Augustin.	
Après 390			Règle de saint Augustin : première mention en Occident des prêts de livres à l'intérieur d'une communauté religieuse.
391			Destruction de la bibliothèque d'Alexandrie.
395	Théodose divise l'Empire en deux unités administratives, Orient et Occident. Première invasion des Huns dans l'Empire : ils poussent jusqu'à Antioche.		
397-398		*Confessions* de saint Augustin.	
			Fin IVe-début VIe s. : nombreux manuscrits d'auteurs latins profanes (Cicéron, Virgile, Tite-Live, Martial, Apulée, Pomponius Mela, Macrobe) portant des souscriptions de réviseurs, érudits ou amateurs, liés à l'aristocratie païenne. Ces manuscrits ne sont souvent connus que par des copies plus tardives de l'époque carolingienne.
Ve siècle			Manuscrit de Dion Cassius (Vat. gr. 1228) ; *Iliade* de Milan (Ambrosianus gr. 1014). Éditions de luxe illustrées de Virgile : le *Vergilius Vaticanus* (ms. Vatican lat. 3225), exécuté à Rome, et le *Vergilius Romanus* (ms. Vatican lat. 3867), copié en province.
406	Des tribus barbares, les Vandales à leur tête, traversent le Rhin et envahissent la Gaule.		
409	Les Vandales et les Suèves en Espagne.		
410	Rome mise à sac par Alaric. Les légions se retirent de Grande-Bretagne.		
412-426		Saint Augustin écrit *la Cité de Dieu*.	
417		Publication de l'*Histoire* de Paul Orose.	
425		Constitution de Théodose II organisant l'université impériale de Constantinople.	

Dates	Histoire politique	Vie religieuse et intellectuelle	Livres et lecteurs
429	Les Vandales de Genséric envahissent l'Afrique du Nord par Gibraltar.		
429-439		Compilation du *Code théodosien*.	
430		Vers 430-484 : vie de Sidoine Apollinaire, évêque lettré de Clermont en Auvergne. Vers 430 : *Saturnales* du païen Macrobe.	
431		Mort d'Augustin, évêque, dans Hippone assiégée par les Vandales. Nestorius, patriarche de Constantinople, condamné au concile d'Éphèse.	
438-485		Enseignement du néoplatonicien Proclus à Athènes.	
440	Vers 440-450 : Saxons, Angles, Jutes envahissent l'Angleterre.		
443	Les Burgondes fondent un royaume dans la vallée du Rhône.		
451	Attila envahit la Gaule ; battu par Aetius aux champs Catalauniques (près de Troyes), il repasse le Rhin.		
452	Attila envahit le Nord de l'Italie.		
453	Mort d'Attila : fin de l'invasion des Huns.		
455	Pillage de Rome par les Vandales de Genséric.		
475-476			Incendie de la bibliothèque impériale de Constantinople (destruction de 120 000 volumes).
476	L'Ostrogoth Odoacre dépose Romulus Augustule, dernier empereur d'Occident.		
493	Première invasion bulgare en Thrace.		
496	Baptême de Clovis et des Francs.		
			VIe siècle : la Genèse de Vienne (Nationalbibliothek, cod. theol. gr. 31), écrite en onciales d'argent sur parchemin teint de pourpre et illustrée.
500		Vers 500 : fin de la rédaction du Talmud babylonien. Vers 500-550 : vie du poète byzantin Romanos le Mélode. Vers 500-562 : vie de l'historien Procope de Césarée.	
512			Vers 512-513 : le Dioscoride de Vienne (Nationalbibliothek, cod. med. gr. 1), copié et illustré à Constantinople pour une princesse impériale.
524		Boèce écrit en prison la *Consolation de philosophie*.	
527-565	Règne de Justinien et Théodora ; apogée de Byzance.		
529		Vers 529 : saint Benoît, père du monachisme occidental, fonde le monastère du Mont-Cassin.	
529		*Code justinien*. L'empereur ferme l'école de philosophie païenne d'Athènes. Sept maîtres néoplatoniciens se réfugient en Perse.	
531-537	Les Francs conquièrent la Thuringe, le royaume burgonde, la Provence.		
532	Début de la construction de Sainte-Sophie à Constantinople.	Première apparition des écrits attribués à Denys l'Aréopagite.	

Dates	Histoire politique	Vie religieuse et intellectuelle	Livres et lecteurs
533-536	Le général byzantin Bélisaire écrase les Vandales en Afrique, puis débarque en Italie, prenant Naples et Rome.		
534		Après 534 : Règle de saint Benoît.	Après 534 : dispositions relatives à la lecture et à la distribution des livres dans la Règle de saint Benoît.
540		Vers 540-555 : Cassiodore développe dans ses *Institutions* un programme de culture qu'il applique dans le monastère de Vivarium, fondé par lui en Calabre.	Après 540 : scriptorium et bibliothèque de Vivarium.
560			Vers 560 : fondation, par l'empereur Justinien, du monastère du Mont-Sinaï (aujourd'hui Sainte-Catherine, l'une des plus importantes bibliothèques de manuscrits grecs).
563		Vers 563 : saint Colomban commence l'évangélisation des Pictes en Grande-Bretagne.	
568	Les Lombards envahissent l'Italie du Nord.		
575		Vers 575 : *Chroniques* du Grec Jean Malalas.	
589		Conversion du roi wisigoth Reccarède en Espagne.	
590		Vers 590 : saint Colomban et les moines irlandais en Gaule.	
590-604		Pontificat de Grégoire le Grand.	
593	Grégoire le Grand assiégé dans Rome.		
596		Augustin envoyé par Grégoire le Grand évangéliser la Grande-Bretagne.	
598	Baptême d'Ethelbert, roi du Kent.		
			VIIe siècle : le Pentateuque d'Ashburnham, conservé à Tours du IXe au XIXe siècle (aujourd'hui à Paris, Bibl. nat., nouv. acquisitions lat. 2334).
600		Isidore évêque de Séville ; il est l'auteur des *Étymologies,* l'encyclopédie latine la plus diffusée du haut Moyen Age.	Vers 600-636 : bibliothèque d'Isidore dans son palais épiscopal de Séville.
610		Colomban entreprend de convertir les Alamans. Début de la prédication de Mahomet.	
610-641	Héraclius empereur à Constantinople.		
612-630		Fondation des monastères de Saint-Gall et de Bobbio. Apparition en Gaule de la Règle de saint Benoît.	
622		Hégire (Mahomet quitte La Mecque pour Médine).	
627	Conversion d'Edwin, roi de Northumbrie.		
632		Mort de Mahomet.	
632-634			Les fragments épars du Coran conservés sur des supports variés ou par tradition orale sont rassemblés sur des feuilles de même format.
638	Les Arabes prennent Jérusalem et Antioche ; l'année suivante, ils s'emparent de l'Égypte. Mort de Dagobert Ier.		
641	Conquête de l'Égypte par les Arabes.		
647-660		Fondation des abbayes de Malmédy, Stavelot, Saint-Wandrille, Jumièges Chelles.	
651	En Perse, mort du dernier Sassanide ; les Arabes achèvent d'occuper le pays.		

Dates	Histoire politique	Vie religieuse et intellectuelle	Livres et lecteurs
653		Conversion des Lombards. Vers 653 : Othman fixe le texte officiel du Coran.	
670			Vers 670 : le Livre de Durrow (Dublin, Trinity College, ms. 57), le plus ancien des évangéliaires de Northumbrie.
673	Première attaque arabe contre Constantinople.		
674-682		Benoît Biscop fonde les monastères de Wearmouth et de Jarrow.	
690-734		Apostolat de Willibrord chez les Frisons.	
697	Carthage, dernière place forte des Byzantins en Afrique, tombe aux mains des Arabes.		
700		Vers 700 : la langue parlée en Gaule s'éloigne progressivement du latin des clercs. 700 — avant 754 : vie de Jean Damascène.	Vers 700 : le Livre de Lindisfarne (Londres, British Library, Cotton, ms. Nero D IV) transcrit en pays anglo-saxon. Vers 700 : le *Codex Amiatinus,* bible exécutée au monastère de Jarrow-Wearmouth sur le modèle d'un manuscrit de Cassiodore à Vivarium, et conservé aujourd'hui à la bibliothèque Laurentienne à Florence.
711	Conquête de l'Espagne par les Arabes.		
716		Saint Boniface (675-754) missionnaire en Frise.	
717	Siège de Byzance ; les Arabes mis en déroute par Léon III (717-741).		
724-770		Fondation des abbayes de Reichenau, Murbach, Fulda, Lorsch, Hersfeld.	
725		Vers 725 : début de l'école musulmane de philosophie motazilite.	
726	Vers 726 : début de la querelle des Images (iconoclasme).		
732 et 737	Les Arabes battus par Charles Martel à Poitiers et près de Narbonne.		
735		Mort de Bède le Vénérable à Jarrow.	
750	Pépin, élu roi à Soissons, dépose le dernier Mérovingien. Prise de Ravenne par les Lombards et disparition de l'exarchat byzantin.		
751	Les califes omeyyades supplantés par les Abbassides.		Prise de Samarcande par les Arabes : des artisans chinois faits prisonniers leur enseignent la fabrication du papier.
762	Al-Mansour fonde Bagdad.		
768-814	Règne de Charlemagne, qui restaure l'empire d'Occident en 800.		
775			Le plus ancien manuscrit arabe daté (dû à un chrétien).
781		L'Anglais Alcuin (780-804) appelé par Charlemagne pour être son conseiller et prendre en main les écoles du palais.	
781-783			L'Évangéliaire de Godescalc (du nom du scribe) copié à la demande de Charlemagne sur parchemin pourpré, en onciales d'or. (Paris, Bibl. nat., nouv. acquisitions lat. 1203).
789	Premières incursions des Vikings en Angleterre.	Charlemagne ordonne l'ouverture d'écoles monastiques.	
			Fin VIIIe-IXe siècle : formation et diffusion de la minuscule caroline, notamment à partir des scriptoria de Corbie et de Fleury (Saint-Benoît-sur-Loire).

Dates	Histoire politique	Vie religieuse et intellectuelle	Livres et lecteurs
796-802			Rayonnement du scriptorium de Saint-Martin de Tours sous l'abbatiat d'Alcuin.
798			Saint Théodore devient abbé du monastère de Stoudios, à Constantinople ; un important scriptorium y est organisé.
			Vers fin VIIIe siècle : le Livre de Kells (Dublin, Trinity College, ms. 58).
800	Vers 800 : invention de l'étrier.	Avant 800 : traduction en arabe de la *Géographie* de Ptolémée. Mort de Paul Diacre au Mont-Cassin. Vers 800-870 : vie d'al-Kindi.	Vers 800 : premier manuscrit grec connu sur papier (Vat. gr. 2200).
816-883			Activité du scriptorium de Saint-Gall sous les abbés Gozlin et Hartmut ; vers le milieu du siècle, un catalogue de la bibliothèque énumère plus de 350 volumes.
820			Vers 820, plan idéal du monastère de Saint-Gall : scriptorium au rez-de-chaussée, bibliothèque à l'étage.
822			Catalogue des livres de l'abbaye de Reichenau (415 volumes).
827		L'empereur byzantin Michel le Bègue offre à Louis le Pieux un manuscrit grec du pseudo-Denys l'Aréopagite, qui est aussitôt traduit en latin.	
831			Inventaire de la bibliothèque de Saint-Riquier (256 volumes).
832		A Bagdad, sous le calife al-Mamoun, apogée de la maison de la Sagesse.	
835			Premier manuscrit grec daté en minuscule (Tétraévangile Uspenskij : Léningrad, Bibl. publ., gr. 219).
840-841	Les Arabes prennent Palerme, Bari et Tarente.		
840-877	Règne de Charles le Chauve.		
842-862			Loup, élève de Raban Maur et abbé de Ferrières en Gâtinais : correspondance érudite et chasse aux manuscrits.
843	Traité de Verdun : partage de l'empire d'Occident entre les héritiers de Louis le Pieux.		
845		Avant 845 : Jean Scot Érigène, philosophe et helléniste, à la cour de Charles le Chauve.	
846			Vers 846 : la première bible de Charles le Chauve copiée à Tours (Paris, Bibl. nat., lat. 1).
850	Les Normands prennent Londres et Cantorbéry.		Vers 850 : catalogue des livres de l'abbaye de Murbach, Haut-Rhin (335 titres).
860			Vers 860 : le césar Bardas fonde l'école de la Magnaure à Constantinople.
861-863	Robert le Fort duc de France.		
862		Otfrid de Wissembourg traduit le Nouveau Testament en allemand. Les moines Cyrille et Méthode chargés d'évangéliser la Moravie et la Pannonie. Jean Scot : *De divisione naturae*.	
864-923		Vie de Costa ben Luca, traducteur à Bagdad.	
866			Le plus ancien manuscrit arabe sur papier actuellement conservé en Europe (Leyde, bibliothèque de l'Université, ms. oriental 298).

Dates	Histoire politique	Vie religieuse et intellectuelle	Livres et lecteurs
870-950		Vie du philosophe al-Farabi.	
871-899	Règne d'Alfred le Grand, vainqueur des Danois en Angleterre.		
873			Avant 873 à Bagdad : Hunayn ben Ishâq (Johannitius), traducteur de textes grecs anciens (106 versions en syriaque, 108 en arabe).
880			Vers 880 : le souq des libraires à Bagdad compte près d'un millier de boutiques.
884-888	Charles le Gros restaure temporairement l'unitée de l'Empire en Occident.		
885-940			Ibn Muqlar, vizir sous les Abbassides, calligraphe réputé.
892-942	Vie du philosophe juif Saadia Gaon.		
894-895			Le plus ancien manuscrit hébreu daté : une copie des Prophètes exécutée à Tibériade et conservée à la synagogue du Caire.
895			Platon d'Oxford, ms. copié pour Aréthas de Césarée (Oxford, Bodleian Library, ms. Clarke 39). Xe siècle : l'écriture caroline gagne la Grande-Bretagne. Le *Venetus A,* l'un des principaux manuscrits de *l'Iliade* (Venise, bibl. Marciana, ms. gr. 454) ; le *Mediceus,* très important témoin des tragédies d'Eschyle et de Sophocle (Florence, bibl. Laurentienne, Laur. 32.9).
900	Vers 900 : Venise ruine sa concurrente Comacchio.		
904	Les Arabes prennent Thessalonique, seconde ville de l'Empire byzantin.		
911	Baptême du chef normand Rollon.		
913	A Constantinople, début du règne de Constantin Porphyrogénète, empereur lettré.		
926-942		Saint Odon deuxième abbé de Cluny ; en 931, la congrégation de Cluny est fondée par privilège pontifical.	
936-973	En Occident, règne d'Othon le Germanique, couronné empereur en 962.		
950		Avant 950 : version persane des *Mille et Une Nuits*. Vers 950 : carrière de Siméon le Métaphraste.	Vers 950 : le Manuscrit d'Alep, le plus ancien texte complet de la Bible hébraïque, conservé à la synagogue séphardite de cette ville et brûlé en 1950. Vers 950 : les bibliothèques du monde islamique s'ouvrent au public et autour de leurs bâtiments se créent des instituts d'enseignement.
963			Vers 963 : saint Athanase, avec l'appui de Nicéphore Phokas, fonde la Grande Laure sur le mont Athos (aujourd'hui, ce monastère possède l'une des plus riches collections de manuscrits grecs).
970			Vers 970 : éclat de la bibliothèque de Cordoue, dont les milliers de volumes sont décrits dans un catalogue géant (44 registres de 20 feuillets).
980			Vers 980 : fondation à Chiraz d'une bibliothèque de 10 000 volumes.

Dates	Histoire politique	Vie religieuse et intellectuelle	Livres et lecteurs
987	Hugues Capet roi de France.		
987-997	Al-Mansour achève la conquête de l'Espagne et détruit Saint-Jacques-de-Compostelle.		
988	Les Fatimides maîtres de la Syrie.		
990			Vers 990 : catalogue du libraire de Bagdad Ibn al-Nadim.
999-1003		Gerbert d'Aurillac pape sous le nom de Sylvestre II.	
1001	Couronnement par le pape de saint Étienne de Hongrie, baptisé en 985.		Manuscrit enluminé du Coran copié par Ibn el-Bawwab, célèbre calligraphe de Bagdad (Dublin, collection Chester Beatty, ms. K 16).
1004			Vers 1004 : catalogue alphabétique de l'abbaye de Saint-Bertin (305 volumes).
1009-1010	Victoires des Normands en Italie du Sud.		
1017	Basile II conquiert le royaume bulgare.		
1037		Mort du philosophe et médecin persan Avicenne.	
1037-1107		Construction des églises abbatiales actuelles de Jumièges, du Mont-Cassin et de Fleury.	
1042-1043			Vers 1042-1043 : liste de livres distribués aux moines de Cluny au début du carême.
1042-1070			Lanfranc dirige l'école de l'abbaye du Bec et devient abbé : apogée du scriptorium.
1043			Vers 1043 : au Caire, la grande bibliothèque créée par le sixième calife fatimide est cataloguée et les volumes reliés de neuf.
1045	Constantin IX Monomaque crée à Constantinople une école de droit et une école de philosophie dirigée par Psellos.		
1054	Le schisme : rupture de l'Église byzantine avec la papauté.		
1057-1072		Le cardinal Pierre Damien s'oppose à la culture profane.	
1058		Mort du néoplatonicien juif Ibn Gabirol (Avicebron), auteur du *Fons vitae*.	
1058-1087			Essor du scriptorium et de la bibliothèque du Mont-Cassin sous l'abbé Didier.
1059	Alliance du pape Nicolas II et du Normand Robert Guiscard, qui conquiert le Sud de l'Italie et la Sicile sur les Byzantins et les Arabes (1060-1062).		
1065		Vers 1065 ? : composition de la *Chanson de Roland*.	
1066	Guillaume le Conquérant, duc de Normandie, est vainqueur d'Harold à Hastings et devient roi d'Angleterre.		
1072			A l'abbaye de Saint-Sever (Landes), copie illustrée du *Commentaire* de Beatus de Liebana sur l'Apocalypse (Paris, Bibl. nat., lat. 8878).
1077	A Canossa, l'empereur Henri IV fait sa soumission au pape Grégoire VII.		
1078-1109		Saint Anselme abbé du Bec, puis archevêque de Cantorbéry (1093).	
1091		Al-Ghazali, professeur à Bagdad, rédige les *Intentions des philosophes*.	

Dates	Histoire politique	Vie religieuse et intellectuelle	Livres et lecteurs
1093			Catalogue de l'abbaye de Pomposa.
1094	Consécration de la basilique Saint-Marc à Venise.		
1095	Début de la première croisade, prêchée par le pape Urbain II.		
1096-1097		Marbode et Hildebert, hagiographes et poètes, deviennent respectivement évêques de Rennes et du Mans.	
1098		Fondation de Cîteaux par Robert de Molesme.	
1099	Prise de Jérusalem par les croisés et fondation d'un royaume latin en Terre sainte.		La communauté karaïte du Caire rachète aux croisés les livres bibliques pris lors de la conquête de Jérusalem.
1100		Fondation de Fontevrault par Robert d'Arbrissel. Renaissance du droit romain à Bologne.	Vers 1100 : seconde bible de Saint-Martial de Limoges (Paris, Bibl. nat., lat. 8).
1105		Mort de Rachi, commentateur juif champenois de la Bible et du Talmud.	
1108-1118		Vers 1108-1118 : enseignement d'Abélard à Paris.	
1109			A Cîteaux, bible d'Étienne Harding.
1112-1123			Inventaire de la bibliothèque du monastère de Michelsberg, à Bamberg.
1113-1155			Le *Liber ordinis* des chanoines de Saint-Victor de Paris détaille les obligations du bibliothécaire *(armarius)*.
1114	Création des foires de Champagne.		
1114-1126		Apogée de l'école de Chartres sous la direction du chancelier Bernard.	
1115		Venu de Cîteaux, saint Bernard fonde Clairvaux, dont il est abbé jusqu'à sa mort (1153).	
1115-1153			Sous l'abbatiat de saint Bernard, essor du scriptorium et de la bibliothèque de Clairvaux.
1120-1130		Vers 1120-1130 : Adélard de Bath traduit les *Éléments* d'Euclide et divers traités d'al-Kharizmi.	
1126-1151		A l'initiative de l'archevêque Raymond de Sauvetat, Tolède devient un foyer de traductions arabes.	
1126-1198		Averroès, commentateur d'Aristote et philosophe arabe de Cordoue.	
1128		Avant 1128 : saint Bernard, *De la Grâce et du Libre arbitre.*	
1140		Vers 1140 : le *Décret* de Gratien, premier code systématique de droit canonique.	
1143		Traduction latine du *Planisphère* de Ptolémée.	Vers 1143 : mort de Guillaume de Malmesbury, bibliothécaire de cette abbaye et plus grand historien du XIIe siècle, familier des textes classiques.
1145		Robert de Chester traduit l'algèbre d'al-Kharizmi.	
1147	Début de la deuxième croisade, prêchée par saint Bernard.		
1150-1151		Burgundio de Pise donne une version latine de Jean Damascène.	
1152-1190	Frédéric Barberousse empereur.		

Dates	Histoire politique	Vie religieuse et intellectuelle	Livres et lecteurs
1154-1158		Vers 1154-1158 : Pierre Lombard compose à Paris ses quatre livres des *Sentences,* texte qui devient rapidement la base de l'enseignement théologique.	
1158	Création de l'ordre militaire de Calatrava, voué à la reconquête de l'Espagne.		
1158-1161			Catalogue de la bibliothèque de Cluny (570 articles).
1162-1182		Vers 1162-1182 : activité littéraire de Chrétien de Troyes.	
1165-1240		Vie du philosophe Ibn al-Arabi, en Espagne.	
1167-1187		Vers 1167-1187 : Gérard de Crémone traduit de l'arabe le *Liber de causis.*	
1170	Meurtre de Thomas Becket dans sa cathédrale de Cantorbéry.		
1173		Pierre Valdo fonde à Lyon la secte qui portera son nom (les Vaudois).	
1175		Traduction latine de l'*Almageste* de Ptolémée.	
1175-1200			Vers 1175-1200 : apparition d'une mise en page savante dans les manuscrits bibliques glosés copiés en France et en Angleterre.
1177		Après 1177 : début de la rédaction du *Roman de Renart.*	
1180			Jean de Salisbury, l'un des meilleurs représentants de la renaissance littéraire du XIIe siècle, lègue ses livres à la cathédrale de Chartres, ville dont il est évêque.
1187	Saladin prend Jérusalem aux croisés.		
1190		Le *Guide des égarés,* du philosophe juif de Cordoue, Maimonide (1135-1204).	
1191	Troisième croisade : Philippe Auguste et Richard Cœur de Lion.		
1193			Saladin disperse les bibliothèques des Fatimides.
1195		Le *De miseria humanae conditionis* du cardinal Lothaire (futur Innocent III), l'un des textes médiévaux les plus fréquemment copiés.	
			Fin XIIe siècle : Eustathe de Thessalonique compose son *Commentaire* sur *l'Iliade,* dont le ms. autographe est conservé (Florence, bibl. Laurentienne, Laurent. 59.2 et 3).
1198-1216	Pontificat d'Innocent III : apogée de la papauté médiévale.		
1200			Vers 1200 : prépondérance de Paris en Occident pour la production et le commerce du livre. Part croissante des copistes et des ateliers laïcs.
1200-1250		*Aucassin et Nicolette.*	
1201	Quatrième croisade.		
1203		Les *Nibelungen* (Allemagne du Sud).	
1204	Constantinople mise à sac par les croisés : importantes destructions de livres.		
1204-1205	Philippe Auguste achève la conquête de la Normandie et s'empare de la Touraine et de l'Anjou.		
1206	Traité de Guadalajara entre les royaumes de Castille, d'Aragon et de Navarre.		

Dates	Histoire politique	Vie religieuse et intellectuelle	Livres et lecteurs
1208	Meurtre du légat du pape et début des opérations contre les Albigeois.	Saint Dominique fonde l'ordre des frères prêcheurs.	
1209		Première communauté autour de saint François d'Assise (1182-1226).	
1214	Bataille de Bouvines.		
1215	Jean sans Terre signe la Grande Charte.	Statuts de l'université de Paris.	
1218	Échec et mort de Simon de Montfort devant Toulouse.		
1220-1250		L'empereur Frédéric II rassemble à Naples savants et traducteurs (Michel Scot, Jacob Anatoli).	
1225	Louis VIII, chef de la croisade contre les Albigeois, conquiert le comté de Toulouse.		
1226	Régence de Blanche de Castille.		
1227	Mort de Gengis Khan ; son empire est partagé entre ses quatre fils.		
1230		Avant 1230 : première traduction latine de la *Métaphysique* d'Aristote.	
1235		Première partie du *Roman de la rose,* par Guillaume de Lorris.	
1240-1248		Albert le Grand enseigne à Paris.	
1244			A Paris, vingt charrettes de livres hébreux sont brûlées, à la suite d'une controverse publique.
1244-1259		Le dominicain Vincent de Beauvais (1190-1264) compile sa grande encyclopédie, le *Speculum majus*.	
			XIIIe siècle, 2e moitié : Maxime Planude, moine à Constantinople, copie ou fait copier un recueil de poètes classiques et une version enrichie de l'*Anthologie grecque*.
1248	Prise de Séville par les Castillans.		
1248-1250		Saint Bonaventure commente les *Sentences* à Paris.	
1250	Vers 1250 : constitution du Parlement de Paris.		Vers 1250 : la *Biblionomia* de Richard de Fournival, chancelier de l'Église d'Amiens : catalogue méthodique de sa bibliothèque (environ 300 ouvrages). Vers 1250-1275 : développement rapide du système de la *pecia* pour la copie des manuscrits dans les villes universitaires du Nord de l'Italie (Bologne, Padoue) et à Paris.
1252		Début de la lutte de l'université de Paris contre les ordres mendiants.	
1252-1284	Règne d'Alphonse X le Sage en Castille.		Sous le règne d'Alphonse X le Sage, Tolède centre de copie de manuscrits hébreux.
1253-1270			Le psautier de saint Louis (Paris, Bibl. nat., lat. 10525).
1254-1256		Saint Thomas d'Aquin lit les *Sentences* à Paris.	
1255		Vers 1255 : La *Légende dorée* de Jacques de Voragine.	
1258			La majeure partie des bibliothèques d'Irak est détruite par les Mongols.
1258-1264		La *Summa contra Gentiles* de saint Thomas.	
1259-1270	Victoire de Charles d'Anjou en Italie, pour le compte des Guelfes (partisans du pape).		

Dates	Histoire politique	Vie religieuse et intellectuelle	Livres et lecteurs
1260-1340		Vers 1260-1340 : Maxime Planude, traducteur grec d'œuvres latines.	
1261	Constantinople reprise aux Francs par Michel VIII, fondateur de la dynastie byzantine des Paléologues.		
1265-1321		Dante.	
1267		*Opus majus* et *Opus minus* de Roger Bacon.	
1268		Guillaume de Moerbeke achève de traduire les *Éléments de théologie* du néoplatonicien Proclus.	
1270	Huitième croisade ; mort de saint Louis à Tunis.	*Ars inventiva veritatis* de Raymond Lulle (1235-1318).	Vers 1270 : à Fabriano (Italie), la plus ancienne fabrique de papier de l'Europe chrétienne.
1271			Gérard d'Abbeville, maître en théologie à Paris, lègue près de 300 volumes à la bibliothèque du collège de Sorbonne, fondé en 1257.
1273-1285	Défaites successives des Guelfes devant les Gibelins (partisans de l'empereur allemand).		
1274	Michel Paléologue reconnaît la primauté de l'Église de Rome.	Mort de saint Thomas et de saint Bonaventure.	
1275-1340			Vers 1275-1340 : apogée de la production et du commerce des livres de droit à Bologne.
1277		Vers 1277 : Jean de Meung continue le *Roman de la rose*. Liste de 219 propositions, la plupart d'inspiration aristotélicienne et averroïste, condamnées par l'évêque de Paris, Étienne Tempier.	
1282	« Vêpres siciliennes » ; Pierre d'Aragon maître de la Sicile.		
1289			La bibliothèque du collège de Sorbonne contient 1017 volumes. Début XIVe s. : Démétrius Triclinius découvre neuf tragédies d'Euripide restées inconnues des Byzantins et les fait copier.
1300	Vers 1300 : premières conquêtes des Turcs Ottomans.		Vers 1300 : grâce aux bibliothèques du chapitre de Vérone et du monastère de Pomposa, le juge padouan Lovato Lovati († 1309) et ses amis connaissent Lucrèce, Valerius Flaccus, Catulle.
1300-1308		Enseignement de Jean Duns Scot à Oxford puis à Paris.	
1303	Philippe le Bel, excommunié par Boniface VIII, le fait arrêter (« Attentat d'Anagni »). Mort de Boniface VIII.		
1304-1373		Vie de Pétrarque.	
1306	Philippe le Bel expulse les Juifs.		
1307	Philippe le Bel fait arrêter les Templiers et confisque leurs biens.		
1309	Clément V s'installe à Avignon.		
1312-1313		Ibn Manzür compile un grand dictionnaire de la langue arabe.	
1314-1347	Louis de Bavière, couronné empereur en 1328, entre en conflit avec la papauté ; il protège Marsile de Padoue et Guillaume d'Ockham.		
1315-1318		Vers 1315-1318 : Nicolas Trivet commente les tragédies de Sénèque et l'*Histoire romaine* de Tite-Live.	

Dates	Histoire politique	Vie religieuse et intellectuelle	Livres et lecteurs
1317-1319		Guillaume d'Ockham lit les *Sentences* à Oxford.	
1320	Vers 1320 : déclin des foires de Champagne.		
1324		Le *Defensor pacis* de Marsile de Padoue.	
1327		Mort à Cologne du théologien dominicain maître Eckhart.	L'enlumineur Jean Pucelle signe avec deux confrères parisiens la bible dite de Robert de Billyngham.
1328			La bibliothèque de la Sorbonne compte 1722 volumes.
1337-1410		Vie du chroniqueur Jean Froissart.	
1339	Édouard III entre en guerre contre la France : début de la guerre de Cent Ans.		
1340 ?-1400		Vie de Chaucer.	
1344		Thomas Bradwardine, *De causa Dei*.	Mort du philosophe juif provençal Gersonide : sa bibliothèque comptait environ 200 livres.
1345			Pétrarque découvre à Vérone un manuscrit des *Lettres à Atticus* de Cicéron. Le *Philobiblon* de Richard de Bury, évêque de Durham, « le premier collectionneur de livres qui réponde à peu près au signalement classique du bibliophile ».
1346	Bataille de Crécy.		
1347-1380		Vie de sainte Catherine de Sienne.	
1348-1350	Paroxysme de la peste noire.		
1350		Vers 1350 : Boccace (1313-1375) rencontre Pétrarque et se passionne pour les auteurs classiques de l'Antiquité.	
1350-1360			Liste des livres théologiques de Merton College à Oxford (250 volumes).
1355-1357			La bibliothèque du Mont-Cassin fréquentée par les humanistes florentins (Boccace).
1356		Pétrarque, *De Vita solitaria*.	
1358	Jacquerie des paysans en France du Nord.		
1359	Les Turcs sous les murs de Constantinople.		
1360		Vers 1360 : Leonzio Pilato fait à Florence quelques traductions de textes grecs.	
1361		Avant 1361 : *Traité de la représentation des puissances et des mesures* de Nicole Oresme.	
1364		Fondation de l'université de Cracovie.	
1366		Mort du dominicain allemand Henri Suso, écrivain ascétique et mystique (l'*Horologium sapientiae*).	
1370-1380	Victoires et mort de Charles V et du connétable Du Guesclin.		
1373			Inventaire de la « librairie » de Charles V au Louvre (plus de 900 volumes).
1377			A Majorque, la bibliothèque du médecin juif Leo Mosconi compte 147 livres.
1378			Boccace lègue ses livres au couvent San-Spirito à Florence.
1378-1414	Grand Schisme d'Occident.		

Dates	Histoire politique	Vie religieuse et intellectuelle	Livres et lecteurs
1381	Insurrection paysanne en Angleterre.	Mort du mystique brabançon Jean Ruysbroek (l'Admirable), auteur de l'*Ornement des noces spirituelles*.	
1392	Folie de Charles VI.		
1402	Les Turcs vaincus à Ankara par les Mongols de Tamerlan.		
1402-1403			Naissance de l'écriture humanistique : manuscrit de Catulle copié de la main de Poggio Bracciolini.
1406		Mort de Coluccio Salutati, l'une des principales figures du mouvement humaniste après Pétrarque. Mort d'Ibn Khaldûn, historien de l'Afrique du Nord et théoricien de l'histoire.	
1407			Inventaire de la bibliothèque pontificale à Avignon (1582 articles).
1407-1416			Pol de Limbourg décore les *Très Riches Heures* du duc Jean de Berry.
1411-1424		Vers 1411-1424 : l'*Imitation de Jésus-Christ,* composée aux Pays-Bas et attribuée le plus souvent à Thomas de Kempen (1380/81-1471).	
1414-1418	Concile de Constance : il met fin au Grand Schisme (élection de Martin V en 1417).		
1415	Bataille d'Azincourt.	Jean Hus, recteur de l'université de Prague, est brûlé vif à Constance comme hérétique.	
1415-1417			Expéditions de Poggio à Cluny, à Saint-Gall et dans d'autres établissements.
1417-1435		Leonardo Bruni donne une nouvelle traduction d'Aristote.	
1419	L'empereur Sigismond vaincu en Bohême par les partisans de Jean Hus, contre lesquels Martin V fait prêcher la croisade.		
1423			Poggio découvre à Cologne un manuscrit de Pétrone.
1429			Nicolas de Cuse apporte à Rome un manuscrit de Plaute du XIe siècle contenant douze pièces jusque-là inconnues.
1429-1431	Victoires et mort de Jeanne d'Arc.		
1439	Au concile de Florence, acte d'union des Églises grecque et latine.		
1440-1457		Activité littéraire de Laurent Valla (1407-1457), philologue et humaniste.	
1440-1480			A Florence, le libraire Vespasiano da Bisticci, à la tête d'un atelier de copistes et d'enlumineurs, travaille pour les amateurs italiens (Frédéric de Montefeltre, duc d'Urbino) et étrangers (Matthias Corvin).
1447-1455		Pontificat de Nicolas V, qui commande les traductions latines de Thucydide, Hérodote, Xénophon, Platon, Aristote, Théophraste, Ptolémée et Strabon.	

Dates	Histoire politique	Vie religieuse et intellectuelle	Livres et lecteurs
1447		Naissance de Philippe de Commynes († 1511).	
1453	Prise de Constantinople par les Turcs.		
1458	Matthias Corvin roi de Hongrie.		
1460			Vers 1460 : Jean Fouquet, *Grandes Chroniques de France* (Paris, Bibl. nat., français 6465).
1461	Chute du petit empire grec de Trébizonde, dernier État grec indépendant.		
1467		Naissance de Guillaume Budé († 1540).	
1468			Le cardinal Jean Bessarion († 1472) offre ses livres grecs et latins (plus d'un millier) à Venise, où ils forment le noyau de la biblioteca Marciana.
1469		Naissance de Machiavel († 1527).	
1469-1496			Lisbonne foyer de production de manuscrits hébreux enluminés.
1470		Mort de François Villon.	
1475			Sixte IV ouvre au public la bibliothèque Vaticane (bulle *Ad decorem militantis Ecclesiae*).
1476-1477	Défaites et mort de Charles le Téméraire.		
1481	Torquemada organise l'Inquisition en Espagne.		
1483		Naissance de Luther.	
1485		Publication de la traduction latine de Platon par Marsile Ficin (1433-1499).	
1490			Mort de Matthias Corvin : sa bibliothèque comprenait alors entre 2000 et 2500 volumes.
1492	Prise de Grenade par les Rois Catholiques. Édit contre les juifs d'Espagne. Christophe Colomb traverse l'Atlantique et aborde à Cuba.		Laurent de Médicis envoie Janus Lascaris, l'un des érudits grecs réfugiés en Italie, à la recherche de manuscrits dans les anciennes provinces byzantines.
1516		Édition grecque du Nouveau Testament par Érasme.	
1517-1519		Bible polyglotte d'Alcalà.	
1520-1523		Première édition complète du Talmud.	

Glossaire

Abréviation : graphie permettant d'économiser l'espace ou le temps nécessaires pour écrire un mot, en omettant certaines lettres, éventuellement remplacées par un signe conventionnel.

Acte authentique : document écrit destiné à consigner un acte juridique, établi dans les formes requises et avec les marques de validation nécessaires.

Adonique : voir Saphique.

Ais : planchette de bois formant le plat d'un livre.

Ambitus : étendue d'une mélodie à l'intérieur d'une échelle sonore.

Amont (en) : en remontant dans la tradition d'un texte, d'un exemplaire en direction de ceux dont il est dérivé.

Antécédent : manuscrit dont dérive un autre, plus ou moins directement.

Antienne : du latin *antiphona,* qui dérive lui-même d'un mot grec signifiant « qui répond ». Chant liturgique, à l'origine chanté par deux chœurs qui se répondaient. Mélodie syllabique, le plus souvent chantée avant le psaume, et dont le texte est un verset du psaume.

Antiphonaire : livre liturgique contenant les antiennes des psaumes, à l'usage du chantre.

Apologue : petite fable, visant essentiellement à illustrer une leçon morale.

Archétype : manuscrit qui a servi de modèle à tous les autres soit directement, soit par l'intermédiaire d'un ou de plusieurs autres manuscrits.

Autographe : manuscrit écrit de la main même de l'auteur.

Beresta : terme vieux-russe désignant l'écorce de bouleau et, éventuellement, le texte gravé sur ce support.

Berestologïa : terme technique russe, utilisé depuis quelque temps pour recouvrir l'ensemble des disciplines mises en jeu pour l'exploitation des *beresty,* les écrits sur écorce de bouleau.

Bêtagraphie : procédé de radiographie par l'action de rayons bêta sur une plaque sensible, à travers un document, qui permet de prendre l'image des filigranes du papier sans interférence de l'écriture qu'il porte.

Bi-folio (ou bifeuillet) : feuille de parchemin pliée en deux pour former deux feuillets. Un bi-folio extérieur forme le premier et le dernier feuillet d'un cahier. Un bi-folio intérieur (on dit aussi médian ou central) est celui sur lequel, au milieu du cahier, passe le fil de couture.

Boïarin : terme vieux-russe (plur. *(boïare) :* désignant un homme appartenant à la classe sociale supérieure ; grand propriétaire foncier, notamment à Novgorod.

Boulon (bouillon) : clou de métal à grosse tête qui orne les plats des reliures anciennes.

Cahier : ensemble de bi-folios en nombre variable (généralement de quatre à six) emboîtés les uns dans les autres et réunis par un fil de reliure.

Calligraphie : écriture remarquable par ses qualités esthétiques.

Cantillation : ton spécial à mi-chemin du chant et de la psalmodie.

Cantor : chantre soliste qui entonne et exécute les parties qui lui sont réservées dans l'office liturgique.

Capitulaires : actes législatifs émanant des rois de France mérovingiens et carolingiens.

Cartouche : cadre ou encadrement destiné à mettre en valeur une inscription ou des armes.

Censeur : personnage qui relit les textes copiés et les corrige.

Chromatographie : technique d'analyse chimique des substances complexes reposant sur la différence d'absorption des différents composants suivant leur poids moléculaire.

Codex : livre formé de feuilles pliées et assemblées en cahiers cousus.

Codicologie : étude des caractères matériels et des procédés de fabrication du manuscrit.

Collation : comparaison du texte de plusieurs manuscrits.

Colophon : mention écrite par le scribe à la fin d'un manuscrit ou d'une partie de manuscrit, dans laquelle il indique son nom, la date et le lieu de la copie, et, éventuellement, divers renseignements complémentaires concernant la fabrication du livre (nom du commanditaire, salaire, etc.).

Conférer : comparer le texte de plusieurs manuscrits.

Copie partagée : technique de copie collective consistant à confier à plusieurs copistes différentes parties d'un modèle préalablement dérelié.

Côté chair : face du parchemin qui adhérait aux muscles de l'animal.

Côté poil : face du parchemin où la toison de la bête a été rasée.

Cousoir : cadre sur lequel les nerfs sont tendus pendant la couture des cahiers.

Couture : assemblage des bi-folios emboîtés les uns dans les autres au moyen d'un fil de reliure.

Critique interne : critique textuelle se fondant uniquement sur le texte lui-même et non sur sa forme matérielle.

Critique textuelle : technique d'analyse des textes anciens ayant pour objet de les restaurer dans leur état original, à partir des différentes versions contenues dans les manuscrits.

Cursive : écriture dans laquelle les lettres sont liées entre elles.

Cursivité : déformation subie par une écriture tracée rapidement.

Cyrilliques (caractères) : lettres appartenant à l'alphabet créé au Xe siècle en Bulgarie pour noter les textes slaves, à partir de l'alphabet inventé un siècle plus tôt par saint Cyrille et saint Méthode en

Moravie (alphabet glagolitique) et du grec.

Dendrochronologie : technique qui permet, par un examen de l'épaisseur des cernes dans la coupe d'un tronc d'arbre, d'établir une échelle chronologique relative.

Destinataire : personne physique ou morale à l'intention de qui un manuscrit a été exécuté.

Diplomatique : science auxiliaire de l'histoire qui a pour objet l'étude, sous toutes ses formes, des « diplômes » ou chartes.

Diptyque : volume formé de deux tablettes. Désigne, dans l'usage liturgique, les tablettes d'ivoire enduites de cire sur lesquelles on inscrivait les noms des défunts recommandés dans le mémento du canon de la messe.

Ductus : ordre de succession et direction dans lesquels sont tracés les différents traits formant une lettre de l'alphabet.

Éloge : présentation d'un saint dans un martyrologe historique ; notice qui célèbre les vertus et annonce la fête de ce saint.

Épigraphie : science qui étudie les inscriptions sur matières dures (pierre, poterie, métal...).

Excitation moléculaire : phénomène physique qui permet d'identifier les différents éléments entrant dans la composition d'une substance complexe (technique de la microsonde Raman-Laser).

Exemplar universitaire : modèle d'un texte composé d'une série d'éléments *(peciae)* que les copistes viennent louer successivement et à tour de rôle pour copier, chacun de son côté, un exemplaire de ce texte.

Faute paléographique : faute due à une mauvaise lecture du modèle en raison de la présence sur celui-ci d'une forme de lettre, d'une abréviation ou d'un signe inconnus du copiste.

Faute phonétique : faute de copie qui résulte d'une confusion de sons dans la prononciation d'un mot.

Filigrane : Dessin dont l'empreinte est imprimée dans l'épaisseur du papier par un fil métallique cousu sur la forme du papetier, à qui il sert de marque.

Format : façon de plier une feuille en deux *(in-folio),* en quatre *(in-quarto)* ou en huit *(in-octavo)* pour former les feuillets.

Frontispice : décoration importante marquant le début d'un volume ou d'un texte.

Glose : annotation destinée à expliquer un passage obscur ou un mot difficile. Elle peut être marginale ou interlinéaire.

Goliards : clercs en rupture de ban ; ce sont des poètes du plaisir.

Gouttière : côté du livre opposé au dos (tranche).

Grammaticus : professeur de grammaire, discipline qui, au Moyen Age, englobe la littérature et le commentaire des auteurs.

Histoire : illustration qui représente une scène, un personnage ou un objet significatif.

Holographie : procédé consistant à enregistrer les interférences du spectre lumineux engendré par un objet avec une source lumineuse de référence, et permettant de faire subir divers traitements optiques à l'image de cet objet à des fins d'amélioration, d'analyse ou de comparaison.

Iconoclaste : adversaire du culte des images (icônes).

Imposition : technique de répartition des pages d'un texte à la surface d'une feuille, de telle façon que, après pliage, celles-ci se suivent dans l'ordre normal de lecture.

In-folio, in-quarto, in-octavo : voir Format.

Intercolonne : espace blanc qui sépare deux colonnes de texte.

Intertitre : titre d'une subdivision d'une œuvre.

Justification : surface occupée sur la page par l'écriture.

Lampe de Wood : lampe électrique émettant des radiations ultra-violettes qui permettent de déchiffrer un texte invisible en lumière naturelle.

Ligne rectrice : ligne de réglure le long de laquelle court l'écriture.

Litanie : prière consistant dans une suite d'invocations à une série de saints en faveur d'une personne ou d'une communauté.

Livre de confraternités : livre renfermant les listes des moines vivants et morts d'abbayes unies par une confraternité de prière.

Livre du chapitre : livre liturgique formé des textes nécessaires à la célébration de l'office du chapitre, qui se tenait après l'heure de prime (parfois de tierce). Il comprenait le martyrologe, la règle en usage dans la communauté (saint Benoît ou saint Augustin), les capitules des Évangiles, le nécrologe ou l'obituaire, selon l'époque.

Longues lignes : lignes d'écriture qui s'étendent sur toute la largeur de la page, par opposition à une présentation en colonnes.

Manchette : indication portée en marge d'un texte et qui permet d'y repérer les principales articulations ou les points importants.

Manuscrit de base : manuscrit qui est reproduit tout au long d'une édition et dont on ne s'éloigne qu'en cas de faute manifeste ou de lacune.

Manuscrit démembré : manuscrit dont les cahiers ont été accidentellement séparés.

Manuscrit mutilé : manuscrit dont certains cahiers ou des bi-folios ont accidentellement disparu.

Martyrologe : recueil annonçant jour par jour, en principe à leur anniversaire, les saints qu'on a coutume de célébrer dans les églises. Les martyrologes historiques, dont les témoins les plus répandus sont ceux d'Adon et d'Usuard, annoncent, avec le nom du saint, le lieu de son culte, sa qualité, et donnent aussi un aperçu rapide de son histoire.

Mètre : division quantitative du temps, le mètre est un schéma dont les unités peuvent être réunies ou dissoutes par le rythme.

Morphologie de l'écriture : forme caractéristique des signes, indépendamment de la façon dont ils sont tracés.

Nécrologe : calendrier où sont inscrits les membres défunts d'une communauté monastique ou canoniale, les associés spirituels, les bienfaiteurs, dont on doit faire mémoire à l'office du chapitre, au jour anniversaire de leur mort.

Nerf de reliure : corde ou lanière de cuir fixée aux ais, à laquelle les cahiers sont liés au moyen d'un fil de couture.

Nerfs : petits éléments décoratifs, généralement de couleurs alternées, qui bordent le texte le long des marges.

Neume : signe musical représentant une ou plusieurs notes et utilisé pour la notation du plain-chant.

Notation : jusqu'à l'adoption généralisée de la portée, inventée par Gui d'Arezzo vers 1050, il n'existait pas de notation musicale à proprement parler. Le moyen le plus couramment utilisé pour figurer graphiquement la mélodie était un système de signes, ou neumes, dont le rôle ne pouvait être que mnémotechnique (notation neumatique).

Une notation *in campo aperto* est une notation neumatique qui se développe librement au-dessus des syllabes du texte chanté, en l'absence de repères horizontaux (simple ligne ou portée musicale), indiquant la hauteur relative des sons représentés.
Une notation alphabétique est une notation musicale dans laquelle chaque note est représentée par une lettre de l'alphabet. Par exemple, dans le système pratiqué en Normandie aux XIe et XIIe siècles, qui utilise les lettres a-p, a = sol, b = la, etc.

Note d'atelier : mention ou signe tracé dans un manuscrit par l'un des artisans qui collaborent à sa réalisation, à l'intention d'un autre artisan.

Obituaire : calendrier où sont inscrits, au jour anniversaire de leur mort ou à un jour choisi de leur vivant par eux-mêmes, les bienfaiteurs d'une communauté qui ont institué une fondation à cette fin.

Office : ensemble des prières et des lectures chantées ou récitées quotidiennement et obligatoirement par les clercs.

Ordinaire de la messe : ensemble des pièces liturgiques, utilisées au cours de la messe et dont les paroles sont invariables mais dont la mélodie peut changer.

Oriscus : neume ornemental qui, en composition avec des neumes simples, indique une manière spéciale de chanter.

Paléographie : étude des écritures anciennes, celles des inscriptions, des manuscrits et des chartes.

Palimpseste à trois niveaux : feuillets portant trois couches successives d'écriture ; le texte médian (ou intermédiaire), qui recouvre le texte inférieur, est lui-même recouvert par le texte supérieur.

Pecia : terme de latin médiéval signifiant « pièce » et qui désigne chacun des éléments (normalement un cahier) d'un *exemplar* universitaire.

Pénitentiel (jadis pénitential) : rituel de la pénitence.

Périodeute : sorte de commissaire épiscopal qui exerçait des pouvoirs temporels limités dans les campagnes entourant le siège épiscopal. Cette fonction fut substituée, en Orient, à celle de chorévêque lors du concile de Laodicée (actuelle Denizli, Turquie) ; elle a survécu chez les maronites détachés de Rome.

Pied-de-mouche : signe en forme de crochet arrondi, parfois traité de façon décorative, qui sert à séparer les différents paragraphes d'un texte.

Piqûres : série de petits trous ou de fentes, plus ou moins discrets, destinés à guider le traçage de la réglure.

Pitancier : *officier* (fonctionnaire) d'une abbaye chargé de faire rentrer les revenus en espèces ou en nature des fondations (anniversaires ou autres) et d'en assurer la distribution aux religieux qui s'acquittent des offices demandés par le fondateur, selon le vœu de celui-ci.

Promoteur : personnage à qui revient l'initiative de faire copier un livre.

Prose : forme de composition musicale liturgique, sur un texte littéraire de facture poétique.

Psautier : livre liturgique contenant les psaumes, qui sert à la célébration des offices.

Queue : bas du dos du livre.

Quinions : cahier composé de cinq bifeuillets, soit dix feuillets ou vingt pages.

Réactif : substance chimique provoquant une réaction colorée des encres et permettant de faire apparaître un texte effacé.

Réclame : indication des premiers mots de la page suivante portée au bas d'une page, le plus souvent à la jonction entre deux cahiers, et permettant de contrôler la bonne succession des feuillets ou des cahiers.

Réglure : ensemble de lignes tracées sur la feuille, avant copie, pour effectuer la mise en page et guider le copiste.

Rubricateur : copiste spécialisé dans l'exécution des titres et la décoration mineure à l'encre de couleur.

Rubrique : intertitre ou mention quelconque inscrite à l'encre rouge (ou, plus généralement, à l'encre de couleur).

Rythme : division qualitative du temps, le rythme est une unité individuelle et possède une unité morphologique, à l'opposé du mètre.

Sacramentaire : livre liturgique contenant les paroles de l'officiant au cours de la célébration de la messe.

Sanctoral : partie d'un livre liturgique qui contient les prières particulières à la célébration des fêtes des différents saints tout au long de l'année.

Saphique : combinaison de quatre vers constituant une strophe, les trois premiers vers ayant onze syllabes et le dernier (adonique) cinq syllabes.

Saut du même au même : faute de copie qui consiste, lorsqu'un mot se trouve répété à peu de distance, à copier directement à la suite de la première occurrence ce qui fait suite à la seconde.

Schéma de réglure : dessin typique formé par la réglure.

Scripteur : personnage, quel qu'il soit (copiste, lecteur...), qui a écrit une mention ou un texte.

Scriptorium : pièce réservée (en particulier dans les monastères) à l'écriture des livres ; en fait, c'est là que se déroulent toutes les opérations contribuant à l'achèvement du livre, de la préparation du support à la décoration et même à la reliure.

Sefer Ha-Makhria^c : recueil de quatre-vingt-douze lois religieuses juives.

Semi-onciale : terme utilisé dans la paléographie slave (russe : *polou-oustav*), à l'instar de la paléographie grecque, pour désigner une écriture moins solennelle et moins soignée que l'onciale *(oustav),* une capitale légèrement arrondie.

Séquence : chant qui suit l'alléluia et dont les mélismes sont divisés en plusieurs incises à cadences stéréotypées.

Signature : numérotation des cahiers d'un volume ou des feuillets d'un cahier.

Slavon : langue d'Église utilisée par les Russes, les Bulgares et les Serbes, constituée à partir des rédactions des textes vieux-slaves adaptées à la phonologie de la langue parlée de chacun de ces peuples.

Support de l'écriture : matériau sur lequel l'écriture est tracée.

Talmud : recueil de base de la « Loi orale » des juifs, élaboré du — IIe siècle au + VIe siècle de l'ère chrétienne. Comprend : la Michna, ensemble des lois déduites des 613 préceptes de la Bible, rédigée pour la plus grande part en hébreu ; la Guemara (ou Talmud au sens strict), le plus souvent en araméen, ensemble des discussions et explications rituelles, juridiques ou homilétiques auxquelles la Michna, compilée au IIe siècle, a donné lieu dans les académies rabbiniques de Terre sainte (T. de Jérusalem) ou des villes babyloniennes de Sura et Pumbedita (T. de Babylone).

Témoin : chacun des différents exemplaires à travers lesquels un texte nous est connu.

Teneur : note centrale de la cantillation.

Tête : haut du dos du livre.

Texte inférieur : le premier, et par conséquent le plus ancien, des textes écrits sur des feuillets palimpsestes.

Texte supérieur : le second, et par conséquent le plus récent, des textes écrits sur des feuillets palimpsestes.

Théorie de l'information : théorie mathématique permettant, notamment, de calculer le rapport d'identité entre le message émis et le message reçu en fonction de la distance et du nombre d'intermédiaires.

Titre courant : titre des grandes parties d'un texte (livre, chapitre...) répété en tête de chaque page.

Torah : Pentateuque.

Tradition : succession plus ou moins longue de manuscrits copiés les uns sur les autres, formant une véritable famille et remontant jusqu'à l'archétype.

Traité Berakhot : une des parties de la Michna, concernant les lois relatives à l'agriculture et aux prières.

Traité Gittin : partie de la Michna relative aux divorces.

Traité Mo^ced : l'une des parties de la Michna, qui traite du chabbat et des fêtes juives.

Translittération : substitution d'une écriture par une autre dans la transcription d'un modèle.

Triptyque : volume formé de trois feuillets.

Tropaire-prosaire : livre de chant liturgique. « Il comprend les tropes du propre et de l'ordinaire, mais aussi les grandes séquences mélismatiques de l'alléluia de la messe, les versets d'offertoire avec leurs prosules et, parfois, les antiennes de procession, voire — dans les moins anciens — des drames liturgiques » (M. Huglo).

Trope : ornement du chant qui embellit la liturgie par interpolations et additions.

Unité de réglure : distance séparant deux lignes rectrices successives.

Variante : forme particulière d'un texte, différente d'une autre forme du même texte.

Volumen : livre antique en forme de rouleau sur lequel le texte est écrit perpendiculairement à l'axe d'enroulement, en une succession de blocs de lignes d'égale longueur séparés les uns des autres par des blancs.

Vulgate : version latine de la Bible faite par saint Jérôme entre 382 et 404 environ, à la demande du pape Damase. Elle se fonde sur les anciennes versions latines mais aussi sur les textes hébreu et grec.

Zohar : œuvre centrale de la littérature juive ésotérique (la kabbale), cet ensemble hétérogène de commentaires bibliques et d'homélies fut, selon la tradition, réuni au IIe siècle par Simon bar Yohaï et, d'après la critique universitaire, rédigé vers 1270 par l'Espagnol Moïse de Léon.

Bibliographie

La fabrication du livre

• *Du rouleau au codex*

Lewis (N.), *Papyrus in Classical Antiquity,* Oxford, 1974.

Roberts (C.H.) et Skeat (T.C.), *The Birth of the Codex,* Londres, 1983.

Sirat (C.), « La morphologie humaine et la direction des écritures », dans *Comptes rendus des séances de l'Académie des inscriptions et belles-lettres,* 1987, p. 7-56.

Turner (E.G.), *Greek Manuscripts of the Ancient World,* Oxford, 1971 ; 2e éd., Londres, 1987. — *The Typology of the Early Codex.* University of Pennsylvania Press, 1977.

• *Supports et encres*

Artsikhovski (A.V.), *Nouvelles Découvertes à Novgorod,* Moscou, 1955 (10e Congrès international des sciences historiques, Rome).

Briquet (C.M.), les *Filigranes,* 2e éd., Amsterdam, 1968, 4 vol.

Blum (A.), *les Origines du papier, de l'imprimerie à la gravure,* Paris, 1935.

Du Méril (E.), « De l'usage non interrompu jusqu'à nos jours des tablettes de cire », dans *Revue archéologique,* nouvelle série, t. 2, 1860, p. 1-16, 91-100.

Irigoin (J.), « La datation par les filigranes du papier », dans *Codicologica,* 5, *les Matériaux du livre manuscrit,* Leyde, 1980, p. 9-36.

La Paléographie hébraïque médiévale, colloque international organisé par le CNRS, Paris, 1974.

Peppe (A.), « Dans la Russie médiévale : écriture et culture », dans *Annales, Économies, Sociétés, Civilisations,* t. 16, 1961, p. 12-35.

Reed (R.), *Ancient Skins, Parchments and Leathers,* Londres, New York, 1972.

Les Techniques de laboratoire dans l'étude des manuscrits, colloque international organisé par le CNRS, Paris, 1974.

Vodoff (W.), « Les documents sur écorce de bouleau de Novgorod », dans *Journal des savants,* 1966, n° 4, p. 193-233 ; 1981, n° 3, p. 229-281.

Wattenbach (W.), *Das Schriftwesen im Mittelalter,* Leipzig, 1896 ; réimpr., Graz, 1958.

Yanine (V.L.), « La découverte de Novgorod », dans *Fouilles et recherches archéologiques en URSS,* Moscou, 1985, p. 212-271.

Zerdoun Bat-Yehouda (M.), *les Encres noires au Moyen Age (jusqu'en 1600),* Paris, 1983.

• *Les palimpsestes et leur traitement*

Benton (J.F.), Gillespie (A.R.) et Soha (J.M.), « Digital Image-Processing Applied to the Photography of Manuscripts », dans *Scriptorium,* t. 33, 1979, p. 40-55.

Chatelain (É.), « Les palimpsestes latins », dans *Annuaire de l'École pratique des hautes études, section des sciences historiques et philologiques,* Paris, 1903, p. 5-42.

Fohlen (J.), « Recherches sur le manuscrit palimpseste Vatican, Palat. lat. 24 », dans *Scrittura e Civiltà,* t. 3, 1979, p. 195-222.

Lowe (E.A.), « Codices rescripti, A List of the Oldest Latin Palimpsests with Stray Observations on their Origin », dans *Mélanges Eugène Tisserant,* t. 5, Cité du Vatican, 1964, p. 67-113 (réimpr. dans Lowe, *Paleographical Papers, 1907-1965,* t. 2, Oxford, 1972, p. 480-519).

Samaran (C.), « Application des rayons ultraviolets au déchiffrement des passages grattés ou effacés dans les manuscrits », dans *Comptes rendus de l'Académie des inscriptions et belles-lettres,* 1925, p. 348-355.

• *Ateliers et copistes*

Bataillon (L.J.), éd., *la Production du livre universitaire au Moyen Age. Exemplar et pecia,* Paris, 1988.

Bischoff (B.), *Paléographie de l'Antiquité romaine et du Moyen Age occidental,* trad. par H. Atsma et J. Vezin, Paris, 1985.

Boyle (L.), *Medieval Latin Paleography. A Bibliographical Introduction,* Toronto, 1984.

Destrez (J.), *la Pecia dans les manuscrits universitaires du XIIIe et du XIVe siècle,* Paris, 1935.

Garand (M.C.), « Manuscrits monastiques et scriptoria aux XIe et XIIe siècles », dans *Codicologica,* 3, *Essais typologiques,* Leyde, 1980, p. 9-33.

Jackson (D.), *Histoire de l'écriture,* trad. française, Paris, 1982.

Lesne (É.), *Histoire de la propriété ecclésiastique en France,* t. 4 : *Les livres, scriptoria et bibliothèques du commencement du VIIIe à la fin du XIe siècle,* Lille, 1938.

Mazal (O.), *Lehrbuch der Handschriftenkunde,* Wiesbaden, 1986.

Metzger (T.), « La représentation du copiste dans les manuscrits hébreux médiévaux », dans *Journal des savants,* 1976, n° 1, p. 32-53.

Stiennon (J.), *Paléographie du Moyen Age,* Paris, 1973.

Ullman (B.L.), *The Origin and Development of Humanistic Script,* Rome, 1960.

Wardrop (J.), *The Script of Humanism : Some Aspects of Humanistic Script, 1460-1560,* Oxford, 1963.

• *Reliures*

Baras (É.), Irigoin (J.) et Vezin (J.), *la Reliure médiévale. Trois conférences d'initiation,* Paris, 1978.

The History of Bookbinding, 525-1950. An Exhibition Held at the Baltimore Museum of Art, Baltimore, 1957.

Mazal (O.), « La reliure au Moyen Age », dans *Liber librorum. Cinq Mille Ans d'art du livre,* Bruxelles, 1973, p. 320-346.

Michon (L.M.), *la Reliure française,* Paris, 1951.

Van Regemorter (B.), « Le codex relié depuis son origine jusqu'au haut Moyen Age », dans *le Moyen Age,* t. 61, 1955, p. 1-26. — « Évolution de la technique de la reliure du VIIIe au XIIe siècle, principalement d'après les manuscrits d'Autun, d'Auxerre et de Troyes », dans *Scriptorium,* t. 2, 1948, p. 275-285.

L'usage du livre

• *Lecteurs et bibliothèques en Occident*

Bataillon (L.J.), « Les conditions de travail des maîtres de l'université de Paris au XIIIe siècle », dans *Revue des sciences philosophiques et théologiques,* t. 67, 1983, p. 417-433.

Becker (G.), *Catalogi bibliothecarum antiqui,* Bonn, 1885.

Bozzolo (C.) et Ornato (E.), *Pour une histoire du livre manuscrit au Moyen Age. Trois essais de codicologie quantitative,* Paris, 1980 ; supplément, Paris, 1983.

Clark (J.W.), *The Care of Books. An Essay on the Development of Libraries and Their Fittings, from the Earliest Times to the End of the Eighteenth Century,* Cambridge, 1901 ; 2e

éd., Cambridge, 1902 (réimpr., Londres, 1975).
Csapodi (C.) et Csapodi-Gárdonyi (K.), *Bibliotheca Corviniana. La Bibliothèque du roi Mathias Corvin de Hongrie*. Trad. fr., Budapest, 1982.
De Ghellinck (J.), « Un évêque bibliophile au XIVe siècle, Richard Aungerville de Bury (1345) », dans *Revue d'histoire ecclésiastique,* t. 18, 1922, p. 271-312, 482-505 ; t. 19, 1923, p. 157-200. — « En marge des catalogues des bibliothèques médiévales », dans *Miscellanea F. Ehrle,* 5, Rome, 1924, p. 331-363 (Studi e Testi, 41).
Delisle (L.), *le Cabinet des manuscrits de la Bibliothèque nationale,* Paris, 1868-1881, 4 vol. dont un de planches. Supplément par E. Poulle, Paris, 1977.
Derolez (A.), *les Catalogues de bibliothèques,* Turnhout, 1979. (Typologie des sources du Moyen Age occidental, 31).
Genevois (A.-M.), Genest (J.-F.) et Chalandon (A.), *Bibliothèques de manuscrits médiévaux en France. Relevé des inventaires du VIIIe au XVIIIe siècle,* Paris, 1987.
Gottlieb (Th.), *Über mittelalterliche Bibliotheken,* Leipzig, 1890 (réimpr., Graz, 1955).
Humphreys (K.W.), *The Book Provisions of the Mediaeval Friars, 1215-1400,* Amsterdam, 1964.
La Librairie de Charles V. Catalogue de l'exposition de la Bibliothèque nationale, Paris, 1968.
Martin (H.J.), *Histoire de l'édition française,* t. 1, Paris, 1982.
Masson (A.), *le Décor des bibliothèques du Moyen Age à la Révolution,* Genève, 1972.
Nebbiai-Dalla Guarda (D.), « Les listes médiévales de lectures monastiques », dans *Revue bénédictine,* t. 96, 1986, p. 271-326.
Parkes (M.B.), « The Influence of the Concepts of *Ordinatio* and *Compilatio* on the Development of the Book », dans *Medieval Learning and Literature, Essays Presented to R. W. Hunt,* Oxford, 1976, p. 115-141.
Petrucci (A.), « Le biblioteche antiche », dans *Letteratura italiana,* t. 2, *Produzione e consumo,* Turin, 1983, p. 527-554.
Thompson (J.W.), *The Medieval Library,* 2e éd., New York, 1957.
Winter (P.M. de), *la Bibliothèque de Philippe le Hardi, duc de Bourgogne (1364-1404),* Paris, 1985.

• *L'obituaire*

Huyghebaert (N.), *les Documents nécrologiques,* Turnhout, 1972. (Typologie des sources du Moyen Age occidental, 4) ; avec mise à jour par J.-L. Lemaître, Turnhout, 1985.
Lemaître (J.-L.), *Répertoire des documents nécrologiques français,* publié sous la direction de P. Marot, Paris, 1980. (Recueil des historiens de la France publié par l'Académie des inscriptions et belles-lettres, Obituaires, t. 7.)
Molinier (A.). *les Obituaires français au Moyen Age,* Paris, 1890.

• *Le monde arabe*

Cahen (C.), *Introduction à l'histoire du monde musulman médiéval. VIIe-XVe siècle. Méthodologie et éléments de bibliographie,* Paris, 1982.
Eche (Y.), *les Bibliothèques arabes publiques et semi-publiques en Mésopotamie, en Syrie et en Égypte au Moyen Age,* Damas, 1967.
Encyclopédie de l'Islam, 2e éd., Leyde, 1960 et suiv. Voir notamment les articles : *Khatt* (écriture) ; *Kitâb* (livre) par R. Sellheim ; *Hadith* (tradition prophétique) par J. Robson.
Pedersen (J.), *The Arabic Book,* trad. du danois par G. French, Princeton, 1984.
Rosenthal (F.), « The Technic and Approach of Muslim Scholarship », dans *Analecta Orientalia,* 24, Rome, 1947, p. 1-74.
Vajda (G.), *les Certificats de lecture et de transmission dans les manuscrits arabes de la Bibliothèque nationale de Paris,* Paris, 1956. — *La Transmission du savoir en Islam, VIIe-XVIe siècle,* éd. N. Cottart, Variorum Reprints, Londres, 1983.

Les textes et leur transmission

• *Une histoire mouvementée*

Curtius (E.R.), *Europäische Literatur und lateinisches Mittelalter,* Berne, 1948 ; 7e éd., 1969 ; trad. fr., *la Littérature européenne et le Moyen Age latin,* Paris, 1956 (réimpr. 1986, 2 vol.)
Dain (A.), *les Manuscrits,* Paris, 1949 ; 3e éd., Paris, 1975.
Geschichte der Textüberlieferung der antiken und mittelalterlichen Literatur, Zurich, 1961-1964, 2 vol.
Reynolds (L.D.), éd., *Texts and Transmission. A Survey of the Latin Classics,* Oxford, 1983.
Reynolds (L.D.) et Wilson (N.G.), *D'Homère à Érasme. La transmission des classiques grecs et latins.* Nouvelle éd. revue et augmentée, trad. par C. Bertrand et mise à jour par P. Petitmengin, Paris, 1984.

• *Naissance du latin médiéval*

Courcelle (P.), *Histoire littéraire des grandes invasions germaniques,* 3e éd., Paris, 1964.
Dagens (C.), *Saint Grégoire le Grand. Culture et expérience chrétiennes,* Paris, 1977.
Fontaine (J.), *Isidore de Séville et la culture classique dans l'Espagne wisigothique,* Paris, 1954, 2 vol. ; nouv. éd. 1983 avec un vol. de notes complémentaires et un supplément bibliographique.
Mohrmann (Chr.), *Latin vulgaire, latin des chrétiens, latin médiéval,* Paris, 1955.
Riché (P.), *Éducation et culture dans l'Occident barbare (VIe-VIIIe siècle).* 3e éd., Paris, 1972.

• *L'humanisme byzantin*

Dagron (G.), *Constantinople imaginaire.* Paris, 1984.
Devreesse (R.), *Introduction à l'étude des manuscrits grecs,* Paris, 1954.
Irigoin (J.), « Survie et renouveau de la littérature antique à Constantinople (IXe siècle) », dans *Cahiers de civilisation médiévale,* t. 5, 1962, p. 287-302 (repris dans D. Harlfinger, *Griechische Kodikologie und Textüberlieferung,* Darmstadt, 1980, p. 173-205).
Lemerle (P.), *le Premier Humanisme byzantin,* Paris, 1971.
Mango (C.), « L'origine de la minuscule », dans *la Paléographie grecque et byzantine,* colloque international organisé par le CNRS, Paris, 1977, p. 175-180. « The Availability of Books in the Byzantine Empire, A.D. 750-850 », dans *Byzantine Books and Bookmen. A Dumbarton Oaks Colloquium,* Washington, 1975, p. 29-46.
Wilson (N.G.), « Books and Readers in Byzantium », dans *Byzantine Books and*

Bookmen, p. 1-16. — *Scholars of Byzantium.* Londres, 1983.

• *Les premiers témoins du français*

Berschin (H.), Berschin (W.) et Schmidt (R.), « *Augsburger Passionlied.* Ein neuer romanischer Text des X. Jahrhunderts », dans *Lateinische Dichtungen des X. und XI. Jahrhunderts. Festschrift Walter Bulst,* Heidelberg, 1981, p. 251-279.

Delbouille (M.), « L'évolution des formes et de l'esprit de la littérature française des origines au XIIIe siècle », dans *Concetto, miti e immagini del Medio Evo,* éd. par V. Branca, Florence, 1973, p. 225-245. — « La formation des langues littéraires et les premiers textes », dans *Grundriss der romanischen Literaturen des Mittelalters,* t. 1, Heidelberg, 1972, p. 559-584 et 605-622.

De Poerck (G.), « Les plus anciens textes de la langue française comme témoins de l'époque », dans *Revue de linguistique romane,* t. 27, 1963, p. 1-34.

Rychner (J.), « Observations sur le style des deux poèmes de Clermont : la *Passion du Christ* et la *Vie de saint Léger* », dans *Orbis mediaevalis. Mélanges de langue et de littérature médiévale offerts à Reto Raduolf Bezzola,* Berne, 1978, p. 353-371 ; rééd. dans Rychner (J.), *Du Saint-Alexis à François Villon. Études de littérature médiévale,* Genève, 1985, p. 1-19.

Wolff (Ph.), *les Origines linguistiques de l'Europe occidentale,* Toulouse, 1982, p. 43-90.

Zumthor (P.), « Un trompe-l'œil linguistique. L'aube bilingue de Fleury », dans *Romania,* t. 105, 1984, p. 171-192.

• *Les manuscrits des communautés juives*

Sirat (C.), en collab. avec M. Dukan, *Écriture et civilisation.* Paris, 1976. — « La lettre hébraïque et sa signification », en collab. avec L. Avrin, dans *Micrography as Art,* Paris, 1981. — « Les manuscrits en caractères hébraïques, réalités d'hier et histoire d'aujourd'hui », dans *Scrittura e civiltà,* t. 10, 1986, p. 239-288.

Sirat (C.) et Beit-Arié (M.), *Manuscrits médiévaux en caractères hébraïques portant des indications de date* (jusqu'en 1540), Paris-Jérusalem, 1972-1986, 3 vol.

• *Les traducteurs médiévaux*

Alverny (M.-Th.d'), « Translations and Translators », dans *Renaissance and Renewal in the Twelfth Century,* éd. par R.L. Benson et G. Constable, Cambridge, Massachusetts, 1982, p. 421-462.

Berschin (W.), *Griechisch-lateinisches Mittelalter von Hieronymus zu Nikolaus von Kues,* Berne-Munich, 1980.

Courcelle (P.), *les Lettres grecques en Occident de Macrobe à Cassiodore,* Paris, 1943.

Jérôme (saint), *Epist. LVII, ad Pammachium, de optimo genere interpretandi,* éd. et trad. J. Labourt, *Saint Jérôme, Lettres,* t. 3, Paris, 1953, p. 55-73. (Collection des Universités de France).

Kristeller (P.O.) et Cranz (F.E.), *Catalogus translationum et commentariorum. Mediaeval and Renaissance Translations and Commentaries.* Washington, 1960-1986, 6 vol.

Lundström (S.), *Übersetzungstechnische Untersuchungen auf dem Gebiete der christlichen Latinität,* Lund, 1955.

Sendrail (M.), « La foi coranique et l'héritage médical grec », dans *Bulletin de l'Association Guillaume-Budé,* 1977, p. 278-299.

Steinschneider (M.), *Die europäischen Übersetzungen aus dem Arabischen bis Mitte des 17. Jahrhunderts,* Vienne, 1904-1905, 2 vol. ; 2e éd. Graz, 1956. — *Die hebräischen Übersetzungen des Mittelalters und die Juden als Dolmetscher,* Berlin, 1893 ; 2e éd. Graz, 1956.

Traductions et traducteurs au Moyen Age. Actes de la table ronde réunie à l'IRHT (Paris) les 26-28 mai 1986 (à paraître).

• *Kalila et Dimna*

Cheikho (L.), *Kalila wa-Dimna,* édition du texte arabe d'après le manuscrit de Dayr al-Shir, Beyrouth, 1905.

Derembourg (J.), *Johannis de Capua Directorium humanae vitae, alias Parabolae antiquorum sapientum,* Paris, 1889.

Husayn (T.) et Azzam (Abd W.), *Kalila wa-Dimna, édition du texte arabe d'après le manuscrit de Sainte-Sophie,* Le Caire, 1941.

Ibn al-Muqaffa, *le Livre de Kalila et Dimna,* trad. de l'arabe par A. Miquel, Paris, 1980.

Khawam (R.), *Abd Allah Ibn Muqaffa, le pouvoir et les intellectuels,* Paris, 1985.

Historia y bibliografia del libro de Calila y Dimna, Madrid, 1975.

Pellat (Ch.), *Ibn al-Muqaffa : conseilleur du Khalife,* Paris, 1976.

Silvestre de Sacy (A.I.), *le Livre de Calila et Dimna ou fables de Bidpay,* Paris, 1816.

• *Une bible à la rencontre des cultures*

Baer (I.), A History of the Jews in Christian Spain, Philadelphie, 1961-1966, 2 vol.

Morreale (M.), « Biblia romanceada y diccionario historico », dans *Studia philologica,* t. 2, Madrid, 1961, p. 509-536. — « El glossatio de Rabi Mose Arragel en la Biblia de Alba », dans *Bulletin of Hispanic Studies,* t. 38, 1961, p. 145-162.

Narkiss (B.) et Sed-Rajna (G.), *Index of Jewish Art,* Paris-Jérusalem, 1978-1987, 4 vol.

Nordström (C.O.), *The Duke of Alba's Castillian Bible.* Stockholm, 1967.

Paz y Melia (A.), *Biblia « Antiguo Testamento » traducida del hebreo al castellano por Rabi Mose Arragel de Guadalajarra (1422-1433 ?) y publicada por el Duque de Berwick y de Alba.* Madrid, 1922, 2 vol.

Poliakov (L.), *Histoire de l'antisémitisme, de Mahomet aux Marranes,* Paris, 1961, t. 2.

Illustrer et chanter

• *Les manuscrits enluminés et leur interprétation*

Avril (F.), « Le destinataire des Heures *Vie à mon désir :* Simon de Varie », dans *Revue de l'art,* t. 67, 1985, p. 29-40. — « Un chef-d'œuvre de l'enluminure sous le règne de Jean le Bon : la Bible moralisée, manuscrit français 167 de la Bibliothèque nationale », dans *Monuments et Mémoires, Fondation Eugène Piot,* t. 58, 1973, p. 91-125.

Berger (S.) et Durrieu (P.), « Les notes pour l'enlumineur dans les manuscrits du Moyen Age », dans *Mémoires de la Société des antiquaires de France,* t. 53, 1893, p. 1-30.

Buchtal (H.), *The Miniatures of the Paris Psalter,* Londres, 1938. — *Miniature Painting in the Latin Kingdom of Jerusalem,*

Oxford, 1957. — *Historia Troiana,* Londres-Leyde, 1971.

Gaedhe (J.E.), « Carolingian Interpretations of an Early Christian Picture Cycle to the Octateuch in the Bible of San Paolo Fuori le Mura in Rome », dans *Frühmittelalterliche Studien,* t. 8, 1974, p. 351-384.

Garnier (F.), *le Langage de l'image au Moyen Age,* Paris, 1982-1987, 2 vol.

Grabar (A.), « Les illustrations des Beatus mozarabes et les miniatures orientales chrétiennes et juives », dans *Cahiers archéologiques,* t. 28, 1979, p. 7-16.

Kessler (H.L.), *The Illustrated Bibles from Tours,* Princeton, 1941.

Mane (P.), « L'iconographie des manuscrits du *Traité d'agriculture* de Pier' De Crescenzi », dans *Mélanges de l'École française de Rome, Moyen Age, Temps modernes,* t. 97, 1985, p. 727-818.

Sed-Rajna (G.), « The Illustrations of the Kaufmann Mishneh Torah », dans *Journal of Jewish Art,* t. 6, 1979, p. 64-77. — « Sur l'origine de quelques enluminures juives du Moyen Age », dans *Journal of Jewish Studies,* t. 36/2, 1985, p. 175-184.

Toubert (H.), « Formes et fonctions de l'enluminure », dans *Histoire de l'édition française,* sous la dir. de H.J. Martin, t. 1, Paris, 1982, p. 87-129. — « Iconographie et histoire de la spiritualité médiévale », dans *Revue d'histoire de la spiritualité,* t. 50, 1974, p. 265-284. — Influences gothiques sur l'art frédéricien : le Maître de la Bible de Manfred et son atelier », dans *Federico II e l'arte del Duecento italiano, Atti della IIIe Setimana di studi di storia dell'arte medievala dell'Università di Roma (mai 1978),* t. 2, Galatina, 1980, p. 59-76.

Weitzmann (K.), *Illustrations in Roll and Codex, A Study of the Origin and Method of Text Illustration,* Princeton, 1970 — *The Miniatures of the Sacra Parallela, Parisinus Graecus 923,* Princeton, 1979. — « The Genesis Mosaics of San Marco and the Cotton Genesis Miniatures », dans O. Demus, *The Mosaics of San Marco in Venice,* Chicago, 1984, t. 1/2, p. 105-142. — *The Cotton Genesis, British Library, Codex Cotton Otho B VI,* Princeton, 1986.

• *Poésie et musique*

Beaufils (M.), *Musique du son, musique du verbe,* Paris, 1954.

Corbin (S.), « Comment on chantait les classiques latins au Moyen Age », dans *Mélanges d'histoire et d'esthétique musicales offerts à P.M. Masson,* t. 1, Paris, 1955, p. 107-113.

Coussemaker (E. de), *Histoire de l'harmonie au Moyen Age,* Paris, 1852, p. 102-104.

Draheim (J.) et Wille (G.), *Horaz-Vertonungen vom Mittelalter bis zur Gegenwart. Eine Anthologie,* Amsterdam, 1985.

Escudier (D.), « Des notations musicales dans les manuscrits non liturgiques antérieurs au XIIe siècle », dans *Bibliothèque de l'École des chartes,* t. 119, 1971, p. 27-48.

• *Le cas d'Orderic Vital*

Chibnall (M.), *The World of Orderic Vitalis,* Oxford, 1984.

Corbin (S.), « Valeur et sens de la notation alphabétique à Jumièges et en Normandie », dans *Jumièges, Congrès scientifique du XIIIe centenaire,* Rouen, 1955, p. 913-924.

Delisle (L.), « Notes sur les manuscrits autographes d'Orderic Vital », préface aux *Matériaux pour l'édition de Guillaume de Jumièges préparée par Jules Lair,* Paris, 1910.

Orderic Vital, *The Ecclesiastical History of Orderic Vitalis, Edited and Translated by M. Chibnall,* Oxford, 1968.

Antiquaires, philologues et informaticiens

• *La chasse aux manuscrits*

L'Âge d'or du mécénat (1598-1661), Colloque international organisé par le CNRS, Paris, 1985.

Brown (H.), art. « *Peiresc* (Nicolas-Claude Fabri de) », dans *Dictionary of Scientific Biography,* t. 10, 1974, p. 488-492.

Doucette (L.E.), *Emery Bigot, A Seventeeth Century French Humanist,* Toronto-Buffalo, 1970.

Fohlen (J.), *Dom Luc d'Achery (1609-1685) et les débuts de l'érudition mauriste,* extrait de la *Revue Mabillon,* t. 55-57, 1965-1967.

Fraser (J.G.), « A Checklist of Samaritan Manuscripts Known to have Entered Europe Before A.D. 1700 », dans *Abr-Nahrain,* t. 21, 1982-1983, p. 10-27.

Humbert (P.), *Un amateur : Peiresc (1580-1637),* Paris, 1933.

Kenney (E.J.), *The Classical Text, Aspects of Editing in the Age of the Printed Book,* Berkeley-Los Angeles-Londres, 1974.

Martène (E.) et Durand (U.), *Voyage littéraire de deux religieux bénédictins de la congrégation de Saint-Maur,* Paris, 1717-1724, 2 vol.

Martin (H.J.), *Livre, pouvoirs et société à Paris au XVIIe siècle (1598-1701),* Genève, 1969, 2 vol.

Pomian (K.), *Collectionneurs, amateurs et curieux, Paris, Venise, XVIe-XVIIIe siècle,* Paris, 1987.

Sabbadini (R.), *Le scoperte dei codici latini e greci ne' secoli XIV e XV,* Florence, 1905-1914 (2e éd. 1971), 2 vol.

Vecce (C.), *Iacopo Sannazaro in Francia, Scoperte di codici all'inizio del XVI secolo,* Padoue, 1988. (Medioevo e Umanesimo, 69).

• *La philologie universitaire*

Havet (L.), *Manuel de critique verbale appliquée aux textes latins,* Paris, 1911.

Marichal (R.), « La critique des textes », dans *l'Histoire et ses méthodes,* sous la direction de C. Samaran, Paris, 1967, p. 1247-1366 (Encyclopédie de la Pléiade).

Metzger (B.M.), *The Text of the New Testament. Its Transmission, Corruption and Restoration,* 2e éd., Oxford, 1968.

Pasquali (G.), *Storia della tradizione e critica del testo,* 2e éd., Florence, 1962.

Pfeiffer (R.), *History of Classical Scholarship from 1300 to 1850,* Oxford, 1976.

Philologie et herméneutique au XIXe siècle, Göttingen, 1983, 2 vol.

Timpanazo (S.), *La genesi del metodo del Lachmann,* 2e éd. Padoue, 1981.

• *Une ouverture sur l'informatique*

Une bibliographie courante est donnée par le périodique *le Médiéviste et l'ordinateur,* Paris, 1979.

Froger (J.), *la Critique des textes et son automatisation,* Paris, 1968.

La Pratique des ordinateurs dans la critique des textes (Colloque international organisé par le CNRS, Paris, 29-31 mars 1978), Paris, 1979.

Dans le chapitre « Une bible à la rencontre des cultures », les photographies des planches sont la propriété personnelle de Sonia Fellous. Les prises de vue et leur reproduction ont été effectuées grâce à la bienveillante autorisation de Son Excellence Monsieur le Duc d'Alba qui nous a ouvert sa bibliothèque du Palacio de Liria, à Madrid. Nous adressons également nos remerciements à Monsieur José Manuel Calderon, bibliothécaire de la Casa de Alba pour son efficace coopération.
Les photographies des documents provenant des bibliothèques municipales françaises appartiennent à la collection de l'I.R.H.T.
Pour le document 20 de la page 136 : © Photo Zodiaque.

Maquette :
Richard Medioni et Françoise Bosquet
Dépôt légal : 4e trimestre 1988
Numéro d'éditeur : 10
ISBN : 2-87682-015-3